Do Roraima ao Orinoco

Volume III

Theodor Koch-Grünberg

Do Roraima ao Orinoco

Resultados de uma viagem no Norte do Brasil e na Venezuela nos anos de 1911 a 1913

Volume III

Etnografia

Tradução

Cristina Alberts-Franco

unesp 1922

editora unesp

editora UEA

Título original: *Vom Roroima zum Orinoco: Ergebnisse einer Reise in Nordbrazilien und Venezuela in den Jahren 1911-1913.* Dritter Band: Ethnographie

Direitos de publicação reservados à:
Fundação Editora da Unesp (FEU)
Praça da Sé, 108
01001-900 – São Paulo – SP
Tel.: (0xx11) 3242-7171
Fax: (0xx11) 3242-7172
www.editoraunesp.com.br
www.livrariaunesp.com.br
atendimento.editora@unesp.br

Dados Internacionais de Catalogação na Publicação (CIP) de acordo com ISBD
Elaborado por Odilio Hilario Moreira Junior – CRB-8/9949

K76d

Koch-Grünberg, Theodor
Do Roraima ao Orinoco: Resultados de uma viagem no Norte do Brasil e na Venezuela nos anos de 1911 a 1913 – Volume III: Etnografia / Theodor Koch-Grünberg; traduzido por Cristina Alberts-Franco. – São Paulo: Editora Unesp, Editora UEA, 2022.

Traduzido de *Vom Roroima zum Orinoco: Ergebnisse einer Reise in Nordbrasilien und Venezuela in den Jahren 1911-1913.* Dritter Band: Ethnographie
Inclui bibliografia.
ISBN: 978-65-5711-121-5 (Editora Unesp)
ISBN: 978-65-80033-81-2 (Editora UEA)

1. Relato de viagens. 2. Descrições e viagens. 3. Antropologia. 4. Etnografia. I. Alberts-Franco, Cristina. II. Título.

2022-640 CDD 910.4
CDU 913

Editora afiliada:

Asociación de Editoriales Universitarias de América Latina y el Caribe

Associação Brasileira de Editoras Universitárias

Prancha 1. Volta para casa com lenha, Taulipáng.

Nota dos editores

Procurando equilibrar a viabilidade do projeto editorial e o maiúsculo interesse científico da obra, a Editora Unesp traz ao público brasileiro a integralidade dos três primeiros volumes de *Do Roraima ao Orinoco*, por serem aqueles que constituem a espinha dorsal do trabalho de Theodor Koch-Grünberg.

SUMÁRIO

ÍNDICE DAS PRANCHAS, ILUSTRAÇÕES E MAPA

PRANCHAS

Ilustrações

FONÉTICA

Dos textos em língua estrangeira e dos nomes indígenas que aparecem no texto em português

VOGAIS

a, i, u – como em português
e – como o *e* fechado em português
o – geralmente aberto, semelhante ao *o* aberto em português
a̲ – entre *a* e *o*, semelhante ao *a* inglês de *walk*.
u̲ – entre *u* e *o*.
e – reduzido, produzido no pré-palato; pendendo para o *i*, especialmente no fim.
e̲ – aberto, semelhante ao *é* em português.
e̥ – abafado, semelhante ao *u* inglês em *hut*, às vezes quase não se pode distingui-lo do *u* em alemão.
ai, au, oi – ambas as vogais são ditas separadamente.
ai̯, au̯, oi̯ – ditongo; igualmente, quando o segundo fonema tem acento agudo, por exemplo, *aí, aú*.
á – sílaba tônica
ā – longa. Onde faltar o símbolo de pronúncia longa, as vogais são pronunciadas de modo mais ou menos breve.
ă – muito breve.
ã – nasalado. Todas as vogais são nasaladas.
w – *u* consonantal, como o *w* inglês em *water*.
y – *i* consonantal, como o *y* inglês em *youth*.
( ) – vogais entre parênteses são fortemente reduzidas, às vezes mal se pode ouvi-las.

CONSOANTES

b, p, k, m, n, s, t – como em português.
d – no início da palavra, como no português, no fim da palavra, bem suave.

f^h – entre *f* e *h* aspirado.

g – no início da palavra, como em português, no fim da palavra, bem suave.

h – *h* aspirado.

x – consoante fricativa gutural, semelhante ao *j* em espanhol.

x̭ – semelhante ao *ch* alemão em *nicht*.

l – entre *l* e *r*, semelhante ao *l* rolante em polonês.

r – rolante, mal se distingue de *l* rolante.

r e *d* – em Yekuaná, mal se distingue um do outro.

z – suave fonema *s*.

z̭ – semelhante ao inglês *th*, mas mais suave; entre o *th* e o *y* em inglês.

ž – *j* em português.

š – *x* em português, como em *xisto*.

n – *ng* em alemão, como em *Engel*.

( ) – as consoantes entre parênteses são fortemente reduzidas, às vezes mal se pode ouvi-las.

´ – o apóstrofo indica uma interrupção singular na palavra, como se o fonema anterior ficasse parado na garganta. É um fonema laríngeo explosivo e áfono, ora sentido como pausa, ora como um *e* fortemente reduzido, ora soando como uma leve duplicação da vogal anterior. Ele deve substituir, muitas vezes, uma vogal que falta.

PREFÁCIO

Theodor Koch-Grünberg

Neste volume quero relatar o que vi e aprendi sobre a cultura material e espiritual de algumas tribos do Norte do Brasil e do Sul da Venezuela, entre o *rio* Branco e o Orinoco. Tenho consciência de que, em vários aspectos, podem ser apenas fragmentos, mas que guardarão seu valor, pois a decadência desses povos e de sua cultura dá-se rapidamente.

As coleções etnográficas dessa viagem encontram-se nos museus etnográficos de Berlim, Hamburgo e Leipzig; peças isoladas são de propriedade particular. Sou grato aos srs. diretores prof. dr. Max Schmidt, prof. dr. Thilenius, prof. dr. Weule e ao diretor da divisão, dr. Fritz Krause, por sua amável boa vontade e solicitude.

Devo a máxima gratidão aos srs. editores que, com um idealismo e uma coragem que nos dias atuais devem ser duplamente reconhecidos, possibilitaram a continuidade da edição desta obra.

Difícil coisa é entrar na alma de uma pessoa, de um povo. As próximas páginas mostrarão até que ponto fui bem-sucedido.

Stuttgart, fevereiro de 1923.

A TERRA E SEUS HABITANTES

As moradas das tribos cuja cultura será tratada aqui ficam, mais ou menos, entre 3° e 5° n. Br. e entre 60° e 68° w. L. de Greenwich. Essa região estende-se do *rio* Branco-Uraricoera para o norte até o Roraima e, para o oeste, até o Orinoco e se divide em duas partes distintamente separadas, o cerradão a leste e a mata virgem a oeste. O cerradão contínuo chega, a oeste, até a grande ilha Maracá do Uraricoera. De lá, em direção oeste, até a serra Parima, o divisor de águas entre o Uraricoera e o Orinoco, e, mais além, encontra-se uma região de mata virgem fechada que, no médio e baixo Ventuari, é substituída por cerrados pobres em árvores. A árvore característica desses cerrados é a palmeira *miriti*, *Mauritia flexuosa*, que, isoladamente ou em grupos, acompanha o curso dos rios e riachos e alegra a vista com sua distinta beleza – ela chega a 100 pés de altura. Suas fibras e folhas são utilizadas pelos índios para diversos trabalhos. Junto dela, a *Curatella americana* (L.) confere sua marca à região do cerrado. Ao contrário daquela altiva palmeira, que por toda parte indica a existência de solo úmido, a *Curatella* é a árvore predominante do cerrado baixo e seco. Sua modéstia se manifesta no porte estropiado, nos galhos uniformemente recortados cobertos de casca rasgada como cortiça e nas folhas duras e ásperas, que são usadas pelos índios para polir suas armas e utensílios.[1]

Essa enorme região é pouquíssimo povoada. Com frequência, as povoações dos índios distam vários dias de viagem umas das outras, e existem trechos enormes, como os cursos médio e superior do Uraricoera, que, excetuando-se algumas hordas de índios nômades, hoje estão totalmente despovoados. As povoações sempre se encontram próximas de um curso d'água, numa elevação onde não estão expostas às inundações anuais. Na região dos cerrados, elas se apoiam numa serra que tem nas encostas rochosas uma fina camada de húmus e, por isso, é própria para o cultivo de plantas úteis, enquanto o solo pedregoso e arenoso do cerrado plano não produz nada. Também na estiagem, essas encostas recebem normalmente umidade suficiente através de precipitações de orvalho e névoa. É verdade que, em anos muito secos, os campos ressecam e a fome grassa, causando numerosas vítimas, especialmente entre as crianças.[2] Assim, a vida do índio do cerrado é bem mais difícil do que a do índio da floresta, que encontra durante o ano todo seu abundante sustento através da grande fertilidade do solo e da fartura em caça.

---

1 Theodor Koch-Grünberg. *Vom Roroíma zum Orinoco: Reisen in Nordbrasilien und Venezuela in den Jahren 1911-1913*. Mitteilungen der Geogr. Ges. In: *München*, v.XII, p.1*ss*.

2 Foi assim no verão excepcionalmente seco e longo de 1911-1912, que custou a vida de muitos índios.

O tráfego entre as povoações isoladas e, com isso, de tribo para tribo, ao qual não se opõe no cerrado, pelo menos na estiagem, nenhum obstáculo digno de menção, é favorecido na região da floresta tropical pelos numerosos cursos d'água que proporcionam estradas propícias aos índios que habitam a mata, peritos em navegação. Além disso, numerosas trilhas estreitas atravessam a mata, utilizadas há muitas gerações e bem conhecidas dos índios. Com frequência, duas bacias hidrográficas ligam-se uma à outra por breves trechos por terra, pelos quais, em poucas horas, os botes podem ser levados pelo divisor de águas.

A maior parte da população indígena entre o *rio* Branco e o Orinoco, com a qual travei contato, pertence ao grupo Karib. São, de leste a oeste, as seguintes tribos: Makuxí, Taulipáng, Arekuná, Sapará, Wayumará, Purukotó, Yekuaná, Yauarána. Entre essas tribos e, em parte, misturadas com elas vivem membros do grupo Aruak; na região do *rio* Branco, os Wapishána; na região do Orinoco, os Guinaú. Por fim, encontram-se em ambas as regiões algumas tribos com línguas isoladas, às quais pertencem os Xirianá e Waíka, Auaké, Kaliána, Máku, Piaroa e, provavelmente, também os Marakaná.[3]

A tribo mais populosa, cujo número total se deve estimar em aproximadamente 3 mil almas, são os Makuxí. Sua principal região, como já ocorria na época de seu primeiro encontro com os europeus em fins do século XVIII, fica entre o Tacutu, seu afluente direito Mahu ou Iréng e o Rupunúni, o grande afluente esquerdo do alto Essequibo, na região limítrofe entre o Brasil e a Guiana Inglesa, onde eles habitam especialmente a grande serra arborizada Canucu. De lá, estendem-se a oés-noroeste até o Cotingo e mais além, habitando povoações em ambas as margens do Surumu, e, ao sul de lá, no cerrado montanhoso, junto com os Wapixána, até a região do alto Parimé-Maruá. Na margem direita do baixo Uraricoera encontram-se apenas poucas pequenas povoações de índios Makuxí, que aqui, assim como no Surumu, em parte já se misturaram com os Wapixána. O posto mais avançado da tribo a oeste, separado pelos Wapixána da maior parte a leste e sem relação com ela, são os Makuxí de Maracá. Estes eram considerados, ainda há poucas décadas, como bastante autênticos e eram temidos por seus vizinhos. Opressão e violência por parte dos colonos brancos que, nos últimos trinta anos, se estabeleceram nessa parte do rio, bem como epidemias, dizimaram-nos e os dispersaram. Escassos restos vivem aqui e ali em pequenas cabanas na ilha Maracá e em torno dela.

Segundo minha experiência, a tribo dos Makuxí se divide, conforme suas moradas e particularidades dialetais, em alguns bandos que se defrontam com certa desconfiança. Quero enumerar aqui os mais importantes deles:

1. Os Mo'noikó ou Mo'nöikó vivem no baixo Cotingo e a leste dele nas serras e se destacam por sua compleição musculosa e traços rudes e nariz achatado. Entre seus irmãos de tribo no Surumu eles têm má fama devido à suposta feitiçaria.

---

[3] Pormenores sobre essas tribos, sua história, domicílios e número encontram-se no meu artigo do "Festschrift für Eduard Seler": "Die Völkergruppierung zwischen Rio Branco, Orinoco, Rio Negro und Yapurá", p.205-6 e mapa linguístico.

2. Asepanggóng é como os Makuxí do alto Tacutu são chamados, sendo considerados *kanaimé* (assassinos ocultos e feiticeiros) muito perigosos.
3. Os Kenóloko vivem nas cabeceiras do Cotingo. Dizem que acrescentam à maioria das palavras o sufixo "*-džo*".
4. Os Tewäyá vivem na encosta sudeste da grande serra Mairari, no lado esquerdo do médio Surumu, alguns também no alto Majari.
5. Eliáng é como os Makuxí de Maracá são chamados.

Os vizinhos a noroeste e norte dos Makuxí e, linguisticamente, seus parentes próximos são os Taulipáng, como eles se autodenominam. São os "Arekunas, Yarecunas, Yaricunas" dos antigos viajantes e dos brasileiros. Com o nome de "Yarikúna", que os Wapixána lhes atribuem, eles próprios se autodenominam para os brancos. Somente após convivência mais prolongada com eles descobri o verdadeiro nome de tribo e também vi esse dado confirmado pelos textos que anotei de sua língua.

Toda a tribo dos Taulipáng deve contar hoje com 1.000 a, no máximo, 1.500 almas. Antigamente, eram considerados tão numerosos quanto os Makuxí, mas parece que, nas últimas décadas, perderam muita gente devido à varíola e outras epidemias. Suas moradas estendem-se do Surumu, ao norte, até o Roraima e, a sudoeste, além do curso superior dos rios Parimé-Maruá e Majari até a ilha Maracá. São, portanto, predominantemente habitantes do cerrado. Somente no alto Surumu é que adentram, com algumas pequenas povoações, a região de floresta tropical fechada que começa lá. Apesar dessa grande extensão da tribo, as diferenças dialetais na língua são muito pequenas.

Com o passar do tempo, os Taulipáng de hoje provavelmente assimilaram numerosos elementos estrangeiros. Assim, Coudreau ainda designa os habitantes do alto Majari, que hoje se chamam "Taulipáng" e também falam essa língua, como "*chiricumes mansos*" em oposição aos temidos "*chiricumes bravos*" do divisor de águas entre o Essequibo e o *rio* Yauaperý, e também chama aqueles de inimigos dos "Yarecunas".[4] Os Taulipáng do alto Surumu, que habitam a mata, foram designados para mim também como "Pixaukó", resto de uma tribo hoje talvez desaparecida, da qual tratarei mais adiante. Por seu tipo grosseiro, esses Taulipáng ocidentais distinguem-se consideravelmente de seus irmãos de tribo do Roraima e dos cerrados das serras ao sul, que, em geral, possuem traços finos e formas suaves, às vezes quase femininas. Assim, é provável que, com o passar do tempo, os Taulipáng tenham absorvido tribos mais fracas através de penetração pacífica e também belicosa.

Os parentes mais próximos dos Taulipáng são os verdadeiros *Arekuná*. As línguas de ambas as tribos só se diferenciam dialetalmente, de modo que eles conseguem conversar sem esforço. Em sua compleição física, os Arekuná se assemelham muito aos Taulipáng do Roraima e pertencem aos índios mais bonitos que encontrei. É verdade que não os visitei em suas moradas, mas convivi meses a fio com representantes dessa tribo e, por isso, aprendi algumas coisas sobre eles.

---

4 Henri A. Coudreau. *La France Équinoxiale*. v.II. Paris, 1887, p.283, 289, 321, 356, 394, 396 e mapas VI e VII.

Sua região começa no lado noroeste do monte Roraima e chega, numa enorme extensão que, aparentemente, é muito pouco povoada, além do Caroni e Paragua até perto do Caura. São, portanto, puros índios da floresta. Em número, devem igualar os Taulipáng. No Caroni também são chamados de Kamarakotó. Como outra subdivisão, indicaram-me os Antaualikó do Akanang, um afluente do Paragua.

Ingarikó, mais exatamente Inggarlikóg, é como os Taulipáng e Arekuná chamam seus vizinhos ao norte e nordeste do Roraima. O nome significa "gente da mata". Também não consegui encontrar esses índios em suas moradas. No Roraima, vi somente um homem velho de tipo físico surpreendente, que os Taulipáng de lá chamavam de "Ingarikó". Provavelmente, este nem é o nome de uma tribo, mas apenas a designação dada pelas tribos vizinhas com uma conotação depreciativa. Várias tribos chamam outras tribos de "Ingarikó", mas, pelo visto, nenhuma tribo atribui a si mesma esse nome. Os Arekuná assim chamam seus vizinhos a leste, os Akawoío, ao passo que os Makuxí designam com esse nome os Karib Patamona na bacia do Mahú (Ireng), que, porém, parecem ser apenas uma subdivisão dos Akawoío.

Parece que, antigamente, os "Ingarikó" eram inimigos mortais dos Taulipáng e Arekuná, e, ainda hoje, têm a má fama entre seus vizinhos de ser feiticeiros maus e envenenadores. Nas lendas daquelas duas tribos, o grande feiticeiro e antropófago Piai'má é considerado o progenitor dos "Ingarikó", o que talvez aponte para antigos hábitos canibais verídicos ou supostos desses habitantes da mata.[5]

De um Arekuná obtive os seguintes nomes de hordas dos "Ingarikó" com indicação de suas moradas:

1. Temómökó a leste da serra Mairari, entre esta e o curso médio do Cotingo.
2. Kukuyikó bem a leste do Cotingo, no Mazaruni, provavelmente em suas cabeceiras.
3. Alupáluo no afluente Alupalu ou Aruparu do Mazaruni.
4. Kuyálako no Kuyalá, um afluente do Mazaruni, nas proximidades do monte Wayaká, ao norte do Roraima.
5. Kakóliko a sudeste do Roraima.[6]

Os nomes dessas hordas relacionam-se, portanto, em parte, aos rios em cujas margens elas vivem, e todas pertencem à língua Arekuná ou Taulipáng.[7] É duvidoso se eles se autodenominam dessa forma ou de modo semelhante. Parece que, de fato, se trata de subdivisões do povo Akawoío.

No Roraima, ainda obtive os seguintes nomes de hordas:

1. Wauyaná, que vivem no Mazaruni.
2. Ateró, que vivem a nordeste do Roraima no Sipurini (pelo visto, o Siparoni dos mapas).

---

5 Vide v.II, p.21, 80.

6 Pelo visto, são os Cuya do mapa de Schomburgk, um afluente esquerdo do alto Mazaruni.

7 Mais exatamente: Temómökóg, Kukuyikóg, Kuyálakog, Kakólikog.

3. Pulöiyemöko, que vivem na margem esquerda do alto Cotingo, usam longas zarabatanas no lóbulo da orelha, daí o nome (pe̥lé̥u = zarabatana). Eles fazem tatuagens na região da boca.

Não sei se também essas três hordas pertencem aos Akawoío, mas é provável.

Uma tribo misteriosa são os Pixaukó.[8] Eles também desempenham um papel nas lendas dos Taulipáng, que contam de suas lutas não tão antigas com os Pixaukó.[9]

Diz-se que falam um dialeto dos Makuxí e se dividem em três subdivisões que vivem bem afastadas umas das outras, mas que – não sei de que maneira – mantêm contato entre si. É considerada sua morada principal a alta serra Töpekíng, semelhante a um dique, ao norte da ilha Maracá. Diz-se que Pixaukó pacíficos vivem em seu lado sul e em sua encosta oriental, onde se eleva uma gigantesca rocha em forma de uma casa indígena redonda. Que Pixaukó muito bravos habitam a encosta norte da serra. Que têm grandes aldeias com muitas casas e possuem muitas espingardas, já que eles mantêm relações com os brancos ao norte, "os espanhóis ou ingleses". Parece que as duas outras subdivisões habitam a serra Uraukaíma na margem direita do alto Surumu e, bem a leste, uma alta serra no alto Tacutu, segundo alguns, a grande serra da Lua. É uma tribo de "*kanaimé*", odiada e temida por todos os vizinhos, especialmente por seus inimigos hereditários, os Taulipáng e Arekuná, que atribuem quase todas as mortes à feitiçaria deles.

Todos contam dos Pixaukó, mas ninguém os viu. Obviamente, trata-se de uma tribo que nem existe mais como tal, mas que, há algumas gerações, já foi destruída pelos atuais habitantes dessas áreas; talvez sejam os antigos senhores da terra que, ainda na memória dos descendentes dos vencedores, são tão temidos. Como mencionei anteriormente, alguns Taulipáng que vivem no alto Surumu, dispersos na mata, como famílias em pequenas cabanas, foram-me indicados como antigos Pixaukó. Com seus rostos feios, a testa protuberante e conformação física malproporcionada, distinguem-se imediatamente dos verdadeiros Taulipáng e Arekuná.

Na extremidade oriental da ilha Maracá encontram-se pequenos restos das três tribos Karib Sapará, Wayumará e Purukotó. Consegui, de última hora, coletar material de suas línguas. Elas deixaram de existir como comunidades tribais.

Dizem que os *Sapará* desempenharam um certo papel no século XVIII e que, em 1781, suscitaram entre os índios da região do *rio* Branco um levante contra os portugueses. Em 1838, Robert Schomburgk encontrou, no braço norte de Maracá, duas aldeias dos Sapará, que hoje desapareceram. Muitos deles, já naquela época, davam uma impressão doentia. Ele calcula a tribo toda em trezentas almas. Como suas moradas principais, ele cita a serra Töpekíng e a serra Waikamáng, mais a leste da primeira.[10] Epidemias e a generalizada pequena resistência de tribos menores para com a civilização europeia aniquilaram os Sapará, tendo sobrado umas poucas

---

8 Somente em Im Thurn encontro breve menção sobre essa tribo. Dentre as tribos da Guiana Inglesa, ele também indica os Pshavaco. Everard F. Im Thurn. *Among the Indians of Guiana*. London, 1883, p.158-9.

9 Anotei a descrição extremamente viva de uma dessas lutas; vide mais adiante.

10 Rob. Herm. Schomburgk. *Reisen in Guiana und am Orinoko während der Jahre 1835-1839*, p.402-3, 410-1 e mapa.

dúzias de indivíduos. A única pequena casa comunitária da tribo fica no braço sul de Maracá, três horas acima da foz. Índios Sapará isolados trabalham como vaqueiros para os brasileiros; outros ainda vivem livremente entre os Makuxí e Taulipáng entre o Surumu e o alto Majari, talvez também mais a oeste, em sua antiga região.

Dos *Wayumará*, igualmente mencionados já no século XVIII, Robert Schomburgk encontrou uma aldeia na margem direita do Uraricoera, seis dias de viagem acima da ilha Maracá, numa região hoje totalmente despovoada. Os habitantes tinham uma aparência doentia e sofriam de diferentes enfermidades físicas. A tribo não era numerosa, pois eles falaram de apenas mais três aldeias que deviam ficar no vizinho Mucajaí.[11] À época de minha viagem, dois homens Wayumará, irmãos, talvez tudo que restasse da tribo, viviam na ponta oriental de Maracá. Na foz do Uraricapará me mostraram a clareira de uma de suas povoações. Não consegui descobrir nada acerca de suas antigas aldeias no Mucajaí. Para sua extinção, contribuíram decisivamente as mesmas causas da extinção dos Sapará.

Diz-se que, em fins do século XVIII, os *Purukotó* habitavam em grande número as margens do Uraricoera. Robert Schomburgk encontrou-os isoladamente no Uraricoera e situa suas moradas nas cabeceiras do Paragua.[12] Hoje, existem apenas uns poucos deles. Encontrei algumas mulheres na extremidade oriental de Maracá casadas com membros de outras tribos. Ao norte da ilha, na divisa entre o cerrado e a mata, havia uma cabana com duas famílias, mas que, em parte, já estavam misturadas com Taulipáng. Encontrei uma outra família Purukotó entre os Yekuaná do Merevari. Assim, um ou outro pode estar vivendo com as grandes tribos dessas regiões, mas da outrora importante tribo sobraram apenas pequenos restos, dispersos e sem manter relações entre si. Em geral, eles mantêm distância dos brancos; mas são gente pacífica que presta valioso auxílio na passagem pelas incontáveis corredeiras e cachoeiras desenfreadas. Com as temidas tribos bravas do alto Uraricoera e Uraricapará, os Purukotó mantêm relações amigáveis e estendem viagens ocasionais até o alto Orinoco. Desempenham uma espécie de papel de mediadores entre as tribos locais e aquelas da região do *rio* Branco. Encontramos duas clareiras dos Purukotó em ambas as margens do Uraricoera, pouco acima da verdadeira ilha Maracá. A decadência da tribo parece dever-se, além das epidemias, também às perseguições de índios inimigos.

O tipo físico dos Purukotó é bastante homogêneo e os diferencia dos outros índios. Seus longos membros com busto curto dão a impressão de que eles são mais altos. A cor de sua pele é impressionantemente escura. Suas longas cabeças e traços marcantes lembram os tipos norte-americanos.

Os vizinhos ocidentais dos Arekuná são os Karib *Yekuaná*, ou Yekuanákomú, como eles se autodenominam. São chamados de Mayonggóng pelos Makuxí e Taulipáng, de Pauána pelos Arekuná, de Maquiritares pelos venezuelanos do Orinoco, de Guagnungomos ou Uayongomos no Caura. Vivem no Merevari (alto Caura), no curso superior e nos afluentes esquerdos do

---

11 Rob. Schomburgk, op. cit., p.412*ss.* e mapa.

12 Ibidem, p.402*ss.* e mapa.

Venturi e nos afluentes direitos do alto Orinoco, especialmente no Padamo e no Cunucunuma. Sua única povoação na bacia do Amazonas ficava, à época de minha viagem, no alto Auari, o grande afluente esquerdo do alto Uraricoera. A soma total da tribo pode ser estimada em 800 até, no máximo, 1.000 almas; é certo que, com o passar do tempo, em suas relações com os europeus, especialmente pelo trabalho nos seringais insalubres durante as últimas décadas e pelas doenças da civilização como varíola, sarampo etc., eles diminuíram muito em número. É uma tribo que, em toda parte, é igual em sua pequena cultura, mesmo que a língua, devido à grande extensão espacial, se divida em vários dialetos, diferenciados por esses índios até mesmo por nomes de hordas. Para os habitantes do Merevari, que é pouquíssimo povoado, obtive somente o nome de toda a tribo Yekuaná. Os habitantes das cabeceiras do Ventuari são chamados de Ihuruána ou Ihuduána por seus parentes de tribo; um nome que eles mesmos nunca empregam e que parece ter uma certa conotação de desdém. Eles, igualmente, se autodenominam Yekuaná. Os afluentes esquerdos do médio e baixo Ventuari são habitados pelos Dekuána, o que, foneticamente, é a mesma palavra que Yekuaná, já que, nesse dialeto, o fonema inicial *y* é substituído por *d*. Eles também se autodenominam Uanyunggomú. Os habitantes do Cunucunuma, Padamo e de outros afluentes direitos do alto Orinoco são chamados de Kununyanggomú ou, apenas, Kunuaná. Eles formam o cerne de toda a tribo e, com suas povoações, chegam até o Yatéte, um afluente esquerdo do alto Ventuari.

Na margem direita do médio Ventuari vivem, em duas casas comunitárias, os Karib *Yauarána*, ou Yabarána,[13] outrora a principal tribo do Ventuari, hoje reduzida a 30 ou, no máximo, 50 almas. São mencionados já em meados do século XVIII e, nos mapas, indicados na mesma região que habitam ainda hoje. Deparei com um bando deles na foz do afluente direito Achita, mas encontrei sua grande casa comunitária, um pouco rio abaixo, na margem direita, destruída pelo fogo. Segundo ouvi mais tarde, os próprios índios a incendiaram e se puseram a salvo com seus pertences no alto Achita, para fugir da opressão dos seringueiros venezuelanos. Uma segunda casa comunitária ficava terra adentro, nas cabeceiras do Yachkauáhu, um riacho afluente que deságua um pouco mais rio abaixo, pouco acima do Wanapiári.[14] Seus habitantes não tinham, nessa época, qualquer ligação com os venezuelanos.

Entre os Yauarána vivem alguns Kurasikána, ou Wökiáre, membros de duas pequenas tribos Karib que vivem nas cabeceiras do Wanapiári.

Esses índios do médio Ventuari, que eu cheguei a ver, diferem muito, em sua constituição física, dos Yekuaná. Eram, em média, figuras esguias com rostos alongados e estreitos, de traços finos. Vários deles tinham os olhos puxados.

Além das tribos Karib, é principalmente uma tribo Aruak que constitui a parte principal da população da região do *rio* Branco, os Wapixána. No século XVIII, eles eram considerados a tribo mais populosa de toda a região. De caráter pacífico, estabeleceram relações precoces com os brancos e trabalhavam para eles. Os irmãos Schomburgk os encontraram ainda em condições

---

[13] Grafia espanhola.
[14] O Manapiare dos mapas, o maior afluente direito do Ventuari.

bastante originais e calcularam seu número em 1.500 almas.[15] Hoje, eles perfazem pouco mais de mil almas.[16] Deve-se atribuir a decadência dessa tribo outrora importante à sua capacidade de fácil adaptação à influência europeia. Sem levar em conta seu caráter pacífico e submisso por natureza, os Wapixána desde sempre estiveram tanto mais expostos a essas influências por serem os habitantes mais próximos dos rios principais Branco e Uraricoera. Devido a suas longas relações com a população branca e mestiça, composta não exatamente dos melhores elementos, perderam muito de sua singularidade e, em parte, já estão muito desmoralizados. Eles servem como trabalhadores, vaqueiros e remadores. Muitos deles já falam português. Cedo ou tarde, também eles vão desaparecer como unidade tribal e serão absorvidos pela população mestiça semicivilizada.

Os Wapixána são puros habitantes do cerrado. Ainda hoje, distribuem-se por uma ampla região. Suas moradas principais estendem-se, como há muito, do alto Rupunúni para além do Tacutu até o *rio* Branco. A oeste de lá, eles habitam as margens do Cauamé[17] e as extensas serras na margem direita do baixo Uraricoera, onde se encontram suas povoações isoladas até mais ou menos 61° w. L. Ao norte do Uraricoera, sua região se estende do baixo Cotingo em direção ao oeste até as primeiras serras ao sul do Surumu e, mais além, para além do Parimé-Maruá até o baixo Majari.

No norte do Uraricoera, onde os Wapixána, Makuxí e Taulipáng vivem lado a lado e, muitas vezes, são aparentados entre si, os Wapixána filhos de pais mistos ou que, além de sua língua, também falam Makuxí ou Taulipáng, são chamados de *karapiä*; uma indicação de como podem surgir os nomes de tribos.

É uma manifestação singular o fato de os Yekuaná, em muitas povoações no alto Auarí, no Merevari e no alto Orinoco, viverem harmoniosamente com uma tribo de outra língua, os *Guinaú* Aruak. Em quase todas as aldeias no Merevari e Padamo, Robert Schomburgk encontrou ambas as tribos representadas. Naquela época, índios Guinaú também viviam no Cunucunuma.[18] Hoje ainda é assim, pelo menos na região que conheci, mesmo que a fraca população, já naquela época, tenha, nesse meio-tempo, diminuído ainda mais. Ambas as tribos são totalmente aculturadas, e os Guinaú diferenciam-se dos grosseiros Yekuaná apenas por seu tipo mais fino e por sua figura esbelta.

O nome da tribo Guinaú foi introduzido por Robert Schomburgk e se estabeleceu de tal maneira na literatura que desejo mantê-lo. Eles mesmos se autodenominam Temomöyämö e

---

15 Rich. e Rob. Schomburgk. *Reisen in Britisch-Guiana in den Jahren 1840-1844.* 2v. Leipzig, 1848; v.II e mapa; Rob. Herm. Schomburgk. *Geographisch-statistische Beschreibung von Britisch-Guiana. Aus dem Englischen von O. A. Schomburgk.* Mais mapa. Magdeburg, 1841, p.51.

16 Farabee calcula seu número agora em 1.200 almas; vide William Curtis Farabee, "The Arawaks of Northern Brazil and Southern British Guiana", *American Journal of Physical Anthropology*, v.I, 1918, p.427, 435. Em sua obra *The Central Arawaks*, Philadelphia, 1918, Farabee apresenta uma boa monografia do estado atual dessa tribo. Vide também a pequena monografia em Coudreau, op. cit., p.303*ss*.

17 Afluente direito do alto *rio* Branco.

18 Rob. Herm. Schomburgk. *Reisen* etc., p.423, 427, 430, 443, 448, 452 e um grande mapa.

também são chamados assim pelos Yekuaná. Ginaú, às vezes Ginyau, é como esses índios são chamados pelos Makuxí e Taulipáng.

Os Guinaú são uma tribo em extinção, que em breve será absorvida pelos Yekuaná. Calculo seu número no Merevari e no *alto* Auarí em 20 a 30 indivíduos. Seu número total deve chegar, no máximo, a 100 indivíduos. A maioria ainda deve saber sua língua, mas servem-se, em geral, do Yekuaná, especialmente nas relações com os índios dessa tribo, entre os quais moram e com os quais são aparentados. Hoje, o Guinaú já contém alguns estrangeirismos daquela língua. Somente uns poucos anos, e a próxima geração terá esquecido sua língua e se tornado totalmente Yekuaná.

Entre essas tribos que pertencem aos dois grandes grupos linguísticos sul-americanos, vivem algumas tribos de línguas isoladas que, em grande parte, eram totalmente desconhecidas antes de minha viagem. A elas pertencem, principalmente, os temidos *Xirianá* com os *Waíka*, que provavelmente são seus parentes bem próximos, tribos nômades que habitam, do 63° até perto do 66° w. L., ambas às margens do Uraricoera, a serra Parima e as cabeceiras do Orinoco. Mais adiante, tratar-se-á deles mais pormenorizadamente.

Os *Auaké* têm hoje uma espécie de relação de vassalagem com os belicosos Xirianá das cabeceiras do Uraricapará. O relatório, já citado por mim várias vezes, da Comissão de Divisas portuguesa do ano de 1787 menciona-os com o nome de Aoaquis e transfere suas moradas para as nascentes do Cauamé, onde viviam sob três caciques e eram bem numerosos.[19] Em 1838, Robert Schomburgk encontrou alguns Oewaku no médio Uraricoera. Ele declara que a tribo vivia em estado totalmente selvagem, sem moradas fixas, nas nascentes do Uraricapará, mas a registra, em seu mapa, um pouco ao norte de lá, além do divisor de águas, nas cabeceiras do Paragua. Diz que eram muito medrosos e, por isso, desprezados pelas outras tribos.[20] A única expedição que procurou os Auaké em suas moradas foi a Comissão de Divisas do ano de 1882. No alto Uraricapará, os brasileiros encontraram o último resto da tribo dos Aoaquis, dezoito homens, mulheres e crianças, numa grande casa redonda com paredes de paliçada, que lhes servia, ao mesmo tempo, de trincheira, já que sofriam muito com os ataques de seus vizinhos hostis.[21]

Hoje, parece que o resto dos Auaké se deslocou mais para o norte, enquanto uma horda de Xirianá, que antes vivia na margem direita do alto Uraricoera, ocupou suas moradas. Os Auaké – uma dúzia de homens com mulheres e crianças – que me visitaram em dezembro de 1911 com os Xirianá, amigos seus e várias vezes aparentados com eles, na cachoeira Urumamý, indicaram como sua pátria as cabeceiras do Paragua, onde habitam uma grande casa comunitária. Sua língua, da qual, até agora, não existe material nenhum, é isolada. Sua pequena cultura é muito influenciada pelas tribos Karib vizinhas do Paragua e Caroni. Eles mantêm relações comerciais com os Kamarakotó. Seu tipo físico os diferencia muito dos outros índios.

---

19 Henri A. Coudreau, op. cit., p.393.

20 Rob. Herm. Schomburgk. *Reisen*, p.402-3 e mapa.

21 Relatório da Repartição dos Negócios Estrangeiros. Rio de Janeiro, 1884, p.189; G. Grupe y Thode, "Über den Rio Blanco und die anwohnenden Indianer", *Globus*, v.57, p.253.

Em companhia dos Xirianá e Auaké encontravam-se dois membros de outras tribos, um Kaliána e um Marakaná.

Os Kaliána vivem igualmente no alto Paragua, a oeste dos Auaké, e, como estes, são, ao que parece, uma tribo bem pequena. Diz-se que, como índios nômades, habitam cabanas miseráveis e, por isso, são desprezados pelas tribos mais evoluídas. Eles também falam uma língua própria. Na literatura, eram, até agora, totalmente desconhecidos, se não se quiser aceitar os Carianas, registrados no mapa de Surville[22] no alto Ucamú (Ocamo), como a mesma tribo.

Um dos meus acompanhantes índios identificou os Kaliána com os Sapä, uma tribo igualmente muito primitiva e pequena daquela região, chamados de Sahä pelos Yekuaná e que, diz-se, usam longas zarabatanas no septo nasal furado. Também estes, como me contaram os Yekuaná, são amigos dos Xirianá, mas, segundo outras informações, devem constituir uma tribo especial.

O *Marakaná* que vi tinha sido capturado quando criança pelos Xirianá e, infelizmente, não sabia uma palavra de sua língua. Coudreau indica, de ouvir dizer, os Maracanas ou Maracanãs, como os brasileiros os chamam, como canibais mal-afamados das imediações da ilha Maracá.[23] À época da última Comissão de Divisas (1882), eles infestavam o alto Uraricapará. Inimigos mortais dos Auaké, quase exterminaram estes últimos por meio de seus contínuos ataques,[24] quando os Xirianá, por motivo insignificante, investiram contra eles e quase os dizimaram. A luta que os índios me descreveram de maneira clara deu-se sobre a grande rocha Kulekuleíma no Uraricoera, perto da extremidade ocidental da ilha Maracá. Os sobreviventes se retiraram para a selva desconhecida no sul do Uraricoera, de onde, diz-se, surgem de tempos em tempos e atacam índios em viagem. Pelo menos, todos os assassinatos lhes são atribuídos lá, e meu pessoal vivia sob medo constante desses ferozes salteadores. Dizem que no interior da ilha há uma grande casa comunitária deles. Talvez as pegadas que às vezes encontrávamos na confusão ocidental de ilhas de Maracá provenham deles.

No médio Auarí já vivia, à época de Robert Schomburgk,[25] e vive ainda hoje, numa grande casa comunitária, a pequena tribo dos *Máku*. Já no mapa de Surville, eles estão registrados como "*N(aciòn) Maca*" na região de sua morada atual, mas nunca foram procurados por um branco, menos ainda por um pesquisador. Em abril de 1912, conheci entre os Yekuaná do Merevari, com os quais os Máku contraem casamentos, dois jovens homens dessa tribo, gente amigável e discreta, ao contrário de seus hospedeiros. Sua cultura parece igual à dos Yekuaná e Guinaú. Pude anotar amostras de sua língua, que, novamente, é isolada e era, até agora, desconhecida.

Os Máku são, desde sempre, ativos comerciantes. Todo ano, à época do alto verão (janeiro/fevereiro), fazem a longa e perigosa viagem Uraricoera abaixo até as cabanas dos Taulipáng e

---

22 Mapa coro-gráfico de la Nueva Andalucía provincias de Cumaná, y Guayana, vertientes Del Orinoco etc. por D. Luis de Surville, 1778; P. Antonio Caulin, *Historia de la Nueva Andalucía*, Madrid, 1779.

23 Coudreau, op. cit., p.395.

24 Relatório etc., p.188-9.

25 Rob. Herm. Schomburgk. *Reisen*, p.436, 441.

Makuxí, para, então, voltarem para casa satisfeitos com algumas mercadorias europeias. Não mantêm relações diretas com os brancos, nem com os brasileiros no oeste, nem com os venezuelanos no norte e oeste, mas sim com uma horda de Xirianá nas colinas de Motomotó, na margem direita do alto Uraricoera, cujos civilizadores foram os Máku. São inimigos dos Xirianá e Waíka da serra Parima, como todas as outras tribos.

Os vizinhos ocidentais das tribos Karib do Ventuari são os alofilos *Piaroa*, a maior tribo dessa região. Suas principais moradas ficam no *rio* Sipapo e na margem direita do Orinoco, na região das cachoeiras Átures e Maipúres, especialmente no curso superior do pequeno rio Cataniapo, que desemboca perto de Átures. Dizem que também nos afluentes esquerdos do Orinoco, Zama e Matavéni, vivem Piaroa. Além disso, pode-se encontrá-los, aparentemente em número maior, com os parentes de tribo *Māku*[26] dos extensos cerrados na margem direita do médio e baixo Ventuari, especialmente no curso superior de seus afluentes Camáni e Mariéte, e, finalmente, se posso confiar nas informações idênticas dos seringueiros, no curso superior dos pequenos e inexplorados afluentes direitos do Orinoco, acima da foz do Ventuari, como Jao, Purunáme e outros.

Piaroa e Māku (Macos) já são conhecidos desde o século XVIII. Pode-se chegar até eles de modo relativamente fácil a partir do médio Orinoco, mas nunca foram estudados de maneira mais pormenorizada, apesar de, ao que parece, tratar-se de uma tribo muito interessante do ponto de vista etnográfico, que ainda se mantém teimosamente fiel a seus antigos usos, costumes e concepções. O centro da região dos Māku parece ser a alta mesa Anaítya no alto Wanapiári, que se pode ver, às vezes, na viagem pelo Ventuari. Dizem que vivem nos cerrados de lá em "cabanas pequenas e ruins". Pelo menos, é o que dizem os Dekuána, que mantêm relações amigáveis com os Piaroa e Māku e, às vezes, os visitam. No mais, são gente medrosa que foge dos brancos, de modo que não chegamos a ver nenhum deles no Ventuari. Com o nível da água baixo, às vezes aparecem na margem da corrente principal para pegar tartarugas. Só os Piaroa do Sipápo já trabalham, em parte, com os venezuelanos, mesmo que a contragosto. Encontrei alguns com os seringueiros do alto Orinoco; mas, sob a servidão dos brancos, passam a impressão de timidez e são pouco acessíveis.

Descobri pouca coisa sobre seus costumes, que quero reproduzir aqui, pois não cabe no contexto mais adiante: eles são muito hospitaleiros e, quando se entra em suas casas, trazem víveres de toda parte. Quando vão juntos a uma caçada, passam toda a noite anterior cantando e, na manhã seguinte, vão à caça abater mutuns e outros animais[27] com a zarabatana e o forte

---

26 Não confundir com os Máku do Auarí, com os quais nada têm a ver linguisticamente.

27 Chaffanjon, o único a quem devemos algumas poucas notícias sobre os Piaroa, também menciona esse costume. A esse respeito, entre outras coisas, ele diz o seguinte: "Lors des migrations du pecari et de certains poissons, ils revêtent des ornements en plumes, dents et arêtes, se réunissent pour une liturgie nocturne dans laquelle ils incantent le gibier qu'ils vont chasser ou les espèces qu'ils vont pêcher" [Quando ocorre a migração do pecari e de certos peixes, eles usam ornamentos com penas, dentes e espinhas, e se reúnem para uma liturgia noturna na qual lançam feitiços sobre o animal que vão caçar ou pescar]. J. Chaffanjon. *L'Orénoque et le Caura*. Paris, 1889, p.203.

curare, em cuja fabricação são mestres. O seguinte uso parece apontar para ideias totêmicas: os Piaroa consideram a anta seu "tio" e nunca a matam. Se uma anta entra em uma de suas plantações, eles abandonam momentaneamente essa plantação.[28]

O agrupamento dos povos entre o *rio* Branco e o Orinoco, tal como se apresenta hoje, certamente não aconteceu sem difíceis lutas. Sem dúvida, pertencem à camada mais antiga da população dessa região as tribos que ainda hoje vivem em estado totalmente primitivo e que, talvez desde tempos imemoriais, não abandonaram suas moradas: os Xirianá e Waíka. Primeiro, parece que tribos Aruak do oeste e sudoeste emigraram para cá e povoaram toda a região do Merevari até perto do alto Uraricoera. Apontam para isso os numerosos nomes de rios com terminações Aruak como -ari, -uni, -eni (rio, água): Merev-ari, Au-ari, Caimac-uni, Canarac-uni, Emec-uni, Aiak-eni, entre outros. Então vieram os Karib. Do norte ou noroeste veio a invasão dos Yekuaná, um povo de salteadores, como eram, originalmente, todas as tribos Karib. Eles subjugaram os Aruak, culturalmente muito superiores, mas pacíficos, e adotaram seu patrimônio cultural. Arranjaram-se pacificamente com algumas tribos, como os Guinaú, e permitiram que continuassem vivendo junto e entre eles, misturando-se até certo ponto com eles. Destruíram outros que se lhes opuseram como inimigos. No sul, nas margens do alto Uraricoera, nas encostas da serra Parima, rompeu-se a corrente. Os conquistadores encontraram aqui uma forte oposição dos belicosos Xirianá e Waíka. À época de Schomburgk, os Yekuaná tiveram de desistir de um posto avançado no cume da serra Parima até quase as nascentes do Orinoco e do Uraricoera,[29] e até o dia de hoje ambas as tribos se defrontam animosamente.

No leste, a situação desenvolveu-se de modo semelhante. Por toda parte, as tribos Karib, vindas do norte, introduziram-se na antiga população Aruak e adotaram sua cultura. Ainda hoje existe um certo antagonismo entre Makuxí e Wapixána, que, em muitos lugares, vivem lado a lado e, aos poucos, vão-se misturando entre si; suas lendas contam de renhidas lutas entre ambas as tribos. A divisa da região das tribos Karib corre ao longo do Uraricoera, que eles chamam de Parima (grande água), até a ilha Maracá. Eles desapareceram do médio Uraricoera até o Mucajaí, onde, ainda à época de Schomburgk, havia tribos Karib em povoações isoladas. O médio e alto Caroni e Paragua, até as cabeceiras, são propriedade puramente Karib. Lá vivem, ainda hoje, pequenas tribos de línguas isoladas. Os Máku formam uma outra pequena ilha linguística no médio Auari. Provavelmente são restos de tribos maiores que, nas lutas entre os

28 Chaffanjon (op. cit., p.203), que também menciona esse costume dos Piaroa, explica-o com a crença em reencarnação: "Les Piaroas admettent la métempsycose. Ainsi le tapir est leur aïeul. Dans son corps émigre l'âme du mourant. Aussi ne le chasseront-ils jamais, ni le mangeront de sa chair. – Qu'un tapir passe et repasse dans leur conuco, ou écorne leur récolte, ils n'essayeront même pas de le détourner, ni de l'effrayer, abandonneront la place plutôt et iront s'établir ailleurs" [Os Piaroa admitem a metempsicose. Assim, a anta e seu antepassado. Para seu corpo migra a alma do moribundo, por isso jamais a caçarão ou comerão sua carne. – Se uma anta invade sua plantação, ou estraga sua colheita, eles não tentarão nem a afastar, nem a afugentar; pelo contrário, eles abandonarão o lugar e irão se estabelecer em outro lugar.]

29 Rob. Herm. Schomburgk. *Reisen*, p.437*ss.*

vizinhos mais fortes, aos poucos foram exterminadas. Os Karib não passaram para além do alto Orinoco em direção ao sul. Aqui começa um centro puramente Aruak, que se estende para além do Casiquiare e do alto *rio* Negro e continua para longe no oeste, sudoeste e sul.

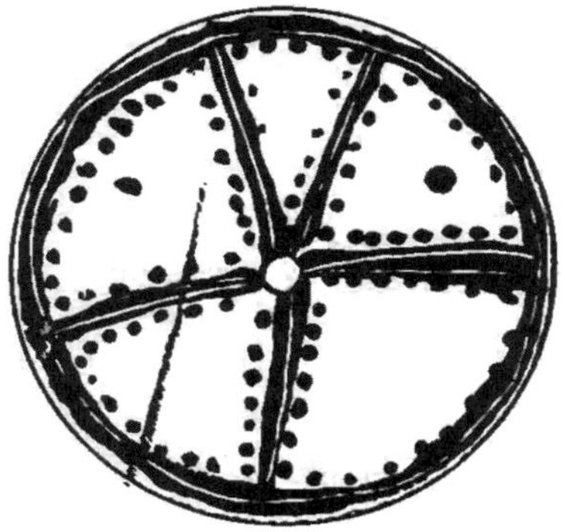

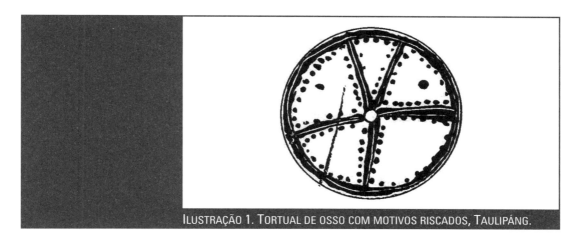

ILUSTRAÇÃO 1. TORTUAL DE OSSO COM MOTIVOS RISCADOS, TAULIPÁNG.

I

Os Taulipáng e seus vizinhos

Tudo o que for dito nesta primeira parte, caso não haja outra indicação, refere-se aos Taulipáng

Casa e aldeia: as povoações compõem-se, via de regra, somente de uma ou duas casas cobertas com palha de palmeira, ou seja, de cabanas grandes que, às vezes, são habitadas por várias famílias aparentadas entre si; mas também existem povoações com três, quatro ou mais casas,[1] o que faz que o número de habitantes de uma povoação varie entre quinze e cerca de oitenta almas. Por fim, também existem aldeias contíguas, como Koimélemong no Surumu, a chamada "*Maloca bonita*" na encosta oriental da serra Mairari, e a aldeia Kaualiánalemóng, ou Kamaiuayéng,[2] perto do Roraima; mas essas três aldeias são inteiramente habitadas apenas de modo provisório nas grandes festas e parecem, pelo menos em sua extensão atual, fundações novas. Assim, originalmente, Koimélemong compunha-se de apenas duas casas Makuxí redondas, em torno das quais, ao longo dos últimos anos, agruparam-se as demais cabanas, em parte devido à reputação do cacique Makuxí Pitá, em parte devido aos esforços dos beneditinos do alto Surumu. À época de minha presença, a aldeia contava com doze cabanas habitáveis e alguns barracões abertos para hóspedes. As cabanas estavam dispostas em duas ruas de NW-SO, que se distinguiam, assim como as cercanias da aldeia, por grande asseio. Num semicírculo em torno da povoação corria um riacho afluente do Surumu; ao sul, uma serra baixa aproximava-se bastante, em cujas encostas ficavam as plantações dos índios. A principal população da aldeia era formada pelos Taulipáng, que se mudavam temporariamente dos cerrados nas serras entre o Surumu e o Kukenáng, onde tinham suas reais pequenas moradas e plantações e para onde

---

[1] Os irmãos Schomburgk encontraram no Rupununi a aldeia Makuxí Haiowa com doze cabanas e cerca de sessenta habitantes; vide Rich. Schomburgk, op. cit., v.I, p.359.

[2] Ambos os nomes são utilizados. A aldeia ou é chamada devido a sua localização no cerrado (lemón) Kaualiána, ou na desembocadura (yen) do riacho Kamaíua no Kukénang.

sempre voltavam após o fim das grandes festas. Em Koimélemong, eles habitavam cabanas baixas que não ofereciam espaço suficiente e, só por isso, já davam a impressão de algo provisório. Em épocas normais, o próprio Pitá vivia em sua espaçosa casa familiar redonda na *serra do Banco*, algumas horas ao sul da aldeia. Com as antigas famílias Makuxí domiciliadas viviam alguns Wapixána. Em época de festa, quando, contando-se homens, mulheres e crianças, às vezes mil ou mais pessoas se reuniam em Koimélemong, as diferentes tribos viviam separadas umas das outras, e de tal modo que os Taulipáng das serras ao norte tinham suas cabanas no lado norte, os Taulipáng e Wapixána do Majari e Parimé-Maruá tinham suas cabanas, em sua maior parte barracões abertos, no lado oeste e sudoeste da aldeia, portanto sempre junto aos caminhos para sua terra.

A "*Maloca bonita*", que não visitei, compunha-se, como me disseram, de dez cabanas que eram habitadas por Makuxí e Taulipáng.

Kaualiánalemóng compunha-se de sete cabanas habitáveis, de estilos diferentes, e de algumas cabanas em ruínas e construções novas inacabadas, em parte somente andaimes. Também essa aldeia era apenas um lugar de concentração em grandes festas ou em ocasiões especiais, como a nossa visita. Na maior parte do tempo, a maioria dos índios vivia em pequenas cabanas familiares redondas em ambas as margens do Kukenáng e dispersos, aqui e acolá, no cerrado. Assim como as outras duas aldeias, parece que também a aldeia do Roraima deve sua atual extensão aos missionários, nesse caso, missionários anglicanos.

O formato de casa característico dos Taulipáng e de seus vizinhos é a cabana de teto cônico. Em torno de um alto poste central que forma a ponta do teto e que, muitas vezes, se eleva bem acima dele, existem, em círculo, vários postes, geralmente oito, proporcionalmente mais baixos, unidos uns aos outros por meio de traves horizontais e que sustentam a armação do teto. Num círculo mais amplo ao redor desse, há um grande número de postes pequenos, de diferentes espessuras, cravados no chão, um ao lado do outro, a pequenos espaços. Sobre eles são colocadas, do lado de fora, numerosas hastes presas com cipó. A grade assim formada é preenchida com barro e forma a parede da casa, bastante sobrepujada pelas vigas do telhado. A armação do teto compõe-se de longas hastes que, a partir da ponta do teto, descem inclinadamente e descansam sobre dois anéis horizontais de madeira flexível. É coberta com folhas da palmeira *inajá* (*Maximiliana regia* Mart.), que são colocadas umas sobre as outras em posição horizontal, como ripas de telhado, e presas nos caibros com cipó. Sobre a única estreita entrada na parede baixa, os caibros são encurtados, de modo que se pode entrar mais comodamente. Em geral, essa entrada é protegida por um pequeno teto que se projeta para fora, distante do teto da casa e que repousa sobre duas estacas (Pr. 2, 1a, b, 3 a, b, 7b e Pr. 50, 2). À noite, a entrada é fechada com esteiras.

Somente no cerrado encontrei o revestimento de barro das paredes das cabanas; nas cabanas dos Taulipáng que vivem no alto Surumu e na região de mata fechada, as paredes eram revestidas com folhas de palmeira.[3]

---

[3] Rich. Schomburgk (op. cit., v.I, p.416-7) sublinha essa diferença também entre os Makuxí do cerrado e da mata.

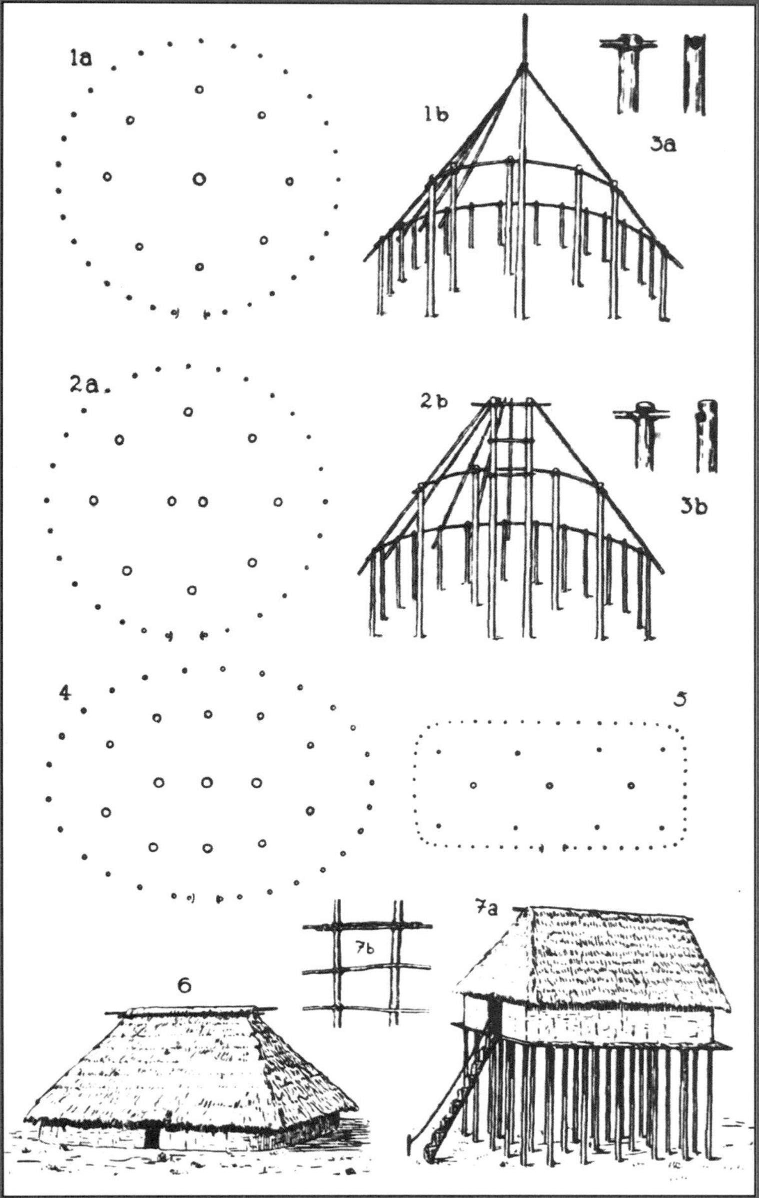

Prancha 2. Tipos de casas Taulipáng e Makuxí: 1a, 1b. Casa de teto cônico com poste central, planta baixa e projeção vertical. 2a, 2b. Casa de teto cônico com dois postes centrais e uma cumeeira curta, planta baixa e projeção vertical. As travessas repousam sobre os postes de suporte em um mancal recortado na parte superior (3a) ou na lateral (3b). 4. Planta de uma casa elíptica com uma cumeeira achatada. 5 Planta de uma casa retangular com cantos arredondados e uma cumeeira longa. 6. Casa retangular (cf. planta 5). 7a. Palafita retangular (conforme Ch. B. Brown, *Canoe and Camp Life*, p.108). 7b. Estrutura de todas as paredes da casa.

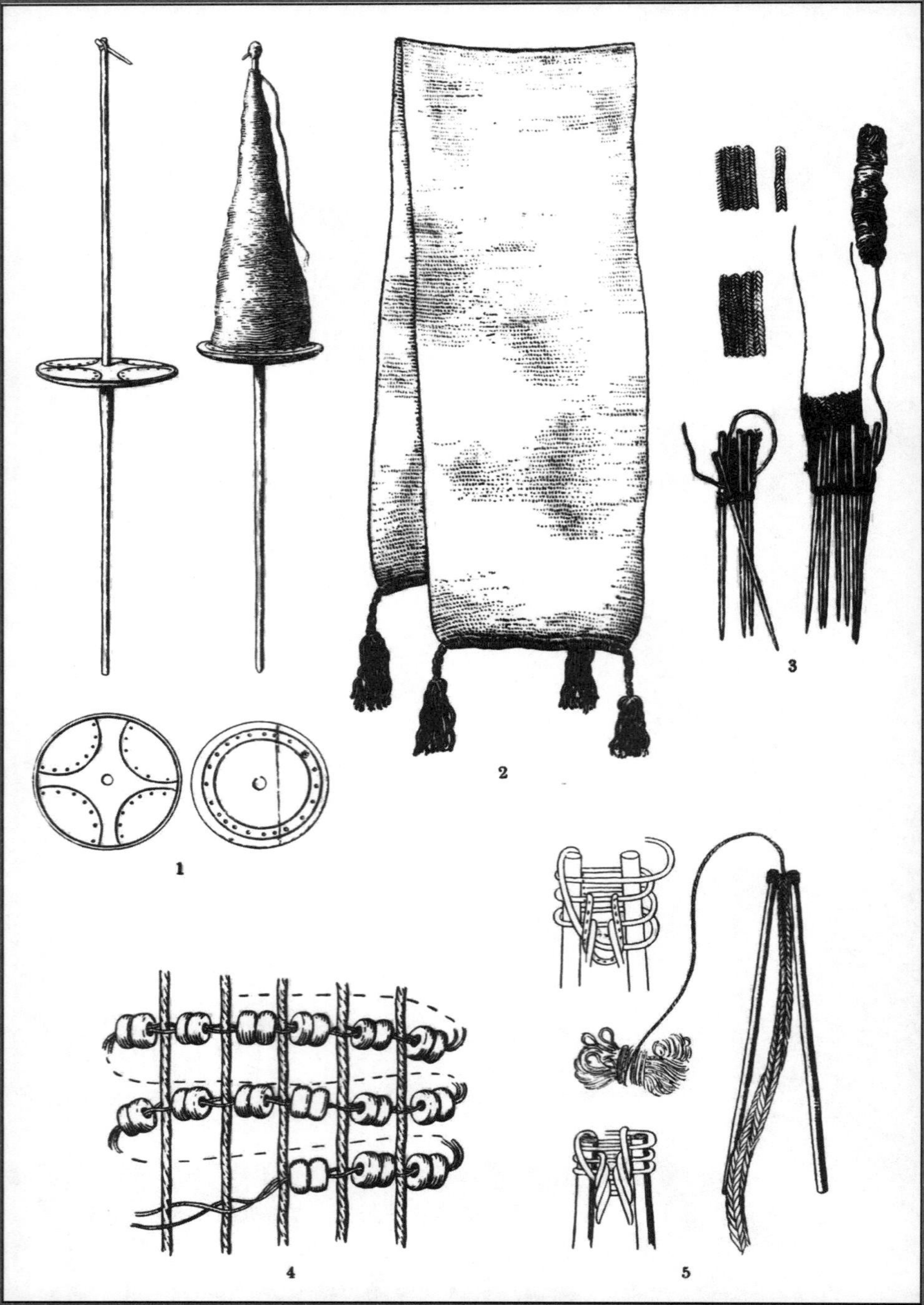

PRANCHA 3. 1. FUSOS COM VERTICILO DE OSSO, WAPIXÁNA. 2. TANGA MASCULINA, TECIDO NATIVO, TAULIPÁNG. 3. AGULHAS PARA CONFECCIONAR FAIXAS ESTREITAS DE ALGODÃO, TAULIPÁNG. DETALHES: PARTE INFERIOR, FRENTE DA FAIXA, DUAS FILEIRAS, LIGEIRAMENTE AFASTADAS; SUPERIOR ESQUERDA, TRASEIRO DA FAIXA; SUPERIOR DIREITA, BORDA. 4. TÉCNICA DO CINTO DE MIÇANGAS DOS MENINOS, TAULIPÁNG. 5. DISPOSITIVO PARA FAZER CINTOS TUBULARES DE ALGODÃO, TAULIPÁNG. DETALHES.

Algumas cabanas redondas dos Taulipáng têm as seguintes medidas:

	altura	circunferência	altura parede	altura entrada	largura entrada
casa no riacho Muréi[4]	4,20 m	21,60 m	cerca 1,50 m	1,70 m	0,70 m
casa Rontá[5]	5,30 m	32,15 m	" 1,50 m	0,70 m	1,68 m
casa Akúlimeponggóng[6]	5,57 m	36,20 m	" 1,40 m	1,55 m	0,75 m

Algumas cabanas redondas, destinadas a várias famílias, são bem maiores. A aldeia Taulipáng Denóng, na margem direita do Kukenáng, do outro lado de Kaualiánalemóng, compunha-se de cinco casas grandes nesse estilo; mas também estas não eram habitadas o ano todo. A maioria dos habitantes vivia costumeiramente em suas pequenas cabanas familiares redondas junto às plantações, que eram distantes da aldeia.

Não há dúvida de que essa cabana de teto cônico é o único e original formato de casa dessas tribos. Encontrei-a em todos os lugares onde, também nos demais aspectos, percebia-se pouco a influência europeia. Além disso, ela também se encontra, com pequenas diferenças, em toda a Guiana[7] e tem, em diferentes tribos que vivem distantes umas das outras, o mesmo nome. Os Taulipáng e Makuxí as chamam de *tukűšipan*, o que, traduzido ao pé da letra, significa "beija-flor como". Pelo visto, o nome deriva da semelhança com o ninho cônico invertido do beija-flor (*tukűši*).[8]

Em Koimélemong, só as duas velhas cabanas Makuxí, a base de toda a aldeia, eram construídas nesse estilo (Pr. 50, 2).

Em algumas cabanas redondas há dois postes centrais, a pequena distância um do outro, unidos nas extremidades por uma travessa da qual descem as vigas do telhado. Dela origina-se uma curta cumeeira, de onde saem as vigas. Isso cria um cume curto, enquanto o resto da forma da casa permanece o mesmo (Pr. 2, 2a, b).

Se esses dois postes do meio estiverem mais afastados ou forem usados três ou mais deles em vez dos dois postes do meio, a cumeeira é alongada e, aos poucos, a planta circular converte-se em planta elíptica (Pr. 2, 4).

Além dessas cabanas de planta circular e outras de formato quadrado com tetos de duas águas, que, pelo visto, devem sua origem à influência europeia, havia, nas duas aldeias modernas no Surumu e Roraima, algumas cabanas de planta retangular e extremidades arredondadas, com paredes baixas revestidas de barro, como nas cabanas de teto cônico e teto baixo com uma cumeeira de comprimento diferente, mas sem frontão. Elas constituem, de certa maneira,

---

4 Pequeno afluente direito do Kukenáng.

5 Margem direita do Kukenáng.

6 Ao sul de Wailíng, afluente esquerdo do Kukenáng; vide v.I, p.131.

7 Uma ilustração muito boa de uma típica cabana de teto cônico do *rio* Mapuerá encontra-se em O. Coudreau, *Voyage à la Mapuerá*, p.121, Paris, 1903.

8 Entre os Kalínya (Galibí), a cabana de teto cônico se chama *tukusiban*; entre os Ojana (Rukuyenne), *tukűšipan*; vide C. H. de Goeje, *Études linguistiques caraïbes*, p.31, 157, 268, Amsterdam, 1909.

uma fusão do antigo estilo Karib com o estilo dos europeus, mas talvez também com o estilo quadrado[9] transmitido pelos Aruak e, nesse formato, com certeza não são originalmente próprias dos Taulipáng (Pr. 2, 5 e 6).

A espaçosa casa do cacique em Kaualiánalemóng tinha uma cumeeira bem longa; a planta, porém, era quase circular. Dentro, essa casa, diferente da disposição comum, tinha uma espécie de segundo andar, um forte andaime que percorria toda a extensão da parede interna e à qual se chegava por uma escada feita de paus amarrados. Lá ficavam abrigadas as inúmeras malas e caixas do cacique; lá, de vez em quando, os moradores da casa ficavam agachados na penumbra, trabalhando.

Também a verdadeira cabana quadrada fechada, construída no chão, com teto de duas águas, a meu ver, não é originária dessa região. Ela só se encontra em povoações que, aos poucos, estão sucumbindo à influência europeia e, às vezes, é construída ao lado da velha cabana de teto cônico, abandonada devido ao perigo de desmoronamento, como substituta desta.[10] Argumentos linguísticos também tornam provável essa suposição. Hoje os Taulipáng chamam esse formato de casa de *p̄a'rapán* ou *pā'lapán*, sem conseguir explicar a palavra. Appun indica como nome para a "cabana quadrada com parede de barro e teto de palmeira", na língua Makuxí, ainda a forma completa *paracapang*,[11] que, pelo visto, deve derivar do português "*barraca*" e, traduzida ao pé da letra, significa "barraca como".[12]

Ocorre coisa um pouco diferente com a palafita. Cedo já se observaram palafitas na Guiana, não só entre as tribos do litoral, os Kalínya (Galibí)[13] e, especialmente, os Warrau, que, devido ao terreno pantanoso onde muitas vezes moram, são obrigados a construir suas cabanas sobre estacas,[14] mas também entre as tribos do interior, onde, na verdade, não existe um terreno que torne obrigatório esse tipo de construção (Pr. 2, 7a).[15] Não são próprias de uma tribo, encontrando-se, ocasionalmente, entre os Taulipáng, Arekuná, Makuxí e outras tribos Karib, mas também entre os Wapixána,[16] a saber, sobre terreno seco, às vezes numa colina. A ocorrência

---

9 Entre os Aruak de Cuba e do Haiti ocorrem ambos os tipos de casa, cabanas de teto cônico junto com cabanas quadradas sem frontão (segundo Oviedo).

10 Vide v.I, p.140-1.

11 Appun, *Die Indianer in Brittisch Guyana*, 1871, p.445.

12 Os Ojana (Rukuyenne) chamam uma cabana de teto plano de *mècoro-pane* = "negro como"; vide H. Coudreau, *Vocabulaires méthodiques des langues Ouayana, Aparaï, Oyampi, Émérillon,* Bibliothèque linguistique américaine, v.XV, Paris, 1892, p.22.

13 P. Barrere (*Nouvelle relation de la France équinoxiale*, Paris, 1743) descreve minuciosamente (p.142) tais palafitas dos Galibí (Kalínya), construídas sobre estacas de 2,5 m a 3 m de altura, e traz uma ilustração delas (p.141).

14 Rich. Schomburgk (v.I, p.195-6) descreve com palavras eloquentes as miseráveis condições de vida de uma aldeia de palafitas dos Warrau construída sobre terreno pantanoso.

15 Entre os Oyampi e Emerillon no interior da Guiana Francesa, são muito frequentes cabanas habitáveis *(oka)* sobre altas estacas; vide as ilustrações em H. Coudreau, *Chez nos Indiens*, Paris, 1893, p.331, 433, 529, 537, 593.

16 Vide a ilustração de uma aldeia Wapixána na serra Siriri entre o Tacutu e o Rupunúni, que, além de cabanas de teto cônico, também mostra uma palafita, em C. F. Appun, *Unter den Tropen*, v.II, Jena, 1871, p.541. Vide, além disso, a ilustração de uma palafita numa povoação Karib em Rich. Schomburgk, op. cit., v.I, p.152.

rara e aparentemente sem motivo dessas palafitas aponta para o fato de serem estrangeiras no cerrado, quer sejam imitações das palafitas dos habitantes do litoral ou recordações de uma época em que essas tribos Karib ainda viviam na pantanosa região costeira e eram obrigadas a construir palafitas.[17]

Só em Kaualiánalemóng vi duas casas que ficavam sobre estacas que mal chegavam à altura de um homem, uma casa fechada com a costumeira parede de barro, planta elíptica e cumeeira, e uma cabana quadrada, construída de modo bem descuidado, com teto de duas águas. Ela tinha sido construída para um inglês e passou, então, a ser usada como casa de hóspedes. O moquém, que ficava sobre estacas, era feito de sarrafos de palmeira e coberto com pedaços de casca de árvore. Uma escada primitiva feita de paus amarrados levava até lá em cima.[18] Pudemos sentir no próprio corpo quão pouco práticas são tais palafitas no cerrado exposto aos frios ventos noturnos.

Entre as formas de casa dos Taulipáng e Makuxí deve-se, por fim, mencionar a *tapẹ̥i*. Com esse nome, os índios designam cada barracão aberto de todos os lados, um teto de duas águas assentado sobre quatro estacas, principalmente o abrigo bem simples, de planta mais ou menos quadrada, que se constrói na mata quando se está em viagem, na maioria das vezes só para uma noite, feito de algumas varas e uma camada de folhas de palmeira, em que, com frequência, se utilizam como postes de apoio algumas árvores próximas umas das outras (Ilustr. 2). Mas nunca esses índios designam como *tapẹ̥i* uma cabana fechada por paredes que serve por mais tempo como moradia.[19]

Para os abrigos de viagem na mata, os Taulipáng também empregam o nome *tapū̆luka* ou *tapṓluka*, no qual, sem dúvida, está contida a palavra *tapẹ̥i*.

As povoações dos índios são passageiras. Óbitos, esgotamento do solo da plantação e outras causas levam-nos a abandonar uma casa e a construir outra em lugar diferente. Por isso, é errado concluir, sem mais nem menos, pela ocorrência de casas vazias ou clareiras, que havia outrora uma população mais numerosa.

Constituição física: os Taulipáng puros, especialmente os moradores das imediações do Roraima, e seus vizinhos, os Arekuná, fazem parte dos índios mais bonitos que já vi, e as descri-

---

17 Pode valer como um outro motivo para essa suposição o fato de, segundo Im Thurn, os índios empregarem pequenos troncos da *Euterpe oleracea* para a plataforma dessas casas, apesar de essa palmeira, que ama a umidade, só ocorrer aqui e acolá no cerrado, e os índios terem de trazê-la de longe, sendo que existe à mão outro material de mesmo valor; Im Thurn, op. cit., p.207. Uma boa ilustração de uma casa fechada de duas águas, sobre estacas de 3 m de altura, de índios Makuxí do cerrado, junto de uma moradia de planta quadrada de extremidades arredondadas e cumeeira, é dada por Ch. B. Brown, *Canoe and Camp Life in British Guiana*, London, 1877, p.108, 133.

18 Vide v.I, p.110.

19 Segundo Appun (*Die Indianer in Brittisch Guyana*, 1871, p.445), os Makuxí chamam de *tapui* um grande teto de palmeira assentado sobre postes. Os Galibí (Kalínya) chamavam de *tabui* um barracão de 15 a 18 metros de comprimento por 3 a 4,5 metros de largura, aberto para todos os lados, de planta quadrada, em que realizavam suas reuniões, recebiam convidados, davam festas e enterravam seus mortos; Barrere, op. cit., p.141 (ilustração), 145.

Ilustração 2. Abrigo para viajantes na floresta, Taulipáng.

ções entusiasmadas e semelhantes de Rich. Schomburgk[20] e de Appun[21] da beleza de algumas moças não são, de modo algum, exageradas. A fotografia é apenas um fraco recurso e não pode substituir nem de longe a visão ao vivo. O porte ereto, a simetria dos membros, as formas cheias que esticam a aveludada pele moreno-clara, grandes olhos abertos que, muitas vezes, brilham com um sorriso travesso, uma boca que não é grande demais e de lábios não muito grossos, entre os quais cintilam duas fileiras de dentes saudáveis, belos cabelos negros, não raro anelados; além disso, a graça dos movimentos – tudo isso se une para formar uma imagem que se aproxima bastante do ideal de beleza feminina.

Os homens também se distinguem, em sua maioria, pelo porte bem proporcionado, formas do corpo ao mesmo tempo suaves e musculosas e delicados traços fisionômicos. Eles se diferenciam imediatamente dos Makuxí, que, muitas vezes, têm aparência ossuda, porém mais franzina, maçãs do rosto salientes e narizes chatos com as asas do nariz empinadas.

A altura dos homens Taulipáng oscila entre 150 cm e 165 cm; a das mulheres, entre 145 cm e 155 cm.

---

20 Op. cit., v.II, p.234, 237-8 etc.

21 Appun. *Unter den Tropen.* v.II, p.270*ss.*, 307.

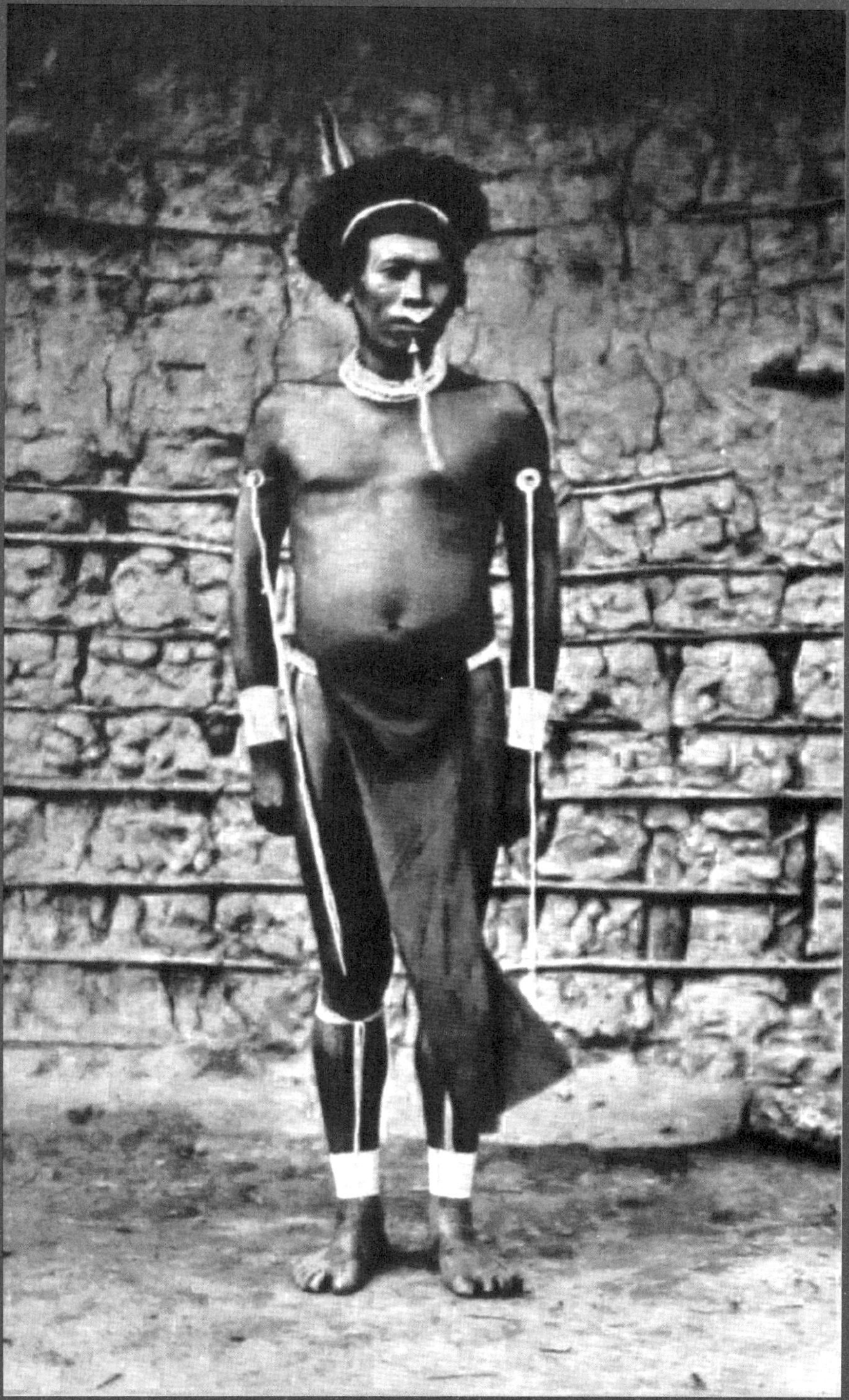

Prancha 4. Monoikó com adornos de festa.

As moças, em geral, têm seios de bonita forma, semiesféricos e firmes. Seios cônicos são considerados feios. Segundo a lenda, eles surgiram quando o ardiloso herói da tribo, Makunaíma, pôs no seio de uma moça que não queria lhe fazer as vontades, *e̱lupá-noáži*, o "filho da banana", ou seja, a flor masculina da bananeira.[22]

Em geral, o índio conserva sua basta cabeleira até uma idade avançada, mas vi em vários homens uma calva considerável, se bem que a cabeça não era tão reluzente como a de muitos europeus.

Cabelos brancos são raros. A mulher mais velha do Roraima, que deveria contar uns 60 anos, tinha apenas uns poucos cabelos brancos, enquanto o cacique Selemelá, que deveria ter entre 50 e 60 anos, tinha a cabeça quase toda branca. Parece que também entre eles o encanecer dos cabelos é coisa individual e começa mais cedo em um, em outro, mais tarde.

Estado de saúde: em geral, o estado de saúde desses índios, graças à região varrida por ventos frescos em que vivem, é bastante bom.

São gente asseada. Apesar das baixas temperaturas noturnas em sua terra montanhosa, também os Taulipáng do Roraima, via de regra, tomam banho duas vezes ao dia, de manhã cedo e no fim da tarde, antes do pôr do sol.

Existe um odor corpóreo natural, mas nunca o senti tão desagradável quanto o dos negros.

Os índios vestidos sofrem muito mais de catarro do que os nus. Já não são tão resistentes, pois não têm mais a mesma robustez. Também a roupa, muitas vezes suja, impede o corpo de transpirar de modo saudável. Quando ficam encharcados pela chuva, deixam a roupa secar no corpo, o que faz que peguem resfriados facilmente.

Doenças dos órgãos respiratórios degeneram facilmente em pneumonias no pulmão do índio, fraco por natureza, e, com frequência, terminam em óbito.

A malária parece rara nessa região. Casos isolados, em geral, devem ser trazidos por pessoas que trabalharam nos seringais insalubres do *rio* Branco ou que serviram por algum tempo como remadores nos vapores fluviais brasileiros ou nos batelões.

Uma espécie de psoríase que ataca o corpo todo com manchas irregulares e esbranquiçadas e que, no Brasil, geralmente é chamada pela expressão indígena *purupuru*,[23] disseminou-se em especial entre os Wapixána.

Ocorre doença crônica do fígado e se manifesta num inchaço monstruoso do abdômen, provavelmente hidropisia abdominal.

Tuberculose, bem como sífilis e outras doenças sexuais, encontram-se principalmente entre os Wapixána do baixo Majari, Parimé-Maruá e Uraricoera que estão em constante contato com os europeus. Vi entre eles, surpreendentemente, cegueira parcial que deve ser atribuída à blenorreia. Os Taulipáng das serras mantêm-se à distância desses companheiros de raça decaídos, para os quais olham com desprezo, em proveito da própria saúde.

---

22 Vide v.II, p.51-2.

23 Vide Koch-Grünberg, *Zwei Jahre unter den Indianern*, v.I, Berlin, 1910, p.82*ss.*; Rich. Schomburgk, op. cit., v.II, p.42, 74, 370.

Epidemias europeias, como varíola, escarlatina, sarampo e gripe, com frequência causam grandes estragos entre os índios. Poucos anos antes de minha viagem, a varíola foi trazida do Brasil e espalhou-se interior adentro. Dizem que muitos índios foram vítimas da terrível epidemia. Vi muitos deles cobertos de cicatrizes, alguns, crianças também, cegos de um olho. "Um bicho furou o olho", me diziam. Certa vez, quando deixei os índios olharem a lua cheia através do meu binóculo, ficaram espantados com "seu rosto bexiguento".

Dizem que os Sapará, Wayumará e Purukotó morreram de uma rápida doença que começou com febre e, geralmente já no dia seguinte, terminava em morte.

Quando uma epidemia vem sobre uma aldeia ou tribo, dizem os pajés, então vem como uma espessa névoa que se deposita sobre elas. Os pajés não podem fazer nada contra ela, já que a doença, como a névoa, penetra em todo lugar.

Vestuário e adornos: o cabelo dos homens é cortado na nuca e, nas têmporas, é cortado de modo a deixar o lóbulo da orelha livre por causa do adorno nele pendurado; raras vezes toda a orelha fica livre. Na testa, em ambos os sexos, o cabelo é cortado na horizontal, numa franja simples. De resto, as mulheres e moças usam o cabelo longo e solto.

A mulher mais velha do Roraima tinha um penteado singular. Com exceção de uma estreita coroa de cabelos mais longos em torno da cabeça, cortado à moda costumeira na testa, seu cabelo estava cortado como uma tonsura de monge. Não consegui descobrir a causa desse penteado invulgar.

Todos os pelos do corpo são considerados feios e eliminados, ou arrancados, ou raspados, também os cílios e as sobrancelhas, estas principalmente nos homens. No lugar das sobrancelhas, os jovens, com frequência, pintam um tênue risco horizontal preto ou vermelho.

Entre os Taulipáng, vi uma mulher mais velha raspando, com um caco de vidro, a maior parte das sobrancelhas de uma mocinha, deixando, embaixo, apenas um tênue risco.

Muitos homens Makuxí e Wapixána das proximidades do baixo Uraricoera têm os quatro incisivos superiores limados formando uma ponta; um costume bastante disseminado na África, que talvez, no caminho pelo Brasil, tenha sido introduzido nessas tribos, já que ele não ocorre entre os Taulipáng e em outras tribos do interior.[24]

O lóbulo da orelha e o lábio inferior são furados; em alguns homens, o septo nasal também. No lóbulo da orelha, ambos os sexos usam pedaços de taquara mais ou menos longos, dos quais pendem, presas a uma ou duas curtas fileiras de miçangas, moedas de prata polidas ou chapas em forma de meia lua ou de triângulo.[25] Estas últimas são feitas de moedas de prata brasileiras marteladas e polidas e são sempre tão limpas que chegam a brilhar (Pr. 5, 3a, b, 4). No lábio

24 Vide Hans Lignitz, "Die künstlichen Zahnverstümmelungen in Afrika im Lichte der Kulturkreisforschung", *Anthropos,* v.XIV-XV, p.891*ss.*

25 Os Karib das ilhas tinham brincos semelhantes em forma de meia-lua, mas de cobre brilhante, que apreciavam muito; de Rochefort, *Historische Beschreibung der Antillen Inseln* etc., edição alemã, Frankfurt, 1668, p.289-90. Segundo Gumilla, os Karib das cercanias do Orinoco antigamente usavam como adorno chapas de ouro em forma de meia-lua, que eles próprios fabricavam; Rich. Schomburgk, op. cit., v.II, p.432.

inferior, em dias comuns, homens e mulheres enfiam uma taquara fininha ou também um ou mais alfinetes com a ponta para fora.[26] Em dias de festa, o lábio inferior do homem jovem é enfeitado por um pingente de miçangas e longos fios de algodão, na maioria das vezes tingido de *urucu*, que atravessam um pedaço de concha ou de osso polido em forma de sino (Pr. 4 e 5, 7). Um curto bastãozinho transversal de taquara fina mantém firme esse adorno na borda interna do lábio. O furo do septo nasal, em que geralmente se usa um curto pedaço de taquara, não é mais de uso comum entre os Taulipáng. Um Monoikó (Makuxí) usava, como adorno de festa, uma grande chapa de prata em forma de meia lua, com a borda dentada em diferentes pontos (ilustração no frontispício e Pr. 5, 5). Entre os Makuxí orientais, parece que esse adorno é muito usado; não o vi entre os Taulipáng.[27] Dizem que, às vezes, ele é tão grande que cobre quase a boca toda. Às vezes, os homens usam nas orelhas e no lábio inferior plumas brancas, penugem do urubu-rei ou do grande mutum. Também vi entre os Taulipáng, como pingente de orelha, pequenas cabeças de ave coloridas, peles do peito de tucanos e os élitros de brilho metálico, que tilintam delicadamente ao baterem um no outro, do grande besouro chamado mãe-de-sol (*Euchroma gigantea* L.).[28]

A única peça de roupa do homem é uma comprida tanga de cerca de 20 cm de largura feita de chita azul, mais raramente vermelha, puxada por entre as pernas e presa, na frente e atrás, sob o cinto de cordões, de modo que, atrás, ela pende só um pouco, na frente, porém, ela pende muito e é jogada por sobre os ombros e presa por um nó, como um lenço, por jovens vaidosos, mas também por janotas mais velhos. Boas e velhas tangas de firme tecido de algodão autóctone só se veem raramente. Elas têm cerca de 1,5 m de comprimento e 25 cm de largura e, em cada uma das quatro pontas, têm uma borla de cordões de algodão (Pr. 3, 2).

Na Guiana, o uso da tanga é bem antigo, mas deve-se, sem dúvida, à influência europeia. Prova certa disso é o fato de que os Taulipáng, Makuxí e inúmeras outras tribos não têm, em suas línguas, nome próprio para tanga, mas somente a designação *camisa*,[29] pelo visto, tomada

---

[26] Segundo Quandt (*Nachricht von Suriname und seinen Einwohnern*, Görlitz, 1807), muitas mulheres Karib (Galibí) e Warrau tinham "a borda de seus lábios superiores e inferiores repleta de alfinetes enfiados".

[27] Vide também Im Thurn, op. cit., p.198, fig. 2 e 4. Segundo Quandt (op. cit., p.246-7), muitos homens Karib (Galibí) e Warrau usavam uma chapa de prata no nariz.

[28] Na lenda, quem os usa é o herói Sol; vide v.II, p.56.

[29] Vide P. Barrere, op. cit., p.121-2 e ilustr. da p.194: "Les Sauvages du continent de la Guiane, sont des hommes tout nuds [...] Ceux, [...] qui croyent qu'il est nécessaire de dérober à la vûë ce qui blesse la modestie, mettent, sur le devant, un *camiza*, ou une bande de Coton [...] Ces *camizas* sont longs de quatre à cinq pieds, sur sept pouces de large. Ils les attachent à la ceinture, avec un fil de Coton, et les font passer entre les deux cuisses. Les hommes croyent se donner des airs de galanterie, en faisant descendre ces sortes de brayers jusques aux talons" [Todos os selvagens do continente da Guiana ficam nus [...] Aqueles [...] que acreditam ser necessário esconder da vista o que fere o recato, colocam na frente uma *camiza*, ou uma tira de algodão [...] Essas *camizas* medem de 1,2 m a 1,5 m, por 15 cm de largura. Eles a prendem à cintura com um fio de algodão e as fazem passar entre as pernas. Acreditar ser corteses fazendo descer essa espécie de funda até os calcanhares]. O nome Wapixána *rabún* para a tanga do homem sem dúvida também se origina da palavra portuguesa "rabo".

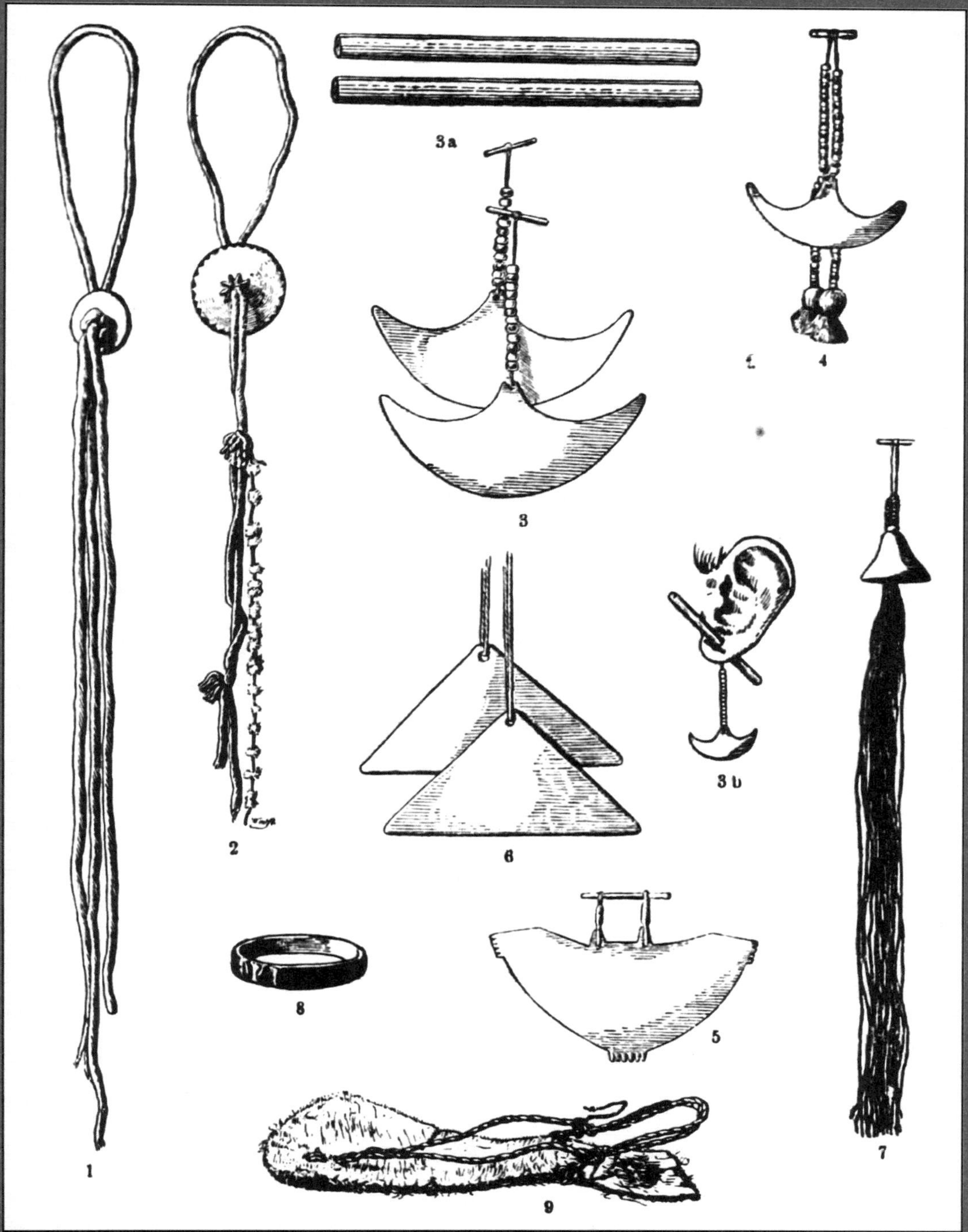

Prancha 5. 1. Adorno para o braço com pedaço de cerâmica, Monoikó. 2. Adorno para o braço com concha de caracol, Taulipáng. 3 e 4. Pingentes de prata. 3a. Pingentes de junco, Taulipáng. 3b. Orelha com joias de prata. 5. Adorno em prata para o nariz, Monoikó. 6. Colar de prata de criança, Taulipáng. 7. Adornos labiais, Taulipáng. 8. Anel feito de casca de palmeira, Wapixána. 9. Sandália, Makuxí.

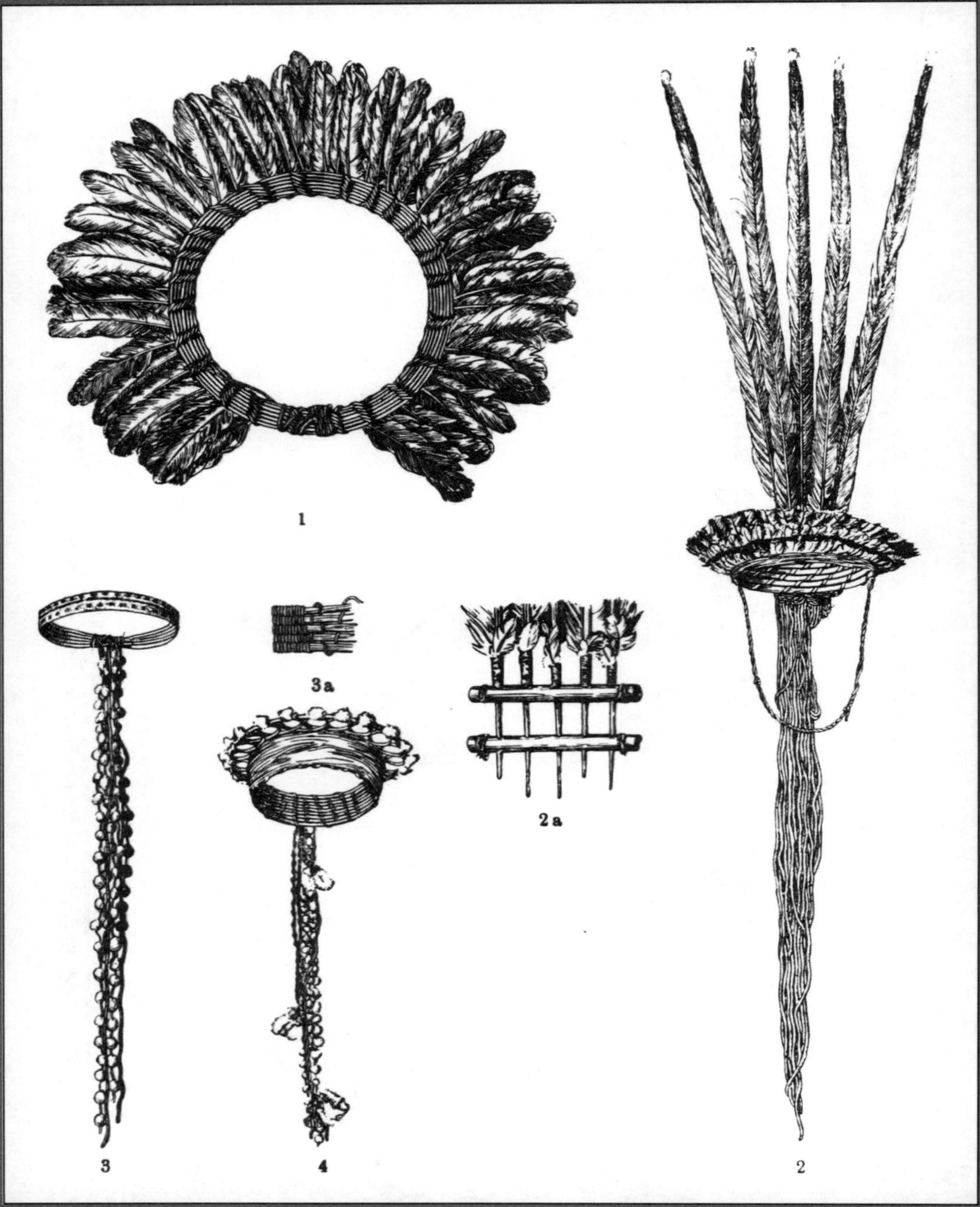

PRANCHA 6. 1. ADORNO EMPLUMADO DE CABEÇA, MONOIKÓ. 2. ADORNO EMPLUMADO MASCULINO COM TIRA PARA PRENDER NO QUEIXO E DECORAÇÃO NAS COSTAS EM FIOS DE ALGODÃO, MONOIKÓ. 2A. FIXAÇÃO DAS PENAS DA CAUDA DE ARARA. 3. TIARA FEMININA COM DECORAÇÃO NAS COSTAS FEITA DE FIOS E TUFOS DE ALGODÃO, WAPIXÁNA. 3A. TÉCNICA DESSA TIARA. 4. TIARA FEMININA; A ARMAÇÃO É A MESMA DE 2, TAULIPÁNG.

do espanhol. Antes da descoberta dessa terra pelos europeus, os homens das tribos das Guianas também andavam totalmente nus, como ocorria até há pouco com todas as tribos das cabeceiras do Xingu, que pertencem aos mais diferentes grupos linguísticos.[30]

O cinto de cordões comum consiste, nos homens, de um feixe mais ou menos grosso feito de cordões de algodão; nos meninos somente de um cordão de algodão. Em ocasiões festivas, homens e rapazes também usam cintos de cordões feitos de cabelo humano trançado. Antigamente, usavam-se, para isso, os cabelos dos inimigos mortos.[31] Só em rapazes foi que vi cintos de cordões de miçangas tecidos pelas mulheres, com belos motivos, feitos de miçangas europeias de cores variadas. A técnica é a mesma das tangas de miçangas das mulheres, sobre as quais falarei mais adiante. Para esse trabalho, a mulher pega um grosso feixe de cordões de algodão que têm o comprimento do futuro cinto. Ela segura a extremidade do feixe entre o polegar e o dedo seguinte de um dos pés, a outra extremidade ela aperta na axila e, dessa maneira, estica a "corrente" como num bastidor. A "trama" consiste de dois fios bem finos, que são enlaçados em cruz em torno dos cordões externos, enquanto os cordões servem apenas como enchimento. Entre cada dois cordões da corrente são enfiadas duas miçangas. À medida que o enchimento é assim tecido em espirais bem juntas umas das outras em torno do feixe, este, aos poucos, é totalmente revestido de motivos de miçangas (Pr. 3, 4).

Por fim, ainda são usados pelos meninos e homens Taulipáng cintos autóctones em forma de mangueira.[32] São feitos pelas mulheres com um fio de algodão sobre dois pedacinhos de zarabatana, de modo semelhante ao de um trabalho de nossa escola, o chamado "levantar a malha", que é executado com fio sobre um rolo de torcer linha vazio guarnecido de agulhas (Pr. 3, 5). Surge, assim, uma mangueira quadrangular que, às vezes, é preenchida com um feixe de fios de algodão e atado nas duas extremidades, recebendo, então, a aparência de linguiça.

Em geral, os índios do cerrado também andam a pé. Mas quando, em suas caminhadas, chegam a um dos frequentes pontos onde o caminho é coberto por afiados pedacinhos de quartzo ou outro tipo de cascalho, então eles calçam as sandálias que fazem em pouquíssimo tempo do pecíolo da folha de *Mauritia*. Os cordões que servem para prender a sandália no pé e que correm entre o dedão e o dedo seguinte e sobre o calcanhar são torcidos das finas fibras da epiderme de uma folha não aberta da mesma palmeira (Pr. 5, 9). Esse calçado, que eu mesmo usei por semanas, é leve e elástico, não atrapalha o andar depois que o pé se acostumou a ele e, com sua espessura, protege a sola do pé. É verdade que fica gasto logo, mas é substituído rapidamente, já que a palmeira *Mauritia* ocorre em todo o cerrado. Mais duráveis são as sandálias de pele fresca de veado ou de anta, nas quais o lado peludo é usado por dentro, mas, devido a sua dureza, têm algumas desvantagens e, por isso, são usadas mais raramente.

---

30 Vide C. H. de Goeje, *Bijdrage tot de Ethnographie der Surinaamsche Indianen*, Leide, 1906, p.8.

31 Vide Rich. Schomburgk, op. cit., v.II, p.55, 208, 221, 239; Appun, *Die Indianer in Brittisch Guyana*, p.162. Esses cintos eram troféus de bravura e também deviam ter, como os cintos de cabelo dos Jivaro no Equador, significado mágico.

32 Rich. Schomburgk (op. cit.) cita rapidamente tais cintos em forma de linguiça.

A única vestimenta da mulher nos dias úteis e de festa é a encantadora tanga tecida com miçangas, que, devido ao seu peso, se ajusta a cada movimento do corpo e, com isso, cumpre plenamente sua finalidade. Usam-se, para ela, somente miçangas brancas, azul-escuras, azul-claras e vermelhas, que parecem estar há muito tempo na moda entre essas tribos. Em geral, no comércio, elas recusam miçangas de outras cores e quase não as recebem como presente. A tanga de miçangas tem a forma de um trapézio paralelo simétrico. O bastidor em que é tecida compõe-se de uma vara de curvatura semicircular, em cujas extremidades há um bastão transversal amarrado. O tamanho da tanga depende da extensão do bastidor. Ficamos conhecendo o modo de fabricação dos cintos de miçangas dos garotos. Na curvatura superior da vara é enganchado, com folga, um feixe torcido de quatro fortes fios de algodão, que forma a orla superior e firme da tanga. As orlas laterais são trançadas, cada uma com quatro fios de algodão, como tranças. Nessas três orlas da tanga, os fios em corrente são enfiados e firmemente enlaçados em feixes isolados em volta do bastão transversal inferior. Através dos fios em corrente, os dois finos fios da trama correm, agora, para lá e para cá e, a cada dois fios da corrente, apanham duas miçangas (Pr. 22, 13). Findo o trabalho, as pontas que sobressaem da orla superior e das duas orlas laterais pendem como longas franjas.

Entre os Taulipáng e Makuxí, na maioria das vezes, a tanga é de uma só cor, branca ou azul-escura; somente nas orlas superior e inferior encontra-se uma estreita faixa de motivos de miçangas de outra cor. As mulheres Wapixána, em contrapartida, sabem tecer toda a superfície da tanga com motivos de bom gosto (meandros, ganchos, entre outros); uma arte que, talvez, se deva à antiga habilidade dessa tribo nos trançados (Pr. 25, 2). Na orla inferior, são atadas curtas franjas de algodão tingidas de vermelho e, nas duas extremidades inferiores, na dança, são colocados feixes de cordões de miçangas com cápsulas marrons de sementes, que chocalham; às vezes, também de pequenos guizos europeus e sininhos e, até mesmo, dedais. Por meio de um forte cordão de algodão ou de vários cordões de miçangas brancas, a tanga é amarrada em torno dos quadris. Em dias de festa, as mulheres jovens e as mocinhas enlaçam sobre esse cinto de cordões um grosso feixe de cordões de miçangas vermelhas ou azuis.

Entre os Taulipáng e Makuxí, o sexo feminino usa sobre os tornozelos uma espécie de "manguito" esticado de algodão, que, na maioria das vezes, é tingido de vermelho e, nas bordas superior e inferior, é adornado com miçangas brancas. São tricotados diretamente na perna com uma agulha de madeira e, por isso, não podem ser tirados, até que, aos poucos, vão ficando gastos e são substituídos por novos. Já nas meninas bem pequenas, tais faixas são colocadas por suas mães. Como adorno da mulher pertencem, além disso, largos revestimentos de cordões de miçangas brancas abaixo dos joelhos, na parte superior do braço e nos pulsos. Os homens usam o mesmo adorno de miçangas nos pulsos, às vezes, também nos tornozelos, mas atam as pernas sob os joelhos com cordões de algodão brancos, cujas extremidades pendem longamente. Na parte superior dos braços, em geral, usam somente um cordão de miçangas brancas ou um cordão de algodão branco ou, em dias de festa, uma chapa redonda de concha de caracol, cuja superfície marrom é raspada de modo a deixar em branco motivos isolados e, especialmente na borda, um motivo denteado. Um grosso cordão de algodão branco atravessa, num laço, um furo no meio da chapa. A fim de tornar o adorno ainda mais impressionante, às vezes é colocada nesse lugar uma pequena estrela feita da casca negra da noz *tucumá*, raramente de chifre, cortada cuidadosamente (Pr. 5, 2). Por meio do laço, a chapa é presa na parte superior do braço. As extremidades do cordão pendem longamente e, às vezes, são decoradas com pompons de plumas brancas. Raramente as chapas consistem de ossos ou de tartaruga. Infelizmente, também se veem aquelas de caco de faiança inglesa (Wedgwood) polidas e coloridas (Pr. 5, 1).

Por vaidade, os revestimentos nas pernas são, com frequência, tão apertados pelas mocinhas, que as panturrilhas ficam bem salientes;[33] é um antigo costume Karib, a respeito do qual os primeiros descobridores já comentam, espantados.

Esporadicamente, também são usados anéis da casca da noz *tucumá*, mas que não devem ser de origem indígena, e sim imitação dos anéis europeus (Pr. 5, 8).

Em dias de festa, ambos os sexos enfeitam pescoço e peito com colares variados de miçangas, dentes de animais, sementes e cascas de frutos. São muito populares longos colares de miçangas brancas e sementes marrons, que, em muitas voltas, envolvem em cruz o peito e as costas. A cor branca, por sua vez, é preferida por se destacar de modo tão bonito da pele morena. Também são populares gargantilhas justas de botões de camisa, que encontram ampla difusão por meio do comércio indígena. As mulheres e crianças usam colares de dentes incisivos do *aguti* (*Dasyprocta*), da *paca* (*Coelogenys*) e da *capivara* (*Hydrochoerus*), e caninos de macacos; além desses, os homens também usam grandes colares de presas de porcos-do-mato,[34] caninos de onças e dentes isolados de jacaré, obras-primas para as quais, às vezes, várias gerações coletaram dentes.

Desses colares pendem variados enfeites dorsais: longos e grossos cordões de algodão nos quais são amarrados tufos de penugem branca, asas da garça branca e de outras aves, a pele do pescoço de um *maguari*, peles de pássaros empalhadas com algodão ou com paina, de tucano, picanço-verde, biguá,* a pele inteira de um pato, além disso, peles de pequenos mamíferos, um pedaço de pelo de um macaco preto, rabos de animais (veado), bicos de pássaros preenchidos com pez negro, no qual foram inseridas miçangas brancas, até mesmo um feixe feito das cabeças com longas orelhas e dos rabos de três tatus (Pr. 8, 1). Diversas vezes vi entre os Taulipáng do Roraima um vistoso enfeite dorsal das peles de *tangarás* de sete cores (*Tangara paradisea* Sw.), beija-flores e outros pequenos pássaros coloridos que pendem de um anel envolto por fios de algodão (Pr. 8, 2). Élitros do grande besouro mãe-de-sol também são usados dessa maneira.

---

33 Vide v.I, p.57.

34 Numa lenda dos Taulipáng, esse vistoso adorno, que eles chamam de *amãtá*, é citado de maneira especial; vide v.II, p.116.

* *Klippenvogel* no original, nome popular genérico para aves que vivem em escolhos ou ilhotas junto ao mar ou lagoas. Como Koch-Grünberg não cita seu nome científico nem o nome popular em português, optou-se pela denominação genérica de "biguá", que, no Brasil, designa diferentes espécies de aves que vivem em escolhos ou ilhotas, tanto no litoral, quanto no interior. (N. T.)

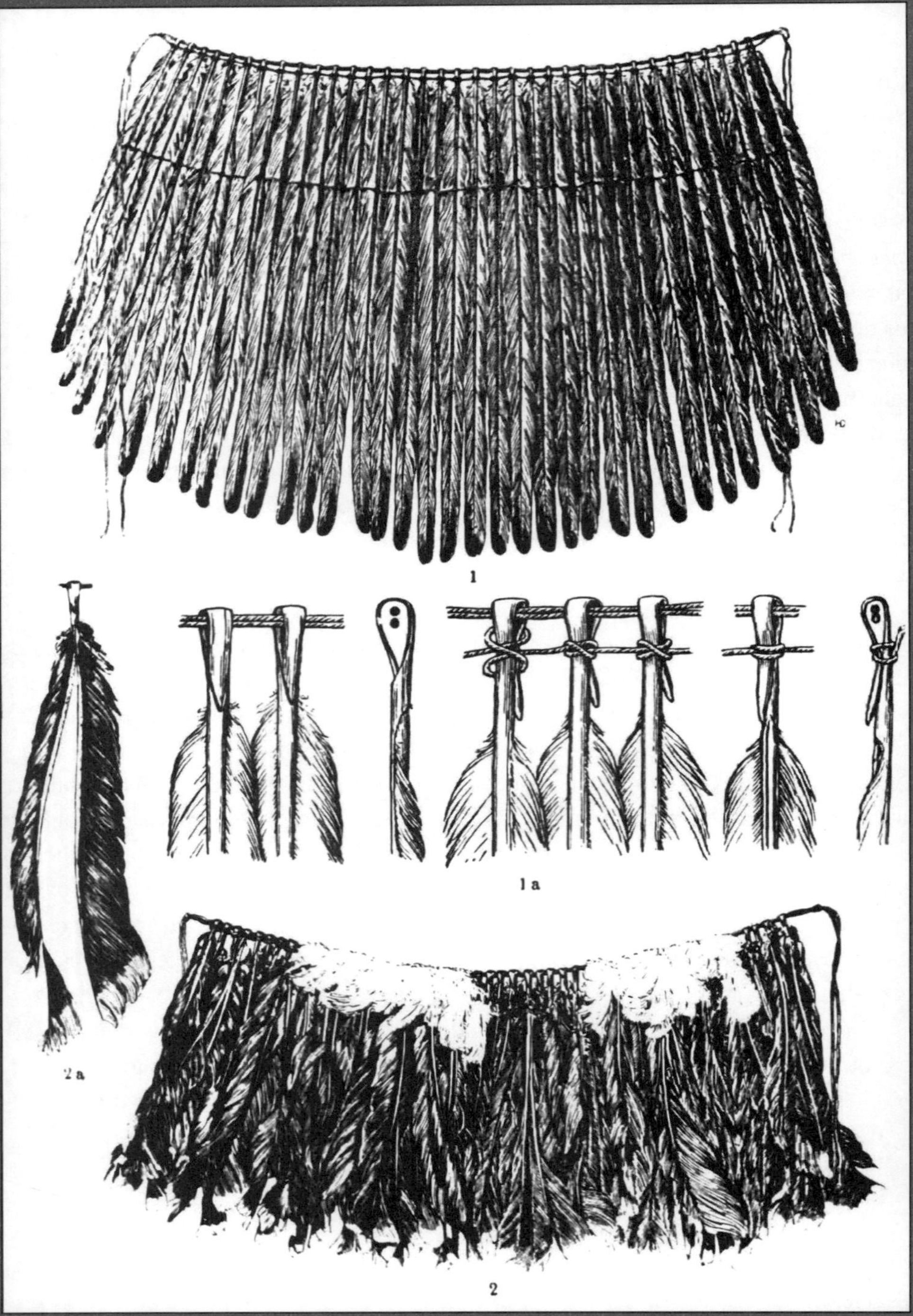

PRANCHA 7. 1. MANTELETE DE PENAS DE CAUDA DE ARARA, VERMELHO COM PONTAS AZUL-CLARAS. 1A. FIXAÇÃO DAS PENAS. 2. MANTELETE DE PENAS PRETAS E BRANCAS DE MUTUM. 2A. FIXAÇÃO DAS PENAS, TAULIPÁNG.

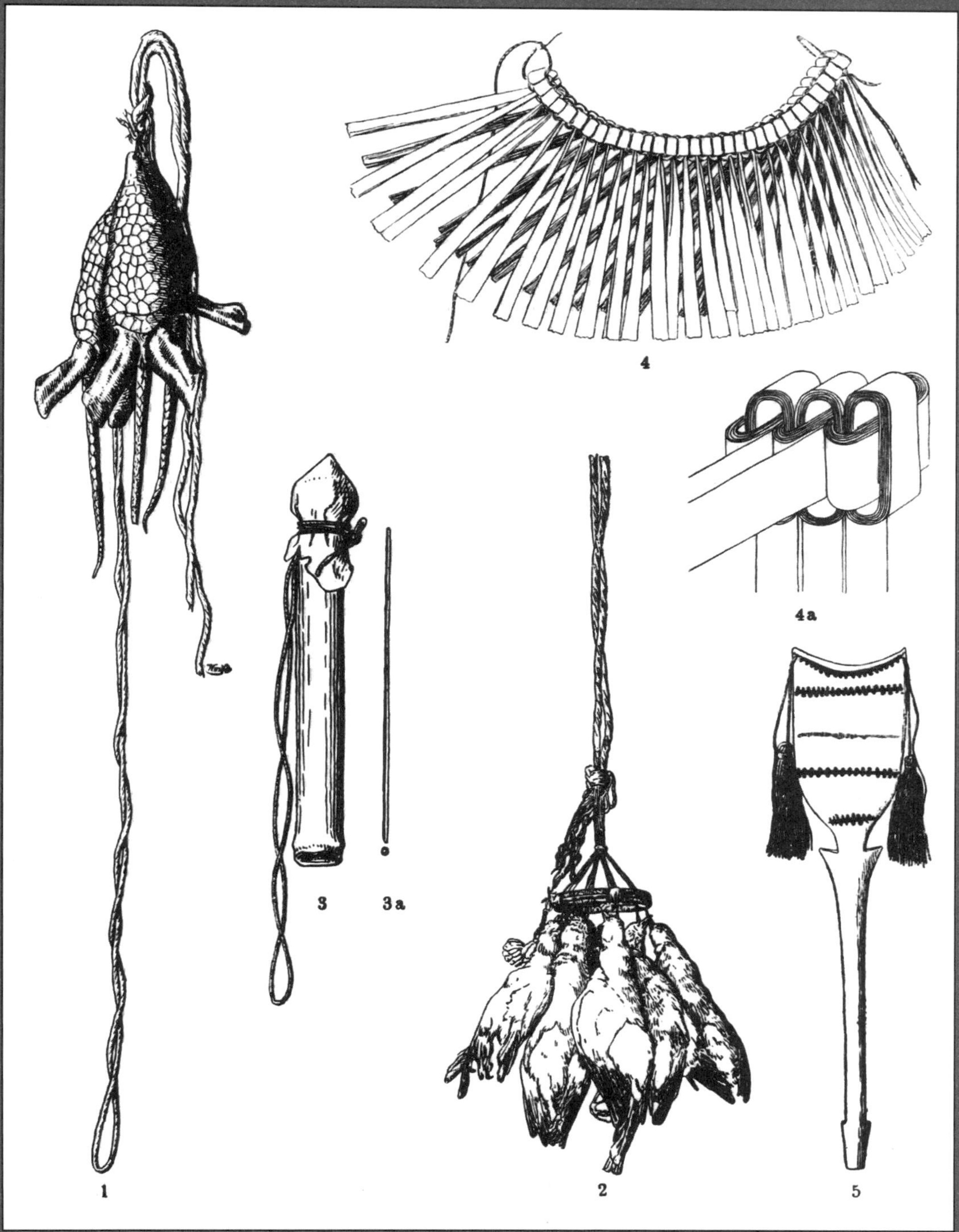

PRANCHA 8. 1. ENFEITE DORSAL FEITO DE CABEÇA E CAUDA DE TATU. 2. ENFEITE DORSAL FEITO DE PELE DE TANGARÁS DE SETE CORES, TAULIPÁNG. 3. CAIXA DE PINTURA. 3A. VARETA DE PINTURA, MAKUXÍ. 4. COCAR MASCULINO NA DANÇA PARIXERÁ, TAULIPÁNG. 4A. TIPO DE TRANÇADO DE 4. 5. CLAVA DE DANÇA PARA MENINOS, TAULIPÁNG.

O mais belo adorno de dança masculino é a coroa emplumada. Infelizmente, ela é vista apenas raras vezes em cortejos solenes e em grandes festas de dança; em seu lugar veem-se adornos de cabeça, com frequência de mau gosto, feitos apenas para o momento e que, outrora, jamais seriam usados. A boa, antiga coroa emplumada dos Taulipáng e Makuxí tem, como base, um aro trançado de estreitas tiras de taquara e que mede cerca de 4 cm de largura. Em torno dele, é posto um feixe de cordões de algodão brancos que são separados como numa encadernação por alguns fios trançados verticalmente e atados atrás, de modo que, às vezes, as longas extremidades ondeiam costas abaixo. Sob a borda superior do aro são colocados, então, vários cordões, nos quais há peninhas de papagaio, com fusos dobrados, amarradas umas ao lado das outras. O tamanho das penas cortadas de maneira uniforme é diferente em cada fio, de modo que as diferentes camadas se cobrem como telhas. Através de um fino trançado de taquara que sai da borda do aro, é dada a essa camada de penas a posição transversal para a frente. Por fim, são enfiadas verticalmente, na parte de trás do aro, duas a cinco longas penas vermelhas do rabo da *aracanga* (*Ara macao* L.). Para manter as penas nessa posição também durante a dança, os fusos reforçados por meio de pontas de madeira são enfiados através de dois pedaços de zarabatana, amarrados horizontalmente no aro, um sobre o outro, a alguma distância (Pr. 6, 2 e 2a). Às vezes, há somente uma pena mais longa da cauda da *arara* amarrada na frente.

Também são usados aros de cabeça simples feitos de taquara trançada com cordões de penas presos em várias camadas (Pr. 6, 1) que, na frente, às vezes, são sobrepujados por duas penas vermelhas da cauda da *arara*, semelhantes àqueles do alto *rio* Negro.[35]

Vários jovens Taulipáng usavam um adorno de cabeça singular numa festa de dança em Denóng, no Roraima, chapeuzinhos de palha ingleses que eles tinham trançado segundo algum modelo vindo de Georgetown. Como nas antigas coroas emplumadas, havia, presas atrás, penas da cauda da *arara* cujas extremidades eram, em parte, adornadas com penugem de mutum. Num desses chapeuzinhos coquetes, toda a superfície da copa do chapéu estava coberta de penugem colada.

Também a correia de boné, um laço de algodão preso em ambos os lados do adorno de cabeça, que em outros lugares passa pelo pescoço, no Roraima enlaça o queixo várias vezes, à moda dos soldados ingleses.

Um Taulipáng idoso usava como adorno de cabeça um boné de pelo de bicho preguiça.

Raras vezes ainda se veem os magníficos manteletes emplumados, que outrora eram usados pelos Taulipáng, Makuxí, Akawoío e outras tribos, geralmente em grandes festas de dança. São compostos das penas vermelhas da cauda da *aracanga* ou das penas amarelo-azuladas da *araraúna* ou das brilhantes penas negras do mutum, que são enfileiradas em cordões e mantidas juntas por um fino fio que envolve o cálamo de cada pena. Nas penas de mutum, todo o cálamo sempre é partido até o fuso. As penas são presas de duas maneiras: ou o fuso é dobrado em volta de um cordão duplo que serve, ao mesmo tempo, como fio de amarrar, e as duas partes

---

[35] Vide Koch-Grünberg, *Zwei Jahre* etc., v.I, p.87, ilustr. 43; p.171, ilustr. 99; p.174, ilustr. 103; p.292, ilustr. 170; p.351, ilustr. 226.

são envolvidas por outro fio, ou o fuso é adelgaçado por um corte longitudinal e, com a ponta, enfiado no furo resultante desse procedimento. Através do laço assim surgido, o cordão duplo é puxado (Pr. 7, 1 e 1a). Nos manteletes de penas de mutum, os fusos das grandes penas negras são cobertos por uma gola das penas brancas da barriga da mesma ave, que são presas do modo descrito primeiro (Pr. 7, 2 e 2a). Se o adorno for amarrado em volta do pescoço, então ele se estende como leque sobre as costas e ombros e segue, oscilando para cima e para baixo, a cada movimento do dançarino, o que, em especial nas longas penas vermelhas da *arara*, dá um aspecto extremamente pitoresco (ilustração no frontispício).

Entre os Taulipáng e Arekuná, Makuxí e Wapixána, ao contrário de todas as tribos indígenas que visitei, em dias de festa as mulheres também usam um adorno de cabeça em forma de diadema. Há dois tipos. Um deles, que quase só é fabricado e usado pelas mulheres Taulipáng e Arekuná, consiste do mesmo trançado de taquara que também é empregado na antiga coroa emplumada dos homens. Mas, em torno do aro, é colocada uma fita de algodão firme, branca, às vezes pintada com motivos simples, e a viseira trançada de finas tiras de taquara encurvadas em forma de anel é adornada somente na borda exterior com tufos de algodão e penugem branca de mutum. Atrás, pendem longos cordões de algodão, nos quais são amarrados inúmeros pequenos tufos de penugem branca e algodão ou são presas pequenas borlas de cordões de algodão (Pr. 6, 4).

A fita de algodão desse delicado diadema é tricotada com oito curtas agulhas de madeira que têm uma das extremidades terminando em ponta. Na extremidade mais grossa, elas possuem um corte longitudinal, no qual o fio é preso. Com auxílio de cada agulha, o fio é puxado sempre um pouquinho mais; todas as demais agulhas servem para segurar a malha (Pr. 3, 3).

Em vez da fita de algodão, às vezes põe-se uma fita de miçangas, tecida com motivos coloridos, em torno do aro de cana, feita com o mesmo bastidor e da mesma maneira que a tanga de miçangas de mulher. Ambas as bordas da fita de miçangas geralmente são adornadas com fina penugem de mutum.

O outro tipo de diadema é usado principalmente pelos Wapixána e pelos Taulipáng do Majari e do Parimé-Maruá, culturalmente influenciados por eles, e consiste de um aro estreito, composto de cinco a seis tiras de taquara, uma ao lado da outra. Essas tiras de taquara são, como corrente, envoltas densamente por fios de algodão branco, como trama, e amarradas nas extremidades. Na superfície do aro são pintados motivos simples com *jenipapo* (*Genipa* sp.) e *urucu* (*Bixa orellana*). O longo enfeite dorsal, nesses diademas, traz, com frequência, curtos cordões de miçangas e cápsulas pardas de sementes, que chocalham (Pr. 6, 3 e 3a).

Em toda ocasião especial, principalmente nas festas de dança, os índios pintam o rosto e, com frequência, também o corpo todo com tintas negras e vermelhas, em parte simples riscos e pontos, em parte motivos de bom gosto, em parte figuras estilizadas de animais e pessoas. Os pés, até os tornozelos, na maioria das vezes são pintados apenas de vermelho. Cada homem jovem leva, em sua bolsa a tiracolo, seus apetrechos de pintura, uma pequena caixa de bambu com tinta vermelha e um pauzinho de madeira para aplicar a tinta (Pr. 8, 3 e 3a). Com auxílio de um pequeno espelho, que, geralmente, é tirado de sua moldura original e encaixado numa moldura de fabrico caseiro de pesada madeira vermelha, cada um pinta seu rosto. Alguns ainda colam, em alguns pontos vermelhos isolados, fina penugem de mutum (Pr. 9, 6 e 9). Os jovens de ambos os sexos competem, com diligência, para encontrar sempre novas combinações de motivos. A pintura do restante do corpo, especialmente da parte traseira, na maioria das vezes é deixada às mulheres, que mostram, nisso, excepcional habilidade e sensibilidade artística (Pr. 9, 10, 11, 12, 1 e 2). As crianças, meninos ou meninas, sempre são pintadas pelas mães ou avós. Usam-se, para isso, tinturas vegetais, o sumo negro-azulado do fruto do *jenipapo*, que permanece longo tempo na pele, o gorduroso corante vermelho-tijolo em que ficam as sementes do urucuzeiro, e, por fim, somente para a pintura do rosto, a tintura vermelho-escura, muito apreciada pelos índios, do *caraiuru* (*Bignonia chica*), obtida da sedimentação das folhas, que fermentam na água, dessa trepadeira.[36] Além do uso como adorno, essa última tintura serve para a pintura medicinal em casos de doença, como pintura profilática contra epidemias e em tratamentos mágicos. Para ser usada, ela é misturada com o sumo pegajoso de uma árvore.

Os índios também esfregam *urucu* na pele áspera para que ela fique macia.[37]

As jovens índias empregam um outro cosmético em suas caminhadas pelo cerrado. Elas empoam o rosto todo com uma grossa camada de amido de mandioca, para atenuar os efeitos dos raios do sol.

A tatuagem é bastante comum entre os Taulipáng na região do Roraima e entre os Arekuná do Caroni; entre os Makuxí, é rara e utilizada principalmente pelas mulheres. Ela se restringe à região em torno da boca e, entre os Makuxí, constitui-se de numerosos curtos riscos paralelos e verticais; já entre os Taulipáng e Arekuná, de pontos, riscos e motivos em forma de anzol. As tatuagens dos Taulipáng são muito variadas, mas sempre voltam ao motivo do anzol como motivo básico[38] (Pr. 12, 3-16).

Em toda parte, a tatuagem é um sinal de maturidade e, como veremos mais tarde, tem um significado mágico. É executada, ponto por ponto, com cacos de vidro afiados, antigamente com espinhos de palmeira. Numa menina Taulipáng do Roraima, excepcionalmente, fizeram com uma agulha a simples tatuagem na boca, composta de dois riscos paralelos (Pr. 12, 3). Uma menina Makuxí no Surumu tinha a tatuagem dos Taulipáng (Pr. 12, 4). Um Arekuná idoso que encontrei no Merevari estava tatuado com dois riscos verticais que iam de cada um dos cantos da boca até o queixo.

Os chamados "Ingarikó" da região da mata a nordeste do Roraima usam, segundo informação de seus vizinhos, "cabelo comprido como mulher" e têm o rosto bastante tatuado.

Alimentação e estimulantes: a mesa indígena não é assim tão monótona quanto o leigo, com frequência, supõe, e a índia sabe, usando de todos os ingredientes possíveis, tornar mais saborosos os pratos de preparo simples.

---

36 Vide Koch-Grünberg, *Zwei Jahre* etc., v.II, p.237, 240.

37 Vide v.II, p.241.

38 Antigamente, encontrava-se a mesma tatuagem entre as mulheres Aruak da Guiana Inglesa e do Suriname; vide Rich. Schomburgk, op. cit., v.I, p.226; W. Joest, *Ethnographisches und Verwandtes aus Guayana*, Leider, 1893, p.83 e ilustr. a e b; igualmente entre os Wapixána; vide Appun, op. cit., 1871, p.523; Farabee, *The Central Arawaks*, p.82, fig. 9, entre os Wapixána a leste do *rio* Branco.

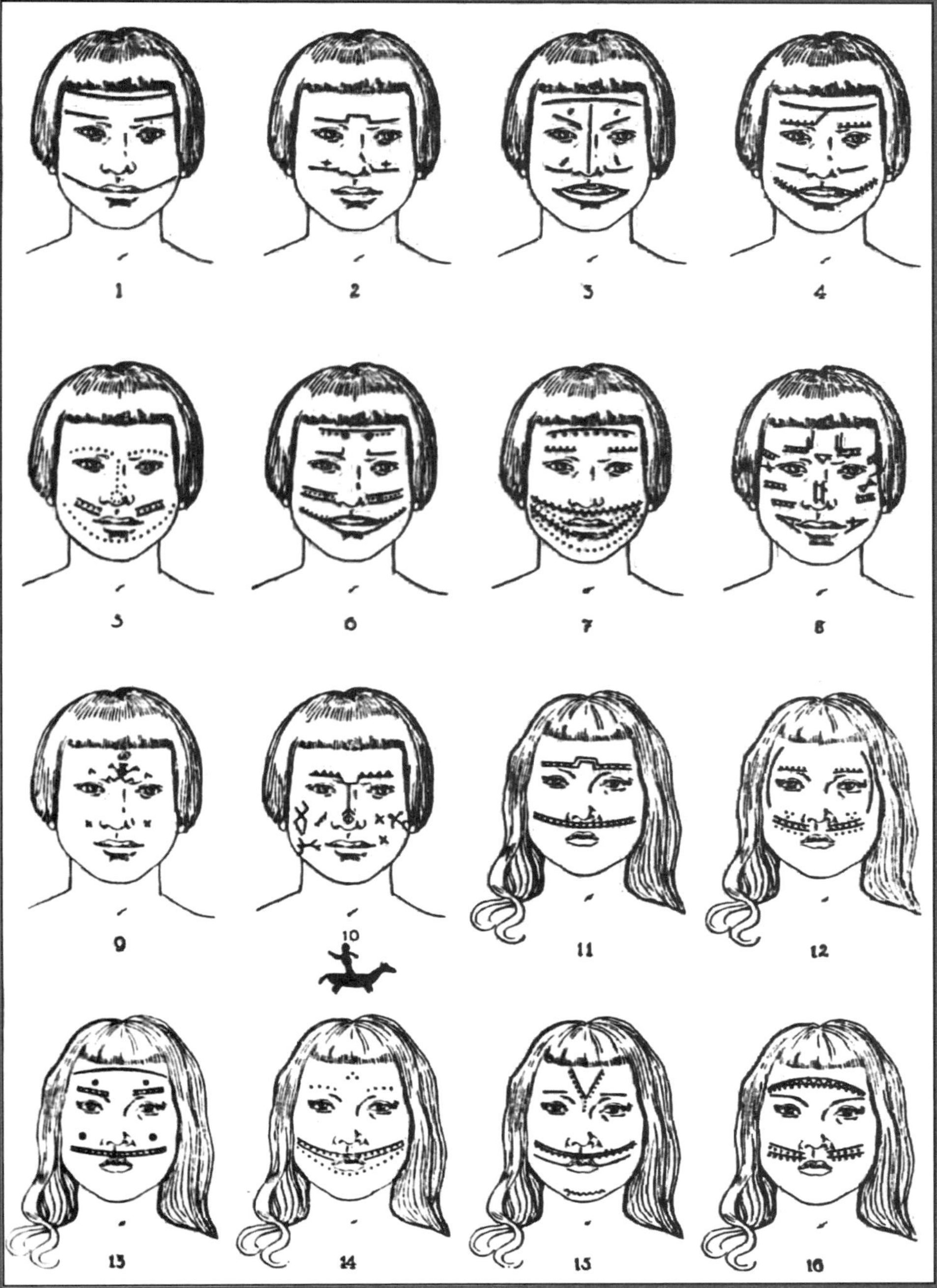

Prancha 9. 1-9 Pintura facial de homens e meninos Taulipáng e Makuxí com tinta vermelha escura (*Bignonia chica*) e negra-azulada (*Genipa*). No 6, fina penugem branca de mutum foi colada nos dois pontos médios abaixo da linha da testa e nos dois lados das narinas. No 9, também no meio da testa. A pintura era carmesim em ambos os casos. 10. Pintura de um homem Yekuaná. A figura do cavaleiro foi pintada com tinta vermelha no peito. 11-16. Pintura facial de meninas Taulipáng, Makuxí e Wapixána com tinta vermelha escura e negra-azulada.

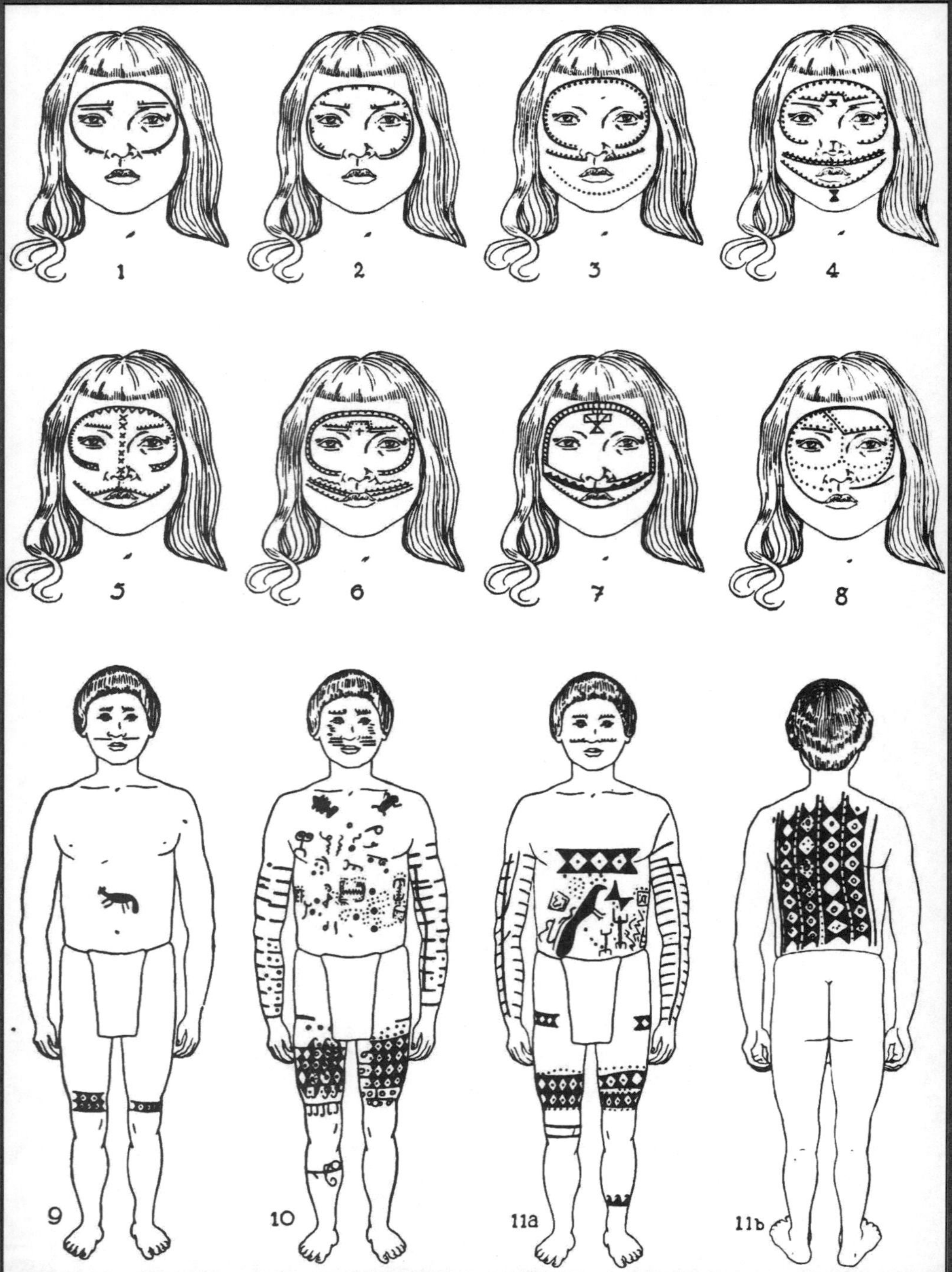

Prancha 10. 1-8. Pintura facial de meninas Taulipáng, Makuxí e Wapixána com tinta vermelha escura (*Bignonia chica*) e negra-azulada (*Genipa*). 9-11b. Pintura corporal de meninos Taulipáng com tinta de jenipapo.

PRANCHA 11. PINTURA CORPORAL DE MENINAS TAULIPÁNG E MAKUXÍ COM TINTA NEGRA-AZULADA (*GENIPA*) E VERMELHA (*BIXA ORELLANA*).

Prancha 12. 1-2. Pintura facial de mulheres Taulipáng com cor negra-azulada (*Genipa*). 3-14. Tatuagens faciais azuis de mulheres e meninas Taulipáng. 4. Tatuagem dos Taulipáng em uma garota Makuxí. 8 e 13. Também foram observadas no sexo masculino. 12. Ocorreu a mesma tatuagem com quatro anzóis cada um sob a boca. 15 e 16. Tatuagens faciais azuis de mulheres Makuxí.

Na alimentação, as imediações do local desempenham um importante papel. Come-se de maneira diferente quando se está no cerrado ou na mata, às margens de um grande rio ou nas serras. Os Taulipáng do médio Surumu têm uma culinária um pouco diferente da de seus irmãos de tribo do curso superior desse rio, na região de mata, ou da de seus irmãos de tribo do Roraima. O rio fornece àqueles inúmeros peixes saborosos, que inexistem, ou são substituídos de maneira insuficiente, nas cabeceiras e nas serras devido às altas cachoeiras, que eles não conseguem transpor. Em compensação, a mata virgem é rica em animais de caça de variadas espécies. Enquanto no cerrado faltam quadrúpedes grandes, com exceção do tamanduá, cuja carne o índio não aprecia, existindo somente um fraco veado com galhada, a região de mata hospeda a anta, o grande e o pequeno porco-do-mato, um veado mais robusto sem galhada e diferentes espécies de aves grandes. Em certas épocas do ano, os habitantes do Roraima levam uma vida preponderantemente vegetariana, já que lá existe pouca caça e somente peixes bem pequenos. Mas um medo supersticioso lhes proíbe empreender longas caçadas na região de mata virgem que começa lá perto.

O preparo dos alimentos, de modo geral, é o mesmo em toda parte. Nele, impera uma rigorosa divisão de trabalho entre ambos os sexos. O homem assa, a mulher cozinha os alimentos, com frequência com pele e pelos. Só muito raramente, e de mau grado, um homem realizará esse trabalho feminino. Coisa um pouco diferente ocorre com os índios que estão a serviço dos brancos. Os alimentos vegetais são preparados apenas pela mulher, o que indica sua atividade como coletora em épocas muito distantes.

Sem fogo não existe trabalho doméstico indígena. Em casa ou em viagem, no acampamento, o fogo é mantido aceso dia e noite. Alguns paus grossos, com as extremidades queimando ou em brasa, colocados uns contra os outros em forma de estrela, formam o fogão ou a fogueira. Só é preciso empurrá-los de vez em quando e se pode manter a brasa acesa. Só de má vontade é que o índio deixa o fogo se extinguir. Se ele apagar em casa, isso não significa infelicidade. Numa casa sempre há vários fogos; pega-se fogo com o vizinho. Se possível, em viagem o índio também leva fogo de um lugar para outro, mas, com frequência, ocorre de ele precisar produzir fogo novamente. Para isso, muitos índios já fazem uso do acendedor de aço introduzido pelos europeus ou, então, de fósforos europeus que são dados pelos colonos como pagamento e que chegam ao interior pelo comércio intermediário. Se esses recursos estrangeiros faltarem ao índio, então ele tem de recorrer a seu antigo acendedor autóctone.

Os Makuxí e, provavelmente, outras tribos também, usam o muito popular pau ignígero de duas varetas. Em uma das varetas, que são sempre feitas de um determinado tipo de madeira[39] e têm, mal e mal, a espessura de um dedo mindinho, é cortada uma concavidade de abertura lateral. Ao usar o pau ignígero, o homem aperta com força essa vareta no chão. Um outro coloca na concavidade, em ângulo reto, a segunda vareta, cuja extremidade inferior é arredondada, e a faz girar com grande rapidez entre as mãos, que deslizam velozmente para cima e para baixo.

39 Segundo Rich. Schomburgk (op. cit., v.II, p.97), é a madeira da *Apeiba glabra*.

Com o girar da vareta, a concavidade é aumentada. Um pó fino se solta. Por meio da constante pressão de baixo para cima e da fricção, o calor é produzido. O pó começa a fumegar e a inflamar. Agora, acrescenta-se grama seca ou alguma substância inflamável. Dá-se preferência ao estopim de formiga, ou seja, o material semelhante a feltro dos ninhos de certas espécies de formiga, que pega fogo facilmente. Assopra-se com cuidado, e logo a chama aparece. Em caso de necessidade, uma pessoa sozinha também pode produzir fogo dessa maneira, ao segurar, no chão, com ambos os pés, a vareta inferior, ficando com as mãos livres para friccionar.

Os Taulipáng também empregam um pau ignígero, mas de outra natureza e de outro material: dois a três pedaços de taquara, cada um do tamanho de um palmo, são divididos ao meio longitudinalmente. Então, as metades são postas umas sobre as outras e, depois que se colocaram, em pontos isolados, flocos de algodão entre elas, são amarradas com um cordão junto a um pauzinho enfiado verticalmente em cada uma das extremidades do feixe de taquara. Na parte plana de cima do pedaço superior de taquara, são feitas algumas concavidades (Pr. 40, 4). O homem que quer produzir fogo agacha-se no chão, segura uma das extremidades do feixe de taquara entre o dedão e o dedo seguinte do pé e fricciona verticalmente uma taquara mais longa em uma das concavidades, ao esfregar com força a que está entre as palmas das mãos, como ocorre com o pau ignígero de madeira. O trabalho é um pouco mais cômodo quando dois companheiros seguram o feixe de taquara firmemente no chão, enquanto um terceiro fricciona (Pr. 21, 1). Às vezes, eles se revezam. O pau de fricção atravessa aos poucos as diferentes camadas do feixe de taquara e surge um pó fino, que se inflama, começa a queimar e põe fogo ao algodão sobre o qual ele cai. Toda a operação, até surgir a primeira fumaça, durou exatamente 35,5 segundos, até que o algodão começou a ficar em brasa, 1 minuto e 37 segundos. É um trabalho muito cansativo. O homem vigoroso que fez a demonstração para mim ofegava e transpirava e, depois, ficou com bolhas nas mãos.

Em tempos remotos, certamente os Taulipáng já sabiam produzir fogo ao baterem duas pedras sem as utilizarem como acendedores. Em uma de suas lendas, uma velha que expele fogo pelo ânus transforma-se nas "pederneiras *watô*, que dão fogo ao serem batidas uma contra a outra".[40]

Para se assar a carne de caça e os peixes, usa-se o moquém, que tem o mesmo formato em toda a América do Sul tropical. Três paus são amarrados em forma de pirâmide, com cipó, em suas extremidades superiores. A cerca de dois terços de altura, são amarrados paus transversais, sobre os quais é colocada a grelha, cujas varas são igualmente amarradas com cipó nos pontos em que elas ficam sobre os paus transversais. Num outro tipo de moquém, enfiam-se quatro varas, com forquilha na parte de cima, formando um quadrado, colocam-se paus transversais nas forquilhas e, sobre elas, as varas da grelha. Para essas, usa-se certa madeira verde que não pega fogo facilmente. Esses moquéns fabricados em poucos minutos são utilizados não apenas em viagem, mas também em casa, com medidas menores e na forma de pirâmide, sobre o fogo do fogão, quando há suficiente presa de caça ou o fogo da família não está sendo

---

[40] Vide v.II, p.76.

ocupado pela panela, que descansa sobre três pedras. Nesse caso, deixa-se o moquém de lado enquanto não for requisitado.

O moquém não serve apenas para o preparo imediato da carne. Para tanto, bastaria assar a carne no espeto, um procedimento simples. Enfia-se um pau com a ponta inferior aguçada num pedaço de carne de caça ou aperta-se o peixe cortado em sentido longitudinal no pau parcialmente fendido, amarrando-se de novo, a seguir, em cima, as duas metades. O espeto é enfiado transversalmente na terra, contra o fogo, e, de vez em quando, girado sobre um eixo para que todas as partes da carne fiquem expostas ao calor. O moquém tem um significado maior. Ele serve, principalmente, para se conservar a carne por dias e semanas, caso contrário ela estragaria em poucas horas no ar úmido e quente. Para esse fim, mantém-se dia e noite, sob o moquém, um fogo não muito forte, até que a carne fique totalmente negra e dura como osso, de modo que, às vezes, é preciso parti-la com o machado para, então, tornar os diferentes pedaços comestíveis depois de cozidos por longo tempo. Tratam-se do mesmo modo peixes pequenos que se quer conservar por mais tempo. Eles são dispostos em camadas, bem junto uns dos outros, entre as folhas verdes de *calateia*, e estas são dobradas, formando um feixe alongado, envolvido com cipó e colocado sobre o moquém. Para abafar rapidamente peixes pequenos, eles são colocados, na mesma embalagem, na brasa, até que a maior parte do invólucro externo fique carbonizada.

Um elemento principal da cozinha e da mesa indígenas é a panela com molho de pimenta, uma tigela funda. Na verdade, ela nunca é limpa, sempre é enchida de novo, posta a dispor a cada refeição e também oferecida imediatamente a cada visitante. Ela contém caldo de carne ou de peixe bem condimentado com *capsicum*, no qual, às vezes, nadam alguns nacos de carne de caça ou peixe, com frequência, porém, somente ossos ou espinhas ou escamas de peixe. Nesse caldo, às vezes gelatinoso, engrossado com maior ou menor adição de amido, embebem-se os beijus, também pedaços de peixe e de carne de caça. Fora de uso, a panela é coberta com uma esteira quadrada de folhas de palmeira trançadas.

Às vezes, a índia cozinha o caldo de pimenta com caldo de mandioca, por meio do qual ela lhe dá um agradável sabor acidulado, ou acrescenta ao caldo folhas de mandioca cozidas, que têm um sabor aromático e um pouco amargo. Além disso, um excelente ingrediente são as igualmente amargas folhas do próprio pimenteiro, que antes são cozidas, provadas, então despejadas na panela de caldo de pimenta.

Arbustos de *capsicum* com frutos de diferentes tipos e intensidade encontram-se em cada plantação indígena, e também o europeu se acostuma rapidamente a esse prazer adquirido, sentindo, tanto quanto o índio, sua falta numa viagem mais longa.

Em geral, os índios salgam pouco a comida, mas amam o sal e gostam de recebê-lo como pagamento por serviços prestados. Importa-se em sacos, do Brasil, sal branco de grãos bem finos; da Venezuela, sal avermelhado e sujo, grosso e de grãos irregulares, que os índios comercializam entre si, de modo que, devido ao intenso comércio, com frequência ele percorre, de tribo em tribo, longos caminhos até o interior. Também existe sal autóctone. Nos cerrados, encontra-se, em certos pontos, terra que contém sal. Tais pontos são reconhecidos pelo fato de, neles, faltar vegetação. Na estiagem, de manhã cedo, os índios vão buscar terra nesses pontos, coam-na com água por uma peneira apertada, então cozinham a água, restando um sal sujo e cinzento.[41] Não existia, como me asseguraram expressamente, comércio de sal com as tribos da costa marítima, por exemplo, os Kali'ná (Karib), com os quais, antigamente, os Taulipáng mantinham relações amigáveis.

Dentre todas as plantas úteis do índio, a mandioca ocupa o primeiro lugar. Seu cultivo e preparo são os mesmos, com pequenas diferenças, em toda a Guiana.[42] Homem e mulher dividem o trabalho na plantação. O homem carpe e planta; a mulher lavra e colhe. No fim da época de chuvas, em agosto ou começo de setembro, limpa-se com o facão o sub-bosque de um pedaço de mata. Então as árvores são derrubadas com o machado. Toda a área fica secando ao sol por dois a três meses, dependendo do tempo, depois é queimada pelo fogo. A seguir, mais ou menos em novembro, planta-se imediatamente milho com os grãos, mandioca com estacas, entre os troncos de árvore queimados, caídos a torto e a direito, uns entre e sobre os outros, de modo que o terreno de um índio dá uma singular impressão de desordem e, na caminhada com bagagem, só se pode transpô-lo com dificuldade (Pr. 53, 1). Dificuldades especiais no plantio de suas roças têm os índios do cerrado, que dispõem apenas das íngremes encostas das serras, cobertas de mata rala, mas também de altas rochas, já que no cerrado mesmo não cresce nada. Os utensílios agrícolas são extremamente simples. Com uma enxada de ferro europeia, às vezes até mesmo com o antiquíssimo utensílio autóctone, um pau pontudo embaixo, são cavados buracos rasos no chão adubado por carvão e cinzas, e em cada buraco colocam-se alguns grãos de milho ou várias estacas de mandioca; cada estaca tem mais ou menos o tamanho de um palmo e meio; são pedaços do caule da planta, com dois a três nós, colocados em posição transversal; a seguir, o buraco é coberto novamente com terra. Agora começa o trabalho da mulher. Dia após dia, ela sai de manhãzinha para tirar o mato da roça e verificar se ervas daninhas, saúvas e outros inimigos ameaçam a plantação. A breve época de chuvas, que na região do cerrado começa com grande regularidade em fins de novembro ou início de dezembro e, geralmente, dura uma semana, às vezes quase um mês, proporciona umidade suficiente às jovens plantas. Ela é sempre ansiosamente aguardada e, quando não vem, os índios do cerrado passam grande necessidade. Em oito a dez meses, as raízes atingem o tamanho necessário e são colhidas. A mulher as arranca e as carrega para casa em seu panacu (Pr. 53, 2). Lá, são descascadas, raspadas e raladas. Os raladores, tábuas retangulares em cuja superfície levemente convexa são inseridas lascas de pedra, não são fabricados pelos Taulipáng e seus vizinhos, mas adquiridos, via comércio, dos Yekuaná. Ralar as raízes de mandioca é um trabalho executado com as duas mãos pelas mulheres, com movimentos alternados para cima e para baixo, no qual o ralador é apoiado transversalmente contra o ventre (Pr. 53, 3). Na posição inclinada, é um trabalho extremamente cansativo, uma vez que ocorre nas horas mais quentes do dia. Nessa ocasião, entre os Makuxí e Wapixána, mas só nessas tribos, as mulheres e moças cantam cançõezinhas simples e rítmicas, sobre as quais voltarei a falar mais tarde. A massa de mandioca ralada é

---

41 Os Makuxí e Wapixána também coletam, dessa maneira, sal no cerrado (Rob. Herm. Schomburgk, op. cit., p.397-8); do mesmo modo, os Atorai (Appun im Ausland, ano de 1869, p.801).

42 Vide também Theodor Koch-Grünberg, *Zwei Jahre* etc., v.II, p.202*ss*.

espremida por meio do elástico tipiti trançado, comum em muitas tribos da América do Sul tropical. Esses tipitis, como todos os trançados, são produzidos pelos homens, feitos de estreitas tiras da taquara *arumá* (*Ischnosiphon* sp.), não raro com belos motivos negro-amarelos ou vermelho-amarelos. Embaixo, o tipiti é fechado e termina num grosso anel; em cima, ele é aberto e trançado formando um laço. A mulher enche o tipiti com a massa de mandioca e o pendura, por meio do laço superior, na extremidade saliente de uma barra transversal. No anel inferior, ela introduz uma longa e pesada vara, que prende com uma das extremidades num poste da casa. Sobre a outra extremidade da vara, a mulher se senta, esticando, com seu peso, o tipiti e espremendo, assim, o caldo venenoso que contém ácido cianídrico (Pr. 53, 4). Quando não sai mais caldo, a mulher tira o tipiti, vira-o, aumentando o seu volume, e despeja a massa quase seca num recipiente ou num cesto. A seguir, ela passa a massa por uma peneira grossa, a fim de eliminar elementos lenhosos (Pr. 53, 3) e, sobre o fogão simples, uma grande chapa redonda de cerâmica ou uma chapa de ferro redonda guarnecida de cabo, introduzida pelos europeus, que descansa sobre algumas pedras, ela assa grandes beijus redondos, o alimento diário do índio e sua indispensável provisão para viagem (Pr. 53, 6).[43] Para que os beijus não embolorem dentro de poucos dias, eles são colocados sobre os tetos das casas e secados ao sol. Assim duram mais tempo.

A torra da farinha de mandioca, para torná-la durável, sem sombra de dúvida foi introduzida só há pouco tempo, vinda do Brasil, pois só é usual entre os Taulipáng do sul, do Majari e do Parimé, e dos vizinhos Wapixána e Makuxí, enquanto os Taulipáng ao norte do Surumu e os Arekuná não a conhecem.[44]

Os Taulipáng têm três qualidades de milho, com grãos amarelos, grãos vermelho-escuros e grãos pretos e amarelo-esbranquiçados misturados. Come-se o milho de diferentes maneiras. Ou cozinham-se os grãos verdes, ou põem-se as espigas maduras no fogo e roem-se, então, os grãos assados e meio queimados. De farinha de milho fazem-se beijus. Para isso, trituram-se os grãos maduros. Em cada casa, servem a esse fim vários almofarizes cilíndricos de madeira bem dura e pesada, que são metidos em profundidade na terra, sobressaindo apenas alguns centímetros. Como pilão, a mulher utiliza um pau de vários metros de comprimento, grosso e pesado, com que ela bate no almofariz, movimentando-o lá dentro, com toda força, para lá e para cá (Pr. 13).

Os Taulipáng conhecem dez espécies de bananas, mas não têm abundância dessas frutas deliciosas, cujas plantas precisam de um solo fértil e, por isso, só crescem rara e pobremente no cerrado montanhoso. Por esse motivo, para os Taulipáng, a região de mata contínua ao norte do Roraima, onde crescem muitas bananeiras, é considerada o paraíso de seus sonhos. Em tempos imemoriais, assim conta a lenda, quando os heróis da tribo derrubaram a árvore do mundo que

---

43 As ilustrações citadas nesse contexto referem-se todas aos Yekuaná, entre os quais o preparo da mandioca é o mesmo que entre os Taulipáng e seus vizinhos.

44 Vide também Farabee, *The Central Arawaks*, p.37, que supõe o mesmo para os Wapixána a leste do *rio Branco*.

Prancha 13. Moagem de milho, Taulipáng, Yekuaná.

dava todos os frutos, ela caiu para o norte. “Se a árvore tivesse caído deste lado, haveria aqui muitas bananas na mata, mas ela caiu do outro lado do Roraima, e muitas bananas caíram lá. Por isso, ainda hoje, existem lá muitos bananais na mata, que ninguém plantou, e lá não falta nada.”[45]

Outras plantas úteis na casa Taulipáng são a *macaxeira*, ou mandioca doce,[46] os frutos da *Carica papaya*, semelhantes ao melão e contendo pepsina, que eles chamam de *mapazá*, quatro espécies de batata-doce, seis espécies de *Dioscorea*, abóboras comestíveis, chamadas no Brasil de *yurumu*,[*] grandes favas chatas, abacaxis que, pelos mesmos motivos que as bananas, só ocorrem escassamente, e, por fim, a cana-de-açúcar. Assim como a banana, esta também é forasteira em solo americano, mas, com o passar do tempo, disseminou-se por grande extensão. Para o consumo comum, descasca-se a dura casca externa da cana-de-açúcar, e a parte interna e porosa é mastigada e chupada. Mas quando os Taulipáng querem espremer o caldo em quantidades maiores, fazem uso de um dispositivo simples: um pedaço de tronco de árvore de cerca de meio homem de altura é cravado no chão em posição um pouco inclinada. Foi tirado um bom pedaço do lado inferior, em cima e embaixo, correndo inclinadamente para dentro, enquanto, no centro, a redondeza do tronco permanece e se sobressai. Imediatamente acima dessa saliência, um buraco atravessa o tronco. Coloca-se, agora, a cana-de-açúcar transversalmente sobre a saliência, enfia-se um pau, sobre ela, no buraco e, ao se apertar a alavanca para baixo sobre a cana, espreme-se o caldo, que corre para baixo por dois sulcos em cruz, feitos na saliência, e cai numa tigela embaixo (Ilustr. 3).

Ilustração 3. Prensa de cana-de-açúcar, Taulipáng, Yekuaná.

---

45 Vide v.II, p.45.

46 *Manihot aypi* Pohl; mandioca doce, não brava.

* *Yurumũ* designa, em tupi, a abóbora, também conhecida no Brasil por “jerimum”. (N. T.)

De beijus e de outras substâncias vegetais, as mulheres produzem, de diferentes maneiras, bebidas inebriantes, que desempenham importante papel nas festas de dança e são tomadas em enormes quantidades, especialmente pelos homens. Os Taulipáng diferenciam doze tipos dessas bebidas, que eles designam pelo nome autóctone *wóg* (beberagem, bebida) ou, para os brasileiros, com a expressão tirada da *língua geral caxiri*. *Sáburu* ou *sábulu*, o chamado *caxiri* branco, é preparado de beijus brancos, ou seja, beijus levemente assados; *kaẕālumaíku*, chamado de *caxiri* negro, é preparado de beijus queimados; *payuá*, devido a sua cor também escura, igualmente chamado de *caxiri* "negro", é feito de beijus; *parákali* é feito de beijus; *kaẕīli*, de cor avermelhada, é feito de mandioca cozida; *ānaíyeuku* é feito de milho *(ā'naíg)*; *(i)žáyeuku* é feito de uma espécie de batata-doce *([i]žág)*; *piližáeuku* de uma espécie de *Dioscorea* (*piližá*); *uaẕanáeuku* de uma espécie de *Dioscorea* grande (*uaẕa'ná*); *kanalíeuku* de mandioca doce, *macaxeira* (*ka'nalí*); *ē̱lupáyeuku* é feito de bananas (*ē̱lupá*). De abóboras comestíveis (*kaṵẕamá*) prepara-se um *caxiri* amarelo-dourado e refrescante.

Do milho vermelho-escuro prepara-se uma beberagem de bela aparência avermelhada e de sabor excelente; do milho amarelo esbranquiçado, um *caxiri* esbranquiçado. Essas bebidas de milho são mais suaves do que os *caxiris* de mandioca. De batatas-doces roxas prepara-se um *caxiri* roxo-avermelhado de agradável sabor agridoce e que espuma como champanhe. O sabor lembra suco de framboesa fermentando. Com exceção do *payuá* e do *parákali*, em todas essas bebidas, a fim de apressar a fermentação, adiciona-se material mastigado, mas não se deve ficar chocado com isso, pois, pelo menos segundo minha experiência, a mastigação não é feita por mulheres velhas, e sim por moças jovens e saudáveis que, em sua maioria, se distinguem por belos dentes brancos.

Anotei o preparo de três bebidas.

Payuá é uma de suas bebidas de festa mais fortes, mas, para os nossos padrões, ainda bastante fraca. Esfregam-se beijus comuns com carvão em cima e embaixo, até ficarem totalmente negros. Então, passa-se caldo de cana por cima, e eles são dispostos em camadas, colocando-se folhas de bananeira entre eles. O todo é amarrado com cordas, formando um feixe que é guardado por dois dias num canto da casa quente, sobre um andaime. No terceiro dia, o feixe é aberto. Os beijus agora são desfeitos em pedaços pequenos e jogados numa grande cabaça com um pouco de água morna. Sobre eles despeja-se água quente e mistura-se bem. Deixa-se a mistura descansar por um dia. No outro dia, ela está "doce como açúcar" e fermenta. No dia seguinte, ela está negra, tem gosto ácido e embriaga.

Parákali é preparado da seguinte maneira: beijus comuns são embrulhados compactamente, amarrados num panacu e colocados no riacho para demolhar. Pouco tempo depois, eles são retirados e colocados, cheios d'água, uns sobre os outros, entre folhas de bananeira no chão. A seguir, despeja-se a massa pastosa numa panela e deixa-se que ela fermente por quatro dias. Então ela fica "doce como açúcar". Por fim, é despejada numa grande cabaça e derrama-se água fresca sobre ela. No dia seguinte, pode-se beber a mistura.

Para o *kaẕālumaíku*, cortam-se mandiocas frescas em pedaços pequenos que, primeiro, são secados ao sol, depois na chapa do fogão. A seguir, eles são triturados no almofariz, misturados com massa de mandioca ralada, e peneira-se tudo com uma peneira quadrada e pouco profunda; assam-se beijus disso, que se deixam queimar bastante de um lado. Esses beijus são colocados numa panela, sendo, em parte, mastigados pelas moças, cuspidos de novo na panela, regados com água fria e amassados com as mãos, de modo que a saliva é passada a toda a massa. Por fim, a mistura é despejada numa grande cabaça, onde fica descansando e fermentando. Dois dias depois, pode-se bebê-lo.[47]

Os Makuxí do Surumu têm as mesmas bebidas com nomes aparentados. Para mexer as bebidas de festa, usa-se uma longa espátula de madeira com cabo entalhado (Ilustr. 36, 1). Para isso, também se usam verdadeiros molinilhos, mas que, provavelmente, devem sua origem a modelos europeus. Como acessório de dança, eles são adornados com longos cordões de algodão e finos fios com pluma de mutum presa (Ilustr. 36, 2).

A massa de *caxiri* (*sakūrá*) fermentando, bem embrulhada em folhas, é levada na viagem para que, no lugar de descanso, se possa misturar um pouco dela com água numa cuia e, desse modo, se tenha sempre à mão uma bebida refrescante. Mesmo quando se vai para a guerra, as mulheres carregam *sakūrá* para os guerreiros, para que estes bebam para criar coragem antes de atacar a povoação inimiga.[48]

Na mata, os Taulipáng e outros índios sabem preparar uma bebida refrescante e nutritiva feita de *bacaba*. Os frutos dessa palmeira (*Oenocarpus bacaba* Mart.), azulados como as ameixas e que amadurecem de dezembro a janeiro, são amassados na água quente ou triturados com um pau sem casca e fornecem uma bebida marrom-acinzentada, gordurosa e nutritiva que, em sua aparência e sabor, especialmente com adição de açúcar, lembra o chocolate.

Eles preparam uma outra bebida de sabor não tão agradável, mas que também satisfaz bastante, com as castanhas alongadas e amarelo-pardas da palmeira *inajá* (*Maximiliana regia* Mart.). Elas são cozidas e peneiradas. A polpa adocicada, que fica grudada no coquinho sob a pele coriácea, dá um caldo gorduroso e de sabor um pouco insosso.

Os frutos da *Mauritia flexuosa* também são comidos depois de ficarem vários dias na água. Do suco dessa palmeira, os índios preparam, por meio de fermentação, uma espécie de vinho de palmeira.

Existem alguns petiscos que o índio coleta com relativamente pouco esforço e que já coletava em tempos muito antigos, antes de conhecer a caça de grande porte e a agricultura.

Deles faz parte, principalmente, o mel de uma pequena abelha sem ferrão que constrói em árvores ocas. Ou o índio derruba a árvore, ou faz, com o machado, um buraco no tronco onde se encontra o ninho, tirando, então, o mel com a mão ou com uma cuia, ou ele o sorve diretamente com a boca.[49]

Os ovos do iguana e os ovos do jabuti e da tartaruga (*Testudo tabulata* e *Emys amazonica*) são procurados diligentemente em dezembro (iguana) e janeiro (jabuti e tartaruga), em geral assados na cinza quente e comidos com prazer. A carne do iguana (*Iguana tuberculata* Laur.) também é muito apreciada pelos índios, pois é saborosa e tem semelhança com a tenra carne

---

47 Rich. Schomburgk (op. cit., v.I, p.173) descreve de modo semelhante o preparo do *paiwari* dos Warrau.

48 Vide mais adiante em “Guerra, homicídio, vingança de morte”. Vide também v.II, p.108.

49 Rich. Schomburgk, op. cit., v.II, p.169.

de galinha. Esses lagartos clorofiláceos, que atingem um comprimento de 1½m, levam uma existência sossegada nos ramos das árvores ciliares e, na maioria das vezes, são visíveis apenas aos perspicazes olhos de caçador do índio, caso não se joguem na água antecipadamente e de modo ruidoso.

Gordurosa e, mesmo para um paladar europeu não preconceituoso, de sabor agradável é a gorda larva amarela do grande besouro *Calandra palmarum*, retirada de troncos de palmeira apodrecidos e torrada no torrador, assim como as grandes fêmeas aladas da saúva (*Atta cephalotes* Fab.), cujo abdômen gordo é preparado da mesma maneira, depois que se cortou a cabeça armada de fortes mandíbulas. Sua época de voo, em janeiro e fevereiro, portanto pouco antes do início da época das chuvas, é recebida com alegria pelos índios. Jovens e velhos correm para o formigueiro, a fim de matar, com ramos e folhas de palmeiras, as formigas que saem, ou para tostar suas asas com fogo e recolhê-las, então, com cestos e sacos de folhas.

Também se come uma espécie de lagarta grande.

Não menos apreciadas pelos Taulipáng e Makuxí são as larvas de vespas, que estes últimos chamam de *akalá*. São consumidas com beijus e têm um agradável sabor adocicado, semelhante ao da avelã.

Por fim, fazem parte dos petiscos as morcelas próprias dos Taulipáng e Makuxí, pois já os irmãos Schomburgk as conheceram entre eles.[50] Fígado e coração de anta são cortados em pequenos pedaços, misturados com sangue e enfiados numa tripa. A linguiça é defumada e assada imediatamente na grelha.

Com frequência, os índios são pouco seletivos em seus gostos. Assim, durante a viagem, meu pessoal comia bagas que estavam no estômago de um jacu abatido.

O tabaco desempenha um grande papel na vida do índio. É, para ele, um estimulante e, em medida ainda maior, como veremos mais tarde, uma droga mágica e um remédio.

Por volta do fim da época das chuvas, as sementes de tabaco são semeadas, pelos homens, bem próximas umas das outras nas plantações. Quando as plantinhas atingem cerca de um palmo de altura, são cuidadosamente arrancadas e plantadas a uma distância maior umas das outras, senão o tabaco ficaria fino demais e de folhas finas. Quando as folhas crescem o suficiente, elas são arrancadas aos poucos, a fim de que a planta não se deteriore, e penduradas na cabana, umas ao lado das outras, num fio ou também em feixes simples, para secar. Do momento da semeadura até a retirada das primeiras folhas, o tabaco precisa, em média, de dois meses. O tabaco seco, muito fraco, agora está pronto para o uso. Os índios nas serras, Taulipáng, Arekuná, entre outros, que tiveram pouco ou nenhum contato com os brancos, não prensam o tabaco. Os Makuxí e Wapixána e os Taulipáng seus vizinhos embrulham as folhas de tabaco, quando começam a amarelar, num feixe grosso e fusiforme e as amarram fortemente com tiras de líber. Alguns índios já preparam o tabaco inteiramente à moda dos brasileiros. Eles deitam o feixe num canto da cabana, no chão quente e úmido, submetendo o tabaco a um processo de fermentação. Às vezes, a tira de líber é desatada e amarrada de maneira cada vez mais apertada

50 Vide v.I, p.77-8, 247*ss*.

em torno do feixe de folhas, de modo que o sumo escorre e o tabaco, por fim, forma uma massa homogênea. Para se usá-lo, cortam-se finas fatias dele, que são esfregadas entre as mãos.

Os Taulipáng ou fumam o tabaco à antiga moda indígena, como charuto, ou em curtos cachimbos ingleses, importados da Guiana Inglesa e muito apreciados por eles. Como folha exterior, serve o líber interno, fino e castanho-avermelhado da *Lecythis ollaria*, ao que parece, uma árvore difundida em toda a região de mata da Guiana, ou, mais raramente, as folhas internas e finas da espiga de milho. O fumo, em geral, é soprado pelo nariz, também tragado por fumantes resistentes, de modo que, ao falarem, ele lhes sai devagar pela boca e pelo nariz. Entre os Taulipáng e Makuxí, nunca vi mulheres fumando, mas meu Wapixána Romeu, que vinha do Parimé-Maruá, me contou que sua mãe gosta de fumar seu cachimbinho; pelo visto, um hábito adotado pelas mulheres mestiças brasileiras. Não vi mascarem fumo em nenhuma dessas tribos.[51]

Como vimos, quase sempre os Taulipáng e seus vizinhos empregam utensílios de ferro europeus em seus trabalhos no campo. Já à época dos irmãos Schomburgk, os machados de pedra para carpir a mata haviam sido substituídos por machados de ferro. Nunca encontrei machados de pedra nas casas dos índios. No alto *rio* Negro, muitas vezes são guardados como relíquias dos tempos dos antepassados e, às vezes, como entre nós, até mesmo vistos com receio supersticioso.[52] No médio Uraricoera, obtive de um colono uma grande lâmina de machado polida feita de quartzito amarelo, que ele encontrou na terra ao preparar uma plantação. Tinha 16 cm de comprimento, largura máxima de 8,8 cm e, perto do estreito fim da lâmina, dois entalhes do cabo cujos sulcos lisos mostram marcas de uso prolongado (Pr. 19, 12). Um outro colono me deu de presente um antigo utensílio de pedra que ele encontrou no cerrado. Tem a forma muito regular de um disco de 4,8 cm de espessura por 9,2 cm de diâmetro feito de pesado quartzito amarelado trabalhado. Não posso dizer nada mais definido sobre seu uso; talvez servisse para moer o milho (Pr. 19, 11).

Faz parte dos utensílios de uma época muito distante de coletores uma espécie de faca longa feita da dura madeira da palmeira *tucumá* (*Astrocaryum tucuma*) ou palmeira *paxiúba*. Servia para cortar *urucu* e outros frutos e, segundo as descrições dos índios, parece estar em uso ainda hoje. O fio dessa ferramenta deve ser muito afiado, pois na lenda das plêiades dos Arekuná, Wayúlale corta com ela a perna de seu marido.[53]

Caça, armas: apesar da lavoura simples que caracteriza sua vida doméstica, também o índio sedentário, ao caçar, está em seu verdadeiro elemento. Ele reúne em si todas as verdadeiras qualidades de um caçador, visão acurada, mão firme, excelente audição, um olfato quase animal. Ele sabe se aproximar de modo sorrateiro, sem fazer ruído e sem ser notado, e é bem-sucedido nisso ainda mais pelo fato de a pele morena de seu corpo nu se adaptar ao ambiente,

51 Rich. Schomburgk e Appun mencionam expressamente esse fato dos "Arekunas" (Taulipáng) do Roraima; Rich. Schomburgk, op. cit., v.II, p.239; Appun, *Die Indianer in Brittisch Guyana*, 1871, p.521.

52 Vide os "machados dos demônios" dos Kobéua; Koch-Grünberg, *Zwei Jahre* etc., v.II, p.90.

53 Vide v.II, p.64, 242.

tornando-o quase invisível no lusco-fusco da mata. Ele conhece exatamente os hábitos de cada animal de caça; conhece seu chamado característico e sabe atrair a caça magistralmente, imitando esses sons.

Certo dia, eu estava caçando mutum com meu acompanhante Mönekaí. Com dificuldade, tínhamos aberto caminho pelo matagal ciliar e estávamos agachados um ao lado do outro na mata. Mönekaí imitou o lânguido grito chamariz do mutum. Imediatamente, o macho nos atacou com as asas abertas; quase não tive tempo para atirar. Mönekaí continuou chamando, e um segundo macho correu, apaixonado, atravessando o vapor de pólvora, para sua ruína.

Isso, no entanto, não quer dizer que todo índio seja um caçador perfeito. Também entre essa gente os dons e pendores são repartidos de maneira diversa. Um caça apaixonada e incansavelmente por dias a fio e quase sempre volta para casa com rica presa, ao passo que o outro falha com mais facilidade, cansa-se mais depressa, com frequência é malsucedido, kẹ̄mén, como o Taulipáng diz, e, às vezes, só volta para a aldeia após escurecer, para escapar da zombaria das mulheres e moças; pois um bom caçador também é um bom pai de família e um cobiçado pretendente ao casamento.

Só raras vezes o arco ainda é utilizado como arma de caça pelos índios do cerrado, pelo menos nas regiões que visitei. Em seu lugar, surgiu a arma de fogo. Espingardas de vareta bem trabalhadas são importadas dos ingleses, e já que a ambição maior do homem é possuir uma espingarda dessas, elas encontram ampla disseminação. Os Makuxí e Taulipáng obtêm suas espingardas ou diretamente dos colonos ingleses no Essequíbo e Mazarúni, ou, geralmente, pelo comércio intermediário dos Arekuná[54] no Caróni e dos Akawoío, o povo comerciante mais diligente da Guiana Inglesa, cujos representantes passam boa parte do ano em viagens de comércio. O cacique Makuxí Pitá, que me acompanhou ao Roraima, aproveitou a oportunidade e, após regatear dias a fio, comprou de um Taulipáng de lá duas espingardas inglesas em troca de três redes de dormir e mercadorias europeias.

Se o índio adquire uma boa arma de fogo, aprende rapidamente a usá-la e, em pouco tempo, sabe manuseá-la com tanta segurança quanto suas armas autóctones.

Faz parte do equipamento do caçador uma bolsa quadrada de pele de onça ou de lontra com tampa dobrável que é amarrada com um cordão pendente. Ela fica pendurada no lado esquerdo do caçador por um cordão de algodão ou por uma faixa cortada da mesma pele e serve para guardar munição, caixa de pólvora, saco com chumbo, fulminantes, além de espelho, pente, apetrechos de pintura e outras miudezas de que ele precisa na vida diária (Pr. 15, 4a, b e 5a, b, c).

O arco é feito do cerne da *Lecythis* e tem 185 cm de comprimento. Primeiro, é talhado grosseiramente com o machado e o facão, então, com a faca, é entalhado e raspado na forma certa, com a parte exterior côncavo-plana ou bem plana e extremidades rebaixadas, que impedem que o cordão escorregue (Pr. 14, 1). Por fim, é polido com as folhas ásperas da *Curatella* e, com o uso prolongado, adquire uma bela aparência brilhante castanho-avermelhada.

---

54 Vide a história de "Kalā́wunség, o mentiroso", mito 50 do v.II, p.136-7.

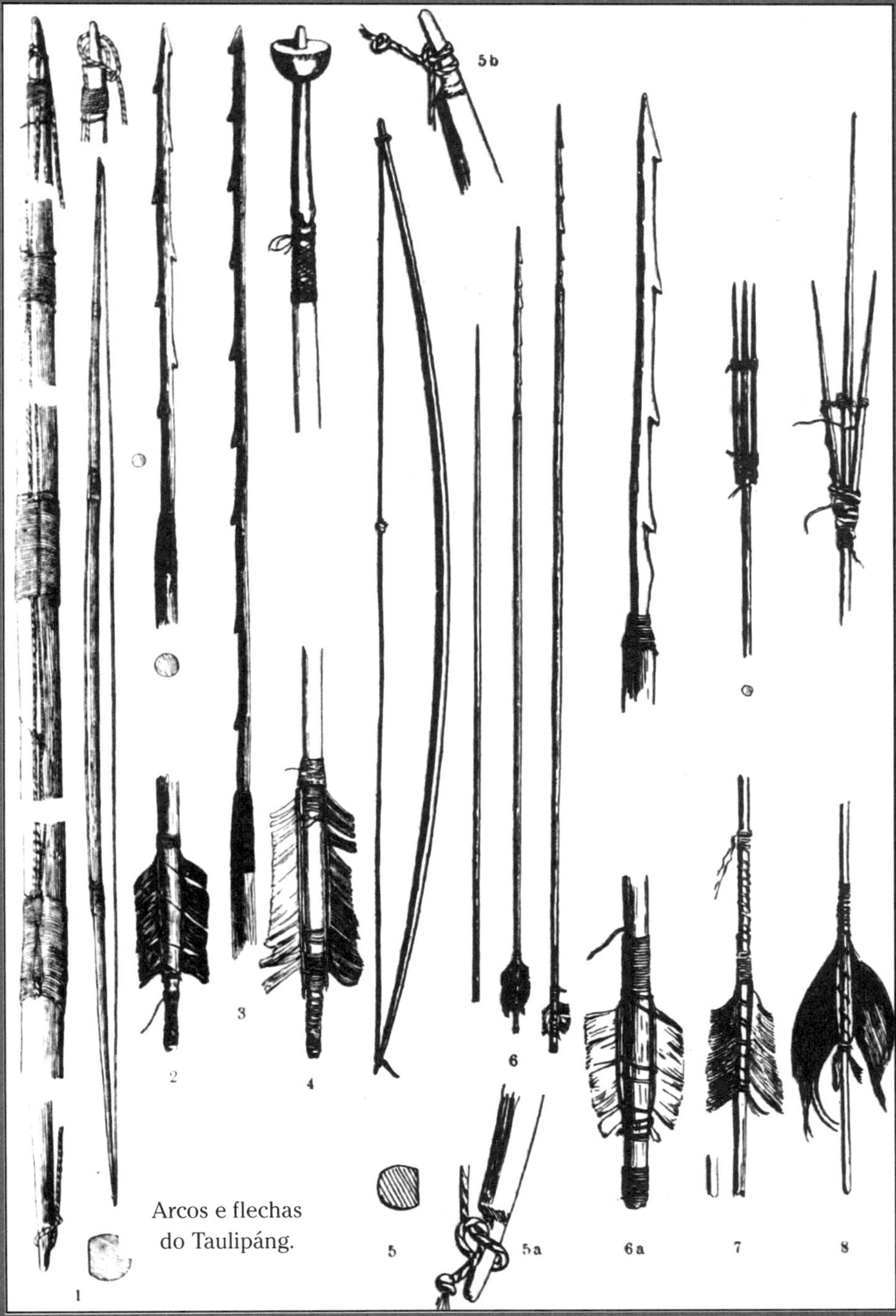

Prancha 14. Arcos e flechas dos Taulipáng: 1. Arco em corte transversal. 2. Flechas para caçar pássaros com ponta de madeira serrilhada de dupla face. 3. Flechas para caçar pássaros com ponta de madeira serrilhada de um lado. 4. Flechas para caçar pássaros com ponta romba. 5. Arcos infantis. Corte transversal. 5a, 5b. Extremidades do arco infantil 5. 6. Flechas infantis. 6a. Flecha infantil. 7, 8. Flechas para pesca com três pontas de madeira para crianças.

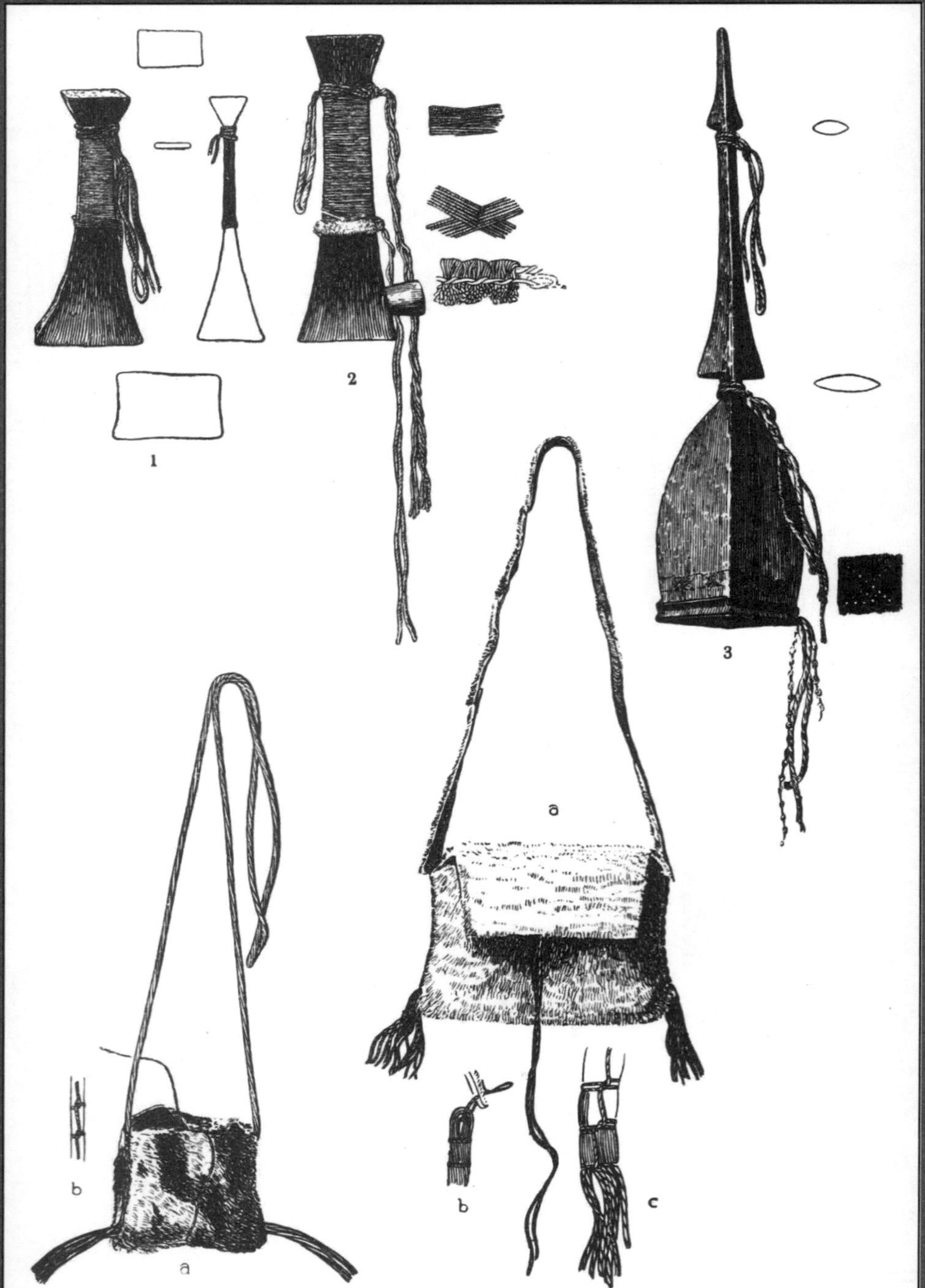

Prancha 15. 1. Clava de guerra, com quatro cantos, Makuxí. 2. Clava de guerra, com quatro cantos, com lâmina de pedra inserida, Makuxí. 3. Clava de guerra, achatada, Makuxí. 1-3. Também usada na dança. 4a. Bolsa de pele de onça para menino, Taulipáng. 4b. Fixação da alça de transporte. 5a. Bolsa de caça em pele de lontra, Taulipáng. 5b. Fixação da alça de transporte. 5c. Extremidade inferior dessa fixação com franjas.

Não encontrei flechas com pontas em forma de lanceta, feitas de lascas de bambu ou de ferro, como Im Thurn reproduz e descreve.[55] Servem à caça de grande porte, especialmente de veados, antas e porcos-do-mato e, antigamente, também eram empregadas na guerra.

Numa lenda Taulipáng, um pai faz para seus cinco filhos arcos e flechas com pontas de bambu, com as quais, então, eles matam sua mãe infiel.[56]

Na descrição de uma expedição de guerra dos Taulipáng contra os Pixaukó, que se passou há algumas décadas e que, com certeza, excetuando-se alguns exageros, se deu exatamente como os Taulipáng contam hoje, conta-se de modo categórico que apenas um velho Taulipáng estava armado com arco e flechas com ponta de ferro, enquanto todos os outros já tinham armas de fogo.[57]

Adquiri dos Taulipáng uma flecha para pássaros de 135,4 cm de comprimento, cuja curta haste de madeira termina num largo castão semiesférico com ponta obtusa no meio. O pássaro não deve ficar machucado, apenas atordoado. Ao mesmo tempo, a extremidade obtusa deve fazer com que a flecha, num tiro que falhou, não fique pendurada na árvore, mas, devido a seu peso em um só dos lados, deslize para a terra. A emplumação dessa flecha compõe-se de duas penas marrons, presas à taquara com um fino cordão de algodão, nas quais se cortou uma das barbas bem rente à haste (Pr. 14, 4).

Outras flechas para pássaros têm uma longa ponta de madeira, de corte transversal redondo, na qual são entalhadas algumas farpas ou só de um lado ou dos dois, mas intercaladas. São destinadas à caça de aves maiores e devem perfurar e matar imediatamente a caça. Também as encontrei como flechas infantis (Pr. 14, 2, 3, 6, 6a).

Não vi em lugar algum flechas de caça com pontas envenenadas, que ficam guardadas num pequeno carcás de bambu e metidas na haste da flecha[58] apenas antes de cada arremesso. Provavelmente, são usadas pelos Makuxí no leste,[59] raramente ou nunca pelos Taulipáng.[60]

A arma de caça mais nobre dos Taulipáng é a zarabatana. Eles mesmos, porém, não a confeccionam, mas compram-na dos Yekuaná e Guinaú por intermédio dos Arekuná. O componente principal da zarabatana é um tubo de 3 a 4 m de comprimento, totalmente liso por dentro e por fora, constituído da haste da *Arundinaria schomburgkii* (Benth.), que cresce até 4,5 m antes de desenvolver nós e ramos. O bambu cresce somente na terra dos Yekuaná e Guinaú e é comercializado por essas tribos até regiões distantes. É posto a secar lentamente sobre fogo fraco e esticado; então, para protegê-lo de danos, é impelido para dentro de um estojo feito de um tronco pequeno e jovem da palmeira *paxiúba*, cujo cerne foi retirado. Para esse fim, coloca-se

55 Im Thurn, op. cit., p.241-2, fig. II.

56 Vide v.II, p.100.

57 Vide mais adiante em: "Guerra".

58 Im Thurn, op. cit., p.242-4, fig. 12, 13.

59 Rich. Schomburgk, op. cit., v.I, p.428. Segundo ele, são usadas pelos Makuxí para a caça de grande porte e na guerra.

60 Essas flechas também se encontram entre os Trio no Suriname; vide C. H. de Goeje, *Bijdrage* etc., p.15 e pr. V, fig, 10-2; pr. XI, fig. 22. Um exemplar está no Lindenmuseum, Stuttgart, Coleção Scheurlen.

por algum tempo o tronco da palmeira na água, a fim de que o cerne se decomponha; a seguir, o cerne é retirado aos poucos com a resistente nervura de uma grande folha de palmeira, na qual se deixaram os tocos das pínulas, e que é girada e puxada. A parte externa desse estojo é raspada e polida com folhas de *Curatella*. Sobre a extremidade inferior da zarabatana, que é revestida com um fino cordão de fibras, coloca-se como bocal a dura casca, partida ao meio e perfurada, de uma noz da palmeira *tucumá*, que é fixada com um pouco de resina. Servem de mira dois dentes de porco-do-mato, presos no tubo, bem juntos um do outro, a uma certa distância do bocal, por meio de resina; mas, nem de longe, todas as zarabatanas possuem mira (Pr. 54, 1).

O carcás em que as setas envenenadas são guardadas é produzido unicamente pelos Taulipáng e Arekuná. É trançado de taquara e tem a forma de um cilindro um pouco chanfrado para dentro. Na parte externa, ele é revestido com cera de abelha ou com resina. O fundo é formado por um pedaço de cuia impermeabilizado e preso com cordão (Pr. 17, 1 e 1b, c). A abertura é fechada por uma tampa de pele de veado. Ela deve impedir que a umidade entre e enfraqueça o efeito do veneno. A tampa e a alça trançada de fibra de palmeira são presas a um largo revestimento de cordão de fibras, que circunda o carcás mais ou menos na metade. Além disso, penduram-se nele um cestinho com paina muito leve da cápsula da semente do *Bombax globosum* e a mandíbula do *Pygocentrus*, o peixe predador mais perigoso dos trópicos sul-americanos, chamado de *piranha* no Brasil. Na borda interna do carcás existe, preso, um feixe de fibras de *bromélia*, que é guardado no carcás com a tampa fechada (Pr. 17, 1a).

As finas setas envenenadas com curare, de cerca de 30 cm de comprimento, são entalhadas da nervura da folha da palmeira *inajá*. Com os dentes de peixe bem afiados, o caçador os aguça e faz neles uma incisão anular imediatamente abaixo da ponta, besuntada com veneno ao longo de 3 cm, a fim de que, na tentativa de puxar a seta do ferimento, a ponta se parta e fique cravada. A extremidade mais grossa da seta é revestida de modo fusiforme com a paina, para preencher justamente a cavidade da zarabatana e oferecer a necessária resistência ao forte e breve sopro do atirador. A paina é fixada ao ser envolvida várias vezes pela fibra de *bromélia*.

Cada carcás contém de 150 a 200 setas, guardadas em seu interior da seguinte e original maneira: numa haste um pouco mais longa do que as setas, existe preso, em cima e embaixo, um fio de algodão reunido em duas metades iguais. As setas são enfileiradas nesses fios, na medida em que ambas as metades de cada fio são sempre trançadas em cruz em torno de cada seta. Na extremidade inferior, às vezes a haste tem um anel de trançado, que cabe direitinho na concavidade do carcás.[61] Os fios com as setas são, então, firmemente enrolados em torno da haste, e o feixe todo é impelido para dentro do carcás. Esse dispositivo deve impedir que as pontas finas como agulhas batam no fundo do carcás e se partam. Para usá-las, o caçador pode puxar as setas facilmente e prepará-las para o tiro através do revestimento de paina (Pr. 17, 2 a-d).

Nem todas as setas em um carcás precisam ser envenenadas. Em geral, antes de começar uma caçada, o índio besunta com o veneno um certo número de setas, tantas quantas, segundo seu cálculo, ele precisa naquele dia.

---

[61] Vide as ilustrações em Im Thurn, op. cit., p.302, fig. 25 e 26.

Prancha 16. Caça com zarabatana, Taulipáng.

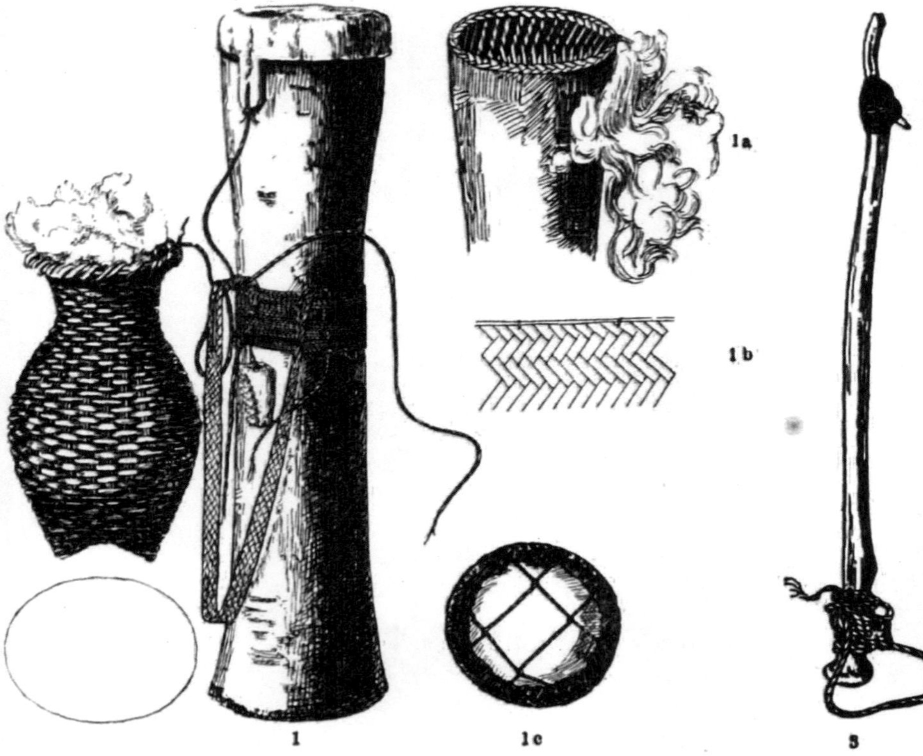

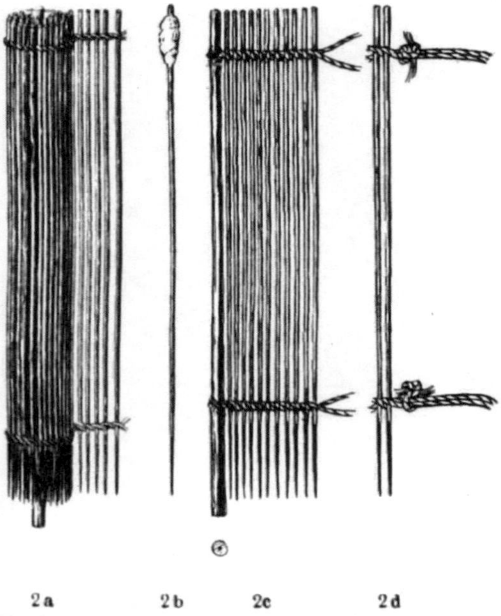

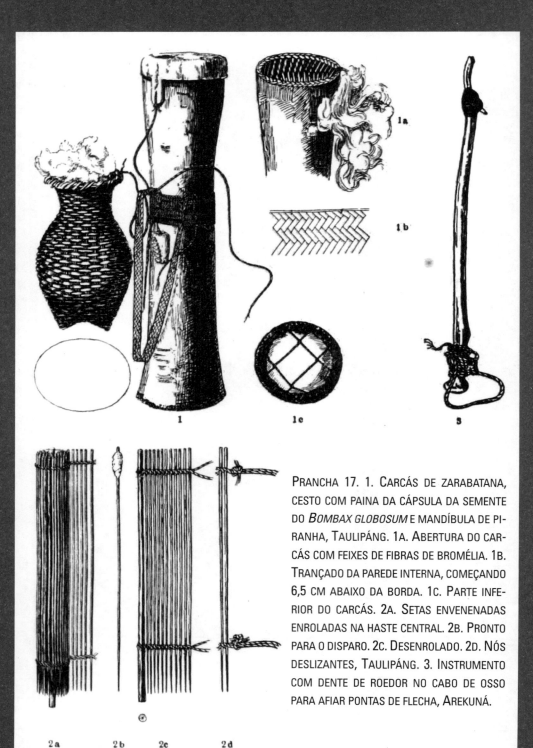

Prancha 17. 1. Carcás de zarabatana, cesto com paina da cápsula da semente do *Bombax globosum* e mandíbula de piranha, Taulipáng. 1a. Abertura do carcás com feixes de fibras de bromélia. 1b. Trançado da parede interna, começando 6,5 cm abaixo da borda. 1c. Parte inferior do carcás. 2a. Setas envenenadas enroladas na haste central. 2b. Pronto para o disparo. 2c. Desenrolado. 2d. Nós deslizantes, Taulipáng. 3. Instrumento com dente de roedor no cabo de osso para afiar pontas de flecha, Arekuná.

Obtive dos Arekuná uma pedra mole que, segundo me informaram, é proveniente do Paragua, o grande afluente esquerdo do Caroni. Dela eles raspam um fino pó e o espalham sobre as pontas das setas que acabaram de ser besuntadas com veneno, a fim de que elas não grudem umas nas outras dentro do carcás.

O curare é feito sobretudo da casca da *Strychnos toxifera*, que foi encontrada por Richard Schomburgk em 1835 e recebeu seu nome. Essa planta só ocorre em lugares isolados, especialmente na serra Canucu, o que aumenta ainda mais o valor do veneno como artigo comercial. Seu preparo é conhecido apenas dos Makuxí que lá vivem e limita-se, também lá, a pessoas isoladas, na maioria das vezes a pajés. Ele é ocultado com rigor, em especial de europeus, com o receio de que, senão, o envenenador poderia perder sua arte, ou seja, sua força mágica, e o veneno perderia o efeito. Foi somente depois de prolongados esforços que Richard Schomburgk conseguiu presenciar o preparo do curare e conhecer seus componentes com exatidão.[62]

Os Taulipáng adquirem seu curare dos Makuxí e negociam-no de novo com os Arekuná, que, com ele, compram dos Yekuaná e Guinaú zarabatanas prontas ou hastes de *Arundinaria*. Desse modo, com frequência, ambos os artigos fazem o longo caminho do Rupununi até o alto Orinoco e vice-versa. O curare tem um preço alto, e uma pequena cuia esférica, na qual ele é guardado, vale, segundo a necessidade do comprador naquele momento, um machado norte-americano, ou um facão grande, ou meio quilo de pólvora, ou mais.

Richard Schomburgk declara que os Makuxí, Akawoío, Wapixána, Atorai e outras tribos da parte sul da Guiana chamam o curare de *urari*. Ouvi dos Wapixána e Makuxí do Surumu, dos Taulipáng e de todas as outras tribos Karib que encontrei na viagem para o oeste, somente o nome *kumā́raua* ou *kumā́loa*. Os Yekuaná o chamavam de *kumā́daua*, os Yauarána, de *mā́laua*. Somente o "Ingarikó" do Roraima o chamava de *urāli*.[63] Talvez, portanto, *kumā́raua* seja o verdadeiro nome Karib para o veneno, e *urari*, por sua vez, como algumas outras designações no convívio com o europeu, seja uma palavra estrangeira da *língua geral*, na qual o curare se chama *ui̭rarí*,ou são dois nomes para a mesma coisa.

A zarabatana serve, principalmente, para caçar aves, macacos e pequenos quadrúpedes, ocasionalmente também caça de grande porte, dependendo da força do veneno. Aves pequenas, as quais se quer apenas despojar das penas coloridas para os adornos de dança, são narcotizadas com setas bem leves e pequenas e veneno bem fraco, de modo que, depois de pouco tempo, elas se restabelecem. A caça abatida com curare pode ser comida sem prejuízo, tanto mais que o veneno só é perigoso no sangue e interrompe o movimento dos músculos, mas dizem que, no estômago, perde o efeito.[64] O índio não conhece um antídoto eficaz contra envenenamento por curare.

Ao caminhar pelo cerrado, geralmente o índio mantém a zarabatana no ombro direito, enquanto na mata ele a leva, livre, na mão direita, para não ficar pendurada no mato e nos cipós

62 Rich. Schomburgk, op. cit., v.I, p.446*ss*.

63 Segundo uma lista de palavras que se encontra comigo, Ernst Ule registra, no Roraima, *uralri*.

64 Vide, em comparação, Rich. Schomburgk, op. cit., v.I, p.456-7; igualmente no v.II, p.137, a lenda de animais em que a onça morre ao comer casca de curare. Sobre zarabatanas, curare e seu efeito no alto *rio* Negro, vide Koch-Grünberg, *Zwei Jahre* etc., v.I, p.95*ss*.

e ele poder se aproximar sorrateiramente da presa, se possível sem fazer ruído. O carcás fica pendurado pela alça sobre o ombro esquerdo, de modo que ele possa segurá-lo com o braço esquerdo livre contra o ombro.

Caçar com a zarabatana exige uma habilidade extraordinária, mão firme e não pouca força física para segurar, com ambas as mãos bem junto ao bocal, a longa e bem pesada arma em posição transversal ou mesmo horizontal, ao mesmo tempo que alinha a caça com a mira, para que o caçador possa disparar um tiro certeiro (Pr. 16).

O manejo da zarabatana já é praticado pelos meninos desde pequenos. Os índios atingem nisso grande perfeição e acertam o alvo a uma distância de 30 a 40 metros, até mesmo maior.

Alguns caçadores, a fim de poder praticar a caça com mais conforto e obter presa mais abundante, constroem no alto de uma árvore frutífera uma espécie de abrigo de caça, uma pequena cabana de folhas (*mukũ*) para, com a zarabatana, esperar lá pela caça e atirar nos animais que vêm até os frutos.[65]

Na lenda, do alto de uma árvore, o herói acerta, com a zarabatana, porcos-do-mato que ele atraiu com instrumentos mágicos.[66]

A anta também é caçada de um modo antiquíssimo, numa cova profunda cavada em sua trilha,[67] ou numa armadilha de laço (*malệ*) feita de forte cordão de algodão ou das resistentes fibras da *bromélia*, colocada de tal modo na trilha do animal que ele corre para dentro dela.[68] "Armadilhas rápidas" também são utilizadas, semelhantes àquelas que reproduzi e descrevi do alto *rio* Negro.[69]

Um modo muito primitivo de caça, que às vezes fornece presa abundante, é empregado ainda hoje por esses índios do cerrado. Eles cercam, com fogo, um pequeno pedaço de cerrado onde seguiram o rastro da caça, que tenta fugir, e abatem-na ou com a arma, ou recolhem, em seguida, os animais vitimados pelo fogo e carbonizados. É assim que faz, numa fábula dos Taulipáng, o próprio fogo personificado.[70] Desse modo simples, eles abatem veados, diferentes roedores como *aguti* e *paca*, perdizes, iguanas, lagartos e outros animais pequenos.

Assim como, entre nós, o caçador enfeita orgulhoso as paredes de sua casa com seus troféus de caça, também o índio pendura nos postes de sua casa os crânios dos animais que ele abateu, especialmente os crânios dos veados com as galhadas. Os dentes, ele usa em colares. As penas coloridas ou peles inteiras das aves de caça, ele usa como adorno de cabeça e dorsal.

Como hábil caçador, o índio aprecia bons cães de caça. Algumas tribos, como os Akawoío e os Makuxí, são famosas como criadoras de cães, e entre elas existem, por sua vez, uma ou outra pessoa que realiza um trabalho excelente. Com frequência, amantes de cães vêm até elas

---

65 Vide v.II, p.53. Vide também a ilustração de um tal abrigo de caça dos Ojána (Rukuyenne) em Jules Crevaux, *Voyages dans l'Amérique du Sud*, p.263, 1883.

66 Vide v.II, p.91, 97-8. Vide também a descrição da caça de porcos-do-mato em Rich. Schomburgk, op. cit., v.II, p.165.

67 Vide v.II, p.104-5.

68 Vide v.II, p.52, 209.

69 Vide Koch-Grünberg, *Zwei Jahre* etc., v.I, p.227-8 e ilustr. 125-7.

70 Vide v.II, p.121, 194.

de grandes distâncias, a fim de lhes comprar, por um alto preço, os produtos de sua criação e adestramento. Um cão bem adestrado, às vezes, vale uma espingarda inglesa. Os mais fortes desses cães de caça, todos de pelo curto, não atingem o tamanho de um perdigueiro europeu, são mais atarracados e têm uma cauda mais curta e orelhas em pé, pontudas ou pendentes na terça parte superior.[71] Eles são de diferentes cores, ora pardo-amarelados com manchas e listas isoladas mais claras, ora malhados de preto e branco, ora inteiramente negros. Os mais cobiçados são estes últimos. Apesar de sua magreza – em geral, eles se alimentam dos restos das refeições de seus donos –, os cães dos índios são muito persistentes na caça. São os chamados "cães caçadores", usados especialmente na caça a leitoas. Seguem o rastro da caça e, caçando ruidosamente, impelem uma parte dos retardatários do bando para o caçador, ou acossam a leitoa até ela parar e ser abatida pelo caçador, que acorre depressa.[72]

Mais tarde, ainda se falará um pouco sobre crenças de caçador.

Uma ave de rapina pequena e negra, de bico vermelho e penas brancas nas costas, é considerada pelos Taulipáng um "animal doméstico da anta". Dizem que voa sempre atrás da anta e, com seu grito rouco, parecido com o grito de um açor, avisa quando ela corre perigo. Talvez essa crença se baseie em observações reais, e essa ave de rapina desempenhe na mata um papel semelhante ao de nosso gaio, que, com seus altos gritos de aviso, causa aborrecimento a certos caçadores.

Das armas de guerra, só se pode mencionar a clava, a arma da luta corpo a corpo.[73] Assim como o arco, ela é confeccionada do cerne da Lecythis e, por meio de polimento com folhas de Curatella e uso prolongado, adquire um bonito brilho marrom. Hoje, em tempos mais pacíficos, a clava, adornada com cordões, debruns e borlas de algodão, é levada pelos homens no ombro direito em cortejos solenes e na dança. Usam-se para isso ou as clavas de guerra dos antepassados, ou imitações inferiores, esculpidas *ad hoc* em madeira leve e coloridas (Pr. 8, 5), que, após a festa, são dadas às crianças, servindo-lhes por algum tempo como brinquedo e depois jogadas fora. Só ocasionalmente ainda se comete um homicídio com a velha clava pesada.

Em geral, cada tribo possui sua forma especial de clava. Em compensação, encontrei entre os Taulipáng e Makuxí dois tipos de clava totalmente diferentes entre si. Uma consiste de um curto porrete quadrangular que vai diminuindo em direção à extremidade inferior com lados lisos que vão se abaulando para dentro. Na maioria das vezes, o cabo é envolto por fios de algodão apertados. Um laço de forte cordão de algodão serve para se levar a clava no pulso direito. Às vezes, é inserida uma lâmina cuneiforme de pedra num lado da parte superior (Pr. 15, 1 e 2). Provavelmente, essa forma de clava seja original dos Taulipáng e de seus vizinhos Karib. Os Kalínya (Galibí, Karib) também a possuem e já a possuíam em tempos antigos.[74] O outro tipo tem um cabo estreito e mais longo e uma base larga, na qual, às vezes, se encontram desenhos simples riscados, esfregados com argila branca e que se destacam nitidamente

---

71 Segundo Rich. Schomburgk (op. cit., v.II, p.196), os índios criam os melhores cães de caça cruzando seus cães com o selvagem cão do cerrado, *Canis cancrivorus*, que os Taulipáng e Makuxí chamam de maḭkáṅ, uma espécie intermediária entre raposa e cão.

72 Vide a descrição de uma caçada no v.I, p.223-4.

73 Vide mais adiante: "Guerra, homicídio, vingança de morte".

74 Barrere, op. cit., p.168, ilustr. 4; C. Quandt, op. cit., p.230 e pr. 1, fig. 8.

do fundo marrom escuro (Pr. 15, 3). A empunhadura, na qual se prende, de novo, um laço feito de forte cordão de algodão, acaba numa longa ponta que, supostamente, serve para dar o golpe de misericórdia na têmpora ou no ouvido do inimigo abatido. Em visitas amigáveis, o índio golpeia a clava com a ponta no chão diante de si, quando, após ser recebido solenemente e seguindo o convite do anfitrião, ele se agacha para a refeição.

Pesca: além da caça, a pesca também é praticada pelos índios do cerrado, mesmo que em medida mais modesta. Muitas vezes, a região em que vivem lhes impõe limitações. Peixes grandes só existem no Uraricoera e em seus afluentes; no Surumu, em seu afluente Miáng até suas grandes quedas d'água; e no Kukenáng até a cachoeira Moromelú. Nos riachos das serras, só ocorrem poucos e pequenos peixes. Apesar disso, o prazer do índio com a pesca é o mesmo em toda parte e se manifesta tão logo se navegue com ele num rio piscoso. Quando meu pessoal, que pertencia às mais diferentes tribos, tinha trabalhado duro o dia todo para levar os barcos através das inúmeras corredeiras e cachoeiras do Uraricoera, mal tínhamos levantado nosso acampamento simples num local propício na mata, eles já corriam para o rio com arco e flecha ou com a vara de pescar e se entregavam à pesca até tarde da noite.

Em toda a região já se usam anzóis europeus que chegam ao interior através do comércio de tribo para tribo. Em caso de necessidade, o anzol também é feito do modo mais trabalhoso pelo próprio índio, martelando e afiando uma velha lâmina de faca.[75] Para cada peixe e para cada época do ano, o índio conhece determinadas iscas. Assim, ele pesca o *pacu* (*Myletes* sp.), um peixe gordo e saboroso que ocorre em grande número nas corredeiras do alto Uraricoera e chega facilmente até o anzol, com os frutos negros, semelhantes a bagas, de uma pequena palmeira espinhosa que, com seu tronco curvado, pende aqui e acolá sobre a margem, ou com os frutos azul-escuros e oleosos da esbelta palmeira *açaí* (*Euterpe oleracea*). É fácil pescar a voraz *piranha* com algum pedaço de carne, também de um de sua própria estirpe, como isca; só é preciso proteger dos afiados dentes desse peixe, com arame ou com um pedaço de lata, o ponto onde o gancho pende do cordão. Meu pessoal também gostava de pescar à noite, no Uraricoera, grandes siluros de diferentes espécies, que atingem um peso de até 35 a 40 quilos, usando carne como isca e um cordão comprido, cuja ponta eles enrolavam na mão.

São muito cobiçadas as varas de pescar usadas para pegar peixes menores, *pacu, aracu* (*Corimbata* sp.), entre outros. Precisam ter o comprimento necessário e ser bem retas, resistentes e elásticas. A planta que fornece tais varas ocorre com frequência em vários pontos nas matas fechadas do alto Uraricoera. Meu pessoal recolhia feixes inteiros delas, a fim de levá-las na viagem de volta a sua terra, onde não se encontra essa planta. Eles preparavam as varas da seguinte maneira: primeiro, mantinham-nas cuidadosamente acima do fogo, de modo que a casca externa carbonizava e, enquanto ainda estavam quentes, endireitavam-nas. Com o calor do fogo, as varas eram, ao mesmo tempo, enrijecidas. Então eles raspavam a casca carbonizada e o líber interno, restando somente as varas brancas.

---

[75] Vide v.II, p.92.

O cordão da vara, feito das finas, porém resistentes fibras de *bromélia*, é torcido sobre a coxa.

O tipo mais nobre de pesca e que exige maior habilidade, mas que também fornece, proporcionalmente, a menor quantidade de presa, é atirar com arco e flecha. É um prazer verdadeiramente estético observar um índio à espreita de peixes numa corredeira, que mesmo um perspicaz olhar europeu não reconhece na água borbulhante. Cada músculo do belo corpo nu está distendido; todos os sentidos estão dirigidos para um único ponto. Agora ele está com o peixe na mira. Com um breve e forte puxão, ele estica a corda. A flecha dispara e, sibilando, perfura a água e só raramente não atinge o alvo (Pr. 56).[76] O índio também acerta peixes em pé, na proa do vacilante bote, enquanto um companheiro fica sentado na popa do barco e dirige habilmente a leve embarcação atrás do peixe que se movimenta depressa para lá e para cá. Na caça ao *pacu* e ao *aracu*, ocasionalmente o índio utiliza isca. Ele joga na água os frutos que esses peixes gostam de comer e atira rapidamente no peixe que tenta abocanhá-los. Se houver muitos peixes numa baía tranquila, um índio vai para o riacho e bate com o arco na água, de modo que os peixes não nadam para fora da baía, enquanto um outro índio os acerta da margem.[77]

A posição para segurar arco e flecha é a mesma que no alto *rio* Negro, da mesma forma que o arco é o mesmo de lá, excetuando-se pequenas diferenças (Ilustr. 4).[78]

Ilustração 4. Arqueiro, Taulipáng.

76 O índio nela fotografado é um Yekuaná. O modo de atirar em peixes é o mesmo em todas as tribos.

77 Vide v.II, p.50-1.

78 Vide Koch-Grünberg, *Zwei Jahre* etc., v.I, p.104 e ilustr. 57 e 58.

Um jovem Makuxí que me acompanhou ao oeste era canhoto, coisa de aspecto singular quando se atira com arco e flecha. Isso não é raro, asseguraram-me os índios.

As flechas de pesca que vi eram, em média, tão longas quanto o arco (180-185 cm) e tinham as costumeiras pontas de ferro farpadas introduzidas pelos europeus. Antigamente, as pontas eram feitas dos duros ossos de macaco e fixadas na haste de madeira da flecha do mesmo modo que hoje ocorre com as pontas de ferro.[79] Em regiões distantes, devem ser usadas ainda as antigas flechas. Os Arekuná que vivem perto de grandes rios usam flechas de pesca com pontas feitas de esporões de raia, que são munidos de inúmeras farpas finas; a raia não ocorre nas pequenas águas do cerrado das montanhas. Outras flechas de pesca têm três pontas de madeira. Em cada lado da aguçada haste de madeira há uma outra ponta de madeira amarrada de tal modo, que as três pontas ficam um pouco distantes umas das outras. Vi somente flechas infantis desse tipo (Pr. 14, 7 e 8).

Lanças de pesca originais com três pontas de madeira, semelhantes às flechas de pesca há pouco descritas, como as que se encontram no alto *rio* Negro,[80] por exemplo, não são usadas, ou não mais. No alto Uraricoera, ao anoitecer, meu pessoal acertava, com lanças de ferro, peixes grandes, *aimarás* (*Hoplias macrophthalmus*), *curimatás*, entre outros, que dormem em calmas baías, entre as rochas das margens e que, ofuscados por um facho, são fáceis de se apanhar.

Vi entre os Taulipáng dois tipos de nassa. Um deles, que se destina a peixes menores e não tem cone, eu já conhecia do alto *rio* Negro.[81] Tem forma alongada e estreita, montada de maneira bem rudimentar com varas achatadas, entrelaçadas com cipós (Pr. 18, 1). O outro, que serve para pegar peixes maiores, não ocorre no alto *rio* Negro. É largo, trabalhado com muito mais esmero e dotado de dois cones, um atrás do outro. As faixas de taquara de que o cone interno é composto não são cortadas, de modo que suas finas extremidades se sobrepõem. Se o peixe, assustado com o primeiro cone, ao atravessar o segundo cone conseguiu penetrar com esforço na própria câmara de captura, o caminho de volta lhe é totalmente obstruído (Pr. 18, 2 e 2a, b). Em algumas nassas é trançada uma alça na extremidade fechada, pela qual se pode içar comodamente o utensílio da água (Pr. 18, 2c). As nassas são colocadas na lagoa rasa, e os peixes são impelidos para dentro delas, ou elas são colocadas no riacho, com a abertura para baixo, e capturam-se os peixes no seu interior quando eles nadam rio acima para desovar.

Também cestos para pesca que conhecemos do mesmo tipo de outras regiões da América do Sul[82] são usados pelos Taulipáng e Makuxí. São feitos de finos e pontudos pauzinhos, em geral sobre dois aros internos, no formato de um cone achatado e aberto em cima e embaixo. A borda superior é reforçada por meio de diversos revestimentos, formando um anel. Na água

---

79 Ibidem, v.II e ilustr. 7 e 8.

80 Ibidem, v.II, p.34, ilustr. 9.

81 Ibidem, v.II, p.40-1, ilustr. 15.

82 Nas cabeceiras do Xingu; vide Karl von den Steinen, *Unter den Naturvölkern Zentralbrasiliens*, Berlin, 1894, p.73-4. No nordeste da Bolívia, vide Erland Nordenskiöld, *Indianer och Hvita*, Stockholm, 1911, p.84, ilustr. 59. Franz Keller-Leuzinger (*Vom Amazonas und Madeira*, Stuttgart, 1874) descreve (p.68) um tal socó e traz (p.72) o desenho de um índio Moxo com um desses utensílios.

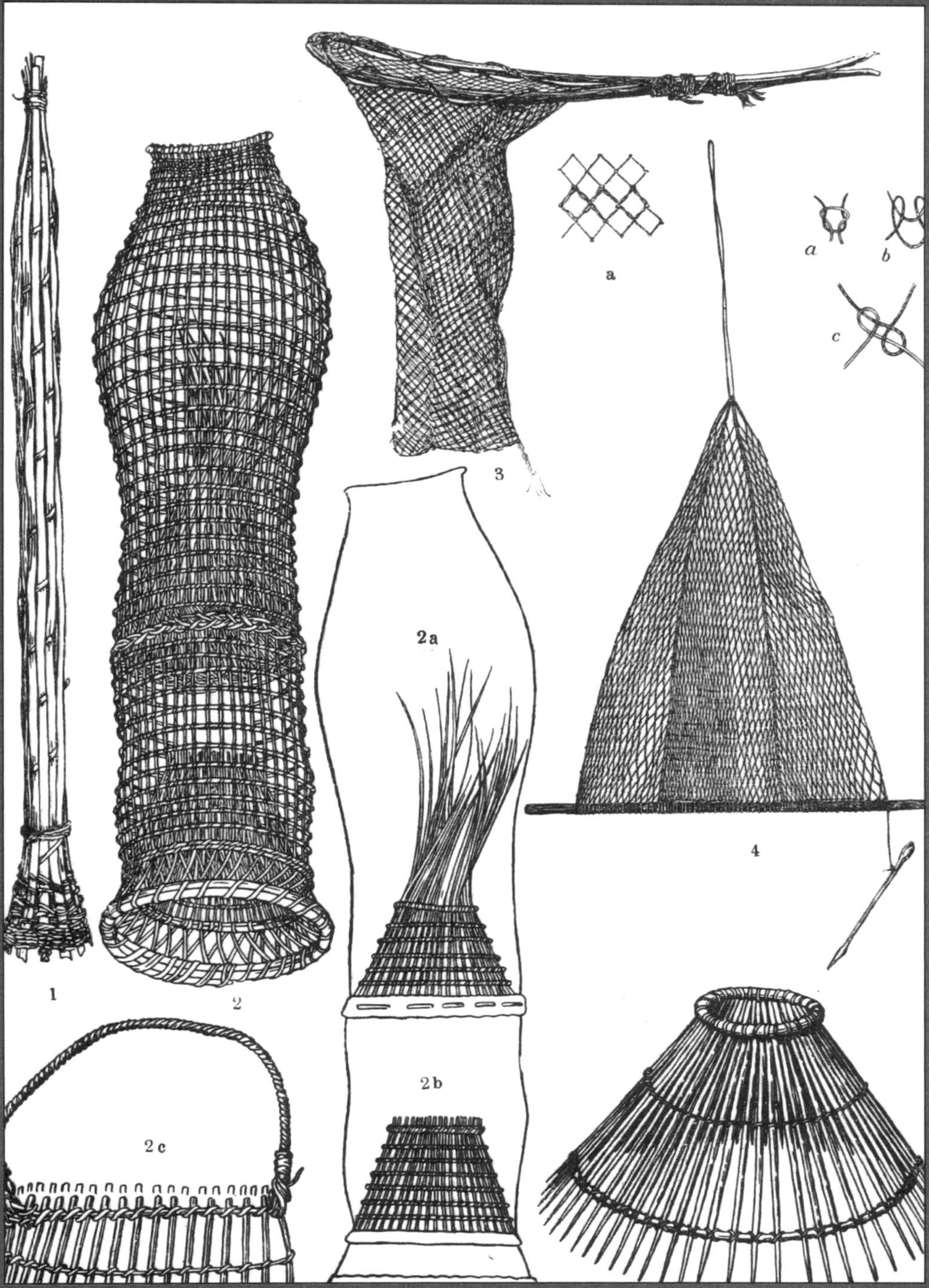

PRANCHA 18. 1. ARMADILHA RUDIMENTAR PARA PEIXES PEQUENOS, TAULIPÁNG. 2. ARMADILHAS COM DOIS CONES DE CAPTURA PARA PEIXES MAIORES, TAULIPÁNG. 2A, 2B. DISPOSIÇÃO INTERIOR DESSA ARMADILHA. 2C. ALÇA DESSA ARMADILHA. 3. REDE PARA PEQUENOS PEIXES, TAULIPÁNG, MAKUXÍ; UM DETALHE DESSA REDE. 4. NASSA COM AGULHA, TAULIPÁNG, MAKUXÍ. 4A, B, C. TÉCNICA DE NÓ DESSA NASSA. 5. CESTO DE PESCA, TAULIPÁNG, MAKUXÍ.

rasa da lagoa seca, vira-se o cesto sobre o peixe, então este é tirado pelo lado de cima com a mão (Pr. 18, 5).[83]

Tipos de pesca bem rudimentares são os seguintes: os índios represam pequenas lagoas ou pontas rasas de uma lagoa maior, então as esvaziam, jogando a água para trás, com grandes cuias, por entre as pernas abertas por sobre o dique, de modo que os peixes nadam para o seco. É assim que, na lenda, o feiticeiro *Piai'má* está pescando com sua mulher, quando o destemido *Kone'wó* atira por trás, com a zarabatana, nas partes mais sensíveis do corpo dos dois.[84] Os riachos são represados para o mesmo fim. Na lenda Taulipáng da "visita ao céu", o herói entope o afluente de um lago e começa a esvaziar a água, para secar o lago e capturar os animais que vivem nele.[85]

Quando o Surumu perto de Koimélemong, no início da estiagem, baixa de novo depois de subir por pouco tempo, os meninos da aldeia vão para a corredeira próxima e tiram com os cestinhos os peixes das poças. Sem serem limpos, os peixinhos são cozidos com *Capsicum* em grandes panelas e consumidos por toda a população.

Os peixinhos, do comprimento de um dedo, dos rios do cerrado também são pegos com puçás que, entre os Taulipáng e seus parentes, são feitos, pelas mulheres, de cordões de fibra de *bromélia* em filete, usando-se um pauzinho aguçado sobre um longo bastão plano (Pr. 21, 2). Essas pequenas redes em forma de saco são fixadas numa vara arqueada de modo ovalado ou numa trepadeira, cujas extremidades são amarradas, formando o punho (Pr. 18, 3 e 3a, 4 e 4a, b, c).[86]

O envenenamento das águas fornece, de longe, a presa mais abundante. Pedaços da raiz de uma planta venenosa (*Lonchocarpus densiflorus* Benth.) são martelados no local, formando feixes de fibras, e, por volta do fim da estiagem, são lavados em águas calmas procuradas pelos peixes para a desova ou entre as pedras das corredeiras. Após alguns minutos, a seiva leitosa mata os peixes pequenos e narcotiza os maiores, que boiam de barriga para cima na superfície da água e podem ser pegos facilmente.[87] É uma grave exploração predatória, já que a maior parte da jovem desova é destruída, mas o índio não se importa com isso. Ele é filho do momento e, assim como na caça, também na pesca é um caçador da pior espécie. Evidentemente, o dano que ele causa com isso quase nem é digno de menção. A riqueza em peixes das águas maiores é extraordinariamente grande, e a densidade demográfica é muito pequena.

Na estiagem, os Taulipáng das povoações próximas do Roraima se reúnem na grande cachoeira *Moro-melú* (cachoeira do peixe) do alto Kukenáng, para, com veneno, pescar peixes na caldeira do precipício. Então, como famílias, eles habitam pequenas cabanas circulares que se veem aqui e acolá em ambas as margens do rio.

---

83 Farabee descreve várias armadilhas para peixes dos Wapixána e de outras tribos no extremo sul da Guiana Inglesa; William Curtis Farabee, *The Central Arawaks*, p.55*ss.*, fig. 4 (nassa com dois cones), fig. 5 (cesto).

84 Vide v.II, p.134, 175-7.

85 Vide v.II, p.83-4.

86 Vide Koch-Grünberg, *Zwei Jahre* etc., v.II, p.39 e ilustr. 13.

87 Ibidem, v.II, p.49.

Os Taulipáng e Arekuná diferenciam duas espécies desse veneno para peixes. Uma delas, forte, é chamada de *inḗ̱g*; a outra, que eles chamam de *az̭á*, ou com o nome todo *az̭ataṷkobu[x]pḛ́*, é pouco venenosa.[88] É preciso pegar muito dela para poder matar peixes com ela.[89]

Navegação: nesse domínio, usam-se ubás e igaras.

Os índios fabricam um ubá da seguinte maneira: do tronco reto de uma *jataí*[90] solta-se com todo o cuidado, com o auxílio de inúmeras cunhas, um pedaço quadrado da casca, de comprimento e largura necessários, deitado sobre uma fileira de paus cravados no chão e cruzados aos pares e fixado neles. Travessas apertadas embaixo da borda um pouco enrolada mantêm a casca separada e servem, mais tarde, como assentos de remar. As extremidades do pedaço de casca são cortadas, formando pontas e, de cada lado, é colocada uma secção vertical, mas que vai somente através da casca externa até a camada interna de líber. Essas secções possibilitam aos índios, com auxílio de fogo, que amolece a casca nesses pontos, encurvar para cima as extremidades através de dois paus fincados. Nas secções verticais, a casca empurra-se sobre si mesma, enquanto o líber interno forma uma prega e, depois de secar, fica nessa posição (Ilustr. 5).[91]

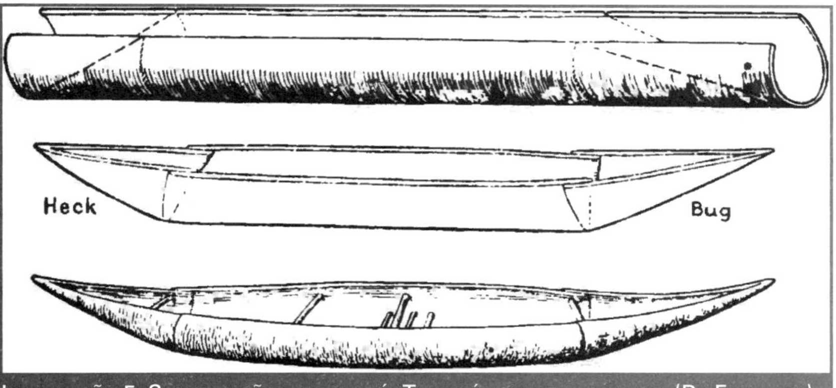

Ilustração 5. Construção de um ubá, Taulipáng, entre outros. (De Farabee.)

Com um ubá pode-se navegar muito mais depressa do que com uma igara. É verdade que é difícil mantê-lo equilibrado, e ele vira com facilidade, em especial quando se embarca ou se desembarca dele, mas, devido ao seu pequeno calado, é usado com vantagem em água rasa. Um ho-

---

88 Talvez seja o fraco *az̭á* o *Clibadium schombrugkii*, um veneno para peixe chamado no Norte do Brasil de *kunambí*; vide Koch-Grünberg, *Zwei Jahre* etc., v.II, p.48-9. Já Barrere (op. cit., p.158-9) diferencia entre os Galibí-Kalínya dois venenos para peixe, o forte *ineku* e o fraco *sinapu* ou *conamy*. Vide também Rich. Schomburgk, op. cit., v.II, p.434: envenenamento dos peixes com pequenas esferas de veneno de *Clibadium asperum* (Dec.) entre os Karib.

89 Acerca do surgimento mítico desses dois venenos para peixe oriundos do cadáver de um garoto, vide v.II, p.75-6.

90 *Hymenaea* sp.

91 Vide Rob. Schomburgk, op. cit., p.206; W. H. Brett, *The Indian Tribes of Guiana*, London, 1868, p.267. Farabee (op. cit., p.74-6 e fig. 8) dá uma descrição exata, com auxílio de desenhos, da fabricação de um ubá.

mem também pode carregar por terra, sem grande esforço, a leve embarcação, virando-a com a abertura para baixo e levando-a na cabeça. Às vezes, esses ubás são tão pequenos que apenas um homem pode navegar neles, sentado, então, no meio e remando e pilotando ao mesmo tempo.

Os Arekuná e os chamados "Ingarikó" (Akawoío) usam esses ubás na bacia do Mazaruni.[92] Os Taulipáng no alto Kukenáng também empregam pequenos ubás juntamente com igaras maiores para transporte para a outra margem.[93] Os Taulipáng não possuem absolutamente nenhum bote entre o Kukenáng e o Surumu, já que, como índios do cerrado, andam somente a pé. No Uraricoera e em seus afluentes, utilizam-se exclusivamente igaras, fabricadas de modo usual com machado e facão e com o auxílio de fogo.

Os remos têm a mesma forma em toda a região, com uma pá alongada, alargando-se para baixo, e arredondada e uma muleta curta e arqueada, entalhada da extremidade do cabo como punho. Imediatamente abaixo da muleta, o cabo tem duas saliências mais ou menos bicudas como enfeite (Pr. 40, 5). Rio acima, em pontos rasos, os barcos são impelidos para a frente com longas varas pelos homens em pé.

Pontes: sobre riachos que, devido à condição das margens ou por outros motivos, são difíceis de se atravessar, são construídas pontes, ou melhor, simples pinguelas com corrimão (*mẹnẹ́g*). Numa dessas pequenas pontes nós atravessamos o Worá-uté, um afluentezinho do Kukenáng. Ela compunha-se de um tronco de árvore deitado sobre paus cruzados, acima do qual, à metade da altura de um homem, nas extremidades salientes de alguns postes de sustentação e em algumas árvores em ambas as margens, havia um cipó amarrado como corrimão (Ilustr. 6).[94] Sobre riachos estreitos geralmente se joga apenas um tronco de árvore.

ILUSTRAÇÃO 6. PONTE, TAULIPÁNG E OUTROS POVOS.

---

92 Segundo Farabee (op. cit., p.74), os mesmos ubás também são usados pelos Wapixána e por outras tribos no extremo sul da Guiana Inglesa.

93 Na lenda Taulipáng "A morte de Piai'má", o herói atravessa um rio duas vezes com auxílio de um ubá, que ele fabricou rapidamente; vide v.II, p.79, 226-7.

94 Vide v.I, p.131.

Moradia, utensílios domésticos, animais domésticos: o interior de uma casa, mesmo quando é habitada por várias famílias, não é dividido. Os lugares das famílias ficam junto à parede e são identificáveis pelo fogo, em torno do qual se agrupam as redes de dormir, tingidas de vermelho *urucu,* dos membros da família, em parte umas sobre as outras, em parte umas junto das outras. Os utensílios domésticos são simples, e falta a ornamentação colorida dos índios do alto *rio* Negro. Apesar disso, também essa moradia indígena, com sua confusão pitoresca, tem um encanto singular. Em torno do fogo ficam bancos baixos, simples tripés, cortados de uma raiz ou de uma bifurcação, com pequenas modificações em seu crescimento natural (Pr. 19, 6), ou banquinhos quadrados com assento com pequena concavidade, entalhados de um pedaço de madeira leve (Pr. 19, 7 e ilustr. 7) e que, com frequência, representam um quadrúpede de forma bem estilizada, em geral um jabuti (Pr. 19, 8). Muitos são pintados de vermelho. Há, também, cabaças de formatos diferentes, bem grandes, que comportam vários litros e se destinam a pegar *caxiri*, e menores para armazenar água potável (Pr. 19, 1, 2, 3); além disso, louça de cerâmica crua de variados tipos e tamanhos (Pr. 19, 4 e 5), desde a minúscula panelinha, na qual a mãe cozinha o mingau de farinha para o filho, até a gigantesca e funda tigela sem borda, na qual se prepara a massa de *caxiri*. Também há esteiras, peneiras e apás. As armas, arcos e flechas e a espingarda inglesa ficam encostados na parede ou repousam nas travessas da casa, enquanto a longa zarabatana geralmente pende do telhado por um cordão, para não empenar. Sobre as travessas ficam os cestos estojiformes quadrados, artisticamente trançados, que contêm as preciosidades dos índios, miçangas e outras coisas. Cuias (Pr. 20), panacus e outros utensílios pendem, em feixes, em parte de ganchos de madeira. Adquiri um desses ganchos, no qual foi entalhada a cabeça de um homem com barba (Pr. 19, 10). Nos postes e na parte interna da entrada estão pregados crânios de veados, porcos-do-mato e de outros animais, o orgulho do caçador. Tudo está impregnado da exalação ácida e acre, característica de toda moradia indígena, de mandioca fermentando.

Ilustração 7. Banco feito de um único pedaço de madeira, Taulipáng.

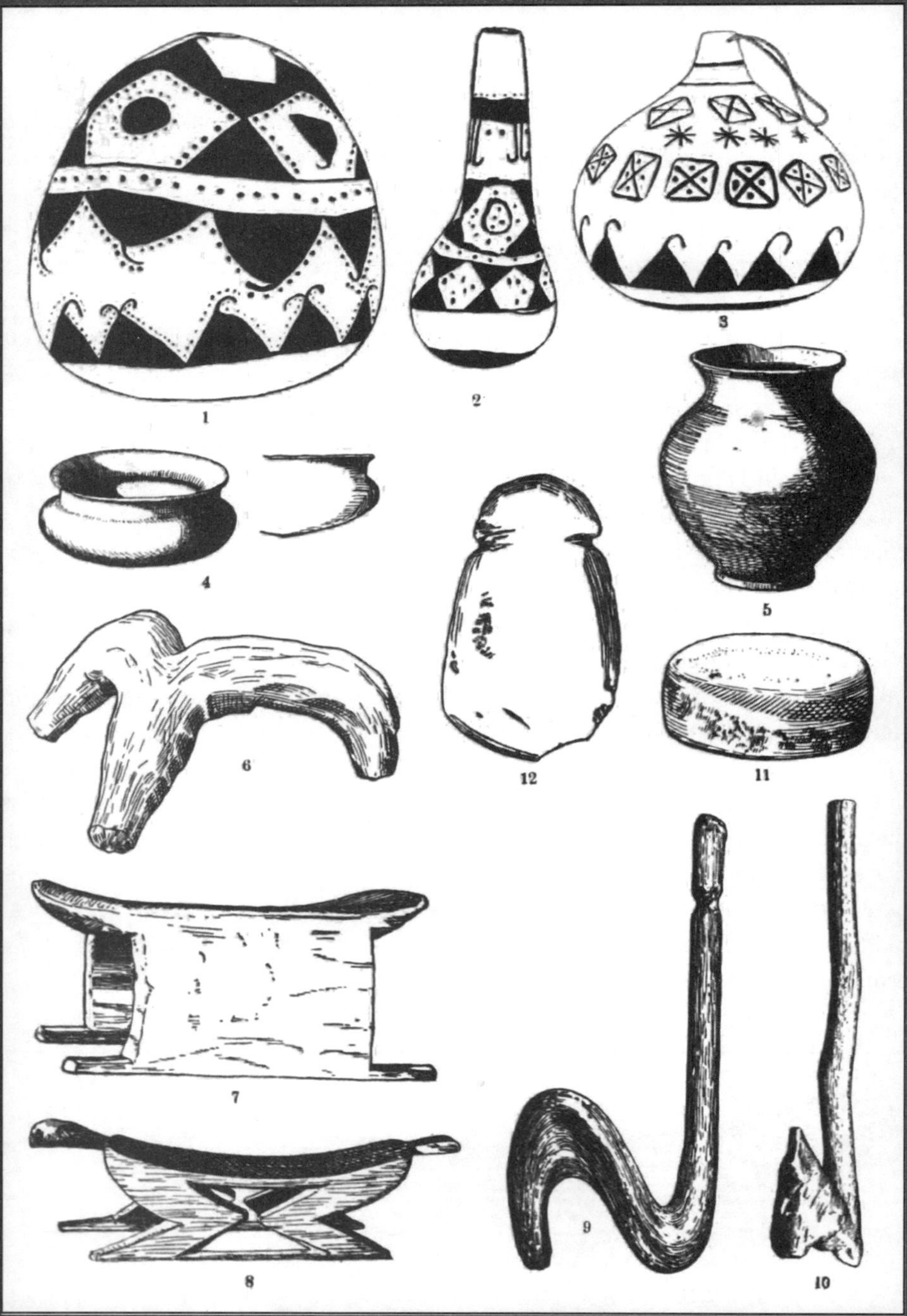

Prancha 19. 1-3. Cabaças, pintadas com desenhos. 1 e 2, Wapixána; 3, Taulipáng. 4. Panela de barro, Taulipáng, Makuxí. 5. Pote para água de barro, Taulipáng. 6. Banco de madeira da forma mais simples, Taulipáng. 7. Banco de madeira, Taulipáng. 8. Banco de madeira em forma de tartaruga, Taulipáng. 9. Gancho de madeira para pendurar cestos e outras coisas; forma simples, Yekuaná e Guinaú. 10. Gancho de madeira da mesma finalidade com cabeça humana esculpida, Taulipáng. 11. Instrumento de pedra de uso desconhecido. 12. Lâmina de machado de pedra.

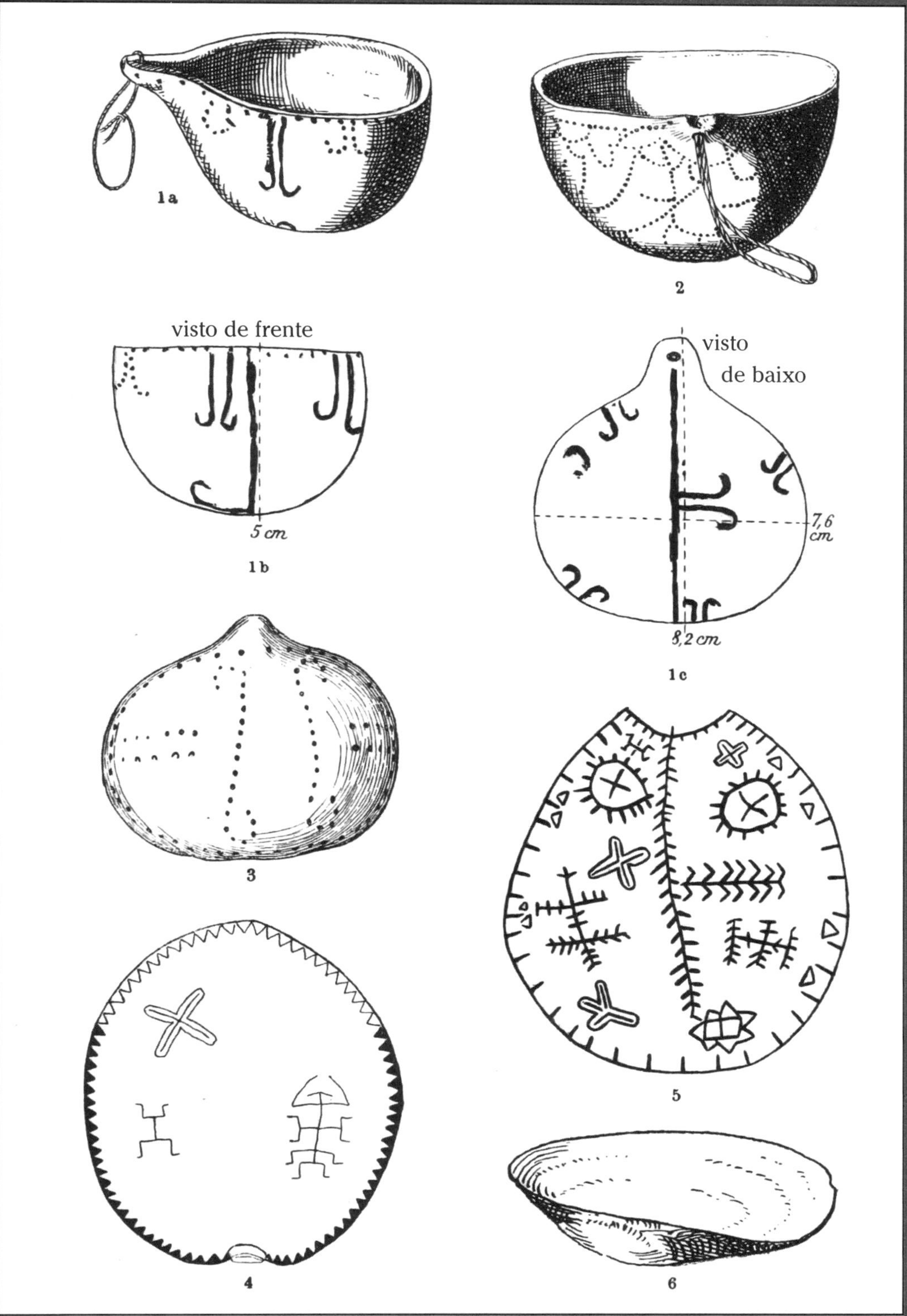

PRANCHA 20. 1-5. CUIAS PARA BEBER COM DESENHOS PIROGRAFADOS. 1A, B, C, TAULIPÁNG; 2. TAULIPÁNG; 3. AREKUNÁ; 4. WAPIXÁNA; 5. MAKUXÍ. 6. CONCHA DO RIO PARA ESVAZIAR AS CABAÇAS, TAULIPÁNG.

Em geral, não há iluminação nas casas. Os pequenos fogos das famílias, que nunca são apagados, criam um lusco-fusco indefinido ao cair da noite, e de dia entra somente pouca luz pela entrada estreita. Em ocasiões especiais e em dias de festa, os Taulipáng iluminam a casa com fachos de um torrão de resina, *wā̆luwau̯wę̄g*, grudado na ponta de um cavaco.

Dos moradores de uma casa fazem parte os animais domésticos, tão característicos das aldeias indígenas da Guiana, os quais são naturalmente mais numerosos e mais variados nas povoações da região da mata do que nas do cerrado, pobre em animais.[95] Além de muitos cães magros, vi em Koimélemong galinhas europeias, papagaios de diferentes espécies, duas espécies de pássaros de parentesco próximo, uma mais amarela, a outra mais negra, chamadas de *rouxinol* pelos brasileiros devido ao seu belo canto e de *murumurutá* pelos Taulipáng, vários outros pássaros pequenos, um engraçado jacami (*Psophia crepitans*), um camundongo e um jabuti; em Denóng, um veadinho domesticado.[96] Todos esses animais são capturados na mais tenra idade e criados pelas mulheres com todo o zelo. Bandos inteiros de pequenos papagaios amarelos, periquitos de cauda em cunha, que vi aqui pela primeira vez, voavam livremente pela aldeia e misturavam-se durante o dia com seus companheiros selvagens, que atraíam com sua gritaria aguda. Os Taulipáng os chamavam de *kẹẓẹsé* ou de *kẹdẹsé*.[97]

Trançados: os Taulipáng e Arekuná são mestres em todos os trançados. Sua arte fornece os artigos mais variados. Das folhas da palmeira *Mauritia* ou da *bacaba*[98] eles trançam, em pouquíssimo tempo, uma espécie de cestos bolsiformes ou taças rasas trançadas, nas quais colocam peixes frescos ou defumados. Do mesmo material, eles confeccionam esteiras maiores como recipiente para beijus. De finas tiras de taquara são feitos tipitis para massa de mandioca, panacus, apás para guardar beijus e frutas, peneiras, cestinhos cilíndricos de diferentes tipos e cestos quadrados com paredes duplas e tampa (Pr. 22 a 24).

Os trançados são feitos apenas pelos homens (Pr. 21, 3). Para tiras dos trançados mais finos eles pegam as hastes tubulares de marantáceas, de *Ischnosiphon arumah* e outras espécies, e os preparam da seguinte maneira: com a faca, raspam o líber verde externo, então fazem uma incisão em cruz na parte de cima da taquara e, com pauzinhos entalados como cunhas, dividem-nas, cuidadosamente e aos poucos, em quatro tiras iguais. Delas são retirados o cerne e a parte lenhosa, passando-os de leve, várias vezes, entre o gume da faca e o polegar; elas fornecem o material, amarelo e seco, para os belos trançados.

A *arumá* ocorre em grande número no alto Uraricoera, ao passo que é rara rio abaixo. Meus índios aproveitaram a oportunidade e cortaram para si feixes inteiros dela, a fim de levá-los para sua terra.

---

95 Até mesmo o grande feiticeiro e antropófago do mito, Piai'má, tem pequenos pássaros, *džiádziá*, como animais domésticos; vide v.II, p.66-7, 79, 224.

96 Vide v.I, p.110 e 121 (ilustrações).

97 Pelo visto, *Conurus solstitialis* L.; vide Rich. Schomburgk, op. cit., v.III, Leipzig, 1848, p.728.

98 Vide v.II, p.94.

1

2

3

PRANCHA 21. 1. FAZER FOGO. 2. FAZER PUÇÁ COM NÓS. 3. TRANÇAR ESTEIRAS, TAULIPÁNG.

Em suas pesquisas fundamentais sobre os trançados sul-americanos, Max Schmidt dividiu-os em três tipos principais, todos representados entre os trançados dos Taulipáng e de seus vizinhos. No primeiro tipo principal, dois grupos de tiras, dispostas verticalmente uma em relação à outra, são trançados de tal modo uns com os outros, que as tiras de um grupo, a cada vez, passam por cima de um certo número de tiras do outro grupo ou ficam por baixo delas, e de um tal modo que as malhas trançadas, que sempre seguem na mesma direção, formam degraus umas junto das outras ou umas sobre as outras (Pr. 22, 2, 4; 23, 5 a 10; 24, 5 a 7, entre outras). No segundo tipo principal, algumas tiras de trançado, nervuras de palmeira, cipós ou cordões de algodão dispostos paralelamente, são atados ao serem enlaçados em cruz com um fio duplo. Pertencem também, em último caso, a esse tipo de trançado, os trabalhos em miçangas e redes de dormir descritos anteriormente (Ilustr. 8). No terceiro tipo principal, dois grupos de tiras de trançado, colocadas umas sobre as outras em diferentes direções, são entrelaçadas por um terceiro grupo de tiras que tem uma outra direção (Pr. 22, 7; 24, 4, 8 entre outras).[99]

Os Taulipáng e Arekuná em especial, mas também os Wapixána, sabem entrelaçar motivos de bom gosto nos apás, utilizando tiras de trançado de diferentes cores, meandros, ganchos, cruzes, quadrados e figuras estilizadas de pessoas, sapos e macacos (Pr. 22, 4; 24, 1, 5, 10, 11, 12, 14). Para esse fim, colocam-se as tiras de taquara, *manā̂le*, na água, entre folhas em decomposição de determinadas árvores, até elas ficarem negras como ébano brilhante. Da técnica de trançado com essas tiras pretas e aquelas que mantiveram sua cor amarela natural resultam, então, os diferentes motivos.

Infelizmente, essa arte também está desaparecendo. Hoje, muitos Taulipáng e Arekuná facilitam seu trabalho e pintam motivos passageiros com tinta preta, *ku'ā̂li*, da casca de uma árvore, que é misturada com água, sobre os trançados prontos, em especial sobre as esteiras quadradas e os grandes apás.

Esses Karib certamente adotaram a arte mais fina do trançado das tribos Aruak, muito mais desenvolvidas, cuja região eles invadiram como conquistadores e com os quais se misturaram muitas vezes.

Cestinhos cilíndricos, em parte com fundo redondo, em parte com fundo quadrado, cuja borda, na maioria das vezes, é reforçada com um cipó envolto por líber (Pr. 22, 5); além disso, cestos quadrados com tampa, de trançado duplo, quase impermeáveis (Pr. 24, 1) e esteiras de duas folhas de *Mauritia* trançadas uma dentro da outra, são produzidos pelos Taulipáng e Arekuná (Pr. 21, 3) e abanos de folhas da *tucumá* são produzidos pelos Wapixána (Pr. 24, 7). Do mesmo material, estes últimos trançam cestos fundos, redondos, que se alargam muito para cima, de base quadrada, cuja borda especialmente entrelaçada e saliente protege as extremidades das tiras de trançado, que ficam soltas umas sobre as outras. Encontrei esses cestos somente entre os Wapixána (Pr. 22, 2). Eles servem às mulheres como cestos de trabalho para se guardar algodão, fuso e outros utensílios pequenos. Essa forma de cesto, com sua técnica sin-

---

[99] Max Schmidt, "Ableitung südamerikanischer Geflechtsmuster aus der Technik des Flechtens". *Zeitschrift für Ethnologie*, ano 36, Berlin, p.490*ss*. Do mesmo autor, *Indianerstudien in Zentral-Brasilien*, cap. XIV, Berlin, 1905, p.330*ss*.

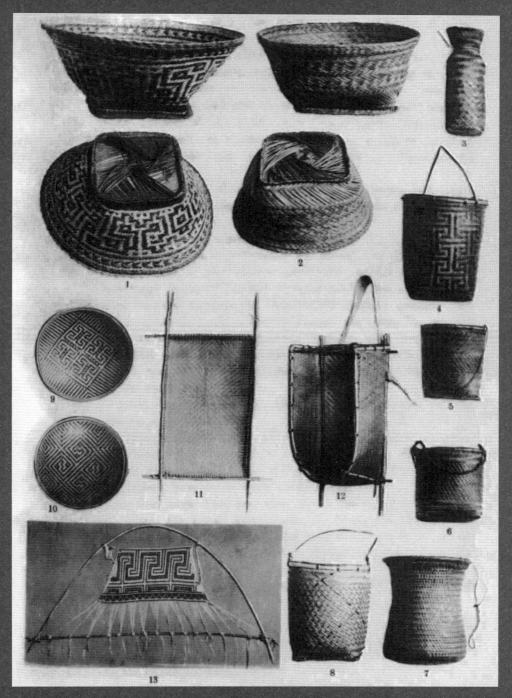

PRANCHA 22. TRABALHO DE TRANÇA E TECELAGEM DAS TRIBOS DA GUIANA: 1. CESTO DE TRABALHO FEMININO, ESTAMPADO, ÍNDIOS DESCENDENTES DOS MANAUS. 2. CESTO DE TRABALHO FEMININO, WAPIXÁNA. 3. CESTO SUSPENSO, TAULIPÁNG. 4. CESTO SUSPENSO, ESTAMPADO, TAULIPÁNG. 5-7. CESTOS SUSPENSOS, TAULIPÁNG. 8. CESTOS SUSPENSOS, PURUKOTÓ. 9-10. PRATOS DE VIME, ESTAMPADOS, YEKUANÁ. 11. PENEIRA DE MANDIOCA, MAKUXÍ, TAULIPÁNG. 12. CANASTRA, TAULIPÁNG. 13. TEAR COM TANGA DE MIÇANGAS, WAPIXÁNA.

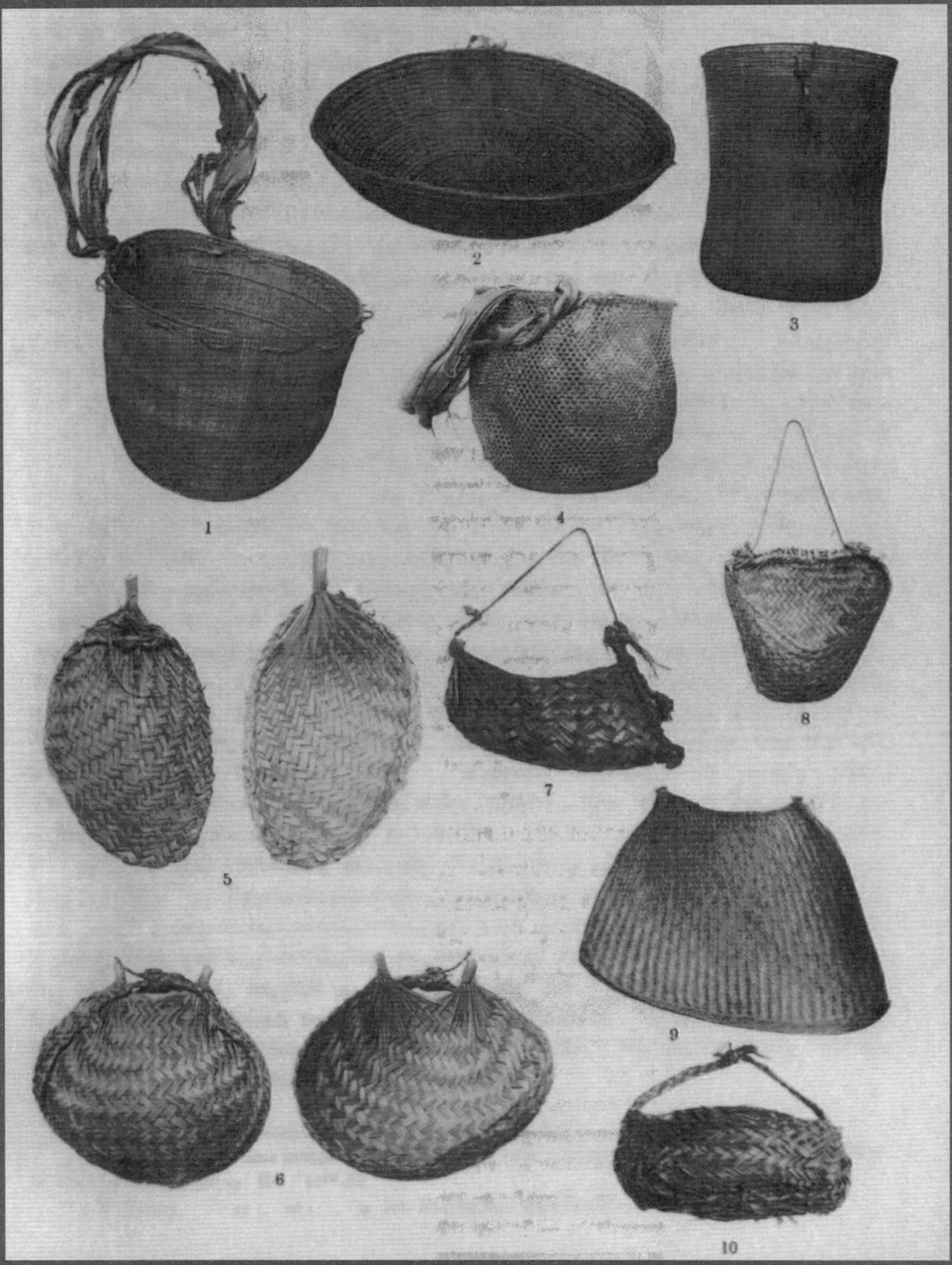

Prancha 23. Cestaria das tribos da Guiana: 1. Cesto de mulher, Xirianá. 2. Cesto para tomar banho, Xirianá. 3. Cesto de mulher, Yekuaná e Guinaú. 4. Cesto para mulher carregar, Auaké. 5. Prato trançado de uma folha de palmeira, frente e verso, Makuxí. 6. Pratos trançados de duas folhas de palmeira, frente e verso, Makuxí e Taulipáng. 7. Cesto trançado de folha de palmeira, para peixe fresco, Taulipáng. 8. Cesto para peixe, Makuxí. 9. Esteira trançada de folha de palmeira para bolos de mandioca, Makuxí. 10. Cesto de folha de palmeira para peixe fresco, Taulipáng.

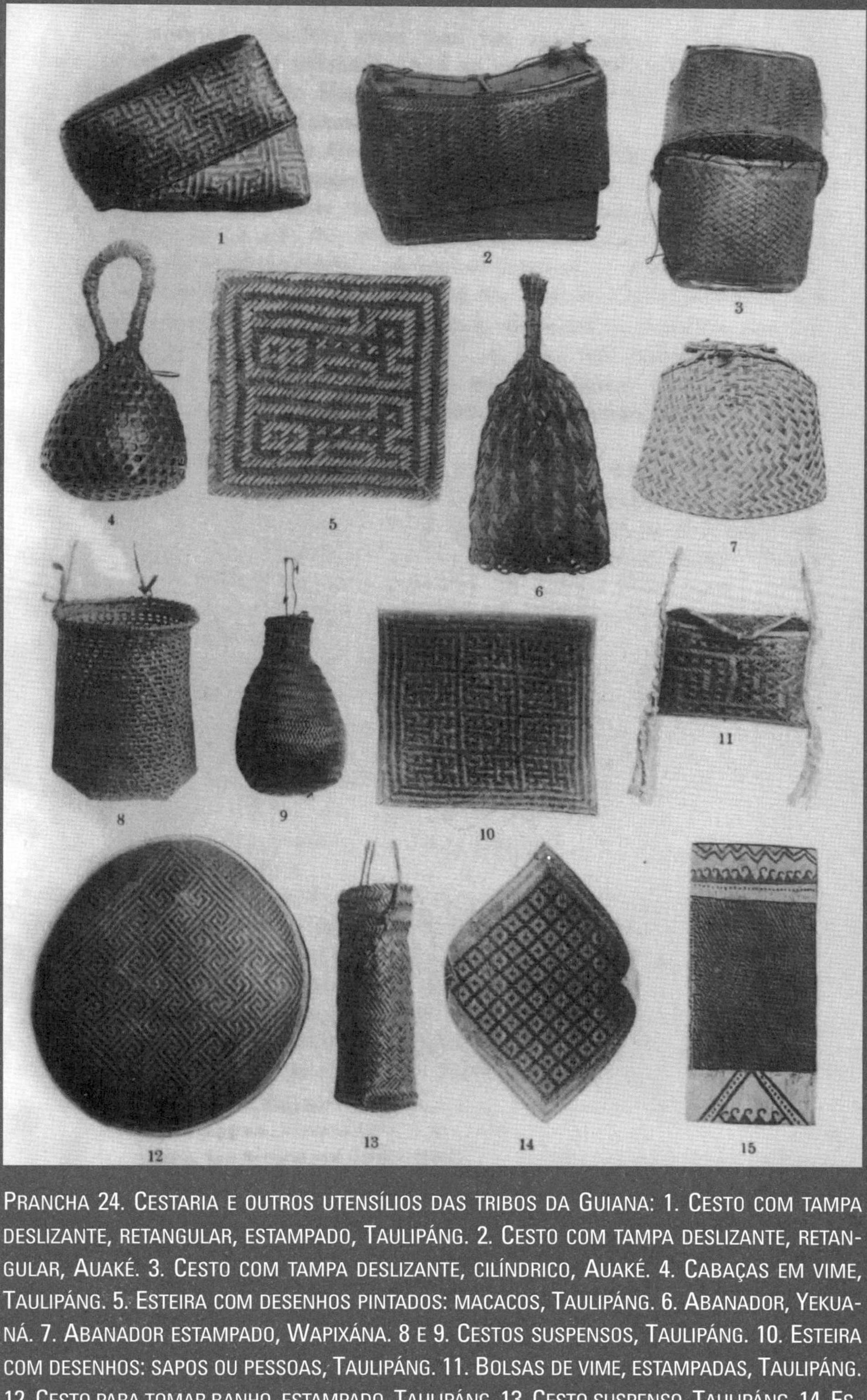

PRANCHA 24. CESTARIA E OUTROS UTENSÍLIOS DAS TRIBOS DA GUIANA: 1. CESTO COM TAMPA DESLIZANTE, RETANGULAR, ESTAMPADO, TAULIPÁNG. 2. CESTO COM TAMPA DESLIZANTE, RETANGULAR, AUAKÉ. 3. CESTO COM TAMPA DESLIZANTE, CILÍNDRICO, AUAKÉ. 4. CABAÇAS EM VIME, TAULIPÁNG. 5. ESTEIRA COM DESENHOS PINTADOS: MACACOS, TAULIPÁNG. 6. ABANADOR, YEKUANÁ. 7. ABANADOR ESTAMPADO, WAPIXÁNA. 8 E 9. CESTOS SUSPENSOS, TAULIPÁNG. 10. ESTEIRA COM DESENHOS: SAPOS OU PESSOAS, TAULIPÁNG. 11. BOLSAS DE VIME, ESTAMPADAS, TAULIPÁNG. 12. CESTO PARA TOMAR BANHO, ESTAMPADO, TAULIPÁNG. 13. CESTO SUSPENSO, TAULIPÁNG. 14. ESTEIRA ESTAMPADA, TAULIPÁNG. 15. TÁBUA DE RALAR MANDIOCA, YEKUANÁ.

gular, parece puramente Aruak. Ainda hoje, os *caboclos*[100] que vivem nas cercanias de Manaus, os descendentes dos antigos índios Manaus, produzem cestos do mesmo tipo de trançado com belos motivos Aruak, feitos do mesmo material, e os levam para o mercado da cidade (Pr. 22, 1).

Um panacu aberto atrás e em cima, para levar cargas, é usado indistintamente por homens e mulheres entre os Taulipáng e seus vizinhos. A parte principal desse panacu é formada por um trançado de *arumá*, que, nas costas, é feito do primeiro tipo principal de trançado, nas paredes laterais e no fundo, do terceiro tipo principal. As bordas são reforçadas por camadas de tiras de bambu duras e amarelas e revestimentos apertados com tiras de taquara estreitas e pardas. Onde o panacu se apoia nas costas do carregador, ele é reforçado por uma moldura retangular feita de hastes de madeira. Duas hastes longitudinais mais espessas sobressaem bastante embaixo e servem como apoios ao se pôr o panacu no chão. O panacu é carregado nas costas por meio de uma larga faixa elástica, trançada de fibras de *Mauritia*, que cinge a testa. As extremidades da faixa, que terminam em forma de trança, são puxadas sob as hastes longitudinais e presas por fortes nós (Pr. 22, 12). A fim de se dar ao panacu um apoio mais firme nas costas do carregador e de se evitar, ao máximo, escoriações, prende-se em cada haste longitudinal um laço de fibras de palmeira ou de líber martelado, nos quais o carregador enfia os braços, como nas correias de uma mochila. Às vezes, ele tira a faixa da testa, para descansar a cabeça e a nuca, e carrega o panacu com a carga somente pelos laços laterais.

Torcer: para a fabricação de barbantes e cordas, utilizam-se as resistentes fibras das folhas de uma bromeliácea, obtidas pelos homens da seguinte maneira: numa estaca cravada na terra, fica preso um pequeno e forte laço de fibra. As longas folhas da bromélia são enfiadas através desse laço, então quebradas e puxadas para cá e para lá com toda a força, de modo que, por meio da fricção, a epiderme e a carne da folha se soltam das finas fibras, que agora são puxadas cuidadosamente uma depois da outra, lavadas e desbotadas ao sol.[101] Torcendo os fios com a mão direita sobre a coxa direita, os homens fabricam dessas fibras fios torcidos pelo lado direito, que, da mesma maneira, eles torcem formando cordas mais grossas.[102]

Fiar: planta-se muito algodão, na maioria das vezes perto da casa, para estar à mão para o uso imediato. Ele é seco e desbotado ao sol, tiram-se os caroços, ele é afofado com os dedos, com polegar e indicador, desfiado e fiado com o fuso, formando fios limpos e uniformes que, por sua vez, por meio do fuso, são torcidos, formando fios mais ou menos grossos. O tratamento do algodão é trabalho puramente feminino.

---

100 É assim que se chamam, na região amazônica, os índios civilizados.

101 Vide também Walter E. Roth, "Some Technological Notes from the Pomeroon District, British Guiana" (Part II), *The Journal of the Royal Anthropological Institute of Great Britain and Ireland*, v.XL, London, 1910, p.31 e pr. IX.

102 Vide Im Thurn, op. cit., p.284; Roth, op. cit., p.30 e pr. VIII; Otto Frödin e Erland Nordenskiöld, *Über Zwirnen und Spinnen bei den Indianern Südamerikas*, Göteborg, 1918, p.15*ss*.

O fuso tem uma vareta de 27 a 30 cm de comprimento, entalhada, sem arte, da nervura de palmeira, em cuja extremidade superior é amarrado um curto e fino gancho do mesmo material e preso com um grumo de resina ou de cera. O tortual em forma de disco geralmente é cortado de osso, mais raramente de casco de tartaruga ou de um caco de cuia, e tem de 5 a 6 cm de diâmetro. Do lado liso do tortual de osso, com frequência são riscados belos motivos, círculos, pontos e figuras em forma de folhas, e preenchidos com uma massa negra, provavelmente resina, de modo que se destacam bem do fundo claro (Pr. 3, 1 e Ilustr. 1, 9, 15). O tortual fica perto do centro da vareta, o que diferencia os fusos da Guiana dos demais fusos do chamado "tipo bakairí", ainda hoje bastante difundido na América do Sul.[103]

Em poucas palavras, o processo de fiar é o seguinte: a mulher fica sentada com a parte inferior das coxas dobrada para trás num apoio baixo, feito de um pedaço de madeira ou de um tronco de madeira fino, e rola o fuso com a palma da mão direita sobre a parte superior da coxa direita, inclinada moderadamente, movendo a mão, com rapidez, do joelho para cima (Pr. 58, 1). Com isso, o fio obtém a torção esquerda, característica da fiação dessas tribos.[104] O algodão que a mulher trabalha geralmente é levado por ela numa coroa sobre o punho esquerdo e, de lá, ela continua a dirigir o fio com os dedos da mão esquerda.[105]

Os fios de algodão, envoltos em novelos limpos e redondos, também servem como artigo de comércio.

Às vezes, eles são tingidos, com substâncias vegetais, de preto, amarelo ou marrom avermelhado. A fim de se produzir a tintura vermelha, põem-se os fios, por uma noite, numa lixívia da casca, que formou depósito com água, de uma árvore baixa do cerrado que os Makuxí chamam de m̃olipóde̱, os brasileiros, de *mirití*.[106] Da casca de outras árvores do cerrado obtém-se um pigmento amarelo e um negro-azulado.

Tecer: dos fios de algodão, as mulheres dessas tribos fabricam redes de dormir da seguinte maneira simples, difundida em grande parte da América do Sul tropical: em torno de dois paus redondos cravados na terra, mantidos, em cima, distantes um do outro por um bastão transversal, os fios da corrente são esticados paralelamente uns sobre os outros, às vezes em faixas de diferentes cores (pelas mulheres Wapixána) e entrançados em cruz com os fios duplos da barra que pendem verticalmente para isso, até que a rede de dormir atinja a largura desejada (Pr. 25, 1).[107] As melhores redes de dormir são fabricadas pelos Makuxí e Wapixána, que fazem comércio com elas (Ilustr. 8).

---

103 Frödin-Nordenskiöld, op. cit., p.24*ss*.

104 Ibidem, p.52, 56; vide também Im Thurn, op. cit., p.282. Sobre o processo de fiar das tribos do litoral (Aruak, entre outras), vide a descrição minuciosa de Roth, op. cit., p.23 e pr. I e II.

105 Com o cinematógrafo, fiz boas filmagens de moças Wapixána fiando.

106 Não confundir com a palmeira de mesmo nome, *Mauritia flexuosa*.

107 A fabricação das redes de dormir no Caiari-Uaupés só diverge desse processo na medida em que, lá, puxa--se sempre um novo fio da corrente do novelo que é entrançado com o fio duplo, enquanto, aqui, primeiro é

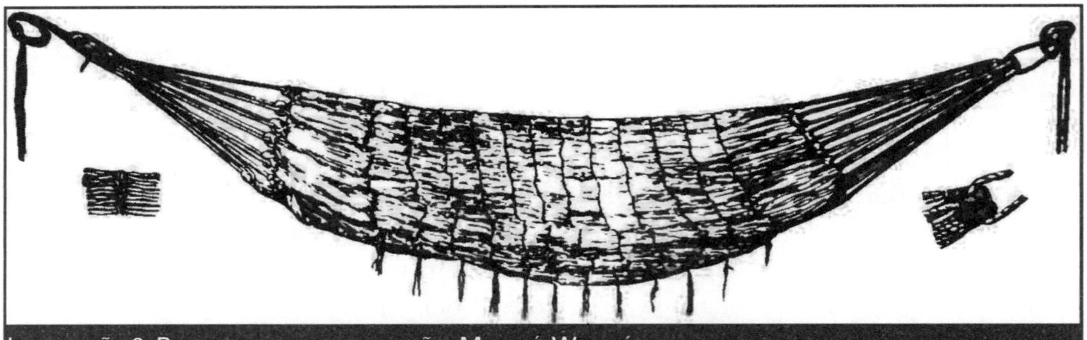

Ilustração 8. Rede de dormir de algodão, Makuxí, Wapixána.

A fim de aliviar a bagagem quando viajam, os índios usam as menores redes de dormir possíveis, nas quais eles se deitam totalmente encurvados.

Um bastidor manual simples de paus cruzados, mantidos separados nas extremidades por paus transversais (Pr. 26, 2 e 3), serve para a fabricação das largas tipoias de algodão bastante extensíveis, nas quais os bebês são carregados. As tipoias são tingidas de vermelho com *urucu*, mas essa cor desbota rapidamente ao sol. Nela, a criança fica sentada de modo bem confortável nos quadris da mãe, que traz a tipoia envolta no pescoço e segura a criança com o braço. Crianças bem pequenas também são carregadas desse mesmo modo em pequenas redes de dormir.

A *cerâmica* é fabricada somente pelas mulheres. Ela é pouco desenvolvida nessas tribos (Pr. 60, 1 e 19, 4 e 5). Seus produtos são pequenos e inferiores e não resistem a comparações com a cerâmica de belas formas e ricamente pintada das tribos Aruak e das tribos sob influência da cultura Aruak do alto *rio* Negro[108] e Orinoco. A fabricação de um recipiente de cerâmica ocorre do modo usual em provavelmente toda a América do Sul, em que se sobrepõem, em espiral, rolos de argila sobre o fundo do recipiente, modelado com os dedos. Reencontraremos o mesmo processo entre os Yakuaná e, lá, o descreveremos mais detalhadamente. Parece que os Taulipáng e seus vizinhos ao sul obtêm as panelas grandes e as tigelas fundas no comércio com as tribos ao norte e nordeste.

Ornamentação, desenhos, modelagem: é verdade que a ornamentação não é tão desenvolvida nessas tribos como no noroeste do Brasil, mas os motivos que trazem em seus corpos, suas armas e utensílios não são desprovidos de bom gosto, fato para o qual já se chamou a atenção várias vezes. Adornam-se, principalmente, utensílios que são utilizados em ocasiões festivas. As cuias e recipientes de cabaça trazem, em parte, motivos pintados com efêmera tintura de

---

feita toda a corrente e só então se começa o verdadeiro trabalho de tecer, a inserção dos fios da barra; vide Koch-Grünberg, *Zwei Jahre* etc., v.II, p.210-1 e ilustr. 131 e 132.

108 Vide Koch-Grünberg, *Zwei Jahre* etc., v.II, p.224*ss.*

jenipapo, em parte são decorados com motivos riscados. As finas estrias são esfregadas com a nigérrima tinta *ku'ãli*, obtida da casca da árvore de mesmo nome.[109] Também a fina fuligem das panelas, misturada com uma resina grudenta, fornece uma tinta nigérrima para a pintura de utensílios. Além de *urucu* e *carajuru*,[110] os índios utilizam um corante vermelho, eliminado sob a casca de determinada árvore. Com ele, tingem bastões brancos, como as hastes verticais dos panacus, de um vermelho-escuro brilhante. Os Taulipáng chamam essa árvore de *kuláweyeg*. Como vimos, os motivos riscados sobre a madeira marrom escura e lisa das clavas são esfregados com argila branca.

Motivos isolados, às vezes, reaparecem. Especialmente frequentes são pontos, que em parte acompanham as linhas dos motivos, em parte formam motivos de modo independente. Motivos populares também são os "motivos de anzol", que desempenham um papel tão grande na tatuagem, e uma barra de triângulos com um, mais raramente dois, ganchos na ponta (Pr. 19, 1, 2, 3 e 20, 1, 2, 3).

Dentre os motivos trançados, predomina o gancho de meandros, que também é trançado nas tangas de miçangas das mulheres (Pr. 22, 13 e 25, 2).

Os diferentes motivos têm nomes característicos, geralmente de acordo com partes de animais, com os quais apresentam certa semelhança. Assim, um motivo em zigue-zague na parte de trás dos panacus se chama "corpo de cobra" (ou seja, "desenho da pele de cobra"). O trançado das esteiras é chamado de "costela de anta", e a borda finamente trançada dos apás traz o nome "feito como a pele do cascudo".

Antigos desenhos rupestres riscados, tão frequentes no alto *rio* Negro,[111] só ocorrem no alto Parimé-Maruá. Lá, no cerrado, há um enorme rochedo de granito inteiramente coberto com tais desenhos de tempos passados. Infelizmente, não o visitei.[112] Do alto dele, contam os Wapixána, seus antepassados se defenderam de um ataque de seus inimigos hereditários.

Encontrei inúmeros desenhos riscados recentes nas rochas arredondadas de granito entre o Surumu e o Uraricoera, representações de quadrúpedes, veado, cavalo, cachorro, tartaruga e outros animais, aves, figuras primitivas de gente, bem ao estilo dos antigos desenhos rupestres, e o nítido desenho de um barco de carga brasileiro, como os que proporcionam o tráfego comercial entre o Uraricoera e Manaus.[113] As superfícies dos corpos eram, em parte, ásperas, de modo semelhante a algumas pinturas rupestres dos bosquímanos do sul da África. Segundo explicação dos índios, são feitas com uma pedra pontiaguda; uma prova clara de como surgiram os antigos desenhos rupestres riscados.

---

109 Vide p.92.

110 Vide p.53-4.

111 Vide Theodor Koch-Grünberg, *Südamerikanische Felszeichnungen*, Berlin, 1907.

112 Rob. Schomburgk (op. cit., p.399) menciona esse rochedo que, segundo a descrição de seus índios, "tinha 90 a 120 m de altura e era todo coberto com hieróglifos", mas também não pôde visitá-lo.

113 Vide v.I, p.51 (ilustração).

Também nessa viagem pedi que os índios fizessem desenhos a lápis no caderno de rascunhos.[114] A maioria se recusou, afirmando ser incapaz de fazê-lo; outros, depois de passar a apreciar esse trabalho incomum, que eu recompensava com pequenos presentes, me forneceram, sem que eu lhes desse instruções, inúmeros desenhos da vida que os cerca, representações de pessoas, animais, plantas, casas na planta e projetadas, armas e utensílios, pessoas em diferentes afazeres e mapas (Pr. 28 a 35).

Apesar de essas tentativas artísticas parecerem desajeitadas e de falsas proporções, dando-nos, à primeira vista, a impressão de serem desenhos de crianças entre 6 e 10 anos de idade, elas contêm inúmeros detalhes característicos e, assim, na maioria das vezes, são interpretadas imediatamente pelo conhecedor. Como em todos os desenhos de povos naturais, os animais são mais bem representados do que as pessoas.

Admiráveis são os mapas, que, como a maioria dos outros desenhos, provêm dos filhos de 20 a 25 anos do cacique Selemelá do Roraima. Vemos o curso do Kukenáng e Yuruaní, dos dois afluentes do Caroni com todos os afluentes deles, também os pequenos riachos cujos nomes os desenhistas me diziam por ordem, as quedas d'água e as montanhas com as formas características de seus cumes (Pr. 34 e 35). Temos de admirar esses desenhos cartográficos, que se aproximam de bons croquis, mas não podemos nos esquecer de que os índios têm o costume, ao esclarecer um relato ou descrever um percurso de viagem, de traçar mapas grosseiros na areia, quando, às vezes, distinguem as diferentes formas das montanhas por meio de montinhos de areia úmida.[115]

Os mesmos índios modelaram para mim, com cera, pequenas figuras de pessoas e animais, novamente com detalhes característicos, de modo que a maioria das representações é fácil de se reconhecer (Pr. 27). Assim, também entre essa gente existem talentos individuais na arte.

	Divisão de trabalho por sexo	
	homens	mulheres
Fabrico de armas	+	–
Fabrico de trançados	+	–
Fabrico de botes	+	–
Fabrico de cerâmica	–	+
Fabrico de puçás	–	+
Fabrico de redes de dormir	–	+
Fabrico de tipoias tecidas	–	+
Fabrico de tangas de miçangas	–	+

---

114 Vide Koch-Grünberg, *Anfänge der Kunst im Urwald*, Berlin, 1905.

115 Rich. Schomburgk também obteve dos índios um desses desenhos na areia; op. cit., v.II, p.163. Um cacique Taruma projetou para Rob. Schomburgk um desenho grosseiro dos rios que nascem na serra Acarai; Rob. Schomburgk, op. cit., p.318. Vide também Koch-Grünberg, *Zwei Jahre* etc., v.I, p.337-8; igualmente, Karl von den Steinen, *Durch Zentralbrasilien*, Leipzig, 1886, p.213-4.

	Divisão de trabalho por sexo	
	homens	mulheres
Fabrico de adornos	+	+
Pintura	+	+
Fiar algodão	–	+
Torcer fio	+	–
Arar	+	–
Plantar	+	–
Cavoucar	–	+
Colher	–	+
Construção de casas	+	–
Pesca	+	+
Caça	+	–
Fazer fogo	+	–
Assar	+	–
Cozinhar	–	+
Preparo de bebidas alcoólicas	–	+
Carregar lenha	–	+
Carregar água	–	+
Levar cargas em caminhadas	(+)	+

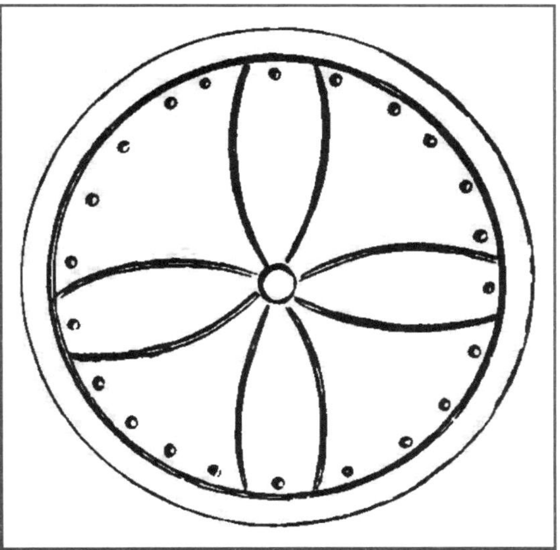

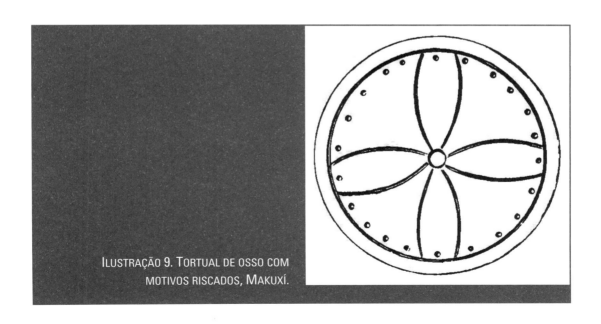

Ilustração 9. Tortual de osso com motivos riscados, Makuxí.

Tribo, família: uma verdadeira organização tribal entre os Taulipáng não existe ou, talvez, não mais. A tribo, relativamente pequena, está dispersa por uma região extensa demais e compõe-se, como vimos, de diferentes elementos, originalmente inimigos.[116] Pelo visto, a influência dos brancos a esse respeito também já teve um efeito destrutivo. O único vínculo que os mantém frouxamente unidos é a língua que, com exceção de insignificantes diferenças dialetais, é a mesma por toda parte. Isoladas divisões da tribo defrontam-se com desconfiança; de fato, entre os habitantes de povoações próximas não raro reina certa inimizade, mesmo que, hoje, esta não degenere mais em aberta hostilidade. À época de minha presença, eram muito tensas as relações entre os habitantes da aldeia Kaualiánalemóng no Roraima e aqueles de Denóng, na margem oposta do Kukenáng. Eles não se convidavam reciprocamente para suas festas e passavam uns pelos outros sem se cumprimentar.[117] Os habitantes de uma outra povoação no alto Surumu, composta de quatro casas, eram considerados por todos os demais Taulipáng como temidos envenenadores, e especialmente seu cacique *Džilawó*, de quem trataremos mais tarde, tinha entre seus companheiros de tribo a má fama de ser *kanaimé* (assassino oculto e feiticeiro mau).

São semelhantes as relações entre os Makuxí. Também lá reina grande desconfiança entre as diferentes hordas, que, além disso, têm diferentes nomes.[118]

As regiões das tribos são mais ou menos nitidamente delimitadas. Assim, o Surumu forma a divisa entre os Makuxí e os Taulipáng ao norte. Os Taulipáng a oeste habitam uma extensa região contínua, que compreende o curso superior dos rios Surumu, Parimé-Maruá e Majari, ao passo que o baixo curso dos dois últimos rios é povoado pelos Wapixána.

É verdade que não existem regiões de caça rigorosamente delimitadas, mas os habitantes de uma povoação, em geral, caçam a uma distância de apenas poucos dias de viagem dela e, já que a região é escassamente povoada, quase nunca ocorre de as aldeias invadirem as áreas de caça umas das outras, sem levar em consideração o fato de que só o medo de feitiço já faz com que cada um evite contato muito estreito com o vizinho.

A única organização estável dentro de uma tribo é a grande família ou clã, ou seja, os membros de uma povoação que, via de regra, são mais ou menos parentes consanguíneos.

Cacique: cada povoação é dirigida por um decano.[119] Não precisa ser o mais velho de todos, o qual, não raro, perde sua influência devido à senilidade. Entre esses decanos há pessoas isola-

116 Vide p.21-3.

117 Vide v.I, p.121.

118 Vide p.20-1.

119 A. v. Humboldt diz sobre os índios do Orinoco: “Eles vivem em hordas isoladas de 40 a 50 cabeças sob um chefe de família; só reconhecem um chefe comum tão logo entrem em conflito com seus vizinhos”. (Alexander von Humboldt, *Reise in die Aequinoetialgegenden des neuen Continents. In deutscher Bearbeitung von Hermann Hauff*, v.III, Stuttgart, 1860, p.320). Os Oyampi, assim como os Rukuyenne, antigamente tinham um cacique geral. Depois da morte do último cacique geral, perdeu-se essa organização, e hoje cada aldeia tem seu cacique independente (Coudreau, *Chez nos Indiens*, p.284-5). Segundo Rich. Schomburgk, *Reisen in Britisch-Guiana in den Jahren 1840-1844* (v.II, p.321), entre os Makuxí, cada povoação tem seu cacique.

das que, para além do estreito círculo do clã, gozam da reputação de pequenos caciques. Parte deles descende realmente de antigas linhagens de caciques; em parte, devem sua destacada posição a sua inteligência e energia, em parte foram empossados pelo governo brasileiro devido a alguma recomendação. Ao primeiro gênero pertencia o gordo Selemelá-*Kapẹtelén* do Roraima,[120] cujos antepassados já tinham sido caciques lá, o qual, porém – provavelmente porque ele mantinha relações frequentes demais com a missão inglesa –, no meu tempo, perdera bastante sua influência; além dele, o pequeno *Yualí*, cuja casa imediatamente ao sul da cadeia Yaró, o divisor de águas entre o Amazonas e o Orinoco, ficava numa elevação ventosa; apesar de sua pequena estatura, ele era respeitado como cacique por todos os Taulipáng até o Surumu.[121] De antiga estirpe descendia também o cacique Makuxí Ildefonso. Parece que, antigamente, ele tivera muitos partidários e, quando o conheci, ainda tinha uma presença altiva e digna. Por meio de uma patente, fora nomeado pelo governo do estado do Amazonas, em Manaus, "cacique geral dos índios do *rio* Surumu". Mas, devido a sua baixeza de sentimentos – em troca de pagamento, ele arranjava para os brasileiros trabalhadores indígenas para os seringais febris do baixo *rio* Branco –, seus seguidores, aos poucos, o abandonaram. Em compensação, gozava de grande reputação, não só entre seus próprios companheiros de tribo, mas também entre os vizinhos Wapixána e Taulipáng, seu irmão mais novo, Manuel-*Pitá*, um homem enérgico e inteligente de caráter amável.[122]

Em tempos de paz, desde sempre o cacique tinha pouco a dizer. Somente na guerra é que ele recebia poder de comando, então, como *kuáẕau-ẹpũlu* (cacique de guerra), era obedecido incondicionalmente.[123] Os caciques de hoje ocupam uma posição meramente representativa. Podem convocar os homens adultos para deliberações gerais, as quais presidem; determinam os dias das grandes festas de dança; fazem o convite e recebem os convidados com frases mais ou menos solenes; convidam para caçadas e pescarias coletivas. Não detêm qualquer poder repressivo. Em casos de desavenças dentro da restrita comunidade, que são extremamente raros, é o conselho dos homens que decide; em caso de homicídio ou de outras graves ofensas, vigora a vingança de morte, que, como veremos mais tarde,[124] é concedida ao parente mais próximo.

Endogamia, direito matrilinear: antigamente, o casamento só ocorria dentro da própria tribo. Também no além, segundo a crença dos Taulipáng, cada tribo vive separadamente para si, e os espíritos casam-se somente na própria tribo.[125] Os Taulipáng do norte ainda conservam esse antigo costume, só no Roraima encontrei um casamento misto de um Ingarikó com uma Taulipáng. Os Taulipáng do oeste, em compensação, e principalmente os Makuxí e Wapixána

---

120 Vide v.I, p.116*ss*.

121 Vide v.I, p.63*ss*.

122 Vide v.I, p.52*ss*.

123 Vide mais adiante em: "Guerra"; vide também v.II, p.106*ss*. O mesmo ocorre entre os Makuxí; vide Appun, *Ausland*, 1871, p.447.

124 Vide mais adiante em: "Vingança de morte".

125 Vide mais adiante: "Além".

na região do médio Surumu e ao sul dele, que estão mais expostos à influência destrutiva dos brancos, já se misturam muitas vezes entre si há gerações.

Antigamente, os filhos de tais casamentos mistos pertenciam à tribo da mãe. Essa lei, que ainda é seguida rigorosamente pelos Taulipáng do norte, também já começa a desaparecer nos casamentos mistos. Meu acompanhante *Mayūluaípu* era Taulipáng, apesar de seu avô paterno ser Wapixána. Infelizmente, só sabia indicar duas gerações de sua árvore genealógica:

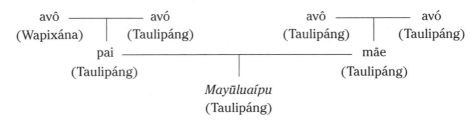

avô (Wapixána) — avó (Taulipáng)   avô (Taulipáng) — avó (Taulipáng)

pai (Taulipáng) — mãe (Taulipáng)

Mayūluaípu
(Taulipáng)

Um outro dos meus acompanhantes, chamado *Pirokaí*, tinha pai Makuxí e mãe Wapixána. Para mim, fazia-se passar por Makuxí e também dominava essa língua, ao passo que falava muito pouco Wapixána; mesmo assim, era considerado pelos Taulipáng como pertencendo à tribo de sua mãe. O Ingarikó do Roraima, com toda a sua família, pertencia aos Taulipáng. Somente nos últimos dias de minha permanência lá descobri que ele é Ingarikó. Seu tipo físico, que difere bastante do tipo Taulipáng, mais fino, e que ele transmitiu a seus dois filhos, chamou a minha atenção desde o princípio.

Noivado e casamento: as crianças, já na mais tenra idade, são determinadas uma para a outra pelos pais, mas o cumprimento dessa promessa, mais tarde, não é obrigatório.[126] Em geral, o namoro precede o noivado sério. O jovem índio não é diferente do homem jovem entre nós. Quando, graças a suas vantagens físicas e outras características masculinas, ele tem de colocar algo na balança, não fica com a primeira que aparece, e sim procura entre as filhas da terra, às vezes por anos, em namoros mais ou menos sérios, até encontrar aquela que lhe parece a companheira mais adequada. Muitas vezes, ouvi com satisfação meus jovens acompanhantes se gabando de seus namoros. Os Taulipáng têm expressões amorosas extremamente delicadas como "*Ye̱wánape̥-kulu* – meu coração!"[127] ou "*U'lế z̯apē̥li* – pena de minha flecha". Outras expressões de jovens apaixonados são menos delicadas e mais elementares. De uma moça muito bonita, os rapazes até dizem um para o outro: "*Iwé̱g ena(x)paíno-kulu*", ou seja, "ela é tão bonita que até se poderia comer suas fezes!".

O jovem dá pequenos presentes a sua amada. Ele procura conquistar sua afeição especialmente com miçangas e outras miudezas. Ao nos despedirmos do Roraima, dois de meus acompanhantes deixaram até mesmo suas redes de dormir como prova de amor.

O casamento sempre ocorre após o início da puberdade, não raro, vários anos depois. Se o jovem Taulipáng se decidiu pelo casamento e for um homem cuidadoso, primeiro fala com

---

126 Igualmente entre os Aruak e Makuxí; vide Appun, *Ausland*, 1871, p.124, 446.

127 *Kulu* é sufixo de intensidade.

a moça de sua escolha. Então, vai até os pais dela e, com palavras comedidas, expõe-lhes seu desejo. A seguir, a mãe diz a sua filha: "Você pode lhe dar água se ele lhe pedir; você pode fazer beiju e *caxiri* para ele". O pai da moça diz ao pretendente: "Você pode pescar peixes para ela e trazer caça".[128] Se esses presentes forem aceitos numa segunda visita, e se a moça lhe trouxer comida e bebida, e ele provar um pouco delas, então, sem mais cerimônias, isso vale como uma "promessa" firme. Caso contrário, ele deve se considerar rejeitado e tentar a sorte com outra. Se o pedido de casamento for aceito, então ele já pode dormir com ela na noite seguinte.[129]

"A moça fica receosa por alguns dias, pois não está acostumada a se relacionar com um homem. Depois de dois dias, ela já se acostumou."

Toda a simplicidade do casamento indígena também se depreende da lenda que conta: "Ela se enrolou, envergonhada, na rede de dormir. Ele disse: 'Não tenha vergonha!' e se deitou com ela".[130]

"Algumas moças", continuou meu informante, "não têm vergonha e, às vistas de sua mãe, se deitam com o homem na rede de dormir. Outras têm vergonha. Então a mãe faz *caxiri* para a filha e, depois que esta bebeu um pouco e dançou, não demonstra mais vergonha e se deita com ele."

Geralmente, no dia seguinte à primeira relação sexual dos recém-casados, realiza-se uma pequena festa com bebida e dança, para a qual se convidam parentes dos dois. Também agora, segundo a lei indígena, o casamento ainda não é válido. Por ora, o rapaz fica "amigado" com sua mulher, como meu informante se expressou em português, e pode até repudiá-la enquanto ela não tiver filhos. Mas, tão logo ela tenha um filho dele, tal separação é raridade.[131] "Alguns homens que não prestam fazem isso."

Quando um homem manda embora uma mulher sem filhos ou uma "moça", como o índio chama uma mulher assim, "os pais dela ficam bravos com ele". Um velho Wapixána, que vivia num pequeno afluente do Uraricoera, em frente a São Marcos, mandou me dizer um dia que viria até mim "pedir se ele podia matar José (*Mayũluaípu*)". Este vivera algum tempo "amigado" com a filha do velho e a deixou para se casar com a filha mais velha do pajé *Katũra*.

As moças querem um homem que traga muitos peixes e caça para casa. "Ela gostava dele porque ele trazia muita caça para casa", conta a lenda.[132]

Às vezes, quando se trata de um hábil caçador e pescador, o pedido de casamento parte da família da moça. Meu acompanhante, o Arekuná *Akũli*, que possuía essas características em alto grau, era um pretendente muito cobiçado. Como ele me contou, pais e irmãos de quinze ou mais moças já lhe tinham dito: "Quero você para minha filha, para minha irmã. Você vai plantar

---

128 As informações verbais dos índios, aqui e no que segue, são indicadas entre aspas.

129 Igualmente entre os Aruak; vide Rich. Schomburgk, op. cit., v.II, p.459; Appun, *Ausland*, 1871, p.124. Semelhantemente entre os Makuxí; vide Rich. Schomburgk, op. cit., v.II, p.317.

130 Vide v.II, p.81.

131 O mesmo ocorre com os Makuxí; vide Rich. Schomburgk, op. cit., v.II, p.318; Appun, *Ausland*, 1871, p.447.

132 Vide v.II, p.82.

uma roça para ela; você vai caçar e pescar para ela", mas ele ainda não queria se prender. Ele já tivera relações sexuais com uma série de moças.

Também ocorre de um pai obrigar sua filha a se casar com um homem de quem ela não gosta.

Devido à liberdade das moças, o homem não dá valor especial à virgindade da noiva. Se a moça tiver um filho ilegítimo, e o pai encontrar o culpado, geralmente ele o obriga a se casar com sua filha. Se, porém, ele não o apanhar, então a criança será criada pela família e bem tratada. Moças com filhos ilegítimos também se casam.

Antigamente, o jovem marido sempre se mudava para a casa de seus sogros; um costume que hoje já não é mais observado com tanta rigidez. Ele ficava por algum tempo a serviço deles[133] e tinha de executar alguns trabalhos para eles antes de poder fundar sua própria casa, provando, ao mesmo tempo, sua capacidade como futuro pai de família.[134] Depreende-se claramente isso das lendas. *Wẹwẹ́* deve trazer caça e peixes para a família de sua mulher, em cuja casa ele vive, e é repreendido e maltratado quando não consegue fazê-lo.[135] Ambos os genros, *Mai̯'uág* e *Korōtoi̯kó*, têm de desmatar floresta e plantar roça para sua sogra, e esta aconselha uma das filhas a mandar embora o marido, que ela considera um preguiçoso.[136] *Wazāmaímẽ* vive com sua mulher na casa do sogro *Mau̯raímẽ*, o tatu-gigante.[137] *Mai̯txaúle* segue sua mulher até o céu, à casa do pai dela, *Kasána-podolẹ*, o soberano dos urubus-rei. As três provas que este lhe impõe, pescar, construir uma casa e fabricar um utensílio doméstico, relacionam-se com os trabalhos que o genro tem de executar para os sogros no início do casamento.[138]

Uma espécie de "casamento por certo prazo" parece ser oferecida pelos Taulipáng do Roraima aos visitantes estrangeiros enquanto durar sua estada lá. Appun conta, com muita graça, como ele foi estimulado a escolher entre as moças mais bonitas uma companheira para o tempo de sua estada.[139] Segundo informam, aconteceu o mesmo aos irmãos Schomburgk, e a mim foi feita semelhante oferta no Roraima. Esse costume singular deve ter surgido do esforço de prender o estrangeiro mais fortemente à tribo e de impedi-lo de se aproximar das outras mulheres.

Poligamia: enquanto os Wapixána são preponderantemente monógamos,[140] a poligamia entre os Taulipáng, Arekuná e Makuxí é muito difundida, segundo um antigo costume Karib.

---

133 Coudreau (*Chez nos Indiens*, p.534) conta de dois Trio que viviam com o cacique Rukuyenne no Mapaoni (alto Jari). Tinham se casado com as filhas dele e, assim, tornaram-se seus *peitos* (subalternos).

134 Igualmente entre os Makuxí; Rich. Schomburgk, op. cit., v.II, p.317-8; Appun, *Ausland*, 1871, p.446-7. Entre os Aruak, até a nubilidade da noiva, o noivo tem de prestar serviço de servo aos pais dela; Appun, *Ausland*, 1871, p.124.

135 Vide v.II, p.93-4.

136 Vide v.II, p.117.

137 Vide v.II, p.105.

138 Vide v.II, p.83*ss*.

139 Appun, *Unter den Tropen*, p.272*ss*.

140 Segundo Rich. Schomburgk (op. cit., v.II, p.43), a poligamia também é autóctone entre os Wapixána, mesmo que não tão frequente como nas outras tribos.

Um homem pode ter tantas mulheres quantas quiser. "Há homens que têm cinco, outros têm sete mulheres."

O Makuxí William-*Tinấpu*, em Koimélemong, tinha três mulheres; uma quarta fugiu dele. O cacique Makuxí Ildefonso tinha duas mulheres, uma mais velha e uma jovem. Não raro, homens mais velhos tomam mais uma mulher jovem quando sua companheira fica velha e gasta, coisa que nos trópicos ocorre relativamente cedo devido ao trabalho pesado que as mulheres realizam.

Um jovem Arekuná que encontrei mais tarde como fugitivo no Merevari tinha três mulheres, uma Purukotó e duas Yekuaná. Ele tinha se casado pouco antes com as duas últimas. Sua mulher ficou com ciúme, afastou-se dele e vivia junto à fogueira de seu pai na mesma cabana. A mulher mais jovem tinha o cabelo cortado bem curto; um sinal de que acabara de atingir a nubilidade. O irmão mais novo dele já tinha duas mulheres, Yekuaná.

Mayūluaípu me contou uma história engraçada de seu sogro *Katũ̧ra*, que prova a grande influência que uma mulher com filhos pode exercer sobre seu marido. *Katũ̧ra* tinha quatro mulheres. Um dia, a mais jovem, de quem ele mais gostava, o deixou e levou os filhos. Ela lhe disse: "Se você não mandar as outras embora, vou deixá-lo". Então ele fez a vontade dela.

"Às vezes, as mulheres de um homem brigam entre si, e uma fica sentada furiosa no canto e diz para as outras: 'Faça você comida para o seu marido!'."

Também no casamento monogâmico pode haver ciúme. Uma jovem Makuxí, mulher de um de meus acompanhantes, ficou com ciúme de uma viúva Wapixána mais velha, nossa cozinheira, porque esta, nas caminhadas, sempre oferecia refresco ao marido da outra nos locais de descanso, assim como oferecia a nós outros. Ela fez uma verdadeira cena para a viúva e, ao que parece, seu marido se deixou influenciar de tal maneira pela mulher que passou a andar bem atrás de nossa caravana, chegando, às vezes, bem depois de nós ao local de descanso.

Homens fracos, entre os índios, submetem-se tão facilmente à vontade de uma mulher enérgica quanto entre nós. Meu caçador, o Makuxí *Peré*, um homem fisicamente forte, mas muito bondoso, tinha enorme respeito por sua mulher. Quando o convidei a ir comigo ao Roraima, ele disse que primeiro eu teria de falar com sua mulher, o que fiz diplomaticamente.

Nunca observei, entre esses índios, maus-tratos em relação à mulher; não correspondem ao caráter distinto e amável deles e, com certeza, são extremamente raros.[141] Um Taulipáng me disse: "Quando um homem maltrata sua mulher, ela vai embora com os filhos para a casa de seu pai. Ela nunca abandona as crianças; o homem tem de tirá-las dela à força".

Dizem que mulheres que têm um casamento assim ruim, às vezes, cometem suicídio com uma bebida venenosa da casca marrom-avermelhada da árvore ciliar *z̭anaí-ye̱g*, com a qual se tratam externamente a sarna e outras erupções cutâneas.

Infidelidade conjugal ocorre ocasionalmente; pelo menos, várias lendas tratam disso. Na lenda das plêiades dos Taulipáng, *Wayúlalē* trai seu marido com o irmão dele, mais bonito.[142]

---

141 Numa lenda dos Taulipáng, um homem bate em sua mulher quando volta para casa e não encontra mais os filhos; vide v.II, p.100-1.

142 Vide v.II, p.59-60.

Numa narrativa fantástica da mesma tribo, uma mulher, na ausência do marido, joga seus cinco filhos num profundo buraco na terra e vai embora com o amante.[143] Numa outra lenda, todas as mulheres de uma povoação abandonam seus maridos e vão com os *Mauarí*, os demônios das montanhas.[144] Como as lendas que anotei me foram contadas somente por homens, é natural que as mulheres se saiam mal nelas.

Com frequência, cunhados e sogras desempenham um papel ruim nas lendas,[145] e certamente também na vida, o que levou um dos meus narradores, que provavelmente teve más experiências, a proferir a clássica sentença: "As sogras no mundo todo não prestam!". Essa aversão expressa a resistência natural do genro contra a presunção da família estranha, à qual ele deve se sujeitar.

Sobre relações sexuais entre irmãos, que indubitavelmente devem fazer parte das maiores raridades, um Taulipáng me contou o seguinte: "Antigamente, quando um irmão tinha relações sexuais com sua irmã, o pai queimava a rede de dormir e a tanga dele, enquanto gritava: '*Ósa žinyaíle tekę̥ nekę̥*' 'Vai pra bem longe, ereção!'".

Também parece ocorrer aversão pelo sexo feminino entre homens jovens. Numa lenda dos Arekuná, um jovem se recusa a dormir com uma moça que quer se casar com ele.[146] O narrador fez a seguinte observação: "Assim fazem, ainda hoje, muitos (deve significar 'alguns') de nossa gente. Não querem saber nada de mulheres, não sei por que motivo, e quando o pai amarra a rede de dormir da moça junto da deles, eles penduram a sua bem longe, no teto da casa".[147]

"As viúvas podem se casar de novo, especialmente se ainda forem bonitas." Os homens gostam de se casar com viúvas com muitos filhos, para tê-los como ajudantes no trabalho. "Uma viúva pode se casar de novo já depois de uma semana, se um homem a quiser. Mas ela sempre espera uma semana."

"Os viúvos logo se casam de novo, geralmente já depois de um mês, alguns até mais cedo."[148]

Guerra, homicídio, vingança de morte: em geral, as tribos hoje convivem pacificamente. Casam-se entre si e visitam umas às outras para comemorar juntas festas em que se bebe e se dança. Apesar disso, entre algumas tribos exteriormente amigas, por exemplo os Makuxí e

---

143 Ibidem, p.100.

144 Ibidem, p.109-10.

145 Vide v.II, p.62, 92, 104, 117*ss*. (sogra); p.89*ss*., 94*ss*., 106, 119 (cunhados).

146 Vide v.II, p.98-9.

147 Rich. Schomburgk (op. cit., v.II, p.285) viu entre os Arekuná dois jovens janotas inseparáveis e, provavelmente, pervertidos, pois eram tratados "com evidente desprezo" por todos os moradores da povoação, o que, certamente, não teria sido o caso se se tratasse apenas de jovens vaidosos, que existem em número suficiente entre os índios. A pederastia foi comprovada muitas vezes entre os índios norte-americanos, entre os Mandan, Arapaho, Cheyenne, Sioux, Omaha, Ute e muitas outras tribos; vide Maximilian Prinz zu Wied, *Reise in das innere Nordamerika 1832-1834, Coblenz, 1839-1841*, p.132-3; Alfred L. Kroeber, "The Arapaho", *Bull. Am. Museum of Natural History*, New York, v.18, parte I, p.19, 1902.

148 Um período de luto do viúvo, de nove a onze meses, mencionado por Rich. Schomburgk (op. cit., v.II, p.318) sobre os Makuxí, não é comum, pelo menos não entre os Taulipáng de hoje.

Wapixána, reina um certo antagonismo que aponta para antiga inimizade aberta, uma desconfiança de tribo para tribo.[149] Acusam uns aos outros de inclinação ao roubo, à feitiçaria.[150]

Os conflitos acabaram. Somente nas lendas, nas narrativas em casa ou junto à fogueira ouve-se falar de renhidas lutas dos antepassados. A descrição que se segue de uma expedição de guerra dos Taulipáng contra seus inimigos hereditários, os Pixaukó, é típica do modo de guerrear dos índios, também em tempos antigos, que raramente se constituía de lutas abertas, e sim, na maioria das vezes, de investidas ao amanhecer sobre uma povoação atacada por flechas incendiárias e cujos habitantes, em fuga, eram, em sua maioria, massacrados.[151] O acontecimento aqui descrito não deve ter-se passado há muito tempo. Reproduzo a narrativa o mais fielmente possível para caracterizar a linguagem viva e plástica:

"No princípio, havia amizade entre os Taulipáng e os Pixaukó. Então, eles entraram em conflito por causa das mulheres. Primeiro, os Pixaukó assassinaram um ou outro Taulipáng, que eles atacaram na floresta. Então mataram um jovem Taulipáng e uma mulher, então, três Taulipáng na floresta.[152] Assim, os Pixaukó queriam, aos poucos, acabar com toda a tribo dos Taulipáng. Então *Manīkuẕá*, o cacique da guerra (*kuā̃ẕau̯-epũlu*) dos Taulipáng, reuniu toda sua gente.[153] Os Taulipáng tinham três líderes, *Manīkuẕá*, o cacique geral, e dois caciques subordinados (*kuā̃ẕau̯-epũlu-petoí*), *Ālián*, que era um homem pequeno e gordo, mas muito valente, e seu irmão; os três ainda eram jovens. Havia ainda o velho cacique, pai de *Manīkuẕá*. Entre a gente de *Manīkuẕá* também havia um Arekuná, um homem pequeno e muito valente. *Manīkuẕá* mandou preparar massa de *caxiri* (*sakūrá*), cinco grandes cabaças cheias. Então mandou fazerem seis botes. Os Pixaukó viviam em (serra) Uraukaíma (*urau̯kaímẽ-tau̯*).[154]

149 Os índios da expedição de Schomburgk, que pertenciam a quatro diferentes tribos, Warrau, Akawoío, Makuxí e Karib, sempre acampavam separadamente uns dos outros em quatro divisões (Rich. Schomburgk, op. cit., v.I, p.305). Em estado de embriaguez e sob a sugestão de feiticeiros, esse antagonismo pode degenerar em contenda sangrenta (Appun, *Unter den Tropen*, v.II, p.261).

150 Appun, *Ausland*, 1869, p.775: uma tribo deprecia a outra como antropófaga etc.

151 O mesmo acontecia com os Karib da Guiana (Galibí); vide *Reise nach Guiana und Cayenne nebst einer Übersicht der älteren dahin gemachten Reisen und neuen Nachrichten von diesem Lande, dessen Bewohnern und den dortigen europäischen Kolonien, besonders des französischen. Mit einer Karte und einem Kupfer. Aus dem Französischen*, Hamburg, 1799, p.174. Rich. Schomburgk, op. cit., v.II, p.321: não há uma declaração de guerra, e sim, tão logo a guerra tenha sido decidida numa longa conversa, a parte que vai assumir a ofensiva procura se aproximar o máximo possível, à noite, da povoação do inimigo para atacá-la ao romper do dia. Igualmente Appun, *Ausland*, 1871, p.447. Appun, ibidem, p.520: "Os Arekunas (Taulipáng) são um povo guerreiro e selvagem que, de vez em quando, se envolve nos piores conflitos com suas tribos vizinhas, os Accawais e Macuschis, conflitos que incendeiam as povoações delas e degeneram em tumulto". À época das viagens dos irmãos Schomburgk, os Makuxí estavam envolvidos numa guerra com os Arékunas (Taulipáng) na região do Roraima (Rob. Schomburgk, op. cit., p.366, 379; Rich. Schomburgk, op. cit., v.II, p.147).

152 A reciprocidade deve ter desempenhado um papel aí.

153 Em tempos de guerra, deve-se obediência incondicional ao cacique (Rich. Schomburgk, op. cit., v.II, p.322). Em uma lenda Arekuná, os peixes e outros animais aquáticos seguem o chamado de seu cacique de guerra (*kuāẕaweímẹ̃*); vide v.II, p.106*ss*.

154 Ou seja, "na Uraukaíma", uma importante serra no lado direito do alto Surumu. Lá vive, supostamente, ainda hoje, um restante dos Pixaukó, bem no interior da serra.

Um guerreiro muito valente dos Taulipáng se chamava *Mauãná*, um homem calmo e sério. Um filho seu, um homem grande de pele clara, ainda vive nas serras.[155] Navegaram até lá, não sei por qual rio, talvez pelo Apauwau.[156] Levaram duas mulheres Taulipáng que deveriam atear fogo às casas. Os guerreiros e as mulheres levavam o *sakūrá*.[157] Não comiam nada, nem pimenta, nem peixes grandes, nem animais de caça, somente peixes pequenos, até a guerra terminar.[158] Também levaram *urucu* e argila branca para a pintura. Chegaram perto da morada dos Pixaukó. *Manīkuẕá* enviou cinco homens para a casa dos Pixaukó, para espionarem se todos estavam lá. Estavam. Era uma casa grande com muita gente, cercada por uma cerca de paliçadas (*pé̱'wẹ*).[159] Os espiões voltaram e deram a informação ao cacique. Então, o velho e os três caciques sopraram a massa para *caxiri*. Também sopraram o *urucu* e a argila branca e as clavas de guerra. O velho tinha somente seu arco e flechas com pontas de ferro, não tinha armas de fogo. Os outros tinham espingardas e chumbo. Cada um tinha um saco de chumbo e seis latas de pólvora. Todas essas coisas também foram sopradas.[160] Então eles se pintaram com listas vermelhas e brancas: começando na testa, uma lista vermelha em cima e uma lista branca embaixo, sobre todo o rosto. No peito, pintaram três listas de cada, alternadamente, em cima vermelha e embaixo branca, do mesmo modo na parte superior do braço, para que os guerreiros pudessem reconhecer uns aos outros. Também as mulheres se pintaram.[161] Então, *Manīkuẕá* ordenou que se derramasse água na massa para *caxiri*. Os espiões disseram que havia muita gente nas casas. Havia uma casa muito grande e três outras menores à parte. Os Pixaukó eram muito mais gente do que os Taulipáng, que eram só quinze, além do Arekuná. Então, eles beberam *caxiri*, cada um uma cuia cheia.[162] Então *Manīkuẕá* disse: 'Este aqui atira primeiro! Enquanto ele recarrega sua espingarda, o outro atira etc., um depois do outro!'. Ele dividiu seus homens em três divisões de cinco homens cada uma num grande círculo em volta da casa. *Manīkuẕá* disse: 'Não deem nenhum tiro inútil! Se um inimigo cair, deixem-no caído e atirem naquele que ainda estiver

---

155 Quando os índios dizem "nas serras", sempre querem dizer, em sentido amplo, a região em torno do Roraima.

156 Afluente do Kukenáng.

157 Rich. Schomburgk, op. cit., v.II, p.322: "As mulheres seguem os homens (na guerra) como animais de carga e formam a tropa de aprovisionamento".

158 Faziam, portanto, rigoroso jejum, como em todas as operações militares grandes.

159 Só uma vez Rob. Schomburgk encontrou uma aldeia dos Arekuná (Taulipáng) de três cabanas, ao sul do Roraima, cercada de paliçadas (op. cit., p.387). Appun (*Unter den Tropen*, v.II, p.368-9) descreve uma gigantesca cerca de paliçadas semicircular e inacabada junto a uma cabana Makuxí na bacia do rio Maú. Também as aldeias dos Aruak das ilhas eram cercadas de paliçadas (de Rochefort, op. cit., p.442). Antigamente, as paliçadas eram muito difundidas na América do Sul; vide Erland Nordenskiöld, *Palisades and "Noxious Gases" among the South American Indians*, Ymer, 1918, p.224*ss*.

160 Ou seja, todas as coisas foram sopradas com poder mágico.

161 A pintura em tempos de guerra é diferente da pintura em tempos de paz (Rich. Schomburgk, op. cit., v.II, p.322).

162 Na saga Arekuná, mencionada anteriormente, os animais aquáticos bebem imediatamente antes do ataque às casas inimigas "muito *caxiri* [...] para ficarem valentes"; vide v.II, p.108.

de pé!'. Então avançaram em três divisões separadas; as mulheres atrás deles com as cabaças cheias de *caxiri*. Chegaram à divisa do cerrado. Então *Manīkuz̬á* disse: 'O que vamos fazer agora? É muita gente! Talvez seja melhor voltar e buscar mais gente!'. Então o Arekuná disse: 'Não! Em frente! Se eu invadir no meio de muita gente, não encontro ninguém para matar'.[163] *Manīkuz̬á* respondeu: 'Em frente! Em frente! Em frente!'. Ele animou a todos. Chegaram perto da casa. Era noite. Na casa havia um pajé que estava soprando[164] um doente. Este disse: 'Vem gente!', avisando, assim, os moradores da casa. Então o senhor da casa disse, o cacique dos Pixaukó: 'Que venham! Sei quem é! É *Manīkuz̬á*! Mas ele não vai voltar daqui! Ele vai terminar sua vida aqui!'. O pajé continuou avisando e disse: 'Eles já estão aqui!'. Então o cacique disse: 'É *Manīkuz̬á*! Ele não vai voltar! Ele vai terminar sua vida aqui!'. Então *Manīkuz̬á* cortou o cipó que unia as paliçadas. Então as duas mulheres entraram e atearam fogo à casa, uma na entrada, a outra na saída. Havia muita gente na casa. Então as duas mulheres foram de novo para fora da cerca de paliçadas. O fogo atingiu a casa. Um velho subiu para apagar o fogo. Muita gente saiu da casa. Atiraram muito com suas espingardas, mas sem alvo, pois não viam ninguém; era só para assustar os inimigos. O velho cacique dos Taulipáng queria acertar um Pixaukó com a flecha, mas errou. O Pixaukó estava num buraco na terra. Quando o velho colocou a segunda flecha, o Pixaukó o acertou com a espingarda. *Manīkuz̬á* viu que seu pai estava morto. Então os guerreiros atiraram muito. Tinham cercado a casa, e os Pixaukó não tinham por onde fugir. Então um guerreiro Taulipáng chamado E̱wā́ma entrou. Atrás dele veio *Ālián*; atrás dele, seu irmão; atrás dele, *Manīkuz̬á*, o cacique da guerra; atrás dele, o Arekuná. Os outros ficaram lá fora para matar os Pixaukó que queriam fugir. Os outros quatro[165] entraram em meio aos inimigos e os abateram com suas clavas. Os Pixaukó atiraram neles, mas não acertaram ninguém. Então *Manīkuz̬á* matou o cacique dos Pixaukó. *Ālián* matou o subcacique dos Pixaukó. Seu irmão e o Arekuná mataram depressa e muitos. Só duas virgens fugiram, e ainda vivem no alto Majari, casadas com Taulipáng. Todos os outros foram mortos. Então eles atearam fogo à casa. As crianças choravam. A seguir, eles jogaram todas as crianças no fogo. Entre os mortos havia um Pixaukó com vida. Ele se sujou todo de sangue e se deitou no meio dos mortos para fazer os inimigos acreditarem que estava morto.[166] Então os Taulipáng agarraram um depois do outro dos Pixaukó caídos e os cortaram em dois com o facão. Encontraram o homem vivo e o agarraram e o mataram. Então pegaram o cacique caído dos Pixaukó, amarraram-no com os braços abertos e esticados numa árvore *caimbé* e atiraram nele com o resto de sua munição, até ele se desfazer em pedaços. Então agarraram uma mulher morta. *Manīkuz̬á*, puxando com os dedos, separou seu órgão genital e disse a *E̱wā́ma*: 'Veja! Isto é bom pra você penetrar!' Os outros Pixaukó que estavam fora da grande *maloca* nas três outras casas, se dispersaram e se dividiram nas serras Uraukaíma, Töpeking, na serra do Tacutu, na grande serra da Lua. Lá eles vivem ainda hoje,

---

163 Segundo a explicação do narrador, com essas palavras ele quis dizer: "Essa muita gente não é suficiente para a minha clava, já que eu mato muito depressa!".

164 Ou seja, curando.

165 Segundo a narrativa anterior, eram cinco.

166 Da mesma maneira, na lenda "Visita ao céu", o herói *Maitx̱aúle* se salva de seus inimigos; vide v.II, p.80.

inimigos mortais das outras tribos e assassinos ocultos (*kanaemé*), tendo em mira especialmente os Taulipáng. Os Taulipáng enterraram, na praça, seu velho cacique, que tinha morrido. Só dois deles ficaram levemente feridos, com chumbo, na barriga. Então eles voltaram para casa e gritavam: '*hẹ̄i-hẹ̄i-hẹ̄i-hẹ̄i!*'. Em casa, encontraram os banquinhos preparados para eles."[167]

Quando os Taulipáng voltavam de uma guerra em que haviam matado todos os inimigos, entravam cantando em sua casa e dançavam dentro dela por algum tempo. Eles cantavam:

"*koấyu za̭lẹ-mữlu za̭lẹwoí utémẹ̥*"
"nós os sitiamos (como) folhas de *Mauritia*"
"Nós os sitiamos como folhas da palmeira *Mauritia* e os matamos todos.
Eles não nos fizeram nada."[168]

Então, os guerreiros se sentavam em banquinhos cujos acentos estavam recobertos com os corpos vivos das grandes formigas *tocandira*,[169] que tinham tido suas cabeças arrancadas. Eles recebiam picadas terríveis, mas não podiam exprimir dor. A seguir, os guerreiros se levantavam e chicoteavam-se uns aos outros com força. Por fim, puxavam lentamente pelo nariz e pela boca um longo cordão de fibras de *Mauritia* com formigas *tocandira* presas nele, de modo que saía muito sangue. Nesse procedimento terrível também não podiam demonstrar qualquer sinal de dor.

Os Taulipáng têm vários cantos que se referem às expedições de guerra contra os Pixaukó. Um deles diz:

"*yīuẹ̥tê zamấ láika*"
"A casa ficou parada na nossa frente"[170]

"Quando os vencedores retornam da luta, eles cantam essas canções e dançam em sua casa. Então eles a abandonam para sempre e constroem uma nova casa não muito longe daquela. Fazem isso, e também praticam a flagelação de formigas e se chicoteiam, para que os espíritos dos assassinados não os achem e possam prejudicá-los."[171]

Apesar de meu informante ter me dado expressamente essa explicação, com certeza ela não combina com a flagelação de formigas, com o chicoteamento e com puxar o cordão por nariz e boca. Deve subjazer a esses costumes o mesmo pensamento que encontraremos mais tarde no

---

167 Literalmente, segundo a narrativa do Taulipáng *Mayuluaípu*.

168 Ou seja: "Eles estavam lá em pé, tremendo como folhas da *Mauritia*, e não podiam fazer nada contra nós". Assim me foi informado o sentido do canto. É impossível uma análise exata da tradução do texto, como ocorre com a maioria dos cantos de dança.

169 *Cryptocerus atratus*. Essas grandes formigas negras, cuja picada dói por várias horas, desempenham um importante papel na iniciação à puberdade e no feitiço de caça; vide mais adiante.

170 Ou seja: "A casa não podia fugir." – Segundo explicação do narrador.

171 Explicação textual do informante.

rito da puberdade dos jovens, na preparação dos jovens pajés e no feitiço de caça, em que ele suscita usos iguais ou semelhantes.

Os guerreiros ficam enfraquecidos devido à luta e à morte dos inimigos. O poder mágico que perderam deve ser reconduzido ao seu corpo. Mas, segundo a crença indígena, um poder mágico especial encontra-se na formiga *tocandira*, que, com uma única picada, pode causar a um homem uma dor terrível que dura horas, de certo modo pode fazê-lo "incapaz de lutar".

Em geral, o chicoteamento é considerado um meio contra a influência de maus espíritos ou contra enfeitiçamento funesto. Ainda vamos encontrá-lo algumas vezes.

Abandonar definitivamente a casa após o retorno dos vencedores é algo que ocorre pelo mesmo motivo que obriga os sobreviventes, quando há vários óbitos, a desistir da moradia por medo dos espíritos dos mortos e a construir uma nova casa mais afastada.

Como tribos guerreiras, os Taulipáng e Arekuná, com certeza tinham, antigamente, escravos que tomavam de seus prisioneiros e os faziam trabalhar para si.[172] Parece que se depreende isso de uma lenda dos Arekuná, na qual *Piai̯'mấ*, o grande feiticeiro, manda seus escravos, *kelẹpiga*,[173] plantarem uma roça de tabaco.

Homicídios em pessoas isoladas ocorrem aqui e lá, mas são raríssimos. Quase sempre, são mortes ocorridas na briga sob efeito da embriaguez, atos de vingança devido a graves ofensas e maus-tratos ou consequências da vingança de morte.

Em geral, a *vingança de morte* é comum ainda hoje. Se alguém for assassinado, coisa que, às vezes, ocorre nas festas em que se bebe, ou a morte natural de uma pessoa for atribuída pelo pajé a um veneno ou feitiço de um inimigo pessoal, então o parente mais próximo – sempre o irmão do morto, se houver um – pratica a vingança de morte e persegue o culpado até encontrá-lo e matá-lo em local adequado, ou elimina-o por meios ocultos.[174] Então, não raro, ele vai até o pai de sua vítima e lhe pergunta se, com isso, não querem deixar a briga equilibrada. Seu irmão agora está vingado, "pago", como se expressou meu informante. Se o velho não estiver de acordo, a briga continua para cá e para lá, e "morre muita gente".[175] O cacique não pode fazer nada em tais casos, só dar conselhos. Todo o resto fica por conta dos parentes. Se alguém for morto numa casa, a casa é abandonada imediatamente.[176]

---

172 Como, ainda hoje, no *rio* Caiari-Uaupés, as tribos Tukáno fazem com os Makú; vide Koch-Grünberg, *Zwei Jahre unter den Indianern Nordwestbrasiliens*, v.I, p.263, 269.

173 Vide v.II, p.66.

174 Em todas as tribos da Guiana, a vingança de morte é usual; vide Rich. Schomburgk, op. cit., v.I, p.323; v.II, p.321, 497. Appun, *Ausland*, 1871, p.124.

175 Rochefort, op. cit., p.432, diz dos Karib das ilhas: "Um irmão vinga seu irmão e sua irmã, um homem, sua mulher, um pai, seus filhos, os filhos, seu pai. E assim, aqueles que mataram alguém também são mortos facilmente, pois não esquecem a vingança".

176 Rich. Schomburgk (op. cit., v.I, p.159) conta como um rapaz Warrau vingou a morte de seus pais num pajé, cuja cabeça ele despedaçou com a clava. O irmão do assassinado enterra o cadáver na mesma cabana. Os habitantes queimam a aldeia e se mudam para uma outra região.

Pouco antes de minha chegada à aldeia Koimélemong, no Surumu, os Kamarakotó do Caroni tinham acertado um Arekuná com flechas porque este havia maltratado um Kamarakotó, um irmão do homem que o acertou. Imediatamente, a notícia se espalhou como um raio por toda a região e foi comentada acaloradamente em toda parte.

Meu acompanhante Taulipáng, *Mayūluaípu*, contou-me o seguinte incidente: alguns anos antes de minha viagem, em sua casa, no Majari, seu tio, em estado de embriaguez, foi assassinado por três jovens Taulipáng, primos do narrador, numa festa de beber que *Mayūluaípu* tinha preparado. Eles o pisotearam até a morte, quebraram-lhe algumas costelas e esmagaram seu queixo. Então, fugiram. Alguns dias depois vieram os parentes do assassinado, Makuxí da chamada "*Maloca Bonita*", uma aldeia grande no lado leste da serra Mairari, e queriam matar *Mayūluaípu*, pois diziam que ele era culpado da morte de seu tio, já que tinha dado a festa. Vieram com clavas, facas e facões e o espreitaram por algumas noites, escondidos perto de sua casa, mas não ousavam aparecer porque ele tinha se armado com uma carabina. Então se retiraram.

"Existem pessoas", acrescentou o narrador, "que não toleram brincadeira e começam uma briga imediatamente. Meu irmão é um desses briguentos; ele brigou até mesmo com seu próprio pai."

Em muitas lendas se reconhece quão profundamente a vingança de morte se arraigou na vida desses índios. Na lenda das plêiades, *Žiližoaíbu* ou *Žilikawaí* mata sua sogra; depois, por vingança, sua mulher lhe corta uma das pernas. É verdade que seu irmão se casa com a assassina e tem cinco filhos com ela, mas sempre trama a vingança e, por fim, tira a vida de sua mulher da maneira mais cruel.[177] Numa outra lenda, o herói, como cacique da guerra, reúne todos os peixes e outros animais aquáticos a fim de se vingar da morte de seu sogro, o tatu-gigante, nos assassinos[178] deste.

Em uma viagem do Uraricoera ao Merevari, três jovens Arekuná me acompanharam, irmãos que, com seu pai, viviam como foragidos entre os Yekuaná. O mais velho tinha matado um venezuelano no Caroni, supostamente por pura cobiça, primeiro estrangulando-o com as mãos e, depois, cortando-o em pedaços com o facão. Mas, provavelmente, com seu comportamento, o venezuelano deu motivo para tal ato, pois esses Arekuná pertenciam a minha melhor gente.

Os hoje pacíficos Makuxí do Surumu também não são condescendentes com todos os abusos dos brancos. Isso é mostrado por um incidente lá ocorrido no início deste século. Um jovem brasileiro chamado Pires, conhecido por maltratar sua gente quando estava embriagado, entrou numa cabana indígena e permitiu-se todo tipo de coisas vis. A seguir, os Makuxí o espreitaram, cercaram-no – ele estava a cavalo –, e lhe atiraram uma flecha na barriga. Ele tentou fugir, mas os índios sempre o faziam voltar; por fim, puxaram-no do cavalo e o mataram. Empilharam muitas pedras sobre o cadáver. Então enviaram-se soldados do posto fronteiriço de São Joaquim, mas eles não conseguiram nada, já que os índios fugiram para a serra. Só pegaram um velho, mas o soltaram de novo.

---

177 Vide v.II, p.62-4, 60, 61, 239*ss*.

178 Vide v.II, p.106*ss*.

Notícias antigas de outras tribos

Paravilyána: uma lenda dos Taulipáng relata uma luta entre os Kuyálakog e os Palawiyáng, que ocorreu, igualmente, na região da serra Uraukaíma. Conta-se: "Os Palawiyáng atacaram os Kuyálakog. Mataram alguns que tinham ido à roça. Então, os Kuyálakog se uniram para destruir os Palawiyáng. Vieram e os atacaram. Chegaram à aldeia, que era composta de cinco casas, e atearam fogo em dois locais, à noite, para que ficasse claro e os inimigos não pudessem fugir no escuro. Mataram muitos com a clava, quando eles queriam sair das casas".[179]

Os Kuyálakog, assim chamados devido a suas moradas no Kuyála, um afluente do Mazaruni,[180] foram-me indicados como uma horda de "Ingalikóg" e, provavelmente, pertencem ao povo dos Akawoío,[181] de ampla ramificação.

Os Palawiyáng (*paláuiyán, paláwiyán*) dos Taulipáng são, indubitavelmente, os antigos Paravilhana ou Paravilhanos, uma tribo Karib outrora espalhada pela região do *rio* Branco, hoje desaparecida.[182] Os irmãos Schomburgk encontraram apenas poucos representantes dessa tribo na Missão Waraputa no Essequibo.[183] Segundo a narrativa dos Taulipáng, "antigamente, os Palawiyáng eram uma grande tribo no *rio* Branco e Uraricoera até o Majari, mas os brancos os levaram todos com violência.[184] Agora não se encontra mais nenhum deles, mas, em toda parte, também no Majari, encontram-se na terra grandes miçangas e cacos de panelas grandes atribuídas a eles".

Karib: com esses temidos índios da Guiana Inglesa, que eles chamam de Kali'ná, antigamente os Taulipáng mantinham relações comerciais. "Os Kali'ná vinham à terra dos Taulipáng, e estes iam à terra dos Kali'ná, seus parentes. Era uma tribo do outro lado do Roraima, muito feroz e guerreira. Não tinham medo de ninguém. *Wayukánte* era um famoso cacique de guerra deles, um homem destemido.[185] Ele entrava sozinho nas casas com a clava na mão. Não precisava de acompanhantes. Todos tinham medo dele. Seus netos vinham de visita até o alto Majari, mas então voltavam para sua terra, para a serra *Apau̯laítepe̥*, perto do Roraima, por isso são chamados de Apaulaitepölekog. Eram perigosos; guerreiros valentes, como o próprio *Wayukánte*. Devem viver lá ainda hoje, mas não se ouve mais falar deles, porque ninguém mais tem relações com eles".

---

179 Vide v.II, p.80.

180 Talvez o Cuya dos mapas.

181 Vide p.22.

182 Vide C. F. Ph. Martius, *Beiträge zur Ethnographie und Sprachenkunde Amerika's zumal Brasiliens*, v.I, Leipzig, 1867, p.630*ss*. A única lista de palavras de sua língua foi anotada por Natterer; vide Martius, op. cit., v.II, p.227-8.

183 Rich. Schomburgk, op. cit., v.I, p.313*ss*. e prancha.

184 Já no século XVIII os Paravilhana, com índios de outras tribos, foram raptados pelos portugueses para suas novas povoações no *rio Negro* e no Amazonas; vide Martius, op. cit., v.I, p.630.

185 Tinha o mesmo nome, Aiyukante, um dos acompanhantes índios dos irmãos Schomburgk, um Makuxí de caráter colérico e violento; vide Rob. Schomburgk, op. cit., p.362; Rich. Schomburgk, op. cit., v.II, p.4, 141-2, 404.

"Há muito tempo, um Taulipáng do Roraima, chamado *Tambālá*, foi para as primeiras casas (mais distantes) dos Taulipáng que moravam do outro lado do Roraima (no norte). Para lá, os Kali'ná tinham ido de sua terra, para visitar os Taulipáng. Lá, os Kali'ná foram acometidos de uma doença, da qual um deles morreu, tendo sido enterrado lá mesmo. Como consequência, voltaram para sua terra. *Tambālá* encontrou os Kali'ná cantando e pensou que estivessem dançando. Disse: 'Quero aprender esse canto!'. Então ele viu que os olhos deles estavam cheios d'água, que choravam porque estavam enterrando um morto. Então ele voltou para casa. Mas o canto ficou para os Taulipáng até o dia de hoje.[186] Os Kali'ná tinham posto o morto em sua rede de dormir e segurado a rede em suas duas pontas. Assim o balançaram para lá e para cá, cantando:

'*tuẽ̥beleẕa kuyeu̯lamã̂ tána ulā̂palu-ẕ̂a*
né-ne-ne-nẽ̂ né-ne-ne-nẽ̂'[187]
'*Ulā̂palu* tinha avisado para não virem,
para voltarem de lá.'"[188]

Quando os Kali'ná chegaram, a serra *Ulā̂palu* tinha trovejado (faz um estrondo abafado);[189] um mau presságio que os Kali'ná não respeitaram.[190]

Um velho Taulipáng conta que, outrora, os Kali'ná comiam gente, mas meu informante acha que isso não é verdade.

O Arekuná *Akũ̄li* informou que os Kali'ná vivem no baixo *Masūlén* (Mazaruni). Disse que seu irmão os viu lá. Mas que agora todos andam vestidos. Que lá também vivem os Aluá, no rio de mesmo nome (provavelmente os Aruak, Arowaken).

Características morais, capacidades intelectuais: os Taulipáng e Makuxí são gente amável e de temperamento alegre e feitio discreto. Todos os viajantes que tiveram contato com eles elogiam essas suas características. Seu comportamento decente, que as crianças já demonstram em relação aos adultos e também aos estrangeiros, poderia servir de exemplo a muitos europeus que se julgam superiores aos "selvagens nus".

Nunca um índio entra numa casa estranha sem avisar e sem ter permissão. O visitante fica em pé na porta, grita algumas palavras, então espera até o dono da casa lhe responder e o convidar a entrar.

---

186 Ao adotarem muitos cantos de dança de outras línguas, não admira que muitos textos de dança, hoje, não possam mais ser traduzidos pelos índios.

187 O refrão representa o choro e os soluços dos enlutados.

188 Tradução que corresponde ao sentido.

189 As grandes serras trovejam, estrondeiam, quando estrangeiros se aproximam, dizem os índios. Observei esse fenômeno singular várias vezes durante a viagem pelo Uraricoera, perto das serras Töpeking e Marutani; vide mais adiante.

190 Segundo a narrativa do Taulipáng *Mayuluaípu*.

Ao conversarem, nunca um corta a palavra do outro; nunca os dois gritam ao mesmo tempo. Se fosse possível transportar um índio para uma de nossas reuniões sociais, onde, às vezes, devido ao barulho, quase não se entendem as próprias palavras, ou mesmo para um comício, onde, não raro, o orador é apupado pelos "ouvintes", ele se afastaria horrorizado desses bárbaros. Em ocasiões oficiais, essa regra de etiqueta é escrupulosamente respeitada. Primeiro, um conta, até o fim, a sua longa história, enquanto o outro, em voz baixa, entremeia a conversa com muitos "*ẽhẽ---ẽnaũ---hẽ-nã*" educados, até chegar sua vez de falar. Nessa situação, os dois não se olham. Um, aparentando indiferença, olha à distância, o outro fica agachado, meio desviado do outro, olha para o chão e brinca com um pedacinho de madeira, uma palhinha ou coisa semelhante. Às vezes, um vira as costas para o outro.[191] Esse costume singular, que se encontra em muitas tribos indígenas da América do Sul, deve ter sua origem na crença de que se podem esconder melhor os próprios pensamentos quando, ao se falar, não se deixa o outro olhar no rosto. Mas isso só ocorre em conversas cerimoniosas, especialmente quando da recepção ou da despedida de convidados, não na costumeira conversa a dois.

Os Taulipáng amam sua bela terra montanhosa. Em suas lendas e canções, as serras desempenham um importante papel, especialmente o Roraima com seus imensos blocos de arenito. Nas conversas dos habitantes de suas cercanias, as palavras "*roroíma-tau̯*",[192] "junto ao Roraima", são sempre repetidas e pronunciadas com orgulhosa entonação.

Via de regra, as festas de dança, não se levando em conta exceções isoladas, transcorrem de maneira muito decente, e embriaguez tão animalesca como aquelas que vi no passado no alto *rio* Negro e, mais tarde, entre os Yekuaná, não ocorreu entre os Taulipáng e Makuxí.

O comportamento em público de ambos os sexos também passaria pela crítica de um juiz mais rigoroso do que eu. Em Koimélemong, homens e mulheres tinham locais de banho separados, e não ocorreria a um rapaz espiar as moças, cuja risada clara muitas vezes ecoava até nós quando nos banhávamos, ou surpreendê-las no banho.

Eles ainda não têm consciência de sua nudez e, do ponto de vista moral, encontram-se numa posição incomparavelmente superior à dos colonos mestiços e degenerados que zombam deles porque andam nus. Certa vez, quando enviei, de Koimélemong, dois Taulipáng como mensageiros a São Marcos, eles pediram roupas emprestadas que queriam vestir pouco antes da povoação "para que as pessoas não rissem deles".

Arrotar é coisa que os Taulipáng e Makuxí fazem sem reserva, e fazê-lo após as refeições é considerado até mesmo atitude educada para com o anfitrião, mas eles são extremamente cautelosos quanto a outros ruídos corporais, pelo menos em casa. Nas caminhadas, alguns senhores mais velhos não levavam isso tão a sério e, muitas vezes, davam livre curso a seus instintos, caindo, toda vez, numa gargalhada incontrolável, como se tivessem contado uma boa piada.

Em situações em que mesmo o europeu instruído mal conseguiria reprimir um sorriso, os Taulipáng demonstraram muito tato. Quando, em Denóng, reuni solenemente todos os morado-

---

191 Vide Appun, *Ausland*, 1871, p.125, Aruak e outras tribos.

192 Rich. Schomburgk (op. cit., v.II, p.240) já havia observado isso, mas traduz erroneamente "*roroíma-tau*" por "nosso Roraima", o que, em Taulipáng, seria "*iná-roroíma*".

res para lhes tocar algumas canções no fonógrafo, sobre as quais já tinham ouvido falar tanto, a agulha estourou ao ser puxada, e a apresentação teve de ser interrompida antes mesmo de começar. Nenhum dos inúmeros presentes sequer esboçou qualquer sorriso zombeteiro quando o cacique *Pitá* lhes explicou o incidente da melhor maneira que pôde.

Apesar de sua natural discrição, em geral, esses índios são pessoas alegres. Gostam de rir; gostam de zombar dos outros. Cada um, também o europeu, devido a alguma característica que chame a atenção, em pouco tempo recebe um apelido que, então, o acompanha por toda parte.[193] Seu gosto por conversas contribui muito para que as novidades se espalhem com extraordinária rapidez. Além disso, imediatamente após a chegada, troca-se num longo diálogo entre convidados e anfitriões tudo que aconteceu desde o último encontro e conta-se tudo que ocorreu durante a viagem. O caminho que os convidados tomaram é descrito em todos os detalhes, e as paradas, especialmente os acampamentos noturnos, são enumeradas nos dedos.

Quando, em casa ou na viagem, os homens estão sentados juntos perto da fogueira, ocasionalmente contam uns aos outros historiazinhas que dão o que pensar. Alguns índios têm um considerável talento para representar. Um conta, os outros ouvem absortos. Fala-se muito das "*wẹlídžan*", "as mulheres". É deliciosa a vívida modulação da voz. Atravessam-se todas as fases da narrativa, mesmo que se compreenda o mínimo dela. Os ouvintes acompanham com risos em voz baixa e breves exclamações. Aos poucos, a voz do narrador se eleva e sobe até o falsete. Ele dá um pulo, gesticula com braços e pernas. Os ouvintes ouvem silenciosamente absortos. Então – o efeito teatral. A voz do narrador para de repente. Um instante de silêncio; aí, estrondosa gargalhada. A piada foi picante. Os ouvintes cospem várias vezes de prazer.

Também é grande o talento de alguns índios para imitações. Encontra-se esse dom especialmente entre os pajés, cuja profissão já implica isso. Representa-se um velho, também no canto, ou – com frequência, bem capcioso – um diálogo entre mãe e filha, em que as aventuras amorosas do narrador desempenham um certo papel; o bom padre na distante missão é imitado cantando um hino com estranha voz gutural ou celebrando a missa. Uma prova da vivacidade de sua fala são os inúmeros sons naturais muito diferentes e imitadores que os índios inserem em suas narrativas diárias, as correntes interjeições onomatopeicas que entremeiam em suas lendas e mitos.[194] De maneira especialmente vívida, com certeza também à custa da verdade, exatamente como entre nós, eles descrevem suas vivências de caça. O mínimo detalhe não é esquecido, e os ouvintes sempre demonstram interesse pelo assunto. Quando contam que um animal de caça correu para bem longe, ou que um lugar fica bem distante, esticam o braço esquerdo na horizontal e, com a palma da mão direita, batem no peito várias vezes e depressa.[195] Sua inclinação para a fanfarronice incorporou-se na figura de *Kalâwunség*, uma espécie de Barão de Münchhausen, sobre o qual os Arekuná e Taulipáng sabem contar inúmeras histórias,

---

193 Vide mais adiante em: "Nomes". Vide também Rich. Schomburgk, op. cit., v.I, p.206; v.II, p.323-4; Appun, *Ausland*, 1869, p.472, 1143.

194 Vide v.II, textos: p.141*ss*. em muitos trechos.

195 Vide Appun, *Ausland*, 1869, p.802.

às vezes muito obscenas.[196] É magnífico registrar suas lendas e mitos com os ouvidos e os olhos. Em trechos emocionantes, o narrador treme e empalidece. A voz lhe treme de comoção interior. No meio da narrativa, ele profere uma maldição contra a mulher infiel que matou o marido, contra a mãe desnaturada que maltratou seus filhos.

Por toda parte, reina entre esses índios uma hospitalidade ilimitada. Ela é uma consequência natural de seu costume, que já distingue as crianças, de dividirem todos os alimentos entre si e que se expressa, em especial, nas refeições comunitárias dos habitantes de uma povoação, divididos por sexo. Não raro, essa hospitalidade é cansativa para o convidado. Tão logo entrávamos numa povoação, após as palavras de recepção oficiais e por ordem do decano, as mulheres nos traziam tigelas com carne de caça ou peixe no molho de pimenta e, se houvesse *caxiri*, inúmeras cuias com essa nobre bebida. Mal tínhamos esvaziado uma cuia em grandes goles, já havia uma outra mulher diante de nós e nos oferecia uma nova cuia com um amigável: "*Wó pīpī!*", "Bebida, irmão!", que não podíamos recusar para não parecermos mal-educados. Quando de nossa estada na aldeia Kaualiánalemóng no Roraima, pelo menos uma vez ao dia as famílias que moravam perto de nós nos convidavam em voz alta para comer. Não servir comida a um hóspede é visto como grosseira falta de consideração e ofensa e só ocorre nos casos mais raros.

A maioria das tribos indígenas da América do Sul é acusada de tratar seus velhos e doentes de modo negligente e insensível. Não encontrei isso nem entre os Makuxí, nem entre os Taulipáng, e seu caráter predominantemente bondoso demonstra o contrário. É certo que, também entre eles, como entre nós, há pessoas brutais que veem um parente desamparado somente como um peso, o que, até certo ponto, é compreensível, levando-se em consideração o fato de que esse povo, em parte, conservou seu modo de vida nômade. Um tocante caso de amor conjugal, mas que não quero generalizar, vi num pajé dos Arekuná que vivia entre os Yekuaná e Guinaú do Merevari. Ele tratava sua mulher cega com o máximo cuidado. Na caminhada ou quando ela ia para a plantação, ele seguia à sua frente e chamava a atenção dela para cada tronco de árvore, cada cepo, cada pedra. Vergava cada ramo para o lado. Nas quentes horas do meio-dia, ele lhe fazia um toldo com uma coberta velha. Trazia-lhe os utensílios para ralar mandioca e assar os beijus, pois, apesar de ser totalmente cega, ela fazia todas as tarefas de uma dona de casa.

A honestidade dos Taulipáng e Makuxí é salientada por todos os viajantes.[197] Não ocorrem roubos entre os companheiros de tribo ou em relação ao hóspede. Durante minha estada entre eles, nem a menor coisa me foi roubada. Os Wapixána, em compensação, desde sempre são considerados ladrões por seus vizinhos.[198]

Em nosso comércio de troca, às vezes, eles se permitiam pequenas trapaças. Em muitos casos, empreguei seu próprio sistema de pagamento antecipado, ou seja, eu lhes dava mercadorias em adiantamento, pelas quais eles deveriam fazer para mim grandes redes de dormir de algodão. Um Makuxí e uma mocinha da mesma tribo entregaram somente redes de dormir de criança;

---

196 Vide v.II, p.136*ss*.

197 Vide Rich. Schomburgk, op. cit., v.II, p.321; Appun, *Ausland*, 1871, p.447.

198 Appun, op. cit., 1871, p.523.

um outro Makuxí não entregou absolutamente nada. Mas só posso repetir aqui o que escrevi naquela ocasião em meu diário: não se deve fazer muito caso dessas inofensivas trapaças dos índios. Como as crianças, eles não têm um pronunciado senso de responsabilidade, especialmente em relação ao branco que é sempre amável com eles e só está de passagem. No comércio de troca que sempre realizam entre si, com frequência, o pagamento ocorre só meses depois e, apesar disso, raramente ocorrem irregularidades depois que um negócio foi fechado. Mas, nesses casos, o índio nunca se prende a um determinado prazo. Também não é preciso supor, sem mais nem menos, que haja má vontade. Quando o índio faz um acordo comercial desses, via de regra, tem a firme intenção de cumprir a promessa. Mas, para essas pessoas que mal conseguem contar até dez em sua língua, o tempo é um conceito indefinido. Em sua indolência, eles protelam o trabalho de um dia para o outro e, de repente, o dia da entrega chegou, e o trabalho não está pronto. Assim, eles entregam algo inferior ou não entregam nada.

Dizem que os índios são inconstantes. Muitos os chamam até de desleais. Essa última censura é errada em sua generalização; a primeira se justifica até certo ponto. Também no que diz respeito a isso, o índio não é diferente do europeu. Aqui como lá, existem pessoas que se sentem comprometidas com a palavra dada e outras, atraídas pelo pagamento esperado, prometem mais do que podem cumprir mais tarde. Também existem aqueles que, somente devido a uma fraqueza de caráter, incapazes que são de negar alguma coisa, prometem algo e ficam felizes de, assim, livrar-se naquele momento da pessoa que os força a tomar uma decisão, mas que, desde o início, nem pensam em cumprir a promessa. Não quero falar aqui dos lastimáveis índios que, mais ou menos obrigados, estão a serviço de colonos inescrupulosos e grosseiros. Também não se deve julgar com demasiada severidade, quando se torna inconstante, o índio que entra para o serviço de um viajante pesquisador. A cada dia ele se afasta mais e mais de sua terra, de sua família; a saudade o assalta; o modo de vida a que não está acostumado, ocasionalmente fome, esforços e perigos o enfraquecem; o medo da região selvagem e desconhecida, de tribos inimigas, em cuja região ele ousa entrar cada vez mais, o faz imaginar todos os horrores possíveis; um sonho que ele considera real aumenta seu medo. É, pois, de admirar se ele, que não é movido pelo idealismo de seu patrão, um dia faltar à palavra?

Às vezes, outros motivos também determinam que o índio não cumpra sua intenção. Quando, na cachoeira Urumamý, mandei de volta para sua terra dois homens de minha gente que se haviam comprometido somente até ali, o Purukotó *Mönekaí* também queria voltar, apesar de, em troca de sua promessa de me acompanhar até os Yekuaná, ter recebido adiantado uma parte de seu pagamento. Era um homem muito viajado e não tinha medo, mas, em uma visita anterior aos Yekuaná, ele havia se casado e, na despedida, deixado sua mulher e seu filhinho para trás. Daí sua aversão a pisar de novo a cena de seus atos. Depois que o obriguei a cumprir a palavra, ele se tornou um de meus melhores e mais confiáveis homens.

Na maioria das vezes, o índio sabe esconder seus sentimentos, em especial o sentimento pouco viril do medo. Tanto mais surpreendente é o fato de, às vezes, a covardia aflorar de modo evidente em *Mayūluaípu*, que, de resto, era um homem inteligente e fino, mas muito nervoso, quando, em nossa viagem para o oeste, chegamos ao território dos temidos Xirianá e Waíka, mesmo que ele nunca quisesse admitir seu medo e, pelo menos para mim, procurasse escondê-lo sob todos os pretextos.

Assim como, entre os índios, há justos e injustos, também os dons intelectuais são divididos de modo diferenciado entre eles. Mas, em geral, pode-se dizer que possuem uma inteligência rápida e aguda. Isso já se mostra na facilidade com que aprendem línguas estrangeiras. Alguns, além de seu idioma, falam com bastante fluência o português ou dominam mais duas ou três línguas indígenas, a ponto de poderem se entender com indivíduos da tribo em questão.

O ouvido musical também é muito desenvolvido na maioria dos índios. Na missão beneditina do alto Surumu, as crianças cantavam com suas belas vozes claras, sem errar, os antigos hinos religiosos que tinham aprendido com o padre e, em Koimélemong, logo elas cantavam os *couplets* do fonógrafo, mutilando de modo cômico o texto alemão.[199]

Por fim, os índios possuem um excelente senso de direção. Eles têm o mapa de sua terra na cabeça e também na mata cerrada encontram de novo, em pequenas particularidades, um caminho que percorreram uma vez, mesmo que não o tenham marcado com ramos quebrados[200] ou marcas de golpes de facão nas árvores. Esse dom também se manifestou nos exatos desenhos de mapas que obtive de alguns Taulipáng do Roraima (Pr. 34 e 35).

Comportamento em relação a objetos europeus desconhecidos. Os Taulipáng e Makuxí não demonstraram qualquer receio diante da câmera fotográfica. Eles se apinhavam para ser fotografados e, em pagamento, recebiam fumo, miçangas, agulhas e outras miudezas. Não se cansavam de observar, sob o pano negro, os movimentos de pessoas e animais sobre o vidro opaco e sentiam grande prazer ao vê-los chegando de cabeça para baixo.

Eles tinham grande interesse e compreensão por fotografias e outras ilustrações, mas quase nunca seguravam as fotos como nós, em pé na mão, e sim, geralmente, as observavam de lado ou até as seguravam ao contrário.

Pediam sempre as fotografias que eu lhes havia explicado, especialmente ilustrações de índios de minha viagem anterior. O tipo físico estrangeiro, indumentária, adornos, pintura eram comentados minuciosamente, com frequência com risadas zombeteiras.

Surpreendente era a compreensão de alguns índios dos negativos nas chapas fotográficas. Até mesmo as crianças de oito a dez anos do cacique Selemelá, no Roraima, reconheciam nos negativos o pai e a mãe e cumprimentavam o “*pā̂bai*” e a “*ā̂maī̃*” com grande satisfação. Toda a aldeia acorria para ver as fotos.

De todas as minhas coisas, o que impressionava mais e de modo mais duradouro era um grande livro com ilustrações de animais do Velho e do Novo Mundo. Jovens e velhos nunca se cansavam de contemplá-lo nos seus pormenores. Tão logo chegassem novos visitantes, eu era imediatamente convidado a buscar o livro. O mesmo ocorria na viagem. Assim que chegávamos

---

199 Vide Rich. Schomburgk, op. cit., v.II, p.126.

200 Vide v.II, p.78-9.

a uma povoação, meus acompanhantes falavam do meu livro maravilhoso para os moradores. Eu também podia ocupar as crianças horas a fio com ele. Geralmente, eu mostrava e explicava as ilustrações a um homem inteligente ou a um garoto mais velho, em especial aquelas de animais que lhes eram desconhecidos, e eles, então, as explicavam da mesma maneira aos seus companheiros. Esses caçadores e futuros caçadores tinham o maior gosto nas ilustrações de animais de sua terra, fazendo, com frequência, sérias críticas. Assim, qualificaram como inferior a ilustração de uma onça, que, de fato, não era uma obra de arte. Cada animal era comentado com exatidão em todos os pormenores, desde as garras até as orelhas, enquanto apontavam com o indicador partes isoladas e percorriam os contornos. Não entendiam desenhos em perspectiva. Animais da mesma espécie, que ficavam ao fundo, por serem menores, eram chamados de "filhotes" do animal em questão.[201]

Eles gostavam de olhar pelo binóculo e se admiravam de que o lugar distante tivesse chegado tão perto. Mas preferiam olhar por ele ao contrário e, como crianças, sentiam grande satisfação com a imagem levada para tão grande distância, então tiravam o binóculo dos olhos repetidas vezes e comparavam a imagem aparentemente distante com a realidade.

Mostravam maior receio do fonógrafo, especialmente o pajé *Katũra*, que me perguntou desconfiado, quando o convidei a cantar no megafone, por que eu queria levar sua voz comigo. Somente depois de longas negociações e promessas foi que consegui, com a ajuda do esclarecido *Pitá*, convencê-lo a confiar seus cantos mágicos ao fonógrafo. Ele procedeu exatamente como num verdadeiro rito de cura. Na mão direita, segurava um feixe de ramos e, ao compasso, batia com ele no chão, na mão esquerda, segurava o charuto, do qual, de vez em quando, aspirava enormes nuvens de fumaça e as soprava, então, contra o aparelho. A seu pedido, todas as entradas e aberturas da pequena cabana que eu habitava em Koimélemong foram hermeticamente fechadas, de modo que reinava um lusco-fusco no quarto. Todos os habitantes da aldeia também tiveram de se retirar da cabana até uma certa distância. Além de *Pitá*, *Pirokaí* e de mim, ninguém mais podia estar presente. Tive de lhe prometer não tocar seus cantos para o povo todo, mas somente para nós. Ele ficou muito surpreso quando sua voz forte, com todas as modulações, ressoou em sua direção. Alguns Taulipáng do Roraima, que tinham cantado no fonógrafo as melodias de dança, também ficaram assustados com a reprodução, mas, então, demonstraram feliz orgulho e, por fim, riram satisfeitos quando nos viram rindo. Nessas apresentações, algumas mulheres, no início, como movimento de rejeição semi-inconsciente, mantinham as mãos na frente do rosto e da boca.

Mas logo os índios se acostumavam com todas as minhas coisas mágicas, que chamavam de "*mákina*", uma expressão em português que ouviram em algum lugar. Eles se conformaram com elas, assim como com todos os outros objetos que o branco singular levava consigo, e cuja origem e mecanismo eles não sabiam explicar.

---

201 De Goeje observou o mesmo fato entre os índios do Suriname: C. H. de Goeje, *Beiträge zur Völkerkunde von Surinam*, Leiden, 1908, p.25. Coisa semelhante ocorre com as nossas crianças enquanto elas não tiverem aulas de visualização na escola.

Para algumas de minhas coisas eles logo inventavam nomes explicativos. Assim, os Taulipáng chamavam o lápis de "*kalitá*[202]*-menu-ka-to*", "instrumento de pintar o papel", e o teodolito, de "*t-enū-yḗn*", "seu recipiente de olhos".[203]

Tradição: Não se deve menosprezar a tradição dos índios. O decurso de suas lutas com as tribos vizinhas está fielmente gravado em sua memória. Decerto que muitas de suas lendas também se relacionam com acontecimentos reais que, com frequência, se passaram há muito tempo. Das lembranças de acontecimentos antigos que pude verificar, estava especialmente viva a recordação dos irmãos Schomburgk, os primeiros brancos que tiveram contato mais prolongado com eles. Os Taulipáng sabiam contar muita coisa deles. Não resta dúvida de que as figuras dos dois irmãos, com o passar do tempo, oitenta anos, fundiram-se numa única pessoa, "Samburukú". Ainda sabiam de muitos detalhes da estada de Samburukú entre eles e me descreveram o caminho que ele tomou na terra deles. Disseram que Samburukú fez um desenho da queda d'água do riozinho Rué. De fato, no belo relato de viagem de Richard Schomburgk encontra-se um excelente desenho dessa pitoresca queda d'água.[204] Na embocadura de um riacho no Kukénang, eles me indicaram com exatidão o local onde uma índia da comitiva de Samburukú tinha sido mortalmente picada por uma cobra venenosa.[205] Disseram que, certa vez, os Taulipáng lhe ofereceram um bugio assado no espeto, mas que o viajante devolveu o assado, horrorizado. Todo dia, os Taulipáng do Roraima contavam de Samburukú. Diziam-me onde ele tinha morado por mais tempo,[206] para onde ele foi então, o que fez aqui, o que fez lá. Um velho chegou até mesmo a dizer onde ele, certa vez, tomou um lanche. Em especial a mulher mais velha da aldeia, cujo pai, quando jovem, fora acompanhante de Schomburgk por vários anos, sabia relatar muitas coisas dele. Entre outras coisas, ela me contou que ele não pôde subir até o topo do Roraima porque, naquela época, os Taulipáng ainda não conheciam um caminho até lá, mas que ele gravou alguns sinais, talvez sua assinatura, no início do rochedo a pique. Disse que, mais tarde, Samburukú seguiu para bem longe no oeste, para a terra dos Mayongóng, então voltou para os Taulipáng: a viagem de Robert Schomburgk nos anos de 1838-1839 ao alto Orinoco e, pelo Casiquiare e *rio* Negro, de volta para a Guiana Inglesa. Também na viagem Uraricoera acima, meus remadores me contavam algumas coisas de Samburukú. Na margem esquerda do braço Maracá eles me mostraram uma clareira dos Sapará. Contaram que Samburukú passara vários dias[207] na casa que antes havia lá.

---

202 Do espanhol ou do português *carta*.

203 Os Makuxí de Schomburgk chamavam a frigideira dos viajantes de *sipari*, que, por sua forma, lembrava a raia; Rob. Schomburgk, op. cit., p.139.

204 Rich. Schomburgk, op. cit., v.II, p.228.

205 Ibidem, p.254*ss*.

206 Refere-se à aldeia "Our Village", fundada e habitada temporariamente pelos irmãos Schomburgk, ao sul do Roraima; vide Rich. Schomburgk, op. cit., v.II, p.237*ss*.

207 Era a aldeia Sapará Sawai Kawari, onde Robert Schomburgk permaneceu de 3 a 5 de dezembro de 1838; vide Rob. Schomburgk, op. cit., p.402*ss*.

1

2

Prancha 25. 1. Tecendo uma rede de dormir, Wapixána. 2. Tecendo uma tanga de miçangas, Makuxí.

É um bom sinal do relacionamento puro que os dois viajantes mantiveram com os índios durante sua permanência de anos entre eles, quando seus descendentes guardaram memória tão fiel deles e só sabem contar coisas boas a seu respeito.

Puberdade: quando um garoto chega à puberdade, um velho, com frequência o avô, aplica-lhe com um chicote, um cordão de fibras de *Mauritia* fortemente torcido e preso em um pau curto, vários golpes por todo o corpo, começando na perna esquerda e terminando no pé direito. As marcas incham muito e, às vezes, estouram. Por um ano inteiro, o jovem só pode comer peixes e pássaros pequenos e tomar *mingau* e *caxiri*. Todos os animais de caça, as aves e os peixes grandes lhe são proibidos.[208]

Depois do chicoteamento, o velho lhe faz cortes sobre ambos os braços, sobre o peito até a barriga e, por fim, cortes verticais paralelos no queixo e passa diferentes drogas mágicas nas feridas, que devem lhe trazer sucesso na caça e na pesca, como *waikín-epig*, *(u)sâli-epig*, *akûli-epig*, *moró-epig* (remédio do veado-galheiro, remédio do veado-do-mato, remédio do *agutí*, remédio do peixe) etc. Cada animal de caça e cada peixe tem seu epig (remédio de pegar) especial. São folhas, casca e raízes, segundo outra informação, também sementes de determinadas plantas, principalmente espécies de *Caladium*,[209] que são trituradas e misturadas com água fresca.

Os cortes nos braços e no peito devem tornar o jovem bem-sucedido com o arco e a flecha, os cortes no queixo devem torná-lo bem-sucedido com a zarabatana.[210]

Além disso, o velho esfrega todas essas drogas mágicas num cordão fortemente torcido de fibras de *Mauritia* e o puxa para lá e para cá pelo nariz e pela boca do rapaz e, por fim, boca afora.[211]

Esses feitiços de caça, às vezes também são usados por caçadores conscienciosos para continuarem bem-sucedidos na caça e na pesca. Braços e pernas são riscados com inúmeros longos riscos, então, provavelmente para estancar o sangramento, esfrega-se lama cinzenta neles,[212] ou se

---

208 Entre os Purukotó, nesse período de sua vida, os jovens não podem beber *caxiri*, nem comer sal, nem pimenta (João Barboza Rodrigues, *Pacificação dos Crichanás*, Rio de Janeiro, 1885, p.143). Entre os Rukuyenne, depois da flagelação das formigas (vide mais adiante), por dez dias os participantes só podem comer beijus secos (Coudreau, *Chez nos Indiens*, p.233).

209 Diferentes variedades do *Caladium bicolor* Vent.

210 Os Purukotó riscavam as pernas dos jovens para que se tornassem bons corredores, e os braços, para que aprendessem facilmente a usar o arco (Barb. Rodr., op. cit., p.142). Entre os Warrau, a prova dos jovens consiste em feridas doloridas no peito e nos braços, feitas com as presas do porco-do-mato ou a ponta do bico do tucano, e que o candidato deveria suportar sem demonstrar dor (Rich. Schomburgk, op. cit., v.I, p.168).

211 Segundo Im Thurn, entre os Makuxí, Arekuná e Akawoío, um caçador, para se tornar bem-sucedido, puxa um cordão de fibras pelo nariz e pela boca (*Among the Indians*, p.229). Pelo mesmo motivo, os Purukotó submetiam seus jovens a esse procedimento na festa da puberdade, depois de terem esfregado sumo de *Capsicum* no cordão de *Mauritia* (Barb. Rodr., op. cit., p.142).

212 É costume entre os Ojana e Trio riscar braços e pernas com uma faca. Às vezes, os arranhões são esfregados com algum *turalla* (feitiço). "Um Ojana me disse que ele arranhava seus braços para que pudesse atirar bem nos *kwattas* (macacos). Um Trio arranhou o antebraço e a parte superior do braço, então o esfregou com terra para se tornar um bom caçador; um outro riscou a coxa para ficar forte para escalar montanhas;

faz uso de um cordão torcido de fibras de *Mauritia*. Na extremidade inferior, onde ele tem cerca de um quarto da grossura de um dedo pequeno, é longo e tem franjas largas (Pr. 40, 1 e 1a). Na fina extremidade superior, há uma fibra de *Mauritia* amarrada. Esta é enfiada no nariz e, sob terríveis estertores e arrotos, puxada para a garganta e, depois, boca afora. Então, esfrega-se bastante droga mágica (*ẹpíg*) em questão no cordão e no feixe de fibras e, com um forte puxão, puxa-se tudo, pela extremidade fina, através do nariz e da boca.[213] Com isso, transmite-se o feitiço contido na droga para o corpo humano (Pr. 64, 1). É, ao mesmo tempo, uma espécie de cerimônia de purificação, como é empregada, de maneira semelhante, após uma expedição de guerra (vide p.112-3) e para apaziguar pessoas briguentas; ela retira do jovem a fraqueza pueril e o enche da nova força que faz dele um homem.

Mais tarde encontraremos novamente esse costume na iniciação dos pajés.

Por fim, o jovem precisa passar pela prova da formiga, que também é costume em outras tribos da América do Sul tropical, especialmente das Guianas. As grandes formigas *tocandira* (*Cryptocerus atratus*), chamadas de *iláç* pelos Taulipáng, formigas negras, *kuyúg*, entre outras, são presas abaixo do tórax nas tramas de um amplo trançado de tiras de taquara, colocado várias vezes no jovem, de modo que os bichos furiosos dão suas picadas extremamente doloridas e de efeito prolongado em todo o corpo dele, também no rosto e na nuca. Depois da prova das formigas, o noviço passa uma semana doente na rede de dormir.

Esse costume, trata-se também, em primeiro lugar, de um feitiço de caça. Não só os jovens adolescentes devem se submeter a ele, também os homens adultos, até atingirem idade avançada, de vez em quando passam voluntariamente pela flagelação da formiga no próprio corpo, para, com isso, assegurar sucesso na caça e na pesca. Durante a viagem, vi meus homens prendendo uma formiga *tocandira* num pauzinho partido e, com essa finalidade, se deixavam picar por ela nos braços. Para deixar o bicho bem furioso, eles o sopravam primeiro. Certa manhã, quando fui acidentalmente picado na mão por uma *tocandira* e, logo a seguir, pesquei um forte *pacu*, Akúli disse: "Isso você deve a *iláç*".

Tudo isso comprova que a flagelação da formiga, além de educar o jovem para adquirir firmeza ao suportar dores corporais, é um meio de estimular, preservar e fortalecer a competência do homem, especialmente suas aptidões como caçador e pescador.[214]

---

algumas mulheres também tinham arranhões na parte externa da coxa para ficarem fortes" (De Goeje, *Beiträge*, p.21-2. Vide também Crevaux, *Voyages*, p.280). Também os Wapixána a leste do *rio* Branco arranham braços e pernas até sangrar para terem sucesso na caça e esfregam as feridas com determinados feitiços do sumo de espécies de *Caladium*. Para o mesmo fim, eles puxam um cordão de fibras pelo nariz e pela boca (Farabee, *The Central Arawaks*, p.49*ss*.). Encontram-se costumes semelhantes entre as tribos das cabeceiras do Xingu. "Para que os garotos obtenham um olho certeiro e um braço forte ao atirar, o rosto e o antebraço são riscados com um arranhador." (K. v. d. Steinen, *Naturvölker*, p.188).

213 Os narizes dos cães de caça de caçadores diligentes também são tratados de modo semelhante com esses feitiços (Appun, *Ausland*, 1869, p.778; 1871, p.522); segundo Farabee, op. cit., p.50, igualmente entre os Wapixána.

214 O costume de fazer que o jovem seja mordido e picado por insetos, formigas e vespas encontra-se, provavelmente, em mais tribos da América do Sul tropical do que se pode supor pelos relatos. Devido ao

fato de essa iniciação ocorrer de modo relativamente raro, ela também foi raramente observada. P. Gilij já relata que os Tamanako do Orinoco punham à prova a firmeza de seus jovens por meio das picadas de formigas (F. S. Gilij, *Saggio di storia americana*, v.II, p.347). Segundo Crevaux, entre os Karib e Warrau, os jovens de ambos os sexos só poderiam se casar se passassem pela flagelação da formiga (Crevaux, *Voyages*, p.612). O mesmo viajante descreve uma cerimônia chamada *maraké* entre os Rukuyenne no Jari, na qual os homens jovens eram torturados, alternadamente, com picadas de formigas e ferroadas de vespas por todo o corpo (ibidem, p.249). Crevaux encontrou o mesmo costume, em maior medida, entre os Apalaí no baixo Paru (ibidem, p.307). Segundo Coudreau, que descreve pormenorizadamente uma festa *maraké* entre os Rukuyenne, ele se encontrava anteriormente também entre os Oyampi e Galibí (*Chez nos Indiens*, p.228, 548). Joest menciona a flagelação da formiga na iniciação dos pajés dos índios no Suriname, pelo visto dos Galibí (Joest, op. cit., p.91 e ilustr.). Segundo Roth, esse costume, na mesma ocasião, se encontrava antigamente entre os Warrau e os Karib da Guiana Inglesa (Walter E. Roth, "An Inquiry into the Animism and Folk-Lore of the Guiana Indians", *30th Annual Report of the Bureau of American Ethnology*, Washington, 1915, p.339-40). De Goeje dá uma descrição exata do decurso de uma festa *maraké* entre os Ojana (Rukuyenne) junto com uma série de ilustrações baseadas em instantâneos, além disso, desenhos dos adornos e utensílios que são usados nela (De Goeje, *Beiträge*, p.17*ss*., Pr. II, XIX e XX; vide também De Goeje, *Bijdrage*, p.27 e pr. III). Os instrumentos de flagelação são trançados ou em forma de simples losangos, ou na forma de quadrúpedes, aves, peixes e outros animais e, com frequência, decorados com rico mosaico de plumas. Im Thurn encontrou a flagelação por formiga e vespa entre os Makuxí, Arekuná e Akawoío. Antes do casamento, para provar que é homem, o jovem se deita numa rede de dormir cheia de formigas (Im Thurn, op. cit., p.221). O caçador também se deixa picar por formigas presas numa pequena esteira. Mesmo os cães, antes da caçada, são enfiados com a cabeça num buraco com formigas e vespas, que, ainda por cima, são provocadas com fumaça; ou formigas e outros insetos venenosos são colocados nas narinas dos cães (Im Thurn, op. cit., p.221, 229; vide também Roth, op. cit., p.309*ss*.). Os Purukotó também empregavam a prova da formiga quando os jovens entravam na puberdade (Barb. Rodr., op. cit., p.142-3). Ao sul do rio Amazonas, esse costume, até agora, só foi observado entre os Maué, que já faziam seus garotos serem picados pelas *tocandiras*, para educá-los para a virilidade e prepará-los para o casamento. Geralmente, dava-se continuidade a essa cerimônia até os 14 anos, até que o jovem tivesse aprendido a suportar a dor sem sinal algum de má vontade; a seguir, era emancipado e podia se casar (Martius, *Beiträge*, v.I, p.403).

O significado dessas mortificações ou não foi compreendido, ou foi subestimado pela maioria dos pesquisadores. O momento principal, o efeito mágico, quase não foi reconhecido corretamente em parte alguma. Em lugar algum encontra-se, por exemplo, a observação de que os cortes ou o cordão de fibras, que é puxado através do nariz e da boca, primeiro é esfregado com feitiços bem definidos. Em toda parte, supõe-se como motivo principal desses costumes a educação para suportar grandes dores. Mesmo um conhecedor tão bom como Im Thurn, ao qual seus índios informaram corretamente como finalidade das mortificações o reforço do sucesso na caça, acha que o costume surgiu da ideia de que o homem, suportando voluntariamente grandes dores, acostumará seu corpo a dores e perigos que possam lhe ocorrer durante a caçada (op. cit., p.229). Isso dificilmente estaria de acordo com o fato de que as diferentes mortificações são repetidas de vez em quando, e até mesmo em idade avançada. Essa insignificante finalidade, segundo conceitos indígenas, também não corresponderia à intensidade das mortificações e ao significado que os próprios índios lhes conferem. Além disso, um verdadeiro caçador – e esse é o caso do índio – não pensa em dores nem perigos, somente no sucesso. O significado mágico desses atos é sublinhado principalmente na explicação dada por Coudreau, segundo informações dos pajés sobre as flagelações de formiga e vespa, sobre os *maraké* dos Rukuyenne. Segundo elas, o *maraké* não é, de maneira nenhuma, um preparativo

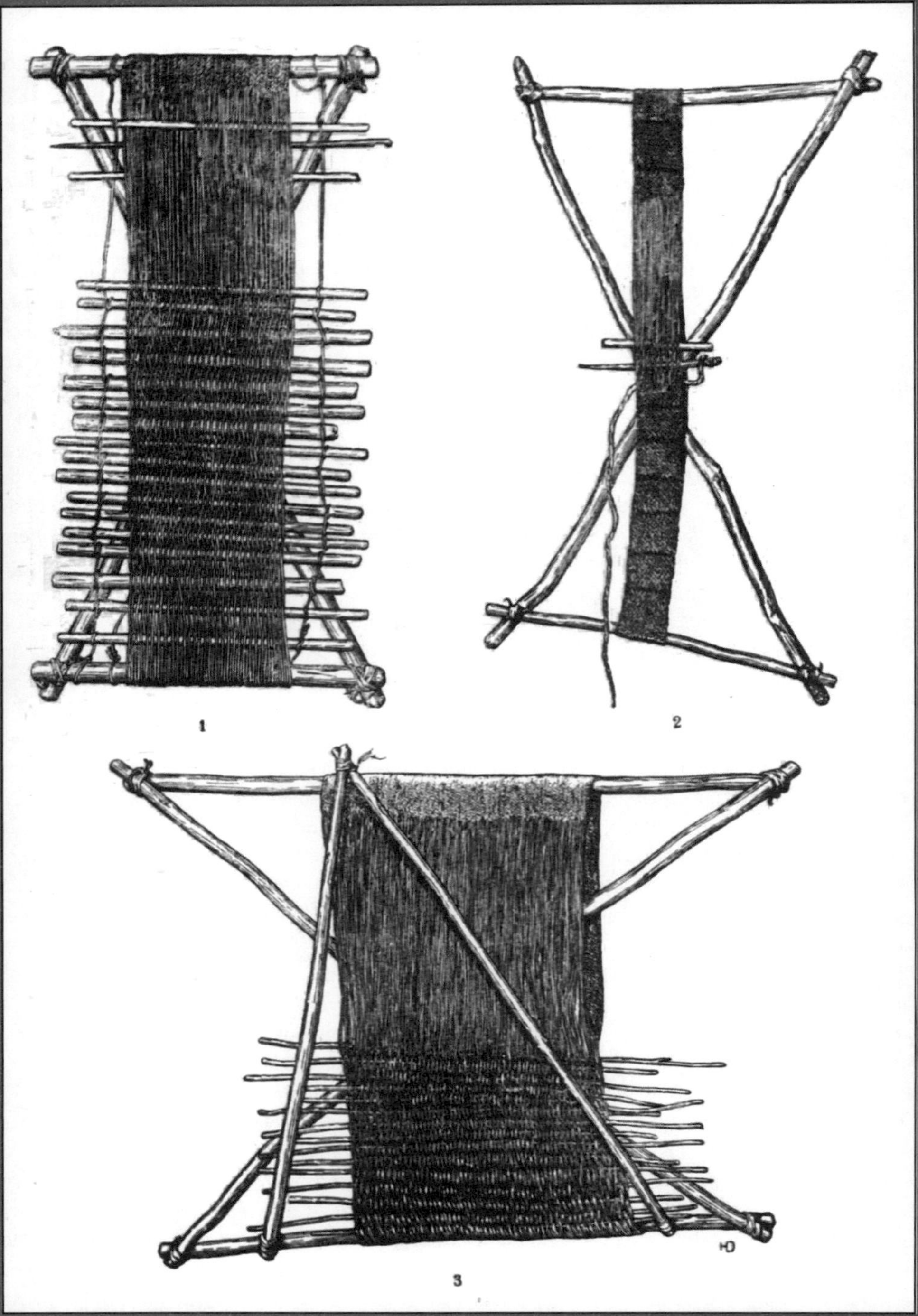

Prancha 26. Tear para fabricação de tipoias de algodão em que se carregam os bebês. 1. Yekuaná e Guinaú. 2 e 3. Taulipáng.

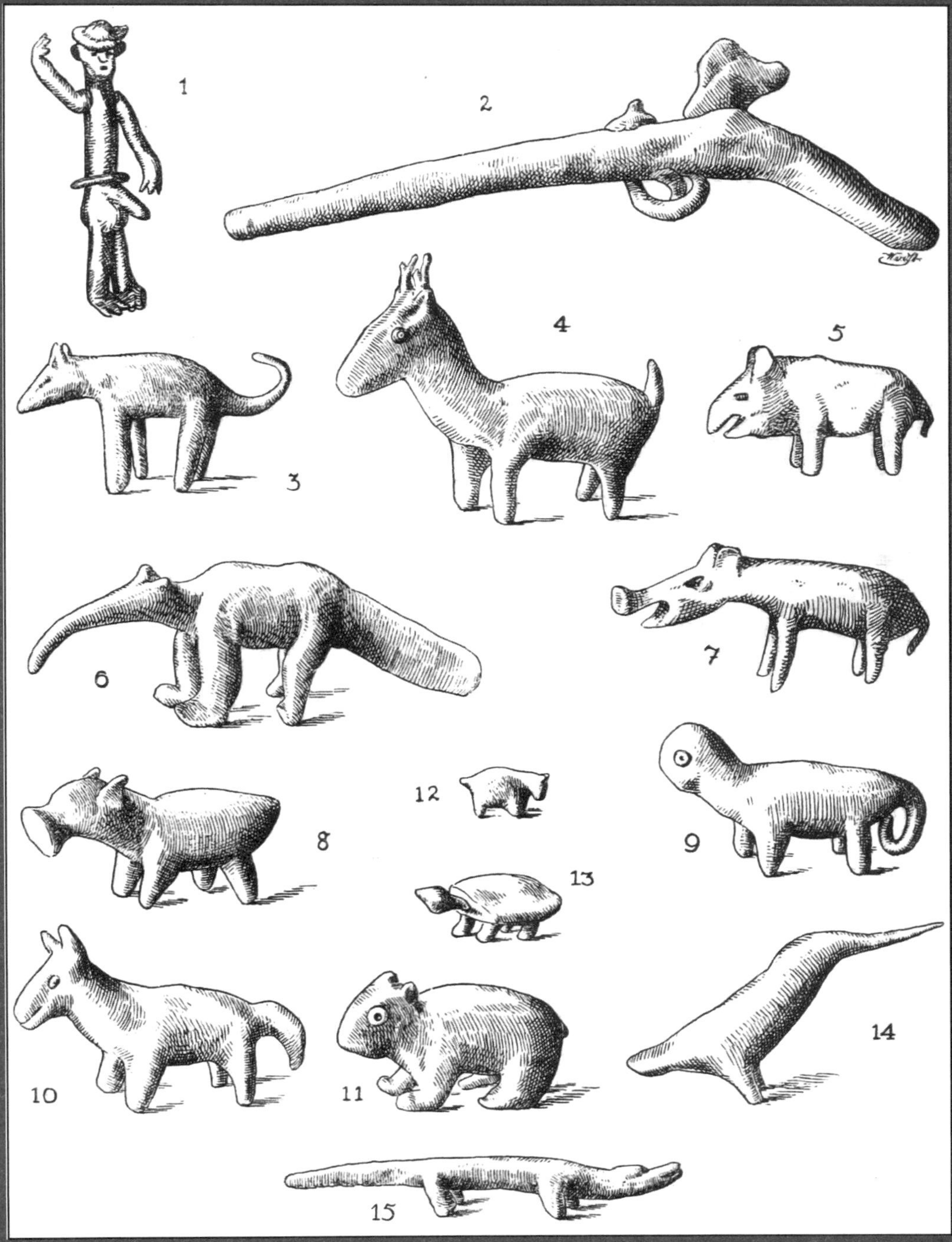

PRANCHA 27. ESTATUETAS DE CERA DOS TAULIPÁNG: 1. HOMEM. 2. ESPINGARDA. 3. CACHORRO. 4. VEADO. 5. ANTA. 6. TAMANDUÁ GRANDE. 7 E 8. JAVALIS. 9. MACACO. 10. RAPOSA. 11. CAPIVARA (*HYDROCHOERUS*). 12. RATO. 13. TARTARUGA TRACAJÁ. 14. BEIJA-FLOR. 15. JACARÉ.

Todas essas provas da puberdade nunca são feitas com apenas um jovem, mas sempre com vários juntos. Eles não podem emitir nenhum som de dor e têm de ficar bem quietos. Alguns gritam; então, a prova toda foi em vão para esse jovem e, na próxima oportunidade, terá de ser repetida. Mas, se o jovem aguentar todas as provas, ele é recebido na comunidade dos homens.

Até os 20 ou 25 anos de idade, os homens jovens não podem se casar e também não podem se relacionar "muito" com uma mulher,[215] senão os *ẹpíg* perdem sua força e passam para a mulher em questão e, por toda sua vida, o homem fica malsucedido na caça e na pesca.

Se o jovem for tatuado na boca, o que sempre é um sinal de maturidade, isso deve torná-lo hábil e bem-sucedido com a zarabatana.

As moças também têm de se submeter à flagelação das formigas na passagem para a idade núbil, a saber, nas palmas das mãos, nos braços, no traseiro e nas solas dos pés, "para não ficarem preguiçosas e lerdas".[216] Pouco antes da primeira menstruação, a moça é tatuada nos cantos da boca com os costumeiros "motivos de anzol". Serve de tinta a cinza de abelhas melífluas queimadas, "para que todo o *caxiri* que a virgem preparar (ou seja, para o qual ela mastiga a massa) fique doce como o mel".

---

para o casamento, mas já pode ser usado no oitavo ano de vida, e não é raro um homem de 40 anos submeter-se à prova. Cada um recebe as flagelações pelo menos duas vezes em sua vida, alguns três ou mais vezes, segundo sua vontade. "O *maraké* reaviva os homens, impede-os de ficarem lerdos, torna-os ativos, espertos, laboriosos, dá-lhes força e os torna bons arqueiros." "Nas mulheres, o *maraké* impede que fiquem sonolentas; torna-as ativas, alegres, bem-dispostas, dá-lhes força e vontade de trabalhar, torna-as boas donas de casa, boas trabalhadoras nas plantações e boas preparadoras de *caxiri*" (Coudreau, op. cit., p.228).

Entre os Karib das Guianas, além de outras provas difíceis (jejum rigoroso, esvaziar uma grande cuia com caldo de *Capsicum*), os candidatos a cacique também tinham de se submeter à flagelação da formiga. O futuro cacique era deitado numa rede de dormir repleta de formigas grandes, e a rede era fortemente amarrada sobre ele, envolvendo-o. Sem suspirar nem se mexer, ele tinha de suportar horas a fio os ataques dos insetos temerosos e furiosos. Caso passasse por todas essas provas, podia ser reconhecido como cacique (Rich Schomburgk, op. cit., v.II, p.430-1; Appun, *Ausland*, 1871, p.185). Segundo uma outra fonte, se, devido às diferentes provas, ele ficasse extremamente enfraquecido, os outros chefes lhe punham um colar ou um cinto cheio de grandes formigas negras (*Reise nach Guiana und Cayenne*, p.153). Vide também Quandt, op. cit., p.266.

Os Ojana usam a flagelação da formiga contra doenças (De Goeje, *Bijdrage*, p.27).

Entre as tribos da costa (Warrau?), os futuros pajés devem submeter-se a ela (Roth, op. cit., p.339-40).

215 Na festa da puberdade dos Purukotó, os neófitos tinham de se abster, por um período, de toda e qualquer relação sexual (Barb. Rodr., op. cit., p.143). Entre os Karib e Akawoío, os caçadores, após sua autoflagelação na rede de dormir, podiam se recuperar e ser tratados pelas mulheres, mas só pelas mais velhas. Também não podiam se permitir liberdades com quaisquer mulheres (Roth, op. cit., p.280). Após o *maraké* dos Rukuyenne, os jovens têm de ficar dez dias na rede de dormir. Os casados entre eles não podem, nesse período, se relacionar com mulheres (Coudreau, op. cit., p.233).

216 Deram a Coudreau o mesmo motivo da flagelação das formigas das moças entre os Rukuyenne (op. cit., p.228). Os Purukotó acreditavam que a flagelação das formigas fazia as moças terem força e aguentarem os trabalhos mais pesados (Barb. Rodr., op. cit., p.143). Antigamente, a flagelação das formigas nas moças também era praticada pelos Aruak no Pomeroon (Roth, op. cit., p.309).

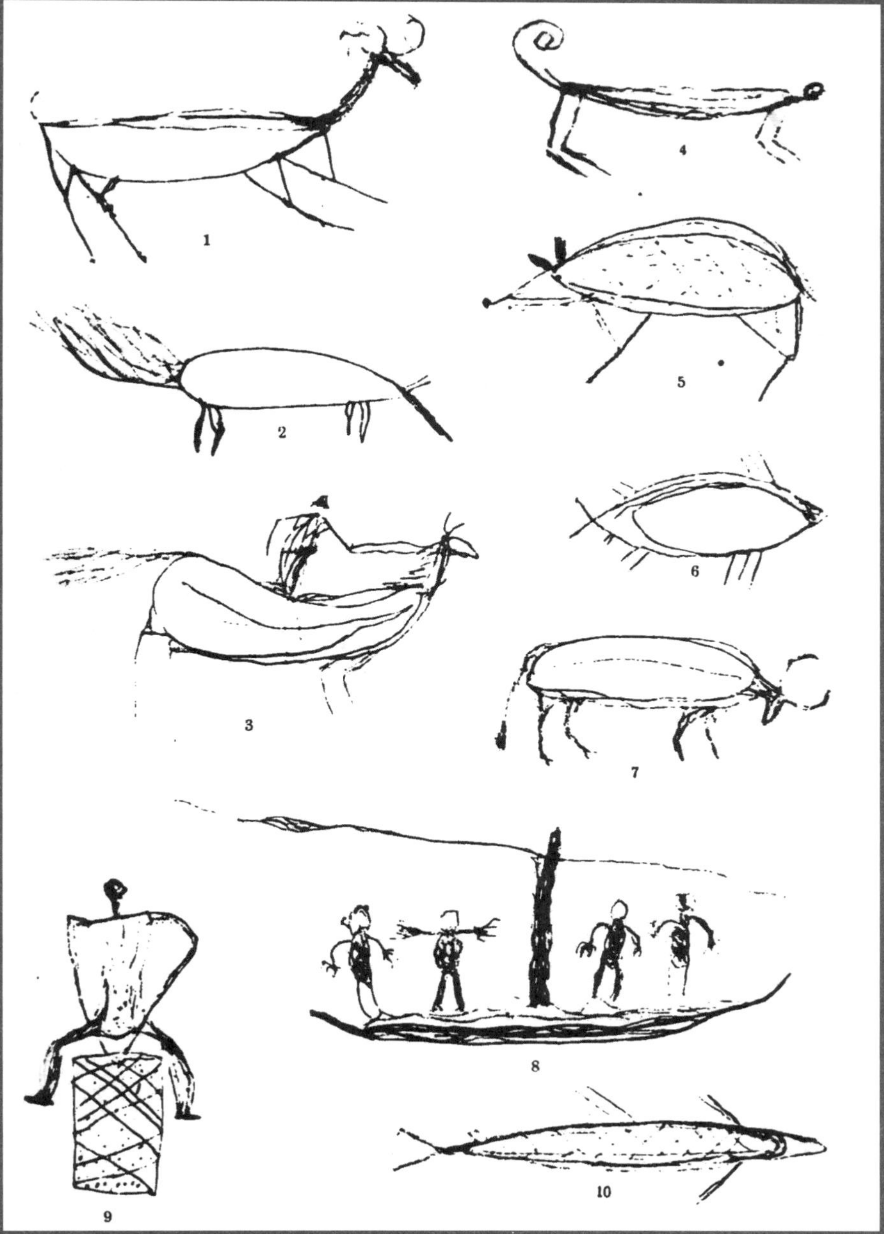

Prancha 28. Desenhos a lápis dos Taulipáng e Makuxí. 1. Veado da savana, chifres caracteristicamente curvados para dentro. 2. Tamanduá grande com cabeça longa e pontiaguda e cauda espessa. 3. Cavaleiro a cavalo. 4. Macaco. 5. Grande porco-do-mato. 6. Peixe piranha (*Serrasalmus*). 7. Boi. 8. Barco com pessoas e mastro com corda. 9. Mulher Taulipáng Meli, ralando mandioca. 10. Bagre (surubim: *Platystoma*). (Desenhos 1, 5, 6 e 10 de um Taulipáng de 25 a 30 anos; 8 e 9 do Taulipáng Tamấži de 25 anos; 2, 3 e 7 de um de 18 a 20 anos Makuxí; 4 de um Makuxí de 35 a 40 anos.)

A tatuagem e a flagelação das formigas geralmente são feitas pela avó, às vezes, pela mãe. O cabelo das moças também é cortado na nuca.[217]

Aos primeiros sinais de menstruação, a moça se recolhe a sua rede de dormir e passa a ser considerada impura. A avó lhe faz sandálias do pecíolo da palmeira *Mauritia* e prepara tinta de *urucu*, com a qual lhe pinta o corpo todo e a sola dos pés. O rosto é pintado com motivos e, no remoinho do cabelo, é feita uma mancha com a tinta vermelha. Então um ancião, na maioria das vezes o avô, bate na virgem do ombro para baixo com o mesmo chicote de fibras de *Mauritia* que é utilizado na puberdade dos garotos. O cordão do chicote é esfregado com pimenta vermelha para que as feridas ardam.[218]

Até a primeira menstruação passar, a moça fica deitada na rede de dormir, e nenhum homem estranho nem qualquer mulher estranha podem vê-la ao entrar na casa. Por isso, sua rede de dormir é separada do resto do recinto por um tabique, que ainda é fechado por panos ou por uma velha rede de dormir.[219] Quando a virgem é vista por uma pessoa estranha, ela perde a vergonha. Todos os membros da própria família podem vê-la.

Durante esse período, a moça não pode passar a mão pelo cabelo, mas usa para isso uma tira, do comprimento de uma mão, feita da casca externa de um pecíolo da palmeira *inajá* (*Maximiliana regia*).[220] Ela só pode comer peixes pequenos, "*traíras* pequenas, como as que se

---

217 Também entre os Purukotó, o cabelo da moça era cortado bem curto na nuca (Barb. Rodr., op. cit., p.144). Entre os Karib do Pomeroon, antigamente os cabelos dela eram queimados (Rich. Schomburgk, v.II, p.431).

218 Entre os Makuxí, após a primeira e a segunda menstruações, a virgem é chicoteada pela mãe com varas finas, sem que ela possa emitir um som de dor (Rich. Schomburgk, op. cit., v.II). A moça Purukotó, na primeira menstruação, recebia três chicotadas do pai (Barb. Rodr., op. cit., p.143). Entre os Galibí, na primeira menstruação, a moça tinha de se submeter a um rigoroso jejum e recebia então, em diferentes partes do corpo, várias incisões com dentes de peixe ou os agudos dentes incisivos do *Dasyprocta* (Barrere, *Nouvelle relation de la France équinoxiale*, p.225). Entre os Karib no Pomeroon, o feiticeiro fazia na virgem, com os dentes incisivos do *Dasyprocta*, duas profundas incisões ao longo das costas e de ombro a ombro, nas quais ele esfregava pimenta, sem que a flagelada pudesse manifestar dor (Rich. Schomburgk, op. cit., v.II, p.431).

219 Aos primeiros sinais de maturidade, a moça Makuxí é separada dos demais moradores da cabana. Sua rede de dormir, que ela só pode deixar durante a noite, é pendurada na ponta mais alta da cabana. (Igualmente entre os Purukotó, segundo Barb. Rodr., op. cit., p.143, e entre os Galibí, segundo Barrere, op. cit., p.225.) Mais tarde, ela pode ocupar um tapume no canto mais escuro da cabana (Rich. Schomburgk, op. cit., v.II, p.316).

220 Estranhamente, encontramos quase o mesmo costume no norte, entre os Hupa da Califórnia. Também entre estes, quando as moças chegam à puberdade, não podem passar a mão no cabelo, e sim usar um coçador de cabeça de ossos ou chifre, que fica pendurado em seu pescoço por um cordão (Pliny Earle Goddard, *Life and Culture of the Hupa*, Berkeley, 1903; University of California Publications, *American Archaeology and Ethnology*, v.I, p.53, pr. X, fig. 4. Vide também Fr. A. G. Morice O. M. I., "The Great Déné Race", *Anthropos*, v.V, p.977, fig. 65). Tanner relata o mesmo costume em seus "feitos memoráveis". (*Des Kentuckier's John Tanners Denkwürdigkeiten über seinen dreißigjährigen Aufenthalt unter den Indianern Nord-Amerika's. Aus dem Englischen übersetzt von Dr. Karl Andree*, p.118). Durante a dança do sol, os Teton-Sioux usam pauzinhos no cabelo, com os quais coçam o corpo, já que nessa época eles não podem tocar o corpo com as mãos (Frances Densmore, *Teton-Sioux music*, Smithsonian Institution, Bull. 61, Washington, 1918). Entre

pescam nos riachos do cerrado"; não pode comer *tucunaré*, *surubim* e outros peixes grandes "que batem na água e fazem esguichar espuma; isso intensificaria a menstruação". Ela também não pode comer animais de caça, especialmente "animais que têm muito sangue". Das comidas vegetais, é-lhe permitido *cará* (*Dioscorea*), bem como *mingau*, mas *caxiri* de qualquer tipo lhe é proibido.[221] A virgem submete-se a todas essas proibições até após a quinta, às vezes, sexta menstruação.[222]

Após a primeira menstruação, ela pode deixar a rede de dormir, mas não pode ir até a plantação, não pode carregar um aturá, não pode pegar uma faca, um machado, e não pode falar alto ou "se zangar".[223] Se ela pegar uma faca, fica com dor de cabeça. Se pegar um machado, fica com dores no braço e cansada. Não pode assoprar fogo,[224] e só pode atiçar o fogo com o abano, para não ficar com tontura, com a mente confusa (*upaiataíme*), e para não perder os sentidos (*engažípamẽ*).

Após a quinta ou sexta menstruação, a avó manda a virgem passar no cabelo, de manhã cedo e à noite, toda vez que acordar, mas não de dia, uma infusão das folhas, esmagadas e misturadas com água, das plantas *kumíg*,[225] *pa'lékrai̯*, *wa̱nág*[226] e *me̥se̱ua*,[227] para que o cabelo fique longo de novo.

Por fim, a avó sopra todos os utensílios da virgem, tais como machado, facão, faca, aturá, cestos, entre outros, com determinadas fórmulas mágicas, para que o uso das coisas não lhe faça nenhum mal.[228]

---

os Makuxí, nos primeiros dias após o nascimento de uma criança, os pais são proibidos de coçar o corpo ou a cabeça com as unhas das mãos. Devem fazê-lo com um pedaço do pecíolo da palmeira *cucurit*, que, para esse fim, fica o tempo todo pendurada ao lado de seu leito (Rich. Schomburgk, op. cit., v.II, p.314). Entre os Taulipáng, a família enlutada tem de se submeter à mesma limitação (vide mais adiante em "Morte e sepultamento"). Essa é uma prova evidente de que a pessoa em questão, à qual a proibição se refere, é considerada impura durante esse período.

221 As moças entre os Makuxí, Karib, Aruak, Warrau e Purukotó têm de se sujeitar a uma semelhante dieta severa (Rich. Schomburgk, op. cit., v.II, p.316, 431; Barb. Rodr., op. cit., p.143; Roth, op. cit., p.309).

222 Entre os Karib do Pomeroon, a moça passava pela prova depois do terceiro mês (Rich. Schomburgk, op. cit., v.II, p.431). Entre os Aruak, essas proibições permaneciam em vigor durante as primeiras seis ou sete menstruações. A cada vez, a moça ia morar numa cabana especial. Na primeira menstruação, ela não podia comer carne, somente pequenos peixes e pequenos beijus, e beber um pouco d'água. Nos meses seguintes, era-lhe proibido o consumo de carne de animais de grande porte ou de peixes que têm muito sangue. Ela também não podia pentear o cabelo e tinha de usá-lo solto (Roth, op. cit., p.309, 312).

223 As moças Warrau, durante dois ou três dias desse período, não podiam falar ou rir (Roth, op. cit., p.309).

224 Antigamente, ocorria o mesmo entre os Aruak do Pomeroon (Roth, op. cit., p.312).

225 Planta mágica com longas folhas em forma de capim; desempenha um importante papel nos ritos mágicos, especialmente nas transformações; vide v.II, p.31.

226 Capim.

227 Uma planta alta. Dizem que o nome significa "cabelos compridos".

228 Entre os Makuxí, essas coisas mais valiosas da virgem, assim como ela mesma, são sopradas pelo pajé sob murmúrios (de uma fórmula mágica) e, com isso, desencantadas. Panelas e taças que ela usou são destruídas, e os cacos são enterrados (Rich. Schomburgk, op. cit., v.II, p.316).

Nos primeiros cinco períodos de sua vida sexual, as moças recebem nomes especiais. Após a primeira menstruação, a moça se chama z̯aurontápiátesag,

após a segunda, *z̯átekónomāsag*,
após a terceira, *seleuanētau̯lonōenasag*,
após a quarta, *sákẹlēletau̯lonōenásag*,
após a quinta, *miátoi̯kitaulonōenásag*.
Só então é que se chama a moça de "virgem", *au̯ronópẹ*, *au̯róntapẹsin* ou *kau̯nápẹ*.

Liberdade das moças: a moça pode dispor livremente de seu corpo sem que seu noivo fique muito escandalizado com isso.[229]

Filhos bastardos são relativamente raros. Elas conhecem uma série de meios abortivos:

1. Elas põem no fogo uma grande cabaça esférica, como as que as mulheres usam para pegar água. Se ela estourar, o feto também estoura e sai. É uma espécie de feitiço por analogia.
2. Elas se deixam picar na barriga por grandes formigas *tocandira*.
3. Elas esmagam *tocandiras* e as bebem de manhã cedo com água fria que passou a noite ao ar livre.
4. Tomam sumo de limão misturado com água.
5. Raspam a casca da árvore *līkauá*[230] e a bebem com água.
6. Elas passam na barriga *wẹtez̯ág*, folhas de uma árvore que ardem como urtiga.

Dizem que existem ainda muitos outros meios. Mas devem ser usados predominantemente por mocinhas, raramente por mulheres casadas, que, em geral, dão grande importância à maternidade.[231]

Maternidade: existe uma fórmula mágica contra infertilidade que, infelizmente, não pude averiguar. A mãe sopra o *caxiri* que a filha deve tomar antes da relação sexual, pronunciando a bênção mágica de efeito tão eficaz, "que a filha, já no dia seguinte, engravida".

Existem atos que, dizem, exercem influência sobre o sexo e certas qualidades da criança que vai nascer: para ter somente meninos, a mulher prepara para si um chá da raiz da planta baixa *kumíg*.[232] Mas, se ela quiser meninos e meninas misturados, também bebe chá das folhas da planta baixa *pa'léurai̯*.[233] Então ela toma alternadamente ambos os chás, de manhã *kumíg*,

---

229 O mesmo ocorre entre os Makuxí (Rich. Schomburgk, op. cit., v.II, p.313).

230 Ou *elīkauá*, vomitivo que desempenha um papel como feitiço na iniciação dos pajés e em seus ritos de cura; vide mais adiante.

231 Rich. Schomburgk acredita que, entre as mulheres Makuxí, com frequência a gravidez é evitada artificialmente (op. cit., v.II, p.313).

232 Plantas mágicas; vide p.133, nota 225.

233 Idem à nota anterior.

à noite *pa'léurai̯*. Os homens têm diferentes fórmulas mágicas, que pronunciam todo dia, soprando o *mingau* que a mulher come para ter somente meninos ou meninas misturados.[234]

Todas querem ter meninos, disseram-me. As meninas não valem muito. Algumas ficam aborrecidas quando só têm meninas. Meninos são sempre desejados.

Os casais também pisoteiam batatas-doces cruas e, à noite, antes da relação sexual, passam a papa no cabelo para que a criança tenha cabelos bonitos.

Ocasionalmente, a relação sexual ocorre no campo ou no mato; na cabana, só à noite, quando os fogos estão apagados.

De acordo com certos indícios, acredita-se que é possível deduzir o sexo da criança que vai nascer. Se a mãe tiver dores do lado direito, então é menino; se as dores forem do lado esquerdo, então é menina. Se a mãe sonhar com muitas cabaças em que as mulheres buscam água, preparam *caxiri* etc., então ela terá uma filha. Mas se o pai sonhar com armas como arco e flecha, espingarda, faca, entre outras, então ele terá um filho.

Regras alimentares anteriores ao parto: quando uma mulher está grávida, ambos os cônjuges não podem comer peixes grandes, nem *inambu*, nem *mutum* (*Crax* sp.), que prejudicam muito a criança. Tampouco podem comer a pombinha *wẹluží*, que causaria grande dano à criança, ou anta, *agutí* (*Dasyprocta*), porcos-do-mato pequenos ou grandes, veados de qualquer espécie, *jacu* e *cujubim*, patos e *matrinxã*.[235] Podem comer *tucunaré*,[236] também todos os peixes pequenos, assim como a pombinha *waku'wá*,[237] que traz a alma da criança. Quando ela grita, chama a alma da criança.[238]

O pato levaria consigo a alma da criança para debaixo d'água. Os *marrecos* levariam a alma, à noite, para o céu. A anta aperta o estômago da criança e sua alma, de modo que a criança não consegue mais respirar; o mesmo faz o porco-do-mato. O veado vai com a alma da criança até

---

234 As mulheres dos Aruak e dos Warrau empregam bebidas mágicas semelhantes para ter filhos. Elas dissolvem na água uma esponja da espécie *Nidularia* e bebem o caldo. Não comem frutos geminados, pois creem que, assim, terão gêmeos (Roth, op. cit., p.286, 288).

235 Um peixe de escamas muito saboroso.

236 Peixe muito saboroso, semelhante à truta: *Erythrinus* sp.

237 Onomatopeia.

238 Entre os Akawoío e Karib, durante esse período o homem não come carne de *aguti*, para que a criança não fique magra como esse pequeno roedor; nem do *aimará* (*Hoplias macrophthalmus*), para que a criança não nasça cega, pois a película externa dos grandes olhos desse peixe lembra a opacidade da retina da catarata; nem da *paca*, para que a boca da criança não seja tão prognata nem a pele tão manchada como a desse animal – manchas que podem virar úlceras; nem do jacu (*Penelope* sp.), para que a criança não nasça morta, já que o grito dessa ave é visto como um indício da morte (Brett, *The Indian Tribes of Guiana*, p.355). Os Aruak-Pomeroon não podem, durante a gravidez da mulher, matar nem comer cobras, senão a criança, como uma cobra, não poderá falar nem correr. A grávida não pode comer carne de tartaruga, nem da anta, nem de um peixe que tenha muito sangue (como na menstruação). Só os pedaços da cauda do peixe lhe são permitidos (Roth, op. cit., p.319).

bem dentro da mata, e a criança fica tuberculosa. Os peixes grandes vão com a alma da criança até o fundo da água.

Essa precaução quanto à criança que vai nascer estende-se muito além dos dois cônjuges durante a gravidez da mulher. Assim, crianças e gente mais velha que ainda quer ter filhos não podem comer nada dos peixes grandes *morokó*, *zau̯ẹyún*, *moroyún*, *kumalú*,[239] senão a criança que eles ainda terão morrerá do quinto ao sexto ano de vida. Só gente velha, homens e mulheres "que não valem mais nada", ou seja, que não podem mais conceber nem dar à luz, podem comer desses peixes.

O homem não está proibido de dormir com a grávida.

Nascimento: a criança nasce na casa, atrás de um tapume que separa o recinto da parturiente do espaço restante. A mãe ou a sogra ajudam no parto.[240] A fim de que o parto seja mais fácil, a velha alisa a nuca da parturiente com um pente e penteia os cabelos, que, no parto, devem estar sempre soltos.

Durante o parto, os homens não podem estar presentes. Antes de deixar a casa, eles sopram a cabeça e a coluna vertebral da parturiente, proferindo a "fórmula da criança", uma fórmula mágica para facilitar o parto.[241] A seguir, sopram de novo a cabeça e a coluna vertebral entre os ombros e o traseiro, e saem da casa. Se o nascimento atrasa, então a velha pronuncia uma outra fórmula mágica[242] sobre água morna, sopra a água e lava com ela a cabeça e o corpo da parturiente ou, segundo outra informação, derrama-a simplesmente sobre a parte superior do corpo dela. Também lhe dão *mingau* para comer, sobre o qual, primeiro, pronunciou-se, do mesmo modo, uma fórmula mágica e se soprou.

Partos difíceis, especialmente complicações causadas pela posição transversal da criança, não parecem ser tão raros, como me asseguraram. Já apontam para esse fato as diferentes fórmulas mágicas que se ocupam de tais casos e que, mais tarde, serão tratadas dentro desse contexto.

O cordão umbilical é cortado com a zarabatana, que foi partida ao meio, e enterrado imediatamente com a placenta, a saber, num cupinzeiro. Para esse fim, corta-se a ponta do cupinzeiro na horizontal, faz-se nesse ponto um buraco e coloca-se dentro o cordão umbilical e a placenta, a seguir, a ponta é recolocada cuidadosamente. O umbigo é ligado com um fio de algodão puxado da rede de dormir da parturiente.[243] Com um fio, a mãe amarra o cordão umbilical caído no pulso esquerdo da criança. Somente um ano depois ela o retira e guarda cuidadosamente

---

239 Grandes peixes de escamas. *Morokó* designa uma espécie de *kumarú* grande: *Myletes* sp.

240 Entre os Makuxí, quando a mulher sente que sua hora está chegando, "vai para a mata próxima, ou a uma cabana desabitada e lá dá à luz sem qualquer auxílio" (Rich. Schomburgk, op. cit., v.II, p.313).

241 Vide "Fórmulas mágicas", n.IX.

242 Ibidem, n.X.

243 Entre os Makuxí, o cordão umbilical é cortado pela mãe ou pela irmã da parturiente, quando a criança é um menino, com um bambu afiado, se for menina, com um pedaço de zarabatana, e, a seguir, ligado com um fio de algodão (Rich. Schomburgk, op. cit., v.II, p.313-4).

em seu cesto de trabalho. Esse pedacinho de cordão umbilical não pode ser perdido, senão a criança perde o juízo.

Imediatamente após o parto, a criança é banhada com água morna pela avó. Já no primeiro dia, ela mama no peito. A partir do segundo dia, a mãe a lava com água morna, mas sempre na casa, atrás do tapume, no recinto da parturiente, que ambos os pais não podem deixar durante os dez primeiros dias. Água fria faria mal à criança. Nesse período, pai e mãe também se lavam diariamente com água morna. O banho costumeiro lhes é proibido.

Sobreparto: após o nascimento da criança, ambos os pais passam dez dias na rede de dormir atrás do tapume e comem apenas beiju e caldo morno de amido de mandioca. Só podem deixar a casa para satisfazer suas necessidades, mas não podem andar lá fora. Depois desse período, também não podem trabalhar por dois meses, alguns três ou quatro meses. A mulher só pode buscar água para beber; ela não pode cozinhar – a avó prepara o *mingau* – e não pode trabalhar na plantação. O homem não pode pegar, especialmente, num machado nem em faca, não pode cortar *cipó* nem fazer flechas, não pode atirar com arco e flecha ou com uma espingarda, senão ele bate, corta, atira na cabeça da criança.[244] Por um ano, ele não pode se relacionar com sua ou com outra mulher, senão o umbigo da criança incha ou a uretra entope, e a criança morre.

---

244 Entre os Makuxí, as semanas em comum dos pais duram até o cordão umbilical cair. Nesse período, a mãe é considerada impura, e se o marido não possuir uma cabana especial para as semanas, ele tem de separar o leito com uma parede de folhas de palmeira. Nem o pai nem a mãe podem fazer qualquer trabalho. O pai só pode deixar a cabana à noite por alguns momentos, não pode tomar banho nem pegar em qualquer arma. Ambos os pais só podem tomar água morna e comer papa de mandioca que um parente preparou (Rich. Schomburgk, op. cit., v.II, p.314). Entre os Aruak do Suriname, nesse período o homem não podia derrubar árvores, nem atirar com a espingarda, nem caçar animais de grande porte, senão a criança ficaria doente e morreria. Só lhe era permitido acertar, nas proximidades, pequenas aves com a flecha e pescar peixes pequenos (Quandt, op. cit., p.252). Segundo a crença dos Karib do Suriname (Galibí), a vida da criança recém-nascida dependia totalmente do pai. Por isso, este também não podia realizar trabalho pesado. A caça lhe era proibida, pois a flecha poderia acertar a criança. Por toda parte, ele passeava devagar e com cuidado, evitando locais espinhentos. Mesmo se sentisse coceira, só poderia se coçar com cuidado, para não causar dores à criança (F. P. Penard apud A. P. Penard, *De Menschetende Aanbidders der Zonneslang*, Paramaribo, 1907, p.159).

Costumes semelhantes são testemunhados em todas as tribos das Guianas e dos Karib das ilhas. Ambos os pais, mas com frequência o homem muito mais do que a mulher, eram submetidos a um jejum rigoroso após o nascimento de uma criança, que, não raro, durava vários meses. Comer carne de determinados animais era proibido especialmente aos pais, para que certas características inferiores do animal em questão não fossem transmitidas à criança. Ambos os pais também não podiam, nesse período, fazer trabalho pesado, para não prejudicar a criança. Em algumas tribos, o pai tinha de se submeter a doloridas flagelações; vide especialmente Barrere, segundo cuja descrição os homens Galibí, por ocasião do nascimento do filho mais velho, submetiam-se ao mesmo jejum rigoroso e a flagelações doloridas e chicoteamento que as moças na primeira menstruação (op. cit., p.223*ss.*). Roth (p.320*ss.*) compilou outros numerosos exemplos da literatura e de suas próprias observações. Vide também Kunike, "Das sogenannte 'Männerkindbett'", *Zeitschrift für Ethnologie*, ano 43, p.550*ss.*, 1911).

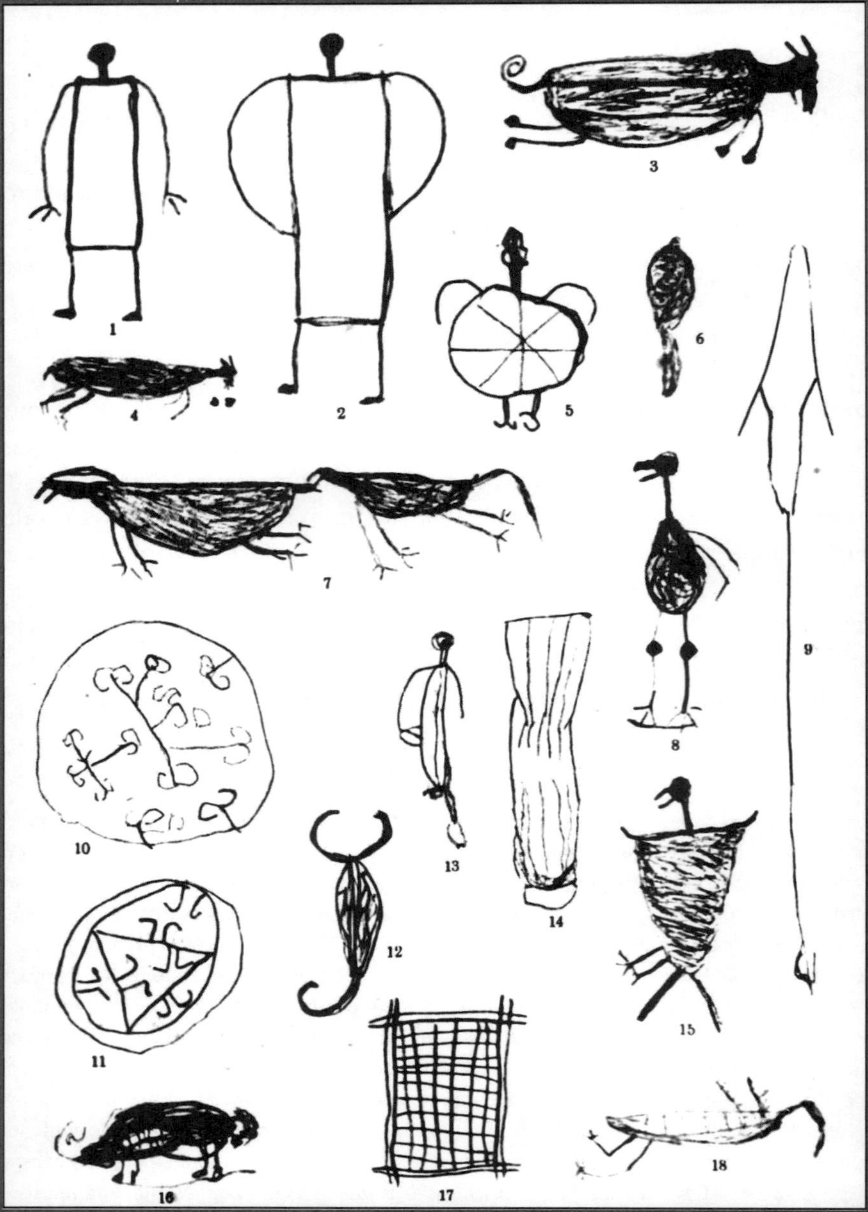

Prancha 29. Desenhos a lápis do Taulipáng Tamắži, de 25 anos, e seu irmão Emazi, de 20 anos. 1. Dutúru (Dr. Koch-Grünberg). 2. Aeketön ("idade" = Hermann Schmidt). 3. Cachorro. 4. Cutia (coelho dourado: *Dasyprocta*) come frutas. 5. Tartaruga vista de cima. 6. Girino. 7. Anta sendo perseguida por um cachorro. 8. Agami (pássaro trompetista: *Psophia crepitans*). 9. Seta (chamada "ponta de flecha" pelo desenhista porque a ponta é tratada como o principal). 10 e 11. Cestos com padrões trançados. 12. Escorpião. 13. Taulipáng Newengú, que fez a armadilha. 14. Armadilha para peixes grande com funil duplo e alça (cf. Ilustr. 18 2 a, b, c). 15. Águia, provavelmente *Harpyia destructor*. 16. Bugio (*Mycetes*) em um galho. 17. Peneira de mandioca. 18. Íbis.

O cuidado de ambos os pais estende-se em especial em relação à criancinha doente. Em Koimélemong, dois homens, um dia, não comeram molho de pimenta porque cada um deles tinha uma filhinha pequena doente em casa, cujo estado pioraria se o pai comesse comida tão condimentada.

As rigorosas regras alimentares podem ser suavizadas por fórmulas mágicas, por exemplo, através da "fórmula da lontra".[245] Por uma semana após o nascimento da criança, os pais só podem comer peixes pequenos. Então podem comer novamente peixes grandes depois de dizerem essa fórmula sete vezes e soprarem os peixes que estão na tigela com pimenta e sal.

Muito se escreveu sobre as causas e o significado do chamado "sobreparto masculino". Alguns veem nele uma invenção das mulheres para manter os homens perto delas nesse período em que mais precisam de sua ajuda e impedi-los de trazer para casa grande presa de caça e pesca, cujo preparo daria ainda mais trabalho à mulher.[246] Segundo outros, o índio supõe que, mesmo depois de algumas semanas após o nascimento, exista uma ligação misteriosa entre pai e filho.[247] A mim me parece que ambos os fatores, pelo menos até certo grau, desempenharam um papel nesse costume. Não resta dúvida de que esses costumes tenham íntima relação com as regras de conduta antes do parto.

Assim como na menstruação, também durante a gravidez as severas regras alimentares são, em primeiro lugar, leis de higiene que surgiram com a experiência. Comida leve e pouca bebida, especialmente no clima quente, são mais toleráveis para a mulher menstruada. Tornam o desconforto que esses dias trazem consigo o menor possível. Na gravidez ocorre o mesmo. Comidas à base de carne, de difícil digestão, causam fadiga, portanto prejudicam a criança. Em casos normais, uma dieta moderada proporciona um parto mais fácil. Em segundo lugar, vem o medo supersticioso da transmissão, para a criança, de características ruins dos diferentes animais através do consumo de sua carne. Isso esclarece de modo suficiente as regras alimentares para a mãe.

Agora o medo da transmissão de características animais foi despertado pela mulher também em seu marido. Ambos desejam uma criança a mais saudável e robusta possível. Ambos se preocupam com sua vida. Consequentemente, o pai também deve evitar tudo que possa prejudicar a criança. Por isso, antes mesmo do nascimento dela, ele segue com escrúpulos receosos todas as prescrições a que a mulher também se submete. Quando a criança nasce, está sujeita a mais perigos ainda. A mortalidade infantil é grande. Ambos os pais esforçam-se para conservar a delicada vida. Por conseguinte, o pai fica perto de seu filho, evita principalmente a caça para não cair na tentação de abater animais cujo consumo poderia prejudicar a criança. Esse cuidado se estende cada vez mais; leva, aos poucos, à crença de que cada ação do pai poderia exercer influência sobre o bem-estar da criança e, por fim, chega a ponto de o homem, muito tempo ainda depois do nascimento da criança, ficar em casa no mais rigoroso isolamento e ser considerado a principal pessoa do sobreparto.

Não ocorre nenhuma festividade em homenagem ao nascimento de uma criança.

---

245 Vide "Fórmulas mágicas", n.VIII.

246 Quandt, op. cit., p.253; Joest, op. cit., p.96*ss*., entre outros.

247 Vide Penard, op. cit., v.I, p.158*ss*. Vide também K. v. d. Steinen, *Unter den Naturvölkern*, p.334*ss*.

Dá-se de mamar por cerca de dois anos. "As mulheres", disse meu informante, "talvez tenham um meio para manter o leite." Também vi avós amamentando. Com frequência, levam a criança ao peito quando a mãe tem outra ocupação.[248] No entanto, deve-se considerar também que a índia, muitas vezes casando-se cedo, já pode ser avó em idade relativamente jovem. Além disso, não é certo que o peito, em cada um desses casos, ainda tenha leite. Frequentemente, talvez ele sirva apenas como calmante, como a chupeta entre nós.

Eles não acreditam que, durante o período de amamentação, não possa ocorrer nova concepção.

As mulheres também alimentam no peito animais pegos ainda jovens, o que faz que eles fiquem muito mansos.[249] Na aldeia Denóng do Roraima havia um veadinho que uma índia havia domesticado dessa maneira e que, agora, seguia cada passo de sua mãe adotiva.

Gêmeos são criados, supostamente, sem hesitação.[250] Diz-se que até ocorrem casos em que uma mulher tem três ou quatro crianças de uma vez. Contaram que, no Majari, uma mulher deu à luz quadrigêmeos que sobreviveram. Que somente quando tinham cerca de dois anos foi que duas das crianças morreram.

Nunca ouvi nada sobre infanticídio. No entanto, deixam-se morrer, pelo visto na mais tenra idade, crianças que nascem aleijadas, que provavelmente são muito raras entre essa gente sadia.[251] Dentre os muitos índios que vi entre o Uraricoera e o Roraima, havia somente um jovem Taulipáng com a coluna muito deformada, um ombro muito alto e um braço torto e aleijado, mas, no mais, de corpo bem formado e de agradáveis traços fisionômicos. Infelizmente, não me informei sobre a causa de seus defeitos, mas parece que somente em sua infância tardia, talvez devido a uma queda, foi que ele ficou nesse estado.

A fertilidade das mulheres, em geral, não é pequena entre esses índios do cerrado. Não fiz registros exatos sobre isso, mas pode-se supor que, a cada família, caibam, em média, quatro a cinco nascimentos.[252] Existem até mesmo casos isolados de famílias numerosas. Assim, o ca-

---

248 Quandt (op. cit., p.253) diz das mulheres dos Aruak: "Elas amamentam seus filhos até quase o outro nascer, então a avó, quando existe uma, assume essa tarefa por mais algum tempo. Com frequência, vi crianças em pé junto a suas mães ou avós e mamando nelas. Por isso, elas também procuram conservar o leite em seus peitos". Rich. Schomburgk encontrou o mesmo entre os Makuxí. Seu acompanhante índio, Sororeng, a quem ele perguntou sobre esse comportamento surpreendente, respondeu-lhe "que as mulheres empregam um remédio que lhes conserva o leite até em idade avançada" (op. cit., v.II, p.315).

249 O mesmo ocorre entre os Aruak (segundo Quandt, op. cit., p.253-4) e entre os Makuxí, entre os quais essa tarefa geralmente cabe às avós (Rich. Schomburgk, op. cit., v.II, p.315).

250 Rich. Schomburgk chama os nascimentos de gêmeos de "extremamente raros". Durante sua estada por vários anos entre os índios das Guianas, ele só consegue se lembrar de dois pares de gêmeos, entre os Makuxí e os Akawoío, que, ao mesmo tempo, comprovam que também entre essas tribos não se manifestam restrições a nascimentos de gêmeos (op. cit., v.II, p.313).

251 O mesmo faziam os Aruak (Quandt, op. cit., p.254). Os Galibí matavam e enterravam crianças aleijadas imediatamente após o nascimento (Barrere, op. cit., p.227).

252 Quandt diz, das mulheres Aruak, que raramente elas tinham mais de três ou quatro filhos (op. cit., p.254), mas ele não indica quantos partos elas têm em média.

cique Makuxí *Pitá* tinha, de uma mulher, sete filhos na idade de cerca de 16 até 2 anos. Seu cunhado William, um homem ainda relativamente jovem, tinha, de cada uma de suas três mulheres, dois filhos em idade de até 4 anos. Meu acompanhante *Mayūluaípu* tinha, originalmente, quatro irmãos, uma irmã e três irmãos, dos quais, porém, um havia morrido. Um Wapixána na *serra do Panelão* tinha, de uma mulher, cinco crianças na idade de cerca de 18 a 3 anos. Também no Roraima havia famílias com quatro a seis crianças.

Em uma festa de dança em Koimélemong, à qual vieram muitas visitas de fora, fiz um censo em que mandei todos os presentes formarem uma longa fila, um ao lado do outro. Eram 160 homens, 169 mulheres, 96 garotos, 75 meninas e 53 crianças de peito, a grande maioria Taulipáng.

A mortalidade infantil é grande, o que deve ter diferentes causas. Primeiro, deve ser a crassa diferença entre estiagem e época de chuvas, que causa resfriados e se torna perigosa para as crianças pequenas. Depois, são as frequentes visitas a festas de vizinhos, para as quais também se levam as criancinhas, frequentemente por vários dias de viagem, e a dança de várias horas na praça ao ar livre, no sereno, com o bebê na tipoia. Por fim, são as grandes epidemias, como varíola e gripe, que dizimam especialmente as crianças em tenra idade. Por isso, acontece de se contar, em média, com duas crianças por família, as quais crescem e contribuem para a reprodução, de maneira que as tribos não aumentam, mas, devido às doenças que de vez em quando surgem de maneira epidêmica, matando também muitos adultos, diminuem constantemente, mesmo que devagar.

O fato de um casal não ter filhos sempre é atribuído à mulher, que sofre um certo desprezo por isso, mas que nunca é demonstrado em sua presença. De uma jovem e bem bonita mulher Taulipáng em Koimélemong contaram-me várias vezes, com um sorriso zombeteiro, como se fosse algo especial, que ela não tinha filhos.

Nomes: na maioria das vezes, o próprio pai é quem dá o nome ao filho, com frequência também o avô, pai do pai, três, quatro ou cinco dias após o nascimento, às vezes imediatamente após o nascimento.[253] Existem até pais que determinam antes do nascimento um nome para a criança: "se for um menino, ele se chamará assim, se for uma menina, ela se chamará dessa forma"! A criança, menino ou menina, recebe apenas um nome.

Esse nome próprio, como o chamaremos sem rodeios, pois está intimamente ligado à pessoa de seu dono, quase nunca é empregado, provavelmente apenas no círculo familiar mais íntimo e, nele, é provável que muito raramente, nunca na presença de estranhos. Nunca ouvi dois chamando-se pelos nomes. Entre os Taulipáng, os estrangeiros também usam, no vocativo, somente o costumeiro *z̮ako* (cunhado), mais raramente *yakómbi*. Os Makuxí dizem *yako*. Esse nome também vale nas relações com estranhos, mesmo com membros de uma outra tribo linguisticamente não aparentada, por exemplo, entre Taulipáng ou Makuxí ou Wapixána que,

253 Entre os Makuxí, após o sobreparto, a avó ou o avô ou, se ambos não existirem mais, o pai dá à criança um nome comum na família (Rich. Schomburgk, op. cit., v.II, p.314-5).

nesse caso, empregam a palavra estrangeira *yā́ku*. Membros da família, também em grau mais distante, geralmente se tratam com os nomes de parentesco.[254] Assim, os Taulipáng empregam *p̄́abai̯* (papai), *ā́maĩ* (mamãe), *úmũ* (meu filho), *(u)yendží* ou *yendzí* (minha filha), *moyí* (meu irmão mais novo; também em relação a um parente próximo ou como especial designação de afeto a um amigo mais jovem), *na'naĩ* (minha irmã mais velha), *āuó* (tio), *ā́maĩ* ou *amaíyakon̊* (tia), *mā'nṓ* ou *mā'nón̊* (prima; também em relação a uma moça mais jovem que não é parente próxima, e mesmo a mãe para a própria filha pequena, vide v.II, p.113), *amokó* (avô), *kokó* (avó). As mulheres e meninas dizem para um irmão ou para um parente masculino ou para um amigo (também mais velho) *pípi* (irmão). Era assim que as meninas me chamavam.

Existe algo de misterioso em torno do nome próprio ou do nome de nascença. Quase nunca se consegue ouvi-lo da boca do seu dono. Geralmente eu tinha de perguntar a outro, o qual, caso a pessoa em questão estivesse por perto, o cochichava no meu ouvido somente após certa hesitação. Se eu então chamasse alguém pelo nome, ele ria, mas, pelo visto, isso lhe causava grande constrangimento. Pode-se explicar isso pelo fato de o nome da pessoa estar intimamente ligado ao seu dono; é, de certo modo, um pedaço do seu Eu, de sua personalidade, que ele abandona de mau grado, assim como despojos do corpo, por exemplo, cabelo[255] ou unhas, ou como alguns com sua imagem na fotografia ou um outro com sua voz no fonógrafo. De modo semi-inconsciente, o medo de feitiço deve desempenhar um papel nisso, a crença universal de que o outro pode dispor totalmente de mim se possuir apenas um pedaço da minha pessoa.[256]

Os nomes próprios se referem a animais ou plantas ou utensílios domésticos e coisas semelhantes, ou são nomes de personalidades mitológicas, ou referem-se a acontecimentos es-

---

254 O mesmo ocorre entre os Aruak e Makuxí, segundo Im Thurn, op. cit., p.220; os Kalínya-Galibí, segundo Penard, op. cit., p.160.

255 Vide v.II, p.31-2, 82.

256 Vide Im Thurn, op. cit., p.220 (Aruak, Makuxí); Roth, op. cit., p.304 (Aruak); Penard, op. cit., p.160 (Kalínya-Galibí); De Goeje, op. cit., p.26 (Trio, Ojana). Eugène André encontrou o receio de dizer o próprio nome indígena também entre os Waiomgomos (Yekuaná) no médio Caura: Eugène André, *A Naturalist in the Guianas*, p.16. O nome pode, ao mesmo tempo, ser uma proteção contra perigos externos: por isso, às vezes é trocado. Segundo uma crença ingênua, se eu adotar um outro nome, o espírito que quer me fazer mal não pode me achar. Por isso, os Kalínya-Galibí têm, além de seu nome de nascença ou secreto, um nome especial para viagens. Os nomes de batismo cristãos também os protegem, segundo sua crença, de ataques dos maus espíritos, já que estes são impotentes contra o batismo. Por isso, esse nome cristão também não é mantido em segredo (Penard, op. cit., p.160). Crevaux conta que os Rukuyenne (Ojana) tinham dois nomes; um eles usavam na alocução, o segundo, na ausência da pessoa em questão (Vocabulaire Français--Roucouyenne, *Bibliothèque Linguistique Américaine*, tomo VIII, p.13-4). Segundo De Goeje, alguns Trio têm dois nomes, um para relações com estranhos, o outro para amigos (*Beiträge*, p.26). Um índio sem nome, segundo a crença dos Aruak-Pomeroon, é vítima certa da primeira doença ou de um acidente. Quando um pajé obtém sucesso com seu rito de cura, ele pode dar um novo nome ao paciente e, com isso, torna-lhe possível começar uma nova vida (Roth, op. cit., p.305-6, 345). Os Karib das ilhas recebiam seus nomes logo após o nascimento, mas mais tarde o trocavam, quando, por exemplo, matavam um inimigo valente cujo nome adotavam; ou pediam em festas que lhes dessem um outro nome (Rochefort, op. cit., p.485).

peciais. Muitos nomes não podem mais ser analisados, nem mesmo pelos índios. Gosta-se de escolher um nome que é usual na família em questão.[257]

Além do nome próprio, com o tempo quase todo índio recebe um sobrenome ou apelido que, geralmente, se refere a uma visível qualidade física ou de caráter e é dito de má vontade por seu dono, mesmo que com menos receio.[258]

Além disso, os índios que entram em contato com os brancos quase sempre recebem um nome cristão, chegando mesmo a pedir por ele, apesar de, na maioria das vezes, não saberem nada do cristianismo. Eles usam esses nomes sem hesitação.[259]

O Taulipáng *Mayūluaípu*, chamado José – não consegui descobrir seu apelido, se é que ele possuía um –, disse-me diferentes nomes e apelidos de seus parentes próximos, com a tradução: seu pai se chama *tāpe̥z̯aí* e seu apelido indígena é *tē sepe̥n̊* – "sem nome". Além disso, ele também tem um apelido português, *Papagaio*, porque é muito tagarela e conta histórias. O nome ou, provavelmente, apelido de sua mãe é *wē̥lidžán̊* – "as meninas" (plural). Seu irmão falecido se chamava *sau̯idžauí* ou *zau̯idžau̯í*, segundo um veado de ampla galhada, mas corpo pequeno. O nome de seu irmão mais jovem é *waítukui̯d* – "jovem da cabaça", o nome de sua irmã é *lau̯ā́z̯ame̥* – "beija-flor". Seu avô, pai do seu pai, chamava-se, segundo um homem do mito, *z̯alī́mã* ou *z̯alī́mē̥*.[260] O apelido de seu irmão caçula é *adžídža* – "malcriado", porque ele chorava muito quando criança, especialmente à noite.

O nome próprio do meu outro acompanhante, o Arekuná, era *me̥se̥uaípu*, seu apelido era *akū́li*, segundo um gracioso roedor desse nome, ao qual ele se assemelhava com sua baixa estatura e sua natureza ágil.[261] Era chamado de "João" por seu amigo José-*Mayūluaípu*, apesar de quase não falar português.

Um Taulipáng mais velho se chamava *timbí* – "vespa"; um outro tinha o mitológico nome de *piai'mã*, segundo o grande feiticeiro e antropófago da lenda.[262] Uma mulher no Roraima se cha-

---

257 Entre os Karib das ilhas, a criança recebia seu nome segundo um antepassado, ou segundo uma árvore, ou segundo um acontecimento que sucedera ao pai durante a gravidez da mãe (Rochefort, op. cit., p.484). Os Aruak e Makuxí dão à criança, logo após o nascimento, um nome de uma planta, de um animal ou de algum objeto da natureza. Antigamente, o pajé escolhia um nome; hoje, na maioria das vezes, isso é feito pelos pais (Im Thurn, op. cit., p.219-20). Entre os Aruak Pomeroon, antigamente o pajé dava um nome à criança assim que ela começasse a engatinhar (Roth, op. cit., p.305). Entre os Kalínya-Galibí, a criança recebe um nome pouco após o nascimento, que se refere a alguma característica física, a um animal, a uma planta etc. Esse nome é mantido sob rigoroso sigilo e é conhecido apenas dos membros da família e dos amigos, assim como do pajé, que, outrora, o dava sozinho. A maior prova de confiança é quando um índio diz o seu nome (Penard, op. cit., p.160).

258 Rich. Schomburgk (op. cit., v.II, p.323-4) salienta o gosto dos Makuxí pela zombaria, os quais conferem um apelido não só a cada companheiro de tribo, mas também a cada estrangeiro, tão logo este apareça entre eles, de acordo com um defeito físico ou com uma qualidade física, dos quais o viajante dá uma série de exemplos. Barb. Rodrigues (op. cit., p.165-6) comunica alguns apelidos dos Krischaná do rio Yauaperi.

259 Vide Im Thurn, op. cit., p.220; Penard, op. cit., p.160. Muitos Trio, além de seus nomes autóctones, têm nomes provenientes de negros fugidos, já que mantêm relações somente com estes, não com os europeus (De Goeje, *Beiträge*, p.27).

260 Dono de uma flecha de caça mágica, vide v.II, p.90-1.

261 *Dasyprocta*.

262 Vide v.II.

mava *mē̱lí* – "pequeno caranguejo"; uma moça bonita era *mai̯yanā́pe̥n̊*, que me foi traduzido por "moça do cupim branco". O nome pessoal do gordo cacique Selemelá era *kape̥telén* e me foi explicado como "uma coisa que está no ar (*kape̥*) e faz *telén* como o chocalho de dança".

Como segundo nome, talvez apelido do cacique Makuxí *Pitá*, que também tem o nome cristão "Manuel", os Taulipáng me deram o nome *zipe̥lā́li*, que em sua língua designa a "ponta de ferro da flecha" em forma de lanceta.

Os nomes cristãos portugueses, espanhóis ou ingleses às vezes são tão indianizados que quase não se pode reconhecê-los. A princípio, achei que "Wiyáng" e "Selemelá" fossem nomes puramente indígenas, quando, na verdade, derivaram dos nomes ingleses "William" e "Samuel". O inglês "Thomas" virou *tamā́ži* ou *tamaži*, talvez também *tamaíd*, e ninguém irá supor no nome Taulipáng *džiuaú* o nome português João. Dificilmente se reconhece em *samburukú* o nome de meus famosos predecessores, de cuja viagem os Taulipáng ainda sabem contar vários detalhes.[263]

Não consegui determinar o significado de alguns nomes e não sei distinguir quais deles são nomes próprios e quais são apelidos ou se, em alguns, não se trataria de nomes europeus indianizados.

Nomes Taulipáng:

Homens:	*tībíg*	Homens:	
antelo[264]	*kayaukaleípu*	*umā́yikog pakalai*[265]	*lan̊kó*
arpo	*katū́ra*	*ye̥ualí, ye̥alí, y(e̥)úali*	*mai̱palalí*[266]
ase(x)kóg		*džū́li*	*me̱laží*
ē'mán	Mulheres:	*džaūlián*	*né̱riži*
emā́ži	*māle̥sén̊*[267]	*yu'rán̊*	*ne̱ue̱ngú*
tauená	*se̥lāne̥lá*	*džilawó, žilawó*	*pē̱delík(e)*
tanḗli	*tēsētā́pe̥n̊*	*tšā́nio*	*pūg*[268]

---

263 Por muito tempo, Im Thurn achou que "Schassapun", nome de um Makuxí, fosse um nome próprio indígena, até que descobriu que o homem usava o nome do viajante alemão Charles Appun (Carl Ferdinand Appun) (op. cit., p.220-1). Na época de Coudreau (1885) ainda vivia na serra Taiana, ao sul do Uraricoera, um Wapixána, um dos guias de Rob. Schomburgk, que havia 45 anos usava o nome de seu antigo patrão (Coudreau, *La France Équinoxiale*, v.II, p.396). Eugène André (op. cit., p.15-6) diz dos Waiomgomos (Yekuaná) do médio Caura: "Assim que um índio trava contato com venezuelanos, ele adota algum nome espanhol", que, com frequência, é indianizado. "Maite", que, a princípio, André pensou que fosse um nome indígena, era uma adulteração de "Mateo".

264 Encontrei esse nome duas vezes.

265 Talvez signifique "bolsa de caça (*pakàlá*) dos Umáyikog", uma espécie de demônios da montanha; vide mais adiante.

266 Também pode ser um nome Purukotó.

267 Assim se chamava a mulher mais velha do Roraima, cujo pai fora acompanhante dos irmãos Schomburgk; vide v.I, p.114-15.

268 Nome de um Ingarikó; também pode pertencer à língua Ingarikó.

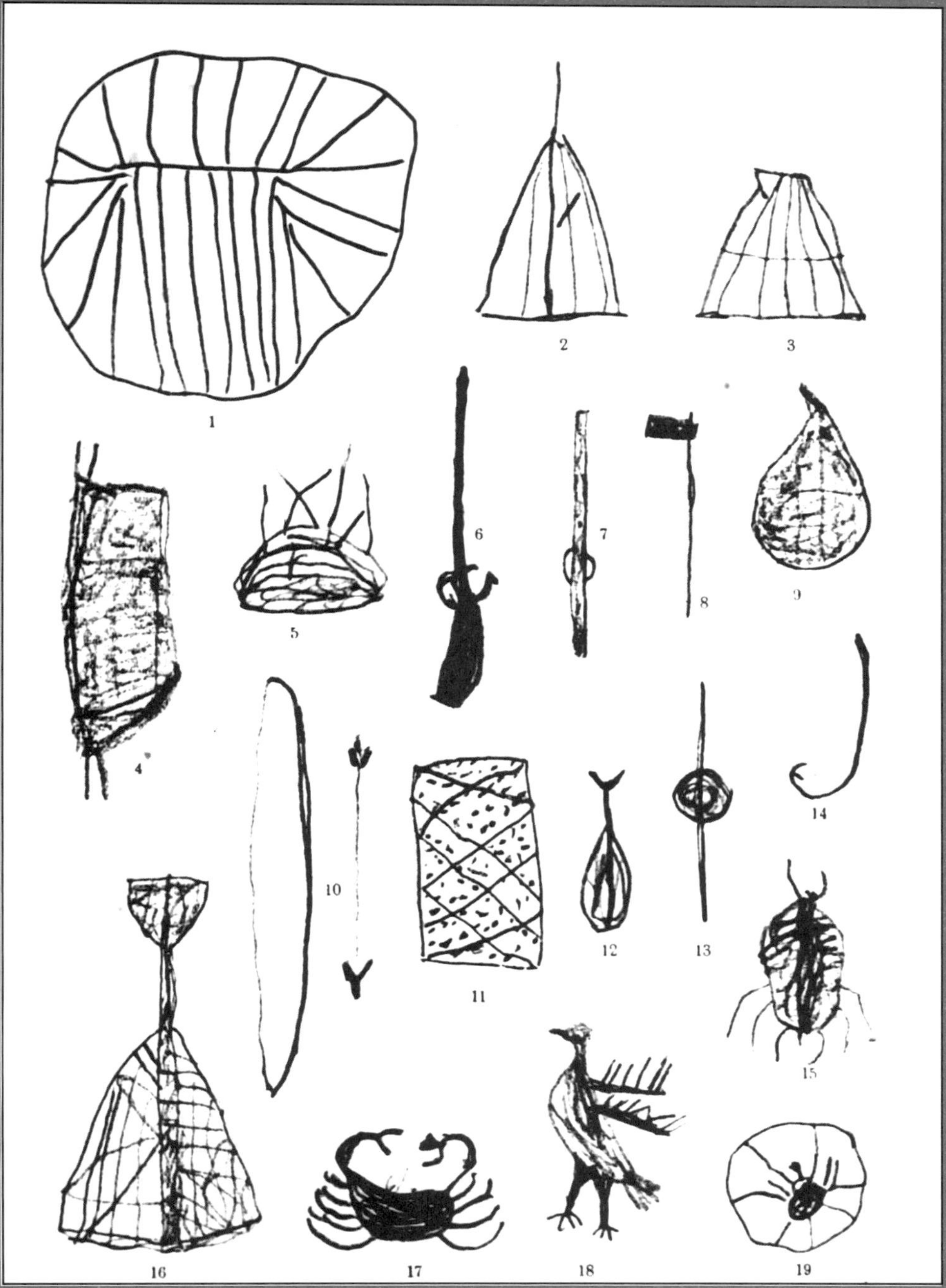

Prancha 30. Desenhos a lápis do Taulipáng Tamā́ži, de 25 anos, e seu irmão Emazi, de 20 anos: 1. Cabana de descanso, planta baixa. 2. Cabanas de telhado cônico com um poste central muito saliente. 3. Cabana com um cume curto. 4. Canastra, vista lateral (cf. Pr. 12, Il. 12). 5. Plantio de mandioca com mudas novas. 6. Espingarda. 7. Zarabatana com mira. 8. Machado. 9. Cabaça. 10. Arco e flecha. 11. Colher. 12. Remo com cabo de muleta. 13. Chocalho de dança. 14. Anzol de pesca. 15. Inseto aquático. 16. Clava de guerra. 17. Caranguejo. 18. Galo-da-serra (*Rupicola rupicola* L.). 19. Aranha na teia.

Na narrativa da luta entre os Taulipáng e os Pixaukó[269] aparecem alguns nomes de homens Taulipáng que, certamente, são nomes próprios, mas cujo significado não conheço:

manīkuẕá
ālián
mauaná
ẹwamã

Os nomes próprios nos mitos, lendas e narrativas que anotei,[270] foram-me explicados como segue, mas não estou certo se todas essas traduções que, com frequência, são dadas somente após longa reflexão, também são corretas linguisticamente:

Nomes de homens:
žigẹ́ – "bicho do pé"
mānápe, *ma'nápe* – "semente de abóbora"
wakalámbẹ – "ciclone"
anžikīlan̊ – "perdiz"
akalapižẹímã – "moço do gafanhoto"
waẕāmaímẽ – "moço do caranguejo" (*wazakẹ́*)
maịtẋaúlẹ – "cupim branco"
amẽluaẕaípu – "moço da corredeira"
mẹsẹzauaípu – "moço do descanso"
okīlanag – "jovem do *jacu*"
kauā́yuyaị – "jovem do fumo" (*kauaí*)
pakā́lamoka – "puxador[271] da bolsa de caça"
ilón̊gali – "moço da sujeira" (*ilónsalu*)
komḗluyaị – "moço da *kumī*" (planta mágica)
tautaúalẽ – "tagarela"
kalā́wunség – "um que chora muito"[272]

Nomes de mulheres:
pẹlauẹnápẹn – "moça da flecha" (*pẹlẹ́u*)
likīliápẹn – "moça do *likili*"[273]
kamãliā́pẹn̊ – "moça da andorinha" (*kamãliá*)

---

[269] Vide p.108*ss*.
[270] Vide v.II.
[271] *moka* (radical verbal) – puxar.
[272] *kalawomẹ* (radical verbal) – chorar.
[273] *likili* é um inseto que aparece muito no verão e come grama; talvez um gafanhoto.

waz̯anaz̯ā́pe̥n̊ – “moça do cará” (*waz̯ā’ná*)[274]
tauapḗ̥nĩ – “moça da lama”
anaúlike̥ – “moça do açor”
lamōlau̯ā́ban̊ – “moça do branco”[275]
pe̥lḗnosamõ – “velha do sapo”

Nomes de homens Makuxí:

a(x)pḗ̥me̥rali	*zozai*	*mōži*
me̥nalalipú	*taliuaná*	*uau̯kalián* ou *u’kalián̊*
pirokaí	*tinā́pu*	
pita	*turí*[276]	

Um Makuxí no baixo Uraricoera tinha o nome português de “José Carneiro”. Seu pai morreu quando ele ainda era bem pequeno; por isso, foi o que me disseram, ele não tinha um nome (indígena).[277]

A troca de nomes é considerada um sinal especial de amizade.[278] O pequeno cacique Taulipáng em Koimélemong um dia bebeu comigo, dessa maneira, à nossa amizade, e meu novo nome *Yualí* me acompanhou até os Arekuná do alto Caura.

Juventude: enquanto a criança ainda é pequena e desajeitada, fica aos cuidados da mãe ou da avó, e especialmente esta última se orgulha de cada progresso real ou presumido do neto. Na larga e elástica tipoia tecida, que passa sobre o ombro direito da mãe, o lactente descansa grande parte de seus dois primeiros anos de vida. Nessa posição confortável, a criança recebe seu alimento, acompanha a mãe toda manhã e à tardezinha até o riacho próximo, onde ela deita cuidadosamente o corpinho rechonchudo e bem formado e o banha com água fria. É na tipoia que, de manhã, ela o leva à plantação. Ao trabalhar, ela empurra a tipoia para trás, e a criança fica pendurada em suas costas. A criança também participa passivamente das festas de dança. Em geral, apesar da confusão, ela cochila tranquilamente no peito da mãe que dança, embalada pelos movimentos uniformes e pelo canto ritmado.

---

274 *Dioscorea*.

275 Cor branca.

276 *turi*, *tuli* designa, em muitos dialetos Karib, o “facho”.

277 O mesmo foi observado por Karl von den Steinen entre os Bakairí do Brasil central (*Naturvölker*, p.334).

278 O mesmo ocorre entre os Karib das ilhas (Rochefort, op. cit., p.414) e, ainda hoje, entre os habitantes das cabeceiras do Xingu (K. v. d. Steinen, *Naturvölker*, p.125, 129). O mesmo costume se encontrava antigamente entre os Aruak e Warrau (Roth, op. cit., p.191). É verdade que, hoje em dia, entre eles, não se trocam muito os nomes, mas o mais novo de dois amigos, como sinal de especial admiração, gosta de adotar o nome do mais velho (ibidem, p.307).

A vida da criança índia transcorre sem pressões educacionais, mas não sem educação. É extremamente raro ela ouvir palavras duras dos pais ou mesmo apanhar. Nunca vi um castigo corporal exemplar. Por isso, quando se conhecem as crianças mais de perto, elas demonstram grande confiança, mas nunca são impertinentes. São pessoinhas vivas, mas raramente degeneram. São educadas e amáveis com os adultos e de grande concórdia entre si. Quando eu dava um pedaço de chocolate a um deles, este o dividia com os demais. Nunca vi dois deles brigando ou mesmo lutando. É verdade que, nesse ponto, os pais lhes davam o bom exemplo e, dessa maneira, são seus melhores mestres.

Brincando, as crianças índias aprendem as obrigações dos adultos. Para o neto de 2 a 3 anos, o pai ou o avô já entalha um minúsculo arco e flechas. Com esses projéteis inofensivos, primeiro o pequeno faz dos pobres cães e galinhas seus alvos. Mais tarde, as armas se tornam mais esmeradas. Acrescenta-se uma zarabatana. Os meninos exercitam-se dedicadamente com suas armas e logo adquirem grande habilidade. Um faz rolar no chão um disco feito do gordo e carnoso caule de uma planta aquática. Os outros atiram com arco e flecha no alvo móvel. Com a zarabatana e flechinhas sem veneno, eles atiram em beija-flores e outras aves pequenas que esvoaçam ao redor das árvores em flor do cerrado, ou nas andorinhas que voam para lá e para cá sobre a praça da aldeia.

Mais ou menos a partir do décimo ano de idade, o menino acompanha o pai na caça e na pesca e, orgulhoso, traz a presa para o fogão doméstico. Ele aprende a interpretar e a seguir as pegadas da caça. Logo conhece os hábitos dos animais e, antes de sua entrada na comunidade dos homens adultos, ele já é um completo caçador.

Desde cedo, as menininhas já ajudam a mãe. Para mim, era sempre uma grande satisfação ver como elas o faziam de modo sensato e natural. De manhã cedo, pouco após o alvorecer, a filhinha vai com a mãe para o trabalho diário na plantação, muitas vezes distante, para trazer os produtos agrícolas em seu pequeno aturá. Em todas as tarefas domésticas, ralando mandioca, preparando a farinha, assando os beijus, as menininhas, já a partir do quarto ao quinto ano de idade, são um efetivo auxílio para a mãe. Mesmo depois de terminar o trabalho doméstico, elas têm pouco tempo livre. Precisam tomar conta dos irmãos mais novos, que elas, fiéis ao exemplo das mais velhas, trazem na tipoia junto ao peito ou deixam montar no quadril. Têm de buscar água ou lenha contra a fresca da noite. À noite, quando a mãe, com o fuso, se acocora junto da vizinha para uma conversa, as filhinhas também sentam juntas e põem seus pequenos fusos para ronronar.

Em recepções solenes a convidados ou em reuniões, as crianças observam certa reserva. Nunca se intrometem em conversas sérias. Em compensação, participam de danças de roda com as mulheres. Vistosamente adornadas e pintadas, os meninos com as pequenas clavas de dança na mão, elas dão seus passinhos ao lado e, com graciosa seriedade, imitam os movimentos rítmicos dos mais velhos. Às vezes, o pai leva o filhinho montado no ombro.

Brinquedos e brincadeiras: o primeiro brinquedo da criança são chocalhos feitos de cascas de frutos ou de cascos de veado, que lhes são enrolados no pulso ou no tornozelo. Assim que começa a engatinhar, ela brinca no chão com pedrinhas e pedacinhos de madeira, revolve a terra ou a sujeira e, vez ou outra, também deve enfiar a mão cheia de terra na boca, ou se diverte com um pequeno fruto esférico de cabaça preso num fio. Ela deixa a esfera rolar e a puxa de novo para si. Assim como, entre nós, os garotos maus maltratam os besouros, o menino índio também faz um grande zangão voar num fio que ele amarrou em volta de sua perna. Em geral, as crianças, assim como os mais velhos, têm pouca compaixão dos animais. Eles chutam e batem nos pobres cachorros que, em sua maioria, vivem apenas dos poucos restos das refeições e, geralmente, levam uma vida miserável, parecendo esqueletos ambulantes.

As crianças não têm bonecas, pelo menos não têm figuras semelhantes a pessoas, que é o que se entende por esse termo. Não sabiam o que fazer com as bonequinhas de porcelana que lhes dei de presente. Não sei se as menininhas brincam com pedaços de madeira ou coisa semelhante como se fossem bonecas. Nunca reparei em algo assim. As bonecas que dei de presente às mocinhas em Koimélemong e no Roraima eram chamadas de *santo* ou de *tupána*, a antiga expressão das missões para "Deus". Como meus remadores me contaram, em Koimélemong as moças ficavam sentadas diante delas metade da noite e "as adoravam", ou seja, cantavam para as bonequinhas os cânticos que tinham aprendido com os padres.

Logo que a criança consegue se movimentar com independência, começa a participar, a sua moda, da vida que a cerca. O filho mais novo, que mal completara 2 anos, de meu amigo Pitá, o qual me acompanhou com seus familiares até o Roraima, tinha predileção por brincar de "cavaleiro" e "vaqueiro". Montava em seu irmão mais velho ou o puxava atrás de si por uma corda em torno do pescoço. O pequeno também tinha sua própria língua. Chamava de *kukú* a água potável, que em Makuxí se chama *tuná*, assim como todo tipo de água. Sua algaravia era entendida por seus pais e irmãos; exatamente como entre nós.

Muito populares entre os adolescentes são as brincadeiras com pião. Só vi piões ocos, e isso entre os Taulipáng. Eles são bem graciosos, feitos de um pequeno e redondo fruto de cabaça oco com um buraco do lado. Formando um ângulo reto com ele, há um pauzinho de madeira dura e vermelha, espetado e preso com um pouco de cera negra (Pr. 36, 6). O pião não é puxado com um cordão, como no alto rio Negro,[279] mas girado no ar com ambas as palmas da mão, geralmente sobre um apá raso, no qual, ao dançar, ele produz um abafado som cantante.

Um outro brinquedo infantil é uma matraca que também ocorre em outras partes do mundo. Um disco de cabaça, na maioria das vezes com a borda denteada, tem dois furos no meio, através dos quais é puxado um (interminável) fio de algodão atado (Pr. 36, 7). Enfiam-se os polegares nos dois laços do fio, então gira-se o disco várias vezes. A seguir, puxa-se o cordão dos dois lados, mas sempre se volta a soltá-lo, fazendo que ele se enrole numa outra direção e produza um som de ronrom.[280]

---

279 Vide Koch-Grünberg, *Zwei Jahre unter den Indianern Nordwestbrasiliens*, v.I, p.119-20, ilustr. 68.

280 Nordenskiöld encontrou o mesmo brinquedo entre os Chané e os Chiriguano na divisa do Gran Chaco (vide *Indianerleben*, p.197*ss*., ilustr. 104 A). Krause o encontrou entre os Karajá do Brasil central (vide *In den Wildnissen Brasiliens*, p.311-2, ilustr. 176). Ele ocorre, ou ocorria até há pouco, do mesmo tipo, também na Alemanha, e seu disco consistia num pedaço de couro denteado (no Palatinado e em Lippeschen) ou também era substituído por um grande botão de sobretudo ou coisa que o valha (na parte sul de Württemberg, Ravensburg). [No Brasil, esse brinquedo é chamado de corrupio. (N. T.)]

Encontrei entre os Wapixána um brinquedo que eu conhecia do alto *rio* Negro,[281] uma pequena mangueira trançada como o tipiti, do mesmo material elástico, aberta em uma das extremidades e, na outra, terminando em um anel (Pr. 36, 9 e 9a). Quando se enfia o dedo na abertura e se puxa a mangueira pelo anel, ela se estreita, e fica-se preso. Só é possível se libertar quando se vira a mangueira, estendendo-a.*

Como distração, os meninos Taulipáng sopravam numa folha dobrada de maneira simples, uma espécie de "bexiga", como a que os nossos caçadores usam quando querem atrair o veado.

Também vi entre eles um brinquedo enigmático. Um pedaço de taquara é cortado engenhosamente em três partes independentes, mas ainda ligadas umas às outras e que só podem ser separadas com força (Pr. 36, 8).[282]

Populares são as camas de gato, nunca feitas por meninas, na maioria das vezes feitas por um menino com um fio, algumas também por dois meninos com dois fios, em que os artistas com frequência usam os dentes como auxílio para desenredar os fios ou para levantá-los de um dedo para o outro. Os motivos, em parte bem engenhosos, recebem os nomes de acordo com semelhanças distantes. Às vezes, os mesmos motivos têm nomes diferentes nas diferentes tribos.

Os Taulipáng me mostraram as seguintes camas de gato: "raízes da palmeira *bacaba*", *kapai̯žáň̊kala*, "ânus do papagaio", *orówepú'yi*, "grande aranha caseira", *ālái* (Pr. 37, 1), "raízes da palmeira *paxiúba*", "entrada da casa", "queixo do bugio", "pequeno *acará* (peixe)", "espelho" (Pr. 38).[283]

Os Wapixána ainda tinham as seguintes camas de gato: "fibras da palmeira *paxiúba*", "peixes sob uma árvore".[284]

Num jogo de arremesso são usados pedaços de uma espiga de milho sem grãos; numa de suas extremidades, em sentido longitudinal, são enfiadas uma, duas e até três penas de galinha e de outras aves (Pr. 36, 5). Os meninos jogam essas bolas para o alto, que, devido às penas girando no ar, caem verticalmente no chão.[285]

Um esporte popular dos garotos maiores, a que os homens jovens também gostam de se dedicar, é um jogo de bola difundido em grande parte da América do Sul tropical. As bolas são feitas da palha da espiga de milho; tira-se a espiga e se dobra e se embrulha a palha de tal modo

---

281 Koch-Grünberg, *Zwei Jahre...*, v.I, p.274, ilustr. 152.

* No Brasil, esse brinquedo é chamado de pega-moça. (N. T.)

282 Krause encontrou entre os Karajá um brinquedo enigmático, feito de modo semelhante (op. cit., p.312-3, ilustr. 177 a, b).

283 Fiz bons registros cinematográficos das três últimas camas de gato, dos quais alguns fotogramas foram aqui reproduzidos (Pr. 38). O "espelho" é feito por dois jogadores com dois fios. Primeiro, um jogador entrelaça uma figura com um fio, a seguir, o outro insere seu fio nela, então os dois juntos fazem uma nova figura com os dois fios.

284 Roth apresenta belas camas de gato dos Aruak e dos Warrau: "'Cratch-Cradle' in British Guiana", *Revue des Études Ethnographiques et Sociologiques*, Paris, abr.-maio 1908. Farabee descreve uma série de camas de gato dos Wapixána a leste do rio Branco, *The Central Arawaks*, p.123*ss*.

285 A mesma brincadeira se encontra entre os Wapixána (Farabee, op. cit., p.86). Semelhante é a "flecha de espiga de milho" dos meninos Chané (Nordenskiöld, *Indianerleben*, p.196 e ilustr. 102).

que, no ponto de fixação, ela fica espessa como uma bola. As longas extremidades da palha, que se sobressaem, dão uma maior segurança à bola jogada (Pr. 36, 4). Geralmente jogam-se duas bolas. Os participantes formam um círculo e jogam as bolas uns para os outros com a palma da mão. Quanto mais raramente elas tocarem a terra, melhor se joga.[286]

Os jogos de prendas são variados e bem divertidos. Em primeiro lugar, são jogos de animais. Os mais populares são os seguintes:

1. Jogo do açor, *wīlumá*

Meninos e meninas formam uma longa corrente, um atrás do outro, um agarrando o outro com os dois braços em volta da barriga. Um menino maior representa o açor. Ele se põe diante da corrente e chama: "*pīũ!*", o grito da ave de rapina, ou seja, "estou com fome!" A seguir, a primeira criança lhe pergunta, estendendo uma, depois a outra perna: "*tú'senaṅ šéni?*",[287] "você quer este aqui?". Ele responde: "*e̱'pe̥lá!*", "não!". O mesmo ocorre com a segunda, terceira, quarta criança etc. através de toda a corrente. Na última criança, o menino que representa o açor responde alto: "*i'ná!*", "quero!" e tenta, então, agarrar a criança, correndo à esquerda e à direita da corrente. Os outros tentam impedi-lo, esquivando-se e agitando a corrente para lá e para cá; nisso, os menores, que formam o fim da corrente, às vezes caem no chão, para alegria geral. Caso ele não consiga, tem de voltar para o seu lugar e tentar de novo. Se ele conseguir, então leva o prisioneiro, em triunfo, para um determinado lugar, em seu ninho. E assim continua, até que a última criança tenha sido presa.[288]

Ilustração 10. Jogo da onça, Taulipáng, Makuxí.

286 Rich. Schomburgk descreve essa brincadeira no v.II, p.192-3. – Vide também Im Thurn, op. cit., p.326. [No Brasil, esse brinquedo é chamado de peteca. (N. T.)]

287 Texto em Makuxí, assim como nos jogos seguintes.

288 Im Thurn descreve um jogo do açor semelhante dos Makuxí da serra Pacaraíma em seu encantador trabalho: "Primitive Games", *Timehri, Journal of the Royal Agricultural and Commercial Society of British Guiana*, p.277-8, publicada em Georgetown. Como só disponho de uma separata do trabalho, não sei de que ano de publicação dessa revista se trata.

2. Jogo da onça, *kaikuší*

Uma corrente de meninos e meninas como no jogo anterior. Um menino maior representa a onça. Sobre suas duas mãos e uma perna, a outra perna esticada, simulando a cauda, ele pula rosnando para lá e para cá diante da corrente (Figura 10).[289] As crianças cantam: "*kaíku-šī mā-gẹ́lẹ tá-pẹ-wạí*!", "eu já disse que sou uma onça!", e as crianças agitam a corrente para lá e para cá. De repente, o menino que representa a onça dá um pulo e tenta agarrar a última criança. No mais, é como no jogo anterior. Os participantes da corrente representam diferentes animais, a caça da onça, como veado, porco-do-mato, *agutí*, *capivara* e outros.[290]

3. Jogo do *pacu* (peixe), *wai̯'tá*

O começo é como em 1 e 2. Um menino representa o pescador. Os participantes na corrente cantam, balançando-se para lá e para cá: "*wai̯'ta mā-gẹ́lẹ tá-pẹ-wạí!*", "eu já disse que sou um *pacu*!". O pescador procura correr ao longo da corrente e acertar a última criança com um pedacinho de madeira ou taquara, que representa a flecha. No mais, como em 1.

No jogo do *pacu* também a seguinte canção é cantada por todos: "*māla-palaí maluaí tẹpē-lé* (= serra Maruaí)". A seguir, um que representa o *pacu*: "*wai̯tá?*". Por fim, os outros: "*džín-yailẹ̄ hambu-kā-tá!*", "vai lá, acertá-lo (com a flecha)!".

Também me disseram, em vez de *māla-palaí*: *pāla-pālá*, no mais, é igual.

4. Jogo do *jacami*, *yakā́'mi*

Meninos e meninas de mãos dadas, um ao lado do outro, formam uma longa corrente e saem andando e cantando: "*yē'mā'tá panā́'po u'yēkálemā'tá'nā yakā́'mi p(i)žulúa hm-hm-hm!*", "para o lado do caminho os *jacamis* correm assustados!".[291] De repente, todos correm o mais depressa possível em uma direção e depois voltam.

Os sons *hm-hm-hm* imitam o resmungo dessa engraçada ave corredeira (*Psophia crepitans*).[292]

5. Jogo do *marreco*, *wawín*

Nesse jogo não se canta. Como em 1, 2 e 3, os participantes formam uma longa corrente, os mais fortes na frente e, fazendo "*ch-bchvch ch-bchvch*", correm o mais depressa possível para todos os lados, de modo que o fim da corrente balança para lá e para cá, os menores caindo frequentemente. De repente, todos se deitam. (Os patos caem.) Agora vêm os caçadores, alguns meninos maiores, atiram, "*táẹ-táẹ-táẹ*", em um, dois, três patos, ao tocarem nas crianças com a mão esticada, e levam a presa embora, até não sobrar mais nenhuma criança.[293]

---

289 Segundo uma fotografia.

290 Rich. Schomburgk descreve rapidamente esse jogo, no qual havia duas crianças representando a onça, e um jogo do macaco (op. cit., v.II, p.193). Im Thurn descreve o mesmo jogo da onça, com outro texto, dos Makuxí da serra Paracaraíma: "Primitive Games", op. cit., p.276. Nele, a onça aparece com dois de seus filhotes. Antigamente, os Kalínya-Galibí tinham um jogo da onça parecido; vide Penard, op. cit., p.173.

291 As traduções livres foram dadas pelos índios.

292 Im Thurn observou o mesmo jogo do *jacami* entre os Aruak: "Primitive Games", op. cit., p.279.

293 Im Thurn viu um jogo semelhante dos "patos-vicissi" entre os Makuxí da serra Pacaraíma: "Primitive Games", op. cit., p.277.

Prancha 31. Desenhos a lápis do Taulipáng Tamā́ži, de 25 anos, e seu irmão Emazi, de 20 anos: 1. Macaco com um filhote nas costas, andando sobre um galho. 2. Peixe-gato pequeno. 3. Grande tatu da floresta. 4. Galo doméstico. 5. Sapo. 6. Sapo. 7. Árvores kabaitsan-yeg. 8. Árvore kún-yeg. 9. Árvore koai-yeg (palmeira: *Mauritia flexuosa*). 10. Tamanduá; caracteristicamente o focinho pontudo, a língua comprida e parecida com um verme, a cauda espessa, as garras apontando para trás. 11. Serpente venenosa saroroíma (surucucu; *Lachesis muta* L.) com longas presas. 12. Galo doméstico. 13. Caracará. 14. Tucano (*Rhamphastus*). 15. Rato. 16. Peixes Acará pequenos. 17. Árvore puléta-yeg, com cipós. (1/1 n. Gr.)

6. Jogo do casamento

Muito divertido e engraçado. Uma fileira de meninas fica diante de uma fileira de meninos. A primeira menina pergunta ao primeiro menino, apontando para sua vizinha: "*misíni yákale sepampaínaň?*", "você quer se casar com esta aqui?". Ele responde: "*ē'pę'lá imá'kuyī pępe'maň!*", "não, eu a acho muito feia!". E assim vai por toda a fileira das meninas, até a última. Nesta, o menino responde: "*i'ná!*", "quero!" e troca de lugar com ela. A seguir, o mesmo se repete com o segundo menino, até que todos os meninos tenham trocado de lugar com as meninas. E assim se pode continuar o jogo interminavelmente. Sempre se dá muita risada.

7. De um outro jogo participam um menino maior na ponta e vários meninos e meninas pequenos que, como em 1, formam uma longa corrente. Primeiro, eles cantam: "*palaú palaú liagá t(a)kúň t(a)kúň maleuí*". Então o primeiro faz força para a frente, enquanto os outros tentam puxá-lo para trás. Ninguém soube me dizer o significado desse jogo nem a tradução do canto, apesar de eu ter perguntado para todo mundo.

Ainda há uma série de outros jogos, mas que não observei atentamente.

Os Wapixána ao sul do Surumu têm os mesmos jogos, supostamente com texto Wapixána.

Danças e cantos: como em toda parte, também na vida desses índios as festas desempenham um importante papel. Ao que parece, não estão presas a uma determinada estação do ano; mas, na maioria das vezes, ocorrem na estiagem, quando as enchentes não impedem a afluência dos convidados.

Sem levar em consideração o gosto pela alegria, pelo canto e pelos movimentos rítmicos, as festas de dança também são úteis para muitas outras coisas. Servem para cultivar as relações de vizinhança com parentes da tribo ou também com membros de outras tribos, para renovar antigas amizades e fazer novas. Por meio delas, os antiquíssimos textos dos cantos são transmitidos de geração a geração. Mas elas também oferecem oportunidade para a troca de novidades, para todo tipo de mexerico, para namoricos e aventuras amorosas mais sérias dos jovens e, por fim, para o comércio de trocas antes da separação.

Em geral, o cacique dá a festa de dança tão logo as mulheres tenham preparado bebida em quantidade suficiente. Para reunir os convidados, que com frequência vêm de longe, ele se serve de uma espécie de calendário de nós.* Ele envia a todas as povoações amigas, através de velozes mensageiros, cordões iguais de fibras de *Mauritia*, nos quais fez vários nós, que representam os dias que se passarão até a festa (Pr. 40, 3). Para o controle, ele fica com um cordão idêntico. Ambas as partes desfazem um nó a cada dia, e no dia determinado todos estão no local da festa.[294]

---

* Chamado de "cordão estatístico" pelos pesquisadores. (N. T.)

294 Esses cordões estatísticos também se encontram entre os Akawoío e outras tribos da Guiana Inglesa (Rich. Schomburgk, op. cit., v.I, p.203; Im Thurn, *Among the Indians*, p.320. Os Akawoío às vezes utilizam também um cordão de miçangas, do qual retiram uma miçanga a cada manhã); igualmente entre os Aruak na Guiana Inglesa e Suriname (Rich. Schomburgk, op. cit., v.II, p.458; Quandt, op. cit., p.254; Joest, op. cit., p.94). Pelo visto, os negros fugidos [ibidem, p.47] adotaram esse costume dos índios; além disso, entre os Galibí (Barrere, op. cit., p.183), entre os Karib no baixo Orinoco (Alexander von Humboldt, *Reise in die*

Também se faz uso desses cordões de nós para tarefas comuns e compromissos.

Na manhã da festa, ou já no dia anterior, sob os estridentes sons dos apitos de osso, os convidados chegam de todos os lados do cerrado, em longos cortejos, os homens à frente, guiados por seu cacique ou decano, então as mulheres com as crianças pequenas, por fim, as moças e os garotos adolescentes. A certa distância da aldeia eles fizeram uma parada mais longa para se pintar e se adornar da melhor maneira possível. Para se anunciar, dão alguns tiros, que são respondidos da aldeia. Também fazem isso na vida comum, quando se aproximam de uma povoação estranha. Os habitantes devem saber que são amigos que estão chegando; pois um inimigo se aproxima da maneira mais silenciosa e despercebida possível. Além das crianças, as mulheres carregam em seus panacus grande parte dos utensílios domésticos, as redes de dormir da família, cestos, panelas, beijus dobrados e outras provisões para a viagem; pois elas têm de se organizar para vários dias, enquanto durar a festa. Na maioria das vezes, os homens levam apenas suas armas, arco e flechas, suas longas espingardas de vareta inglesas, um ou outro também leva a velha clava polida dos tempos dos antepassados que hoje, depois que acabaram as guerras, serve apenas como símbolo de dignidade aos fins pacíficos da dança. Após breves cumprimentos do cacique e anfitrião e após a costumeira recepção simples com beijus e molho de pimenta, os convidados põem-se à vontade em casa de parentes ou de amigos ou nos barracões vazios, que se encontram em quase toda povoação maior. À tarde, por volta das três horas, depois que o calor mais forte passou, começam as danças, que duram enquanto durar a bebida.

Ilustração 11. Par de dançarinos da *parixerá*, Taulipáng.

Na maioria das vezes, a festa transcorre em total harmonia, apesar de não se economizar bebida e de os participantes, com frequência, pertencerem a diferentes tribos. Mas sob o estado de embriaguez, quando de repente são lembradas antigas inimizades e ofensas, também ocorrem excessos tumultuosos, brigas e pancadarias que, como vimos, às vezes terminam com a morte de uma pessoa e dão motivo à vingança de morte.[295] A ordem depende muito da energia e da influência do cacique que dirige a festa.

Participei de várias festas de dança. Em agosto e setembro de 1911, o cacique *Pitá* organizou em Koimélemong duas festividades em nossa honra, para as quais convidara

Äquinoetialgegenden des neuen Continents, v.IV, p.339), entre os Saliva (*Reise nach Guiana und Cayenne*, p.132) e entre os Guahíbo (exemplar de um cordão estatístico no Lindenmuseum, Kat. n.I. C. 94758). Tais cordões estatísticos também são usados pelos Sumo da Nicarágua. "Se o índio sair em viagem, deixa com sua mulher um cordão com o número de nós igual ao número de dias em que ficará longe, então a mulher corta um nó a cada dia para ter sempre certeza da época da chegada." Karl Sapper, *Mittelamerikanische Reisen und Studien aus den Jahren 1888 bis 1900*, Braunschweig, 1902, p.265.

295 Vide p.114.

inúmeras pessoas vindas de longe, de modo que, a cada vez, com mulheres e crianças, foram reunidas aproximadamente umas mil pessoas. Cerca de duzentas pessoas participaram das danças. Eram, em sua maioria, Taulipáng, Makuxí e Wapixána, do norte, da região serrana entre o Surumu e o Roraima, e do oeste, sudoeste e sul, da região do médio Surumu, do Parimé e Majari, e mesmo do distante Cauamé.[296] Infelizmente, os muitos Wapixána vestidos, que, para sua desvantagem, contrastavam com os Taulipáng nus e bem proporcionados, perturbaram a impressão geral do quadro de magnífico colorido. Algumas semanas depois, quando chegamos ao Roraima, dançou-se novamente, tanto em Kaualiánalemóng, a aldeia do gordo Selemelá, quanto na próxima Denóng.

A dança mais popular é a *parixerá* (*parišerá, parižerá, parišelá, pariželá*) dos Makuxí e Taulipáng, *parixára* dos Wapixána. É uma espécie de dança de máscaras. Os dançarinos chegam do cerrado numa longa fila, um atrás do outro, o tronco virado para o lado. Usam singulares chapéus de folha da palmeira *inajá*, que cobrem parte do rosto e, sobre a testa, são semelhantes a um leque (Pr. 8, 4 e 4a). Longos penduricalhos do mesmo material envolvem o corpo e cobrem as pernas até os pés (Figura 11).[297] Na mão esquerda, seguram longos tubos da leve madeira *ambaúva* (*Cecropia* sp.), que têm, cravadas na parte da frente, todo tipo de figuras pintadas de várias cores, figuras de gente e de animais, entre outras (Pr. 65, 1 e 37, 2), e tiram deles abafados sons uivantes, enquanto agitam os instrumentos para cima e para baixo. Dobrando os joelhos e batendo o pé direito no chão, dão um passo à frente, enquanto dobram o tronco, arrastando, então, o pé esquerdo. Os movimentos da dança são executados por cada um deles de modo tão exato, que é como se, a cada vez, a longa fila sofresse um puxão, parecendo tudo uma coisa só. Cada divisão tem o seu primeiro dançarino e primeiro cantor; também podem ser mulheres. Levam na mão direita o longo bastão de ritmo, cuja extremidade superior é envolta com pingentes de casco de veado ou cápsulas de sementes da *Thevetia nereifolia* (Pr. 65, 4, 4a, 5a, 5b), que vão batendo e chocalhando no compasso das batidas dos pés. Assim eles se movimentam sempre um trecho mais longo para a frente, um mais curto para trás e chegam, aos poucos, à praça da aldeia, onde começam as danças propriamente ditas, que seguem noite adentro até o outro dia, durando, não raro, dois dias e duas noites. Pintadas de vermelho e negro e ricamente adornadas, moças e mulheres se uniram aos dançarinos. A mão direita sobre o ombro esquerdo de seu parceiro, ou ambas as mãos sobre os ombros do homem à direita e do homem à esquerda, elas seguem a passos miúdos numa segunda linha, ou ao lado, assim como um grande número de adolescentes (Pr. 39, 2 e Fig. 11). Agora os dançarinos formam uma grande roda aberta e se movimentam balançando alternadamente para a direita e para a esquerda, ora para a frente, ora para trás. Depois de cada volta, batem várias vezes o pé onde estão e soltam um grito alto: "*hḛ̄ — — — hḛ̄ — — — haí — haí — haí — haí!*". A um sinal do primeiro

---

296 Afluente direito do alto *rio* Branco, que em suas cabeceiras se aproxima do médio Uraricoera.

297 O traje lembra o da dança *pono* dos Rukuyenne-Ojana na Guiana Francesa, o qual, porém, constitui-se de longas tiras de líber de árvore tingidas de negro (vide Crevaux, *Voyages*, p.100-3 e as ilustrações às p.101, 105, 259; Coudreau, *Chez nos Indiens*, p.176*ss*.). O traje do dançarino da *parixerá* se chama *poñ* em Taulipáng e em Makuxí.

dançarino, todos ficam parados, o rosto virado para o centro do círculo, seguram diante de si os instrumentos com uma das mãos, ou presos sob o braço, e cantam suas melodias simples, ritmadas e graves. O primeiro dançarino canta alguns compassos, a seguir os outros entram. Começando baixinho, suas vozes vão crescendo cada vez mais e, aos poucos, perdem-se no refrão monótono, repetido inúmeras vezes: "*haí— a — a — haí — a — a —*".[298]

Bebe-se muito durante a dança e nas pausas. Mulheres e moças entram no círculo dos dançarinos e, em grandes cuias, lhes servem a bebida da festa, que eles engolem rapidamente, aos litros, enquanto seguem andando. Cada dançarino tem de esvaziar a cuia que lhe é servida. Na *parixerá* em Denóng, algumas velhas com cuias cheias na mão saíam pulando da casa da festa aos gritos selvagens de "*haí—haí—haí*", em direção aos dançarinos que chegavam do cerrado e, com os joelhos dobrados, pulando algum tempo para lá e para cá diante deles antes de oferecer a bebida a um deles. Mais tarde, com seus gritos selvagens, elas sempre animavam os dançarinos para dançarem num ritmo mais rápido e também participavam da dança por pouco tempo.

Em meio à roda da *parixerá*, homens e mulheres dançam a *tukúi* (*tukuíd*, *tukűži*). Em duplas ou trios, em parte de braços dados, caminham rapidamente um atrás do outro, dobrando os joelhos e batendo com o pé direito no chão, ao longo da parte interna do círculo de dançarinos da *parixerá*. Os homens vestem somente a tanga, o corpo com artísticos motivos pintados com *jenipapo*, ou simplesmente besuntados com argila branca em grandes tufos e riscos largos, os cabelos também, o que dá a alguns uma aparência extremamente selvagem. Sopram sempre o mesmo som de modo estridente num pedaço de taquara, que mantêm na boca como um apito de pã. Na ponta do cortejo caminham alguns tocadores de tambor (Pr. 39, 1). Nessa dança, de vez em quando também se canta; longas melodias épicas, às vezes agradáveis, como na *parixerá*.[299]

Todas as danças e cantos de dança desses índios estão intimamente relacionados com seus mitos e lendas, dizem respeito a eles. De certo modo, os cantos são narrativas poéticas dos mitos, transmitidos dos pais aos filhos. Para os textos, tanto quanto ainda se pode interpretá-los, o mito em questão é que nos dá a chave. Assim, a *parixerá* diz respeito a uma longa narrativa lendária, na qual desempenham um papel os utensílios mágicos de caça e pesca que um pajé recebe dos animais para, no fim, perdê-los de novo, por culpa de parentes malvados, para os animais de caça, cujo primeiro dançarino ele se torna então.[300] Os cantos que acompanham a dança *tukúi* contam de um pajé que, depois de várias aventuras, se torna o cacique de guerra e primeiro dançarino dos animais.[301] Assim como a *tukúi*[302] é a dança de todos os peixes e também de todas as aves, cujas vozes, pelo visto, os pequenos apitos dos dançarinos devem imitar, também a *parixerá* é a dança de todos os animais de caça entre os quadrúpedes, especialmente dos porcos-do-mato. A longa fileira de dançarinos, que chegam sob a música abafada dos trompetes

---

298 Segundo Farabee, *The Central Arawaks*, p.86, os Wapixána a leste do *rio* Branco têm a mesma dança com os mesmos trajes.

299 Fiz bons registros cinematográficos da *parixerá* e da *tukúi*.

300 Vide v.II, p.93*ss*.

301 Vide v.II, p.104*ss*., onde também se encontram fragmentos dos textos dos cantos.

302 *tukúi*, *tukuíd*, *tukúži* designa o beija-flor.

de madeira, representa o bando de porcos-do-mato que se afasta sob grunhidos abafados.[303] Originalmente, todas essas danças devem ter sido feitiços para se obter abundante presa na caça e na pesca. Para isso, também aponta o seguinte acontecimento: durante nossa viagem pelo Uraricoera, meu Taulipáng *Mayūluaípu* viu uma noite, em sonho, muita gente dançando a *parixerá*. Ele acreditou piamente que, no outro dia, encontraríamos porcos-do-mato; infelizmente, porém, não foi esse o caso.

Os Makuxí, assim como seus parentes próximos, os Taulipáng e Arekuná, ainda têm uma série de outras danças e cantos de dança cujos textos possuem, igualmente, determinado significado mítico. No ritmo e nas melodias, todos se distinguem só um pouco uns dos outros. O andamento, em parte, é diferente. As danças seguem-se umas às outras de acordo com determinada regra.

A *parišerá* dirige a festa toda e dura até de manhãzinha. Independentemente dela e com os adornos de festa comuns, ocorrem as outras danças, a *tukúi* e, a seguir, a *oarḙbã* (*oalḙbã́*, *oarḙbán*), que é dançada até o pôr do sol. A ela segue-se a *mã́uari* (*mã́uali*),[304] que começa no fim da tarde e dura ininterruptamente até a manhã seguinte. De dia ocorrem as seguintes danças: *oarḙ́* (*oalḙ́*, *oalḗ*),[305] *marã'pá* (*malā'pá*), *murū'á* (*mulū'á*)[306] e, no começo da noite, *maurá* (*maulá*).

Entre os Wapixána, essas danças se chamam *palidzā́la*, *pimḙ́de*,[307] *ualī́bian*, *ím(i)au̯ali*, *ualī́*, *málaba*, *mulúa*, *mã́ula*.

Segundo o andamento, *mara'pá* e *murū'á* são danças rápidas. Nesta última, o primeiro dançarino não utiliza o costumeiro longo bastão de ritmo com chocalho, mas marca o compasso ao bater no chão um grosso tubo de bambu, envolto no centro por cascos de veado e recoberto de pele não curtida na extremidade inferior, chamado de *walungá* (Pr. 65, 5 e 5a, b)[308] pelos Taulipáng. Uma outra dança rápida é a *kaloídpakog* dos Arekuná. Mais rápida que todas essas é a *parišerá*, a mais rápida de todas é a *tukúi*. *Kukúykog* é o nome de uma vagarosa dança de passos dos Taulipáng e Arekuná.[309] É uma parte de sua *mau̯ari*.[310]

---

303 Im Thurn ("Primitive Games", op. cit., p.298*ss*.) diz que ambas as danças eram comuns especialmente entre os Makuxí e os Akawoío. Ele as viu entre os Partamona, uma subdivisão dos Akawoío do rio Iréng, e as descreve pormenorizadamente sem, no entanto, chamar a "*tukúi*" desse nome. O canto da *parixerá* exprimia que "eles vieram para beber como porcos-do-mato". Às vezes, os dançarinos cantavam: "Nós pisoteamos o chão como porcos-do-mato" e desempenhavam seu papel de porcos-do-mato pisando e grunhindo com força durante toda a dança.

304 Assim também são chamados os espíritos das montanhas.

305 Vide v.II, p.99-100; fragmento do texto.

306 Vide v.II, p.115-6, onde é narrado como surgiu essa dança; fragmento do texto.

307 É assim que se chama o beija-flor em Wapixána.

308 Vide a lenda Taulipáng: "Como surgiu a dança *muruá*", v.II, p.115, onde o criador dessa dança a dança pela primeira vez com o *walungá*. Segundo Barboza Rodrigues (*Pacificação dos Crichanás*, p.162), os Makuxí e Krixaná utilizavam o mesmo instrumento musical, que ele chama de *warangá*.

309 Diz respeito a ela a lenda da grande águia *Mḙ́žimḙ̄*, que foi morta pelo valente *Ḙmḙžimaípu*; vide v.II, p.111.

310 Sobre como surgiu, vide v.II, p.113-4, com fragmento do texto.

Prancha 32. Desenhos a lápis do Taulipáng Tamā́ži, de 25 anos, e seu irmão Emazi, de 20 anos: 1. Tamanduá; característica é o focinho longo e pontiagudo e as garras apontando para trás. 2. Mulher Selänelá preparando caxiri em uma panela grande. 3. Taulipáng José, atirando em um pássaro com uma zarabatana; nas costas, a aljava com o cesto com paina para guardar as flechas. 4. Taulipáng com cachimbo. 5. Urubu-rei com duas cabeças, o mítico governante dos pássaros. 6. Taulipáng Tibig, atirando em um veado com uma arma. 7. Homens com cachimbos no barco. 8. Mulheres pegando piolhos. 9. Pombo. 10. Ingarikö Püg, atirando em um cervo com arco e flecha.

Em algumas danças, usa-se para marcar o passo o chocalho globular, cuja ponta, na maioria das vezes, é adornada com penugens brancas (Pr. 65, 6).

Os cantos isolados numa dança, por sua vez, são diferenciados por nomes especiais. Assim, *maṷarí*, *yẹnõsáñ* e *amánauẹ*[311] são partes da *tukúi*, assim como *urấyukurukog* e *urấyukurukog-yẹnṳsáñ* são partes da *mauarí*.[312]

Com frequência, as pessoas aprenderam danças e cantos de dança com os pajés ou com bichos. Por isso, algumas danças têm nomes de animais. Assim, os Taulipáng têm uma dança do *araịuág*, um quadrúpede de pelo macio e negro que procura por mel nas árvores,[313] e a *kaloíd-pakog* tem o nome do *kaloíd*, um peixe semelhante à enguia, a *kukúykog* do *kukúi*, um açor pequeno. O *sapấlalẹ́mu*, originalmente, como o nome diz, um "canto de dança dos Sapará", tem sua origem num cachorro.[314]

É impossível dar uma tradução gramaticalmente exata dos textos das danças. Muitas expressões são hoje antiquadas, algumas incompreensíveis até para o índio.[315] Encontram-se inúmeras repetições, colocadas desordenadamente uma ao lado da outra, quase sem nexo. As traduções que fiz com ajuda dos índios[316] são, em sua maior parte, totalmente livres e, com frequência, indicam apenas o sentido. Os tradutores disseram expressamente que muitas palavras, nos cantos de dança, têm um teor diferente do da vida comum. Além disso, alguns cantos de dança, originalmente, foram adotados de outras tribos, de outras línguas, e que, com isso, os textos ficaram incompreensíveis.[317]

Uma dança singular é a *arẽrũya* ou *alẽlũya* ("aleluia"). É própria dos Taulipáng das serras, uma recordação de missionários ingleses que atuaram antigamente nessa essa tribo sem deixar marcas cristãs mais profundas. Ela consiste numa roda fechada. Em grupos de dois ou três, separados por pares ou, na maioria das vezes, por sexo, os participantes, batendo o pé direito, seguem em andamento rápido, um atrás do outro, de braços dados ou com a mão direita sobre o ombro esquerdo do parceiro. Às vezes, os primeiros dançarinos se viram, então ambas as metades da roda dançam por pouco tempo uma contra a outra, uns andando para a frente, os outros para trás, até que os primeiros dançarinos se virem de novo. Os dançarinos jogam o tronco com força para a frente e para trás. A dança é acompanhada de canto. São diferentes canções, pelo visto hinos religiosos ingleses com texto indígena ou inglês deturpado. As canções são executadas em vivo andamento de caminhada, dando uma impressão marcial, de modo semelhante

---

311 Vide v.II, p.105-7, fragmentos dos textos.

312 Sobre como ela surgiu, vide v.II, p.114-5, com fragmentos dos textos.

313 Vide v.II, p.61-2, com fragmentos dos textos.

314 Sobre como ela surgiu, vide v.II, p.109-11 com texto.

315 Dos cantos de dança dos Akawoío, Rich. Schomburgk diz que eles não são compreendidos nem mesmo pelos índios de hoje. "As palavras do canto são transmitidas de pai para filho, mas parece que, com o passar do tempo, a língua se modificou de tal maneira que o presente preservou a forma, a expressão dos pensamentos, as palavras, mas não a compreensão do sentido" (op. cit., v.I, p.206-7).

316 Vide v.II, p.62, 99, 106-7, 109-10, 114-6.

317 Vide nota 314, nesta página, e p.115, nota 182.

ao dos cantos do Exército de Salvação. No fim de uma canção, todos os participantes, virados para o centro do círculo, ficam algum tempo parados e quietos, até que os primeiros dançarinos comecem uma nova canção.

Os Makuxí do Surumu e os Wapixána do Parimé e Majari aprenderam essa dança dos Taulipáng, mas ela foi dançada em Koimélemong somente perto do fim da festa, a um convite especial do cacique *Pitá*. Os Taulipáng e Makuxí dançaram-na juntos, os Wapixána, em separado, já que existe um antigo antagonismo entre os Wapixána e as tribos Karib vizinhas, o qual, mesmo que também nas festas sempre se honre a hospitalidade, às vezes é expresso em palavras e suspeitas em relação à outra tribo.

Na aldeia Kaualiánalemóng no Roraima, onde se sentia de modo mais forte a influência britânico-cristã, dançou-se por um dia e meio somente a *are̱rúya*, enquanto os habitantes da aldeia vizinha de Denóng, que eram muito mais originais, só dançavam a *parixerá* e outras danças autóctones.

Além dos cantos de dança sérios, que, como vimos, têm íntima relação com a mitologia, os Taulipáng têm muitas musiquinhas inofensivas, que também são cantadas nas festas de dança, mas só à parte, às vezes improvisadas. A maioria dessas breves canções, que geralmente consistem em apenas uma estrofe com refrão e que são executadas com melodias encantadoras, expressam o anelo por seu querido e muito cantado Roraima;[318] por exemplo:

"*kinā́toli poíte̥nē̥-pe̱ kómē̥mē̥-tā́na ažíke̥ loloíme*[319]
japu servo como demorar enquanto vem Roroíma.*
haí-a hā́-hã-hã haí-a"
ou seja: "Enquanto o *japu*[320] se demora como servo, venha cá, Roroíma!".
Ou: "*ue̱tuṅ̊-ána ažíke̥ loloímē̥*
dormir enquanto vem Roroíma
haí-a hā́-hã-hã haí-a"
Ou seja: "Enquanto eu durmo, venha cá, Roroíma!" ("Quero sonhar com o Roroíma!").
Ou: "*loloímẽ̥ tapa̱í-le̥ ute̥-tána manī́kumã ená-se*
Roroíma para ir enquanto bananas comer eu quero
haí-a hā́-hã-hã haí-a"
Ou seja: "Quando eu for para o Roroíma, quero comer bananas!".[321]

Como me asseguraram expressamente, encontram-se cantos de trabalho apenas entre os Makuxí e os Wapixána, não entre os Taulipáng e os Arekuná. Ao ralar mandioca cadenciada-

---

318 Pelo visto, os cantos de louvor ao Roraima que Rich. Schomburgk relata pertencem à mesma categoria (op. cit., v.II, p.193, 240).

319 O "*l*" em Taulipáng é fortemente rolante, um som incerto entre "*l*" e "*r*".

* É assim que os Taulipáng pronunciam o nome Roraima. (N. T.)

320 Ave de fácil domesticação: *Cassicus cristatus*.

321 Porque lá começa a região de mata fechada, que, ao contrário do cerrado, tem solo fértil e, por isso, é rica em banana; vide p.63-4 e v.II, p.33-4, 45.

mente, as mulheres e moças cantam diferentes canções rítmicas com melodias e textos simples, nos quais ocorrem inúmeras repetições. A língua é predominantemente o Makuxí. Palavras Taulipáng isoladas, principalmente *pī́pi* em vez de (Makuxí) *ā́pi* = irmão, comprovam apenas que a língua dos Makuxí no médio Surumu não é mais pura, mas misturada com Taulipáng ou, pelo menos, influenciada por esse dialeto de parentesco próximo de seus amigos íntimos, com os quais coabitam aqui e acolá.

Os Makuxí chamam esses cantos de *ke̥séke̥yelemũ*, "canções de ralar mandioca".

Não sei se os Wapixána ao sul do Surumu possuem as mesmas melodias com textos de sua própria língua. Algumas moças Wapixána que vivem entre os Makuxí em Koimélemong cantavam as canções somente com texto Makuxí, assim como os Wapixána que vinham às festas como convidados também não usavam textos próprios nos cantos de dança.

Estranhamente, esses cantos de trabalho não são mencionados por nenhum dos autores anteriores, nem pelos irmãos Schomburgk, nem por Appun, nem por Im Thurn ou por algum dos outros viajantes ingleses que tiveram contato mais estreito com os Makuxí. Por isso, não se pode excluir a possibilidade de que sejam criações relativamente modernas e que surgiram sob influência dos brasileiros, tanto mais que não é comum, entre os índios, cantar durante o trabalho.

A musiquinha mais cantada é a seguinte:

"*a'yutón*	*kétanḗ*	*apī́*	*meliké̥*
para você asso beiju	ralando mandioca	irmão	pequeno
a'yutón	*kétanḗ*	*apī́*	*meliké̥*
para você asso beiju	ralando mandioca	irmão	pequeno

kṓ kṓ kṓ	*uā́liau̯*	*wai̯kín*	*pu̱ka-tā́*
?	?	veado-galheiro	caçar vai
pipī́	*meliké̥*	*k(u)zā́li*	*pu̱ka-tā́*
irmão	pequeno	veado-do-mato	caçar vai
kṓ kṓ kṓ	*uā́liau̯*	*ualā́la*	*pu̱ka-tā́*
?	?	*tartaruga*[322]	caçar vai
pipī́	*meliké̥*	*wai̯kín*	*pu̱ka-tā́*
irmão	pequeno	veado-galheiro	caçar vai"
			etc.

Tradução livre:

"Estou assando beiju pra você, ralando mandioca, irmãozinho;
estou assando beiju pra você, ralando mandioca, irmãozinho;
– – vai caçar o veado-galheiro, irmãozinho!
Vai caçar o veado-do-mato, irmãozinho!
– – Vai acertar a *tartaruga*, irmãozinho!
Vai caçar o veado-galheiro!" etc.

---

322 *Emys amazonica.*

Uma outra musiquinha desse tipo diz:

"*kanáua-yá* *ē̥nū́-ne-pē̥-mán* *ē̥nū́-ne-pē̥-mán*
no barco navegou rio acima navegou rio acima
ē̥nū́-ne-pē̥-mán *p'ī́pi-kó* *ē̥nū́-ne-pē̥-mán*"
navegou rio acima meu irmão navegou rio acima"
etc.

Também é popular o seguinte canto:

"*kanáua-líte-pó* *miā́lē̥ lē̥*
na proa do barco para lá
ayē̥pulū́-yá[323] *miā́lē̥´lē̥*
você encontro para lá
pipī́ *melikḗ̥* *ipū́tanī* *palū́*
irmão pequeno na margem do rio
pipī́ *melikḗ̥* *akū́li* *pu̱kanḗ*
irmão pequeno *aguti* para caçar
pipī́ *melikḗ̥* *ipū́tanī* *palū́*
irmão pequeno na margem do rio
kau̯ón *pīpī́* *(e)zḗndžū́*
detendo-se irmão *Thank you*
iuṓlalā ´ *palū́* *kau̯ón*
na margem do riacho detendo-se
pī́pī́ *mērf(?)^{h}ī́*
irmão Melville"
etc.

Dizem que *zḗndžū*, pelo visto uma corruptela do inglês *thank you*, é o nome de um "cacique dos soldados ingleses"; talvez seja o apelido de um comandante de fronteira inglês do Essequibo ou Rupununi.

Pelo visto, por *mērf(?)^{h}ī́* entende-se o inglês Melville, que vive há muitas décadas no Rupununi e exerce a proteção oficial sobre os aborígenes. Ele é muito querido entre os índios, que o visitam de vez em quando para trabalhar para ele, fato a que também a musiquinha se refere. Ela trata da saudade de uma moça Makuxí por seu amado, que foi para o estrangeiro trabalhar entre os ingleses.

---

323 A palavra deve ser decomposta: *a-y-epulu-ya* = (Taulipáng) *a-y-epole-ya* = encontro você, encontro-me com você.

Tradução livre:

“No seu barco você viajou pra lá.
Lá vou encontrar você,
Irmãozinho, na margem do rio,
Irmãozinho, onde você caça o *aguti*,
Irmãozinho, na margem do rio.
Onde o irmão Thank you mora,
na margem do riacho,
onde o irmão Melville mora.”

Por fim, ouvi a seguinte musiquinha:

“*kanáua-líte-pó*		*miā́lē̱´lē̱*	
na proa do barco		para lá	
pipī́	*meliké̥*	*akū́li*	*pu̱kanḗ*
irmão	pequeno	*aguti*	para caçar
pipī́	*meliké̥*	*kanáua-líte-pó*	
irmão	pequeno	na proa do barco	
ualā́la	*pu̱kanḗ*	*akū́li*	*pu̱kanḗ*
tartaruga	para caçar	*aguti*	para caçar”
			etc.

Tradução livre:

“No seu barco você viajou pra lá,
irmãozinho, pra caçar o *aguti*,
irmãozinho, no seu barco,
pra acertar a *tartaruga*, pra caçar o *aguti*.”

A música e os instrumentos musicais serão tratados mais tarde, no contexto, por Erich von Hornbostel.[324]

Morte e enterro: as seguintes explanações referem-se, em primeiro lugar, aos Taulipáng.

Num caso de morte, há uma grande concentração de pessoas que choram o morto. Se ele morreu de manhã, eles o enterram na tardezinha do mesmo dia. Se ele morrer à tarde, então eles o enterram na manhã seguinte, bem cedo, e o velam a noite toda, lamentando-se sem parar.

No velório, parece que, pelo menos entre os jovens, não se encara a situação com muita tristeza por muito tempo. Isso é indicado por uma observação do meu informante, que disse que ele só ficava no velório se houvesse *caxiri* e muitas moças.

---

324 Vide Apêndice.

A cova, com vários pés de profundidade, geralmente é cavada na casa do morto,[325] no local onde ficava sua rede de dormir. Alguns também enterram o cadáver lá fora, no cerrado. Estrangeiros são sempre enterrados fora da aldeia. Um inglês que morreu em Kaualiánalemóng não estava enterrado na aldeia, mas longe dela, no cerrado, sob um simples abrigo. Se um Taulipáng morrer em viagem, ele é enterrado no mesmo local e se faz um abrigo sobre a cova.[326]

O morto é enterrado deitado na rede de dormir e envolto por ela, com o rosto para cima.[327] Rosto e pés estão sempre apontados para o nascer do sol. Caso ele tivesse roupas, é coberto com elas. Então a cova é fechada com terra, sob as constantes lamentações da família enlutada, e pisada com os pés. Sobre a cova, quebram-se seus arcos e flechas. Se o falecido tiver um irmão, este fica com sua herança. Sobre a cova da mulher são quebradas todas as suas panelas; seus cestos e apás, seu panacu e outros utensílios são queimados.[328]

Também depois do enterro os parentes mais próximos lamentam-se todo dia, "sempre que se lembram do falecido".[329] Por dois meses, eles prosseguem com o lamento fúnebre, "até o terem esquecido".[330]

Contra a perigosa proximidade do morto servem diferentes medidas preventivas, que, em parte, se expressam em proibições.

Imediatamente após o enterro, os parentes enlutados fazem para si sandálias do pecíolo de folhas de *Mauritia*, para que "o pai dos vermes", *motó-ẹpõdolẹ*, não lhes cause feridas quando andarem descalços no chão.

Pelo visto, os vermes de decomposição entram, por esse meio, nas vísceras dos vivos. A distância, nesse caso, não tem nenhuma importância. Quando meu Wapixána Romeu, no Casiquiare, estava com vermes intestinais, ele me disse: "Agora sei de onde vêm os vermes. Provavelmente, meu pai ou meu irmão morreu em casa (no distante Parimé!)". Vermes de decomposição e vermes intestinais são, portanto, idênticos. Isso também se depreende de uma fórmula mágica, por meio da qual os Taulipáng procuram afastar os vermes intestinais e se proteger dos vermes de decomposição.[331]

---

325 Igualmente entre os Karib das ilhas (Rochefort, op. cit., p.508, 514); Kalínya-Galibí (Penard, op. cit., p.175); Makuxí (Rich. Schomburgk, op. cit., v.I, p.420, 421); Aruak (ibidem, v.II, p.458); Purukotó (Barb. Rodrigues, op. cit., p.145); e outras tribos.

326 O mesmo ocorre com os Karib das ilhas (Rochefort, op. cit., p.508); Karib, Akawoío e Makuxí (Rob. Schomburgk, *Reisen*, p.137).

327 O mesmo ocorre entre os Karib das ilhas (Rochefort, op. cit., p.508); Kalínya-Galibí (Barrere, op. cit., p.229; Penard, op. cit., p.175).

328 Todos os pertences do morto são enterrados com ele ou queimados sobre sua cova entre os Karib das ilhas (Rochefort, op. cit., p.513); Kalínya-Galibí (Penard, op. cit., p.175); Makuxí (Rich. Schomburgk, v.I, p.422; Appun, *Ausland*, 1871, p.446); Aruak (Rich. Schomburgk, v.I, p.458-9); Warrau (ibidem, v.II, p.446) e outras tribos.

329 As palavras do meu informante indígena, aqui e no que segue, vêm entre aspas.

330 Entre os Makuxí, os parentes próximos prosseguem com o lamento fúnebre por mais três semanas após o enterro (Rich. Schomburgk, v.I, p.420-1). Entre os Warrau, a viúva e os parentes se lamentam por vários dias (ibidem, v.II, p.446-7).

331 Vide "Fórmulas mágicas", n.IV.

Na saga das plêiades dos Arekuná, *Wayúlalē* chora a morte de sua mãe da seguinte maneira: ela não se banha por um mês inteiro, não come peixe, mas apenas caldo de amido e molho de pimenta e pinta o corpo todo com *urucu*. "Ela estava de luto".[332]

Durante um mês inteiro, os parentes mais próximos de um falecido não podem trabalhar. Se forem à roça enquanto o corpo está em decomposição, a *maniba* (estaca de mandioca, arbusto da mandioca) apodrece. "A mandioca sente a decomposição do morto, então apodrece também", assim se expressou meu informante. Se carregarem o aturá, ficam com dores nas costas, na coluna e nas pernas. Só podem atiçar o fogo com o abano. Se o soprarem, ficam com dor de cabeça. Quando acendem o fogo, ficam com tontura e cansados. Se pegarem num machado, ficam com tontura. Se pegarem uma faca, ficam com dor nos braços. Não podem falar alto. Também não podem comer grandes animais de caça.[333] Aves e peixes lhes são permitidos. Mas sobre tudo o que comem e bebem, grandes aves e peixes, *mingau* e *Capsicum*, a fórmula correspondente tem de ser pronunciada, então soprada, para que a comida seja desencantada e tornada inofensiva. São quase as mesmas proibições impostas à virgem após a primeira menstruação.[334]

Uma outra prova de que os parentes enlutados também ficam impuros por algum tempo após a morte, como a moça ao entrar na puberdade, é que eles, assim como esta, só podem coçar a cabeça com uma faixa do pecíolo da *inajá*, que levam num cordão no pescoço.[335] Se coçarem com a mão enquanto o cadáver se decompõe na terra, perdem todo o cabelo.

Além disso, os parentes enlutados confeccionam para si bastões de taquara e entalham anéis duplos paralelos, que untam com *urucu* (Pr. 40, 2). Se saem da casa de dia, levam na mão esses bastões, que foram anteriormente soprados, para que os maus espíritos (*mauarí*) – em primeiro lugar deve ser, em todo caso, o mau espírito do morto – não lhes possam fazer mal. Se deixam a casa de noite, levam, pelo mesmo motivo, um facho na mão. É, como em toda parte, o medo da morte que ocasiona o medo de fantasmas.

Tudo isso acontece durante um mês, segundo outra informação, durante dois meses após o sepultamento.

A casa do morto é abandonada imediatamente ou depois de algum tempo, e é construída uma nova casa num local mais distante.[336] Alguns também ficam morando na casa velha.[337]

---

332 Vide v.II, p.64.

333 Os Karib das ilhas tinham de observar um jejum rigoroso (Rochefort, op. cit., p.513). Os Kalínya-Galibí tinham de se abster por algum tempo de certos peixes; também não podiam derrubar árvores grandes (Barrere, op. cit., p.230).

334 Vide p.133-4.

335 Vide p.132-3.

336 O mesmo ocorre com os Karib das ilhas (Rochefort, op. cit., p.514); Kalínya-Galibí (Penard, op. cit., p.175); Makuxí (Rob. Schomburgk, op. cit., p.70; Rich. Schomburgk, op. cit., v.I, p.422); Aruak (Rich. Schomburgk, v.II, p.458); Purukotó (Barb. Rodrigues, op. cit., p.145); Trio e Ojana (De Goeje, *Beiträge*, p.15) e outras tribos.

337 Entre os Wapixána, na maioria das vezes, a cabana do morto é abandonada e queimada, mas, às vezes, continua sendo habitada (Appun, *Ausland*, 1869, p.802).

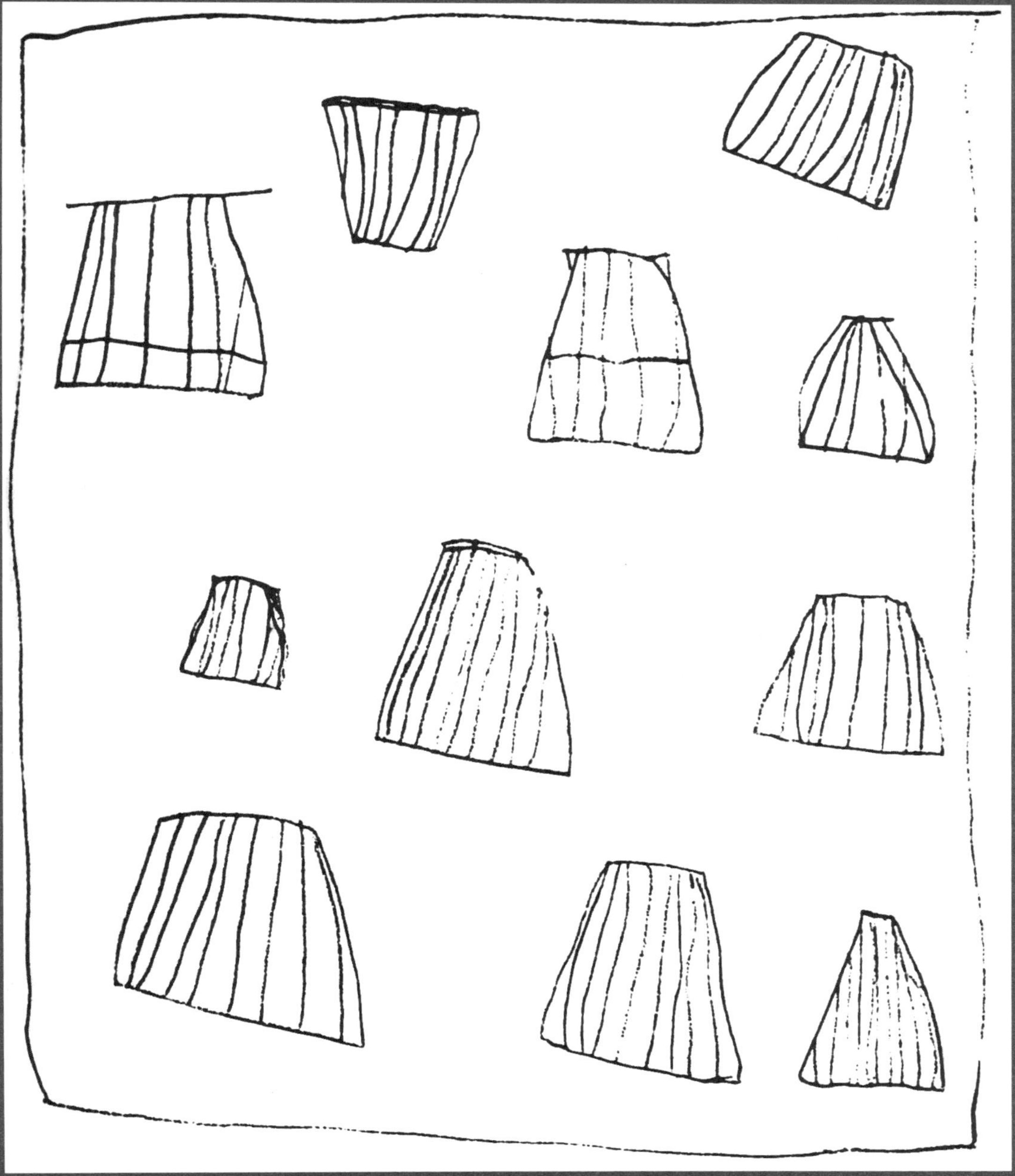

Prancha 33. Desenho a lápis do Taulipáng Tamá̃ži, de 25 anos: planta da aldeia Taulipáng de Kaualiánalemóng no Roraima. As casas são desenhadas em projeção vertical.

O lamento fúnebre é cerimonioso e deve se movimentar sempre na mesma ordem de ideias, mesmo que sejam empregadas outras palavras. Tem um efeito extraordinariamente perturbador ao começar com uma gritaria selvagem e, aos poucos, diminuir com o lamento comovente, meio falado, meio cantado, dissipando-se baixinho. Ele difere de acordo com as condições em que ocorreu a morte e com a relação de parentesco do morto com os que o choram. Mas sempre são exaltadas as excelentes qualidades do morto, sua perda é lamentada, e é sublinhado o bom tratamento de que ele usufruiu em vida.[338]

Anotei o seguinte lamento de uma mãe por seu filho:

"*puz̯aí-winekeid tutéid ané̱pōlepe̥ tau̯lito(x)pe̱*
tālepaí ayé̱le̱ maz̯a neké
(d)ze̱alántele ayé̱palan tepőse̱ au̯īliké tau̯lóneke yeule muíne!
elíkei̯d etḗkui̯d!
yeulénale éiteten malḗpolṓle!
kesḗkubé̥i kanán te tē̱léutai̯g!
waké̥-pe̱ aye̱podṓle méualamaig!
apé̥te̱naíke̱-e̱sá(g)-pelā́-man!"

Tradução livre:

"Nunca você seguiu rio acima;
onde você foi pegar essa doença?
Nunca vou rever você!
Nunca pensei que você morreria de um modo assim inútil!
Que morra! Que parta!
Eu também tenho que seguir o mesmo caminho!
Não lamente por mim quando você chegar lá!
Conte tudo ao seu pai (o que fizemos aqui com você)!
Nunca maltratei você aqui!"

Almas: a maioria dos povos primitivos acredita em algo indefinido que habita o corpo e sobrevive a ele depois da morte. Se, na falta de uma expressão melhor, chamarmos a esse algo de "alma", então os Taulipáng acreditam que cada ser humano tem cinco almas. Todas essas almas são semelhantes a pessoas, mas não são corporais, e sim como sombras. Meu informante disse que "são como sombras de um fogo, uma muito escura, a outra, menos escura, a terceira, quase clara, a quarta, muito clara, mas ainda uma sombra.[339] A quinta alma é aquela que fala".

---

338 Exemplos de lamentos fúnebres encontram-se em Rochefort, op. cit., p.508-9 (Karib das ilhas); Barrere, op. cit., p.227*ss*.; Penard, op. cit., p.174; De Goeje, *Beiträge*, p.16 (Kalínya-Galibí); Rich. Schomburgk, op. cit., v.II, p.446-7 (Warrau); Roth, op. cit., p.155 (Aruak). Vide, além disso, Rich. Schomburgk, v.I, p.420-1 (Makuxí); Im Thurn, op. cit., p.225; Crevaux, *Voyages*, p.120 (Ojana-Rukuyenne).

339 Os Karib das ilhas não acreditavam que a alma fosse livre de toda matéria e invisível, mas diziam que ela era tão tenra e pura quanto um corpo purificado (Rochefort, op. cit., p.361). Os Aruak designam o espírito

É a mais nobre. É designada pela expressão usada para "sombra", *yekatóñ*. Também quando se espirra, a alma fala, assim como quando se boceja. É ela também que deixa o corpo durante o sono. "Dizem que o homem sonha, mas não é um sonho, e sim a alma que sai do corpo, vai pra lá e pra cá, bem longe, vê um espírito etc. Então ela volta, e a pessoa acorda." Se, após acordar, a pessoa continuar sonolenta, ou se ela acorda com dor de cabeça, "então a alma toda ainda não voltou. Um resto ainda ficou lá fora. Se a alma voltar logo, então a pessoa acorda descansada e não sente nada".[340]

Na bela lenda Arekuná do pajé "*Wazāmaímẽ*, o pai dos peixes",[341] o herói diz para sua mãe: "Quero dormir, mãe! Não me acorde! Não deixe a cinza do fogo cair no meu corpo!" As fagulhas não devem cair em quem dorme, para que o corpo não desperte de repente antes que a sombra tenha voltado para dentro dele, senão a pessoa morre.[342] A sombra vai para bem longe chamar os peixes para se vingarem dos parentes dele. "O corpo do pajé", continua a narrativa, "dorme, mas sua sombra tinha pedido a *rató* (espírito das águas) para enviar seus filhos e netos (peixes e outros animais aquáticos)." Mais tarde, o cunhado do pajé encontra a sombra, assobiando e cantando, a navegar num barco atrás dos peixes, mas ele não a reconhece. A sombra aparece aqui, portanto, inteiramente na figura de uma pessoa, mas exteriormente diversa do corpo a que pertence. Eles então vão juntos para casa. A sombra deixa o cunhado entrar primeiro na casa para que ela possa voltar desapercebidamente para dentro do corpo. Quando o cunhado entra, ele já encontra *Wazāmaímẽ* acordado e lhe conta com toda a inocência que encontrou um homem estranho no rio.

O jarrete, onde se sente a artéria, é a residência de uma alma chamada *Olozáñ*.[343] Ela não presta.

Somente a alma que fala vai para o Além depois da morte de uma pessoa. *Olozáñ* fica na terra com o cadáver. As outras almas se transformam em aves de rapina.

Um dia, no Uraricoera, quando *Mayūluaípu* estava de novo com saudade de casa, um açor gritou. "É a alma do meu avô que veio até aqui me chamar", ele disse, com o rosto pálido.

---

de um morto e a sombra humana com a mesma palavra (Roth, op. cit., p.152). Do mesmo modo, os Kobéua do noroeste da Amazônia têm a mesma designação para a alma humana e para a sombra (Koch-Grünberg, "Betoya-Sprachen Nordwestbrasiliens und der angrenzenden Gebiete", *Anthropos*, v.X-XI, p.124).

340 O mesmo ocorre entre os Bakairí e os Paressí do Brasil central (K. v. d. Steinen, *Naturvölker*, p.340, 435).

341 Vide v.II, p.104*ss.* (107-8).

342 O mesmo segundo a crença dos Bakairí (K. v. d. Steinen, op. cit., p.340).

343 Segundo a crença dos Karib das ilhas, o homem tinha tantas almas porque, além das batidas do coração, ele sentia a pulsação das artérias (Rochefort, op. cit., p.360).
Essa crença, pelo visto, surgiu da experiência. Os pontos onde se pode sentir mais a vida e nos quais ferimentos graves podem causar a morte rapidamente, são considerados moradas da vida, moradas das almas, detentores da vida. Por isso, segundo a crença de muitas tribos, a alma principal mora no coração. Os Karib das ilhas tinham apenas uma palavra para coração e alma (Rochefort, op. cit., p.361). O mesmo ocorre ainda hoje com os Warrau (Roth, op. cit., p.152). Os Tukáno e as tribos de parentesco próximo deles no noroeste da Amazônia têm a mesma designação para coração, pulso e alma humana (Koch-Grünberg, "Betoya-Sprachen", *Anthropos*, v.VIII, p.952, 959; v.IX, p.156, 169).

Olozáñ é o nome de um mau espírito em forma humana, que faz as mulheres e as crianças comerem terra, mas que também provoca eclipse do Sol e da Lua ao bater com sua clava no rosto de ambos, de modo que o sangue escorre pelo rosto, escurecendo-o.[344] Parece ser também uma espécie de demônio da guerra, pois, para os Taulipáng e seus parentes, os eclipses são sinal de que há guerra.[345] Aqui, portanto, a alma de um morto se torna um mau espírito, o que não é raro na crença primitiva.[346] Provavelmente, pensa-se que *Olozáñ* se demore por algum tempo junto ao cadáver na cova, após a decomposição total do corpo, mas fique livre e vagueie por aí como mau espírito.[347]

Todos os animais têm uma alma, assim como todas as plantas (*yei-yekatón* = sombra da planta, sombra da árvore). As pedras não têm alma, pois não se movem, não vivem e não morrem. Mas são a morada de espíritos mais ou menos maus. Por esse motivo, apesar disso, podemos dizer que essa crença seja um animismo da natureza, pois quase não há diferença entre a alma que sai definitivamente do corpo, o temido espírito do morto, ao qual sempre se atribuem características vingativas, e algum outro mau espírito.

---

344 Em eclipses da Lua, o lado escuro dela tem um brilho vermelho-escuro.

345 Vide v.II, p.59.
Brett fala de *Oroan*, o grande demônio da escuridão, que provoca os eclipses. Ele pega o Sol e se esforça para apagar seu fogo, até ele ficar chamuscado e negro. Então ele se retira para voltar em outra época. Ou, então, ele tenta rasgar ou engolir a Lua, fazendo que o rosto dela fique escurecido pelo sangue (W. H. Brett, *Legends and Myths of the Aboriginal Indians of British Guiana*. v.II. London, p.189). Provavelmente, trata-se aqui de uma figura lendária dos Akawoío. Os Warrau contaram a Roth que *Oroan* é uma forma de *Yurokon*, o nome do espírito da floresta dos Karib (Roth, op. cit., p.254). Vide mais adiante, nota de rodapé. Os Sipaia (uma tribo Tupi do médio Xingu) dizem que, no eclipse do Sol, ele está sangrando; que é um sinal de que em algum lugar ocorreu uma agressão ou um assassinato (Curt Nimuendajú, "Bruchstücke aus Religion und Überlieferung der Sipaia-Indianer", *Anthropos*, v.XIV-XV, p.1010).

346 Segundo a crença dos Karib das ilhas, somente a alma mais nobre, a do coração, ia para o Além. Algumas das outras almas, após a morte da pessoa, se demoravam na costa marítima e, como *uméku*, causavam naufrágios; outras iam para as florestas e se tornavam maus espíritos, *maboya* (Rochefort, op. cit., p.361). Os espíritos, diz Rochefort (p.342), muitas vezes permanecem nos restos mortais dos mortos, que, retirados das covas e envoltos em algodão, são guardados nas cabanas, e respondem de dentro destas às pessoas, ao dizerem que são a alma do morto. Segundo a maneira de ver dos Aruak atuais, da alma humana após a morte pode surgir um bom ou um mau espírito (Roth, op. cit., p.152). A alma do sonho dos Karib (Guiana Inglesa), ou seja, o espírito que vive em sua cabeça, vagueia constantemente pela floresta (idem). Segundo a crença dos Warrau, quando a alma do coração abandona definitivamente o corpo, ela se torna espírito da floresta, *heba* (idem).

347 A maioria das tribos Karib das Guianas crê num mau espírito de nome cognato. Os Yekuaná o chamam de *oró'sa* ou *horó'dza*, os Yauarána, *oloyámu*, os Mapoyo, *jorlouamo*, os Tamanako, *yolokiamo*, os Cumanagoto, *iborokiamo*, os Cariniako, *yoroko*, os Apalaí, *yorokó, yoloko*, os Ojana-Rukyenne, *yolok*, os Chaima, *yorokuian*, os Kalínya-Galibí, *hyorokan, hyorokon, yurukan, hyruka, iruka, yoroska*, os Karib na Guiana Inglesa, *yurokon* (vide Barrere, op. cit., p.206-7; Lucien Adam, "Matériaux pour servir à l'établissement d'une grammaire comparée des dialectes de la famille Caribe", *Bibliothèque Linguistique Américaine*, tomo XVII, Paris, 1893, p.139; B. Tavera-Acosta. *En el Sur* [Dialectos indígenas de Venezuela], Ciudad Bolívar, 1907, p.100, 112; Roth, op. cit., p.170). O espírito da floresta *yurokon* também é aquele que causa os sonhos. Ele chega quando a pessoa está dormindo, agarra a *akari*, a alma que vive na cabeça, e a leva consigo para a floresta. Às vezes, ele se esquece de trazê-la de volta; então a pessoa morre (Roth, op. cit., p.165). Roth (p.152) também aproxima *(h)iyaloko*, a designação dos Aruak para a sombra humana e o espírito do morto, de *hyorokon, yurokon*.

Além: quando a alma abandona o corpo definitivamente, a pessoa morre. "O corpo que temos", disse meu informante, "não vale muito; ele é inútil, pois quando as pessoas morrem, elas apodrecem. O corpo é como uma casa que desaba quando as pessoas as abandonam. Se abandonarmos agora a nossa cabana, ela chora, apodrece e desaba."[348]

Quando uma pessoa morre, sua alma (*ye̱katṓn̊*) parte imediatamente por um caminho no céu, a Via Láctea.

Em duas lendas de minha coleção, é mencionado esse caminho dos mortos ou das almas. Em uma delas, o Sol, na outra, a Lua, envia suas filhas para "iluminar (como estrelas) o caminho das pessoas que morrem, para que a sombra não fique no escuro".[349]

Nesse caminho das almas, que vai para o leste, vive *Aimalága-pódolẹ̥*, o "pai dos cães". Ele tem muitos cães. Quando um cachorro é maltratado na Terra e morre, sua alma vai até lá e se queixa para *Aimalága-pódolẹ̥*, dizendo que o seu dono o maltratou. Se o homem morrer, e sua alma for pelo caminho das sombras, então a alma do seu cachorro o reconhece, e *Aimalága-pódolẹ̥* ordena a este que agarre seu dono e o mate.[350] Outras almas que foram boas em vida, aimalága-pódolẹ̥ deixa passar. Chegam sem acidentes ao Além, a uma casa grande e bonita com muita gente.

Quando uma nova alma chega lá, os espíritos dos antepassados lhe abrem a entrada e perguntam a que tribo ela pertence. Assim que ela diz o nome de sua tribo, os companheiros de tribo a recebem amigavelmente, dão-lhe de comer e *caxiri* para beber e dançam com ela. No Além, nunca falta comida nem bebida.[351] Os espíritos comem pouco, mas a comida os alimenta bem e nunca diminui.

---

348 Tratava-se de uma cabana para viajantes que construímos para uma estada mais longa junto à cachoeira Purumamé (Urumamy) do Uraricoera.

349 Vide v.II, p.57-8, 237-8.

350 A crença em perigos e punições no caminho para o Além encontra-se também em outras tribos: os Rama, na Costa Rica, imaginam a Via Láctea como um caminho em que se espalhou cinza quente, pelo qual as almas dos mortos têm de passar. Nesse caminho, há um grande cão amarrado que deixa as almas boas passarem livremente, mas que devora as más, contra as quais ele é solto (W. Lehmann, *Vokabular der Rama-Sprache: Abhandlungen der Kgl. Philosophisch-philologische und historische Klasse*, tomo XXVIII, v.2: Abhandlung, München: Bayerischen Akademie der Wissenschaften, 1914, p.65). Os Otomako, do Orinoco, creem que as almas de seus mortos, a caminho do Além, um lugar no oeste onde vivem em paz, sem ter de se esforçar nem de trabalhar, são atacadas por uma grande ave que as devora se elas não se defenderem corajosamente (Rich. Schomburgk, op. cit., v.II, p.319). Segundo a crença dos Paressí, no Brasil central, no caminho para o Além, pessoas más são consumidas pelo fogo ou, quando tentam escapar dele, são dominadas por um monstro que lhes arranca os olhos e as mata (K. v. d. Steinen, *Naturvölker*, p.435). Segundo a crença dos *Blackfeet*, da América do Norte, as almas dos maus são constantemente perseguidas pelos espíritos das coisas e das pessoas que eles destruíram ou ofenderam; assim, são afligidas dia e noite pelos animais e cães que outrora maltrataram (Karl Knortz, *Aus dem Wigwam: Uralte und neue Märchen und Sagen der nordamerikanischen Indianer*, Leipzig, 1880, p.135-6).

351 Os Karib das ilhas acreditavam que, após a morte, os mais valentes iam para as ilhas bem-aventuradas, onde teriam tudo à vontade, danças, brincadeiras e banquetes, onde daria todo tipo de frutos bons e seus inimigos hereditários, os Aruak, os serviriam como escravos (Rochefort, op. cit., p.361-2). Vide também Im Thurn, op. cit., p.360*ss.*; Roth, op. cit., p.160*ss.*

É um Além comum para todos os índios, mas cada tribo vive separadamente. Os espíritos podem se casar lá, mas sempre se casam na mesma tribo, "como era costume antigamente na Terra". As mulheres também têm filhos.[352]

A alma, definitivamente separada do corpo, o espírito do morto, é designada pelo nome comum a todos os espíritos, *mauari*.[353]

Quando um animal morre, sua alma vai para *Kẹ́yẹmẹ̃*, o "pai de todos os animais", um espírito mau na figura de uma grande cobra d'água colorida, da qual se falará mais adiante.

Quando uma árvore é derrubada ou cai de outro modo, ela morre. Apodrece como um ser humano. Sua alma vai para dentro de outra árvore. Algumas árvores não morrem quando caem, mas continuam crescendo. "Suas almas não querem deixar seu lugar."

Na lenda, inúmeras aves choram pela árvore *Dzalau̯ráyẹg*, "que caiu e estava morta, pois era tio delas". São tucanos, jacus e outras aves que pousam em árvores.[354]

Céu e Terra: enquanto os Taulipáng, assim como muitas outras tribos, imaginam o Além como um local não muito diferente de uma gigantesca casa comunitária em algum lugar no leste, na saída da Via Láctea, eles têm ideias peculiares sobre a estrutura do restante do mundo.

Segundo sua crença, ambos os lados do mundo, abaixo e acima de nós, dividem-se de novo em diferentes divisões.

"Debaixo da nossa Terra é igual aqui, um céu, montanhas, rios, floresta. Existem três divisões debaixo da nossa Terra. Para os que vivem mais embaixo, o chão dos que vivem acima deles é o céu."

Na lenda de *Waz̯āmaímẹ̃*, o herói cava um buraco tão profundo "que ele empurra o céu que fica debaixo da terra". Surge uma rajada e o leva junto para o céu "que fica acima de nós". Então ele o puxa consigo de volta para o buraco. O pajé, transformado num pássaro pequeno, fica voando em círculos debaixo da terra e se senta numa palmeira junto a uma plantação do tatu-gigante, em cuja casa ele permanece por algum tempo.[355]

"Somente os pajés mais fortes conhecem mais do que três divisões debaixo de nossa terra."

"Em todos esses lugares existem pessoas como nós, mas pequenas e gordas. Imediatamente debaixo de nós vivem os *Onóbẹlẹko*.[356] Eles só têm um olho do lado direito. Arrancam o olho esquerdo de seus filhos na mais tenra infância. São pessoas boas. Têm grandes plantações. Somente os pajés[357] podem ir até eles e falar com eles. Bebem *caxiri* com os *Onóbẹlẹko*."

"Acima de nós ainda existem dez lugares como aqui com muitos habitantes. O chão das divisões superiores sempre constitui o céu da divisão abaixo dela."[358]

---

352 No céu, as almas dos bons Paressí vivem com seus antepassados como na Terra e têm muitos filhos (K. v. d. Steinen, op. cit., p.435).

353 Vide mais adiante.

354 Vide v.II, p.93-4.

355 Vide v.II, p.105.

356 Ouvi, também, *Onópolẹko*.

357 Expressamente: a alma do pajé, que, em êxtase, se solta do corpo.

358 Os Osage, na América do Norte, supõem acima da terra quatro céus ou mundos superiores, que seus antepassados atravessaram antes de virem para esta terra (J. O. Dorsey, "Osage Traditions", em *Sixth*

Na lenda, quando a Lua subiu ao céu, ela enviou "uma filha mais para cima, para um outro céu. Ela enviou a outra filha mais acima ainda, para um outro céu. Ela mesma ficou no céu acima de nós".[359]

Numa outra lenda, o Sol envia sua filha "como lâmpada do caminho (dos mortos)" e a outra para o outro céu "acima dele como lâmpada das pessoas de lá".[360]

As divisões do mundo ficam cada vez menores para cima e para baixo, já que o todo é imaginado mais ou menos como uma esfera.

Espíritos: já conhecemos *Kẹyẹmẽ* como "pai de todos os animais, animais de caça, aves etc.", cujas almas vão para ele após a morte. "Ele é", dizem os índios, "como um homem, mas, quando veste sua pele colorida, vira uma grande cobra d'água muito malvada." Todas as aves aquáticas são seus netos.[361] Pode-se ver *Kẹyẹmẽ* no arco-íris, que também tem esse nome. Sua casa fica junto a altas cachoeiras debaixo da terra. A entrada fica na bacia da cachoeira, sob a água. Essa crença deve ter sua razão de ser no fato de que, com frequência, se formam arco-íris no vapor da água acima das cachoeiras.[362]

Na lenda, *Kẹyẹmẽ* mata com suas flechas invisíveis um garoto tomando banho numa cachoeira, então é morto a flechadas por dois mergulhões. Os animais o despem de sua pele

---

Annual Report of the Bureau of Ethnology, Washington, 1888, p.378*ss*.). Os Sipaia, do médio Xingu, supõem um mundo superior acima da terra e um mundo inferior abaixo da terra. "De certa maneira, o mundo é constituído por vários andares" (Curt Nimuendajú, op. cit., *Anthropos*, v.XIV-XV, p.1008).

359 Vide v.II, p.58.

360 Vide v.II, p.237-8.

361 Vide v.II, p.73.

362 De Goeje reproduz na Pr. II, na fig. 3, uma esteira com a forma de um peixe, que serve aos Ojana na prova da vespa. Ela representa *ka-jum*, o "pai dos peixes", uma espécie de espírito das águas (*Beiträge*, p.13). Segundo os irmãos Penard (op. cit., p.211), os Kalínya chamam de *ko-jumu* ou *okow-jumu*, a "*watra-mama*" ("mãe d'água") dos negros fugidos, um espírito das águas feminino. Dizem que *-jumu* (segundo Penard, p.105) significa, em geral, "espírito". – De Goeje aproxima diretamente a palavra da designação para o manati (*Manatus australis*), entre os Makuxí, *koimuru*, entre os Aruak *koyumpla*, *kujumulu*, mas de que duvido. Antes, acredito que a parte principal dos nomes desse espírito das águas é a designação para "cobra", que se chama, por exemplo, em Taulipáng *ẹkẹ́i*, em Kalínya, *okoyo*, em Trio, *okoi*, em Ojana *ököi*. Isso também corresponderia à natureza desse espírito, que na crença dos Taulipáng aparece como uma gigantesca cobra d'água. – Os irmãos Penard traduzem o seu *ko-jumu, okow-jumu* por "espírito de cobra". "Cobra gigante" se chama, em Akawoío, *okoima*, em Trio, *ököimö,* em Ojana, *ököiwimö* etc. Todas essas designações dividem-se na palavra para "cobra" e no sufixo aumentativo do Karib antigo *–ima, –imö,* "grande". Por isso, acho que também *kẹ́yẹmẽ* se chamava, originalmente *ẹkéi-imẹ̃* e, assim como *okow-jumu*, deve ser traduzido por "cobra grande". – Entre os Karib da Guiana Inglesa, *oko-yumo* é considerado a "*water-mamma*", como a matriarca de todo um povo de espíritos das águas. Ela vive no fundo dos rios e equivale a uma cobra grande que puxa os barcos para o fundo e engole os ocupantes (Roth, op. cit., p.241, 243, 248-9, 251-2). Esse é o nome de um dos três maus espíritos, aos quais são atribuídos doenças e acidentes (ibidem, p.349). – Quando Rich. Schomburgk (v.II, p.176) menciona o grande temor dos índios por *tuna-mama*, deve-se entender por esse nome o mesmo espírito das águas. – Em 1915, Nimuendajú-Unkel obteve (segundo informação por carta) dos Aparai no *rio* Paru, entre outros desenhos de espíritos, o de um monstro d'água, *kueímo*, que, pelo visto, é idêntico aos acima mencionados.

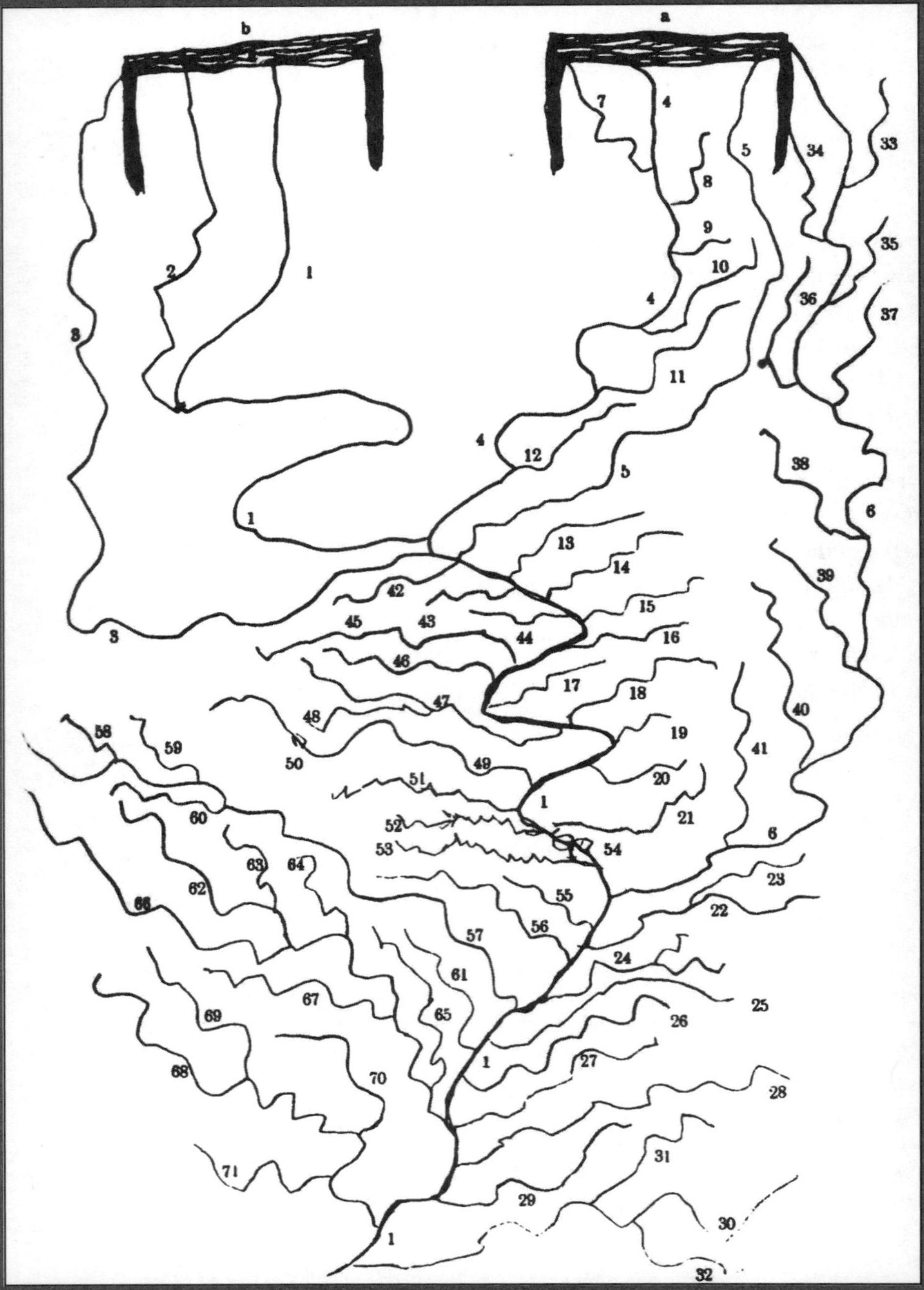

Prancha 34. Desenho a lápis do Taulipáng Tamá̌ži, de 25 anos: mapa do rio Kukenáng e seus afluentes.

Montanhas:
a) Roraima,
b) Kukenáng.

Rios e córregos:
1. Kukenáng
2. Kapéi
3. Teg
4. Kamayuág
5. Kauá
6. Arápepe
7. Imota-páru
8. Wamurá
9. Purupurú
10. Kaualianá
11. Ururuima
12. Kaurá-paru
13. Kurawepáng
14. Kulishá-paru
15. Kuleuaki-paru
16. Dandáng
17. Kuranaú-paru
18. Elekishí-paru
19. Kayáma
20. Konóya
21. Kung
22. Miké
23. Mag
24. Talí
25. Kurashipóng
26. Kakó
27. Pará
28. Ruimokóng
29. Kusú
30. Seitág
31. Wakuwa-páru
32. Kualumá-paru
33. Wakauyéng
34. Urú
35. Epelimé
36. Turúi
37. Poeyég
38. Peléu
39. Iwaipaí
40. Pelumé
41. Dshinarόg
42. Kawaíg
43. Epayé
44. Apág
45. Tameyalá
46. Eneguimá
47. Muréi
48. Matág
49. Aneyá
50. Cachoeira do Aneyá
51. Kué
52. Wontashimé
53. Peluáng
54. Cachoeira Moro-melú
55. Araság
56. Sapaíg
57. Rué
58. Poleta-páru
59. Melóg
60. Imbé
61. Wené
62. Amátaime
63. Muná-paru
64. Epáye
65. Kulúmparu
66. Kenó
67. Wayákata-páru
68. Wóng
69. Eleya-päru
70. Murá
71. Kuikuíd

colorida e a dividem entre si. Desse modo, cada um obtém suas penas coloridas ou pele e seu grito característico.[363]

Ratő: outros espíritos das águas são *Ratő* e sua numerosa parentela. Se *Kẹyẹmẽ* é visto como o "pai de todos os animais", especialmente das aves aquáticas, *Ratő* é considerado o "pai de todos os peixes" e de outros animais aquáticos, como manatis, caranguejos e animais semelhantes, que são "seus filhos e netos".[364] Também é chamado de "pai d'água", e sua mulher, de "mãe d'água". Ambos se chamam, em geral, "*Ratő*". Mas, quando a mãe d'água canta, ela muda de nome. Então ela se chama *Ratőyualẽ* ou *Tipíyualẹ* ou, também, *Marãkauẹ́li*. Seu canto se chama *tunãtauẹ́no*. Quando canta, ela desliza "pelo fundo d'água, devagar como uma cobra".[365] "Diante de seu olhar mau, os pássaros caem do ar", dizem os índios. "Algumas pessoas também têm esse olhar mau."[366]

O casal *Ratő* tem muitos filhos e netos, iguais a ele. Por isso, existem muitos *Ratő* nos rios, grandes e pequenos. Como *Kẹyẹmẽ*, geralmente eles também aparecem na figura de grandes cobras d'água; mas, quando tiram sua pele, se parecem com pessoas. Somente os pajés podem vê-los e se relacionar com eles.

Meu acompanhante *Akűli*, que, como pajé, tem boas relações com todos os seres sobrenaturais, contou-me algumas coisas sobre essa família muito ramificada de espíritos das águas, quando abríamos caminho penosamente, rio acima, através da região de corredeiras do médio Uraricoera, a verdadeira pátria deles: na *Cachoeira do Preto*,[367] perto da margem direita, vive a própria *Ratő*. No meio dessa corredeira mora *Maulažínta*. O pai de *Maulažínta* é *Pausumã*, que vive ao pé da corredeira, no meio do rio, onde se encontra um grande redemoinho. Na *Cachoeira de Missão* existem muitas *Tuengalúñ*, filhas de *Ratő*. Um pouco mais rio acima, abaixo da *Cachoeira de Tabaye*, vive *Waitaú-ẹpódolẹ*, o "pai do *pacu*"[368] e, na própria *Cachoeira de Tabaye*, na margem direita, *Ayúmẹpẹ*, o avô de todos os espíritos das águas da *Cachoeira do Preto*. Sua casa é um alto banco de areia. Os redemoinhos são as entradas das casas desses monstros. O corpo da cobra fica na casa; esticam a cabeça com a garganta aberta porta afora para agarrar as pessoas e puxá-las para o fundo. Antigamente, eles raptavam e comiam muita gente.[369] Agora, os pajés lhes disseram que não devem comer gente. Mas, ainda hoje, ocasional-

---

363 Vide v.II, p.73*ss*.

364 Vide v.II, p.107.

365 Vide v.II, p.101.

366 Segundo Appun (*Ausland*, 1869, p.1084), os índios da Guiana creem na existência de uma gigantesca cobra d'água, a "mãe d'água", que, de vez em quando, na maioria das vezes à noite, passa ruidosamente pelos rios e causa grande desgraça aos habitantes, bem como a todos que chegam a vê-la. Por isso, eles também são muito cautelosos em matar o *Eunectes murinus* que vive nos rios, que consideram os filhotes da mãe d'água.

367 O rio Uraricoera é o mais extenso rio brasileiro do estado de Roraima, com cerca de 870 km.

368 Peixe: *Myletes* sp.

369 Os Warrau acreditam num par semelhante de espíritos das águas. É *Ahúba*, a "mãe dos peixes", considerada o "cacique de todos os peixes" e que vive com seu marido no fundo da água. Eles têm cabeça de gente e corpo de peixe com os mais diferentes tipos de animais terrestres. Fazem mal aos homens. Em naufrágios,

mente, como verdadeiras ninfas, buscam um belo homem jovem ou uma bela moça para casá-los com membros de sua família.[370] Conduzem as pessoas através das entradas (redemoinhos) para suas espaçosas moradas subterrâneas nas serras, onde aparecem como pessoas.

Antes de ir pescar, as pessoas chamam *Ratṓ*, o pai de todos os peixes, sempre à noite. Pedem-lhe: "*morṓg pętę̂pę ęzaíg!*", "quero peixes!". Ele responde: "Está bem! Há peixes aqui. Pesque à vontade, mas não estrague meus netos (ou seja, "não os deixe apodrecer!"). Brincando, *Ratṓ* diz para o pescador: "Dê-me uma pessoa para comer! Não posso lhe dar meus filhos e netos sem pagamento". Então o pescador lhe dá tabaco. Além disso, *Ratṓ* diz para o pescador: "Não deixe que a doença que os peixes transmitem às pessoas lhe sobrevenha, pois os peixes têm o mau olhado! Pinte-se, primeiro, com *jenipapo* e *urucu* para que a doença dos peixes não pegue você!".

"Quando uma pessoa deixa os peixes apodrecerem", dizem os índios, "estes lhe atiram flechas para que ela fique doente e com febre. A pessoa não percebe o arremesso. Só quando chega em casa sente dores na barriga, na cabeça, nos ouvidos, nos braços e pernas. Somente o peixe que atirou a flechinha sabe. É o mesmo quando uma pessoa acerta um peixe. O peixe também não vê a flecha. Quando o próprio *Ratṓ* atira numa pessoa, esta morre imediatamente."[371]

Por conseguinte, envenenamento devido ao consumo de peixe estragado é visto como ato de vingança dos espíritos dos peixes. Em caso de grave envenenamento, que causa a morte rápida da pessoa, é o próprio "senhor dos peixes" que se vinga. A descrição da doença dada pelos índios coincide bem com as típicas manifestações de envenenamento por peixe.

---

engolem os corpos dos afogados; portanto, de novo uma personificação dos redemoinhos (Roth, op. cit., p.241). Im Thurn fala de espíritos das águas que (provavelmente entre os Akawoío) são chamados de *Omar*. São semelhantes a enormes camarões ou peixes, vivem debaixo d'água, nas cachoeiras, e, com frequência, puxam os barcos para o fundo (Im Thurn, op. cit., p.385). Durante nossa viagem através das corredeiras do Içana, em 1903, meus índios Siusi, gritavam "*umaúali*!" ("cobra grande!") quando passávamos por redemoinhos, o que deve ser atribuído à mesma crença (Koch-Grünberg, *Zwei Jahre*..., v.I, p.196). Uma espécie de ondina na crença dos Aruak é *orehu* ou *oriyu*, um demônio feminino muito caprichoso. Nem sempre ela é má e cruel, mas, com frequência, se mostra benéfica e é vista como criadora da magia (W. H. Brett, *The Indian Tribes*, p.371; Brett, *Legends*..., p.18*ss*.; Roth, op. cit., p.245*ss*.). Os Oyampi acreditam que nas cataratas do Oiapoque habitam cobras que, às vezes, puxam os barcos com os navegantes para o fundo e lá os engolem (Coudreau, *Chez nos Indiens*, p.303). Segundo a crença dos Rukuyenne (Ojana), na cachoeira Macaielé, nas cabeceiras do Jari, vivem três maus espíritos (*yolok*), o *Caïcoui*-(onça)*Yolok*, *Aïmara*-(peixe) *Yolok* e o *Ticroké*-(branco)*Yolok*, que se distingue por cabelo branco que chega à altura do cinto e encobre totalmente sua figura. Dizem que fazem os barcos naufragar e engolem os arrojados passageiros (Crevaux, *Voyages*, p.250).

370 Vide v.II, p.101.

371 A crença de que todas as dores e doenças físicas sejam causadas por flechas invisíveis, atiradas nas pessoas pelos espíritos, encontra-se tanto entre os Karib, Kalínya-Galibí, quanto entre os Aruak. Por isso, estes últimos chamam "grandes dores", *yawahu-shímara*, de "flechas do espírito da floresta" (Brett, *The Indian Tribes*, p.361-2; idem, *Legends and Myths*, p.19; Roth, op. cit., p.181, 361-2; Penard, op. cit., p.214). Vide também v.II, p.72-3, onde *Kę́yęmę̃*, com sua flecha invisível, acerta mortalmente um garoto tomando banho.

Amāliwág é um espírito das águas de caráter muito mau. Ele se detém nas corredeiras e tem o tronco de um homem, mas do quadril para baixo assemelha-se a uma cobra.[372] Ele rouba as almas das mulheres para que elas ajudem sua mulher, *Amāliwáno(x)pe̥*. Quando uma mulher fica doente, é porque *Amāliwág* lhe tirou a alma e a levou consigo para sua casa, uma serra.[373] Ele tem uma ave mansa, uma *arara* grande de cauda branca cujo nome é *Watoímā*.[374] "Existem pessoas, especialmente pajés, que já a encontraram de dia, quando ela voa para a casa de *Amāliwág* para comer. Ela voa até lá de manhã bem cedo e grita como uma *arara* de verdade: '*ā — ā — ā — ā — ā — á*.' Quando ela chega perto da casa, seu dono fica feliz e grita: '*ch — ch — ch — ch!*'[375] Ele lhe dá de comer, então a joga porta afora.[376] A seguir, há um estrondo abafado. Quando esse 'pai da *arara*' voa, suas asas cantam como as asas de uma ave grande, mas muito mais alto: '*ch — ch — ch!*'."

A serra considerada a morada de *Amāliwág* chama-se *Amāliwa-ye̥ué̥*, "casa do *Amāliwág*", a entrada, *Amāliwa-mona'tá*. Os índios chamam todo o lugar de *Amāliwa-́pe̥loroi̭*. Em frente da entrada da casa há uma rocha, o "banco do pai da *arara*", *Watóimā-muré̥yi*. Quando navegávamos Uraricoera acima, meus remadores me mostraram, poucas horas abaixo da ilha Maracá, na margem esquerda, uma grande rocha de forma estranha com esse nome.[377]

"Também se pode ver *Watoímā* à noite, voando, de repente, no céu, com uma longa cauda de fogo. Quando ela desaparece, depois de algum tempo há um estrondo abafado."

São bólidos, como os que observei por duas vezes durante a viagem pelo alto Uraricoera.[378] Os índios não falam enquanto dura o fenômeno. Eles acenam com a mão atrás do meteoro, como fazem quando afastam de si algo mau, por exemplo, no feitiço da chuva, quando querem afugentar as nuvens.

De uma análise da palavra *watóima* depreende-se claramente que a simples observação da natureza deu o nome, e que a personagem da lenda se desenvolveu apenas posteriormente: *wató* designa o "fogo" em inúmeros dialetos Karib da Guiana; *-ima* é sufixo aumentativo, de modo

---

372 O mesmo nome reaparece no Orinoco como *Amalivaca*, que designa o progenitor e herói cultural dos Tamanako Karib. Perto de Encaramada, no médio Orinoco, em frente à foz do *rio* Apure, chamam-se alguns blocos de granito, encostados uns nos outros e formando uma espécie de caverna, a "casa do *Amalivaca*" e uma pedra grande lá perto de seu "tambor". "O nome *Amalivaca*", diz Humboldt, "estende-se por uma faixa de terra de mais de 5 mil milhas quadradas; aparece com o significado pai dos homens (nosso pai da humanidade) mesmo entre os povos Karib" (A. v. Humboldt, op. cit., v.IV, p.133*ss*.; Rich. Schomburgk, op. cit., v.II, p.320 [segundo Gilij]). Nas obras mais recentes sobre a Guiana, o nome não é mencionado em lugar nenhum. Roth também não ouviu nada dos Karib do Pomeroon sobre *Amalivaca*. Até mesmo o nome parece agora ser desconhecido lá (Roth, op. cit., p.119, 136, 149-50).

373 Quando a Lua ainda se encontrava na Terra, ela roubou a alma de uma criança e a escondeu sob uma panela, fazendo que a criança adoecesse; vide v.II, p.57.

374 Também ouvi *Watóimẽ̥*. Segundo Rich. Schomburgk (v.II, p.328), os "Arecunas" chamam o cometa de *Wátaimá*, o que deve ser um mal-entendido; vide mais adiante em "Estrelas e constelações".

375 Pronunciado de modo muito agudo.

376 Como os índios fazem com os papagaios domesticados.

377 Vide v.I, p.154.

378 Vide v.I, p.190, 197.

que *wató-ima*, correspondendo ao aspecto exterior do meteoro, significa "fogo grande". Já em Taulipáng, "fogo" se chama *apóg* (Makuxí: *apó*, Arekuná: *apoíd*). Isso parece indicar que a personagem de *Watóima*, talvez também a de *Amāliwág*,[379] tenha sua origem num outro ciclo de lendas, talvez naquele dos Kalínya-Karib, e só então veio destes para os Taulipáng e os Arekuná.

Wotówanta: no baixo Kukenáng, perto da desembocadura do afluente U'galá, na terra dos Arekuná, há um ponto onde o rio se estreita muito. Em cada uma das margens eleva-se uma alta rocha. Ambas quase se encontram na parte superior. Se um animal, veado ou outro bicho semelhante, quiser atravessar o rio, pulando de uma rocha para a outra, as rochas se afastam uma da outra de repente, e o animal cai no "buraco da água" e se torna presa do mau espírito que vive lá. As rochas se chamam *wotó-wanta*, "comedores de caça", e são uma armadilha de caça desse espírito. As pessoas não conseguem ver essas rochas, pois é só chegarem perto e o local se cobre de névoa espessa, e escurece bastante. Assim contam os Arekuná.

Para escapar da ira dos espíritos das águas, que fazem das suas nas altas cachoeiras, o índio tem um costume estranho, difundido em todas as tribos da Guiana. Em cada um que vê a cachoeira pela primeira vez, derrama-se um caldo ardido de pimenta vermelha nos olhos, coisa extremamente dolorida e que lhe rouba a visão por algum tempo. Foi o que aconteceu com os meus jovens remadores na cachoeira Purumamé (Urumamý) do Uraricoera.[380] Os Yekuaná fazem o mesmo em uma cachoeira do Merevari. Com isso, o demônio da cachoeira deve ser impedido de fazer mal ao novato, de lhe mandar febre.

Esse costume lembra bem o suposto hábito da avestruz de enfiar a cabeça na areia para escapar de seu perseguidor. Originalmente, a ideia deve ser a seguinte: se eu não vir a morada do espírito, então o espírito também não me verá.[381] Secundariamente, devem ter somado a crença de que a flagelação poderia apaziguar o espírito.[382] Tais flagelações como defensivo de doenças e outros males são frequentes na crença primitiva e difundidas universalmente. Ainda as encontraremos mais tarde.

Espírito da febre: quando se planta uma nova roça, fica-se com uma leve febre. Então as pessoas enviam antes um pajé para implorar à "mãe da febre" para não enviar febre.

---

379 Vide p.177, nota 372.

380 Vide v.I, p.175. Roth (op. cit., p.298*ss*.) dá uma série de exemplos desse costume: quando os índios veem pela primeira vez uma cachoeira ou uma rocha de forma singular ou algum outro lugar considerado morada de maus espíritos, eles pingam molho de pimenta ou caldo de fumo nos olhos. Vide também Rich. Schomburgk, op. cit., v.I, p.328-9; v.II, p.346; Ch. B. Brown, op. cit., p.30; Appun, *Ausland*, 1872, p.886; Im Thurn, op. cit., p.368. Im Thurn (ibidem) conta que um de seus acompanhantes índios, na falta de molho de pimenta, espremeu na água um pedaço de tecido tingido de índigo e esfregou essa água nos olhos. Os Aruak de hoje, muito degenerados, pegam água do rio para esse procedimento simples (Roth, op. cit., p.299).

381 Por isso, um acompanhante índio de Brown, um Karib, virou o rosto na direção contrária quando eles passaram por uma dessas rochas de espíritos no Essequibo, "para não ficar com febre" (Brown, op. cit., p.244).

382 Rich. Schomburgk conta que os índios, em uma dessas ocasiões, não só esfregavam *Capsicum* pulverizado nos olhos dos noviços, mas também açoitavam-se uns aos outros, com ramos partidos, nas pernas e pés até escorrer sangue (op. cit., v.II, p.346).

Espírito da névoa: os Taulipáng veem um homem na névoa, *Katũlu-pódolẹ*, o "pai da névoa". "Ele é uma pessoa como nós, mas é um mau espírito."

Espírito do terremoto: o terremoto, *patá-ẹtetẹ́tẹma*, "a terra treme", é provocado por um mau espírito, *ẹnẹ́*. Dizem *ẹnẹ́pẹlẹmbẹtẹ*, que não consegui traduzir — *ẹné* designa, nesses dialetos Karib, cada ser fantasmagórico e inquietante. Assim, na lenda, o antropófago é chamado de *Piai̯'mã́*[383] e, em outra passagem, o espírito protetor do mutilado *Žilikawaí*.[384]

Wībáñ são maus espíritos da floresta que andam à noite e, com seu grito "*wẽ(í)ñ*" (com *í* elevado), de som semelhante ao de uma flauta, assustam as pessoas.[385] Na lenda, *Piai̯'mã́* transforma dois de seus aprendizes de feiticeiro, devido à desobediência deles, em tais espíritos da floresta.[386]

Dizem que grupos de árvores e arbustos em ilhotas formadas por rochas que, de resto, são nuas, foram plantados pelos *Wībáñ*. Se uma dessas árvores morreu, então foram os *Wībáñ* que puseram veneno naquele lugar.

Mauarí designa cada espírito. Assim são chamados os inúmeros demônios nas serras, rios e lagos,[387] por exemplo, também todos os membros da família *Ratô*, os espíritos dos mortos, a alma do pajé que, sob a narcose do tabaco, saiu voluntariamente do corpo dele, seres fantasmagóricos nos quais os vivos se transformam,[388] portanto, seres sobrenaturais que, em geral, podem ser percebidos apenas pela privilegiada casta dos pajés. Nem sempre os *Mauarí* têm caráter malvado. Eles auxiliam pessoas isoladas, em especial os pajés,[389] mas, com frequência, também intervêm, causando separação na vida das pessoas.[390]

Quando um pajé abre uma clareira e a queima e, depois de dez dias, volta para a plantação, esta está repleta de tabaco sem que ele o tenha plantado. Os *Mauarí* plantaram tudo para ele. Esse tabaco é de três qualidades, de folhas pequenas, folhas médias e folhas bem grandes, "tão grandes quanto folhas de bananeira". Ele é muito forte.[391]

---

383 Vide v.II, p.210, frases 6, 9, 10; p.219, frase 60.

384 Ibidem, p.219, frase 56.

385 São os que mais correspondem aos *yawahu* dos Aruak e ao *hebu* dos Warrau (Roth, op. cit., p.170, 173-4).

386 Vide v.II, p.68.

387 Vide v.II, p.45, 102, 106-7, 109*ss*., 115, 116.

388 Vide v.II, p.100-1, 102, 113, 115, 116.

389 Vide v.II, p.70, 106-7, 116.

390 Vide v.II, p.109*ss*., 116. Entre os Akawoío, os *Immawarí* são considerados um tipo especial de espírito. Os *Mawarí* dos Karib são bons espíritos, que amam o fumo e desempenham um papel como ajudantes dos pajés nos ritos de cura (Roth, op. cit., p.170, 174, 192, 349). Entre os Baníwa do alto *rio* Negro (Guainía) e Atabapo, o principal espírito mau, que surge como máscara na cerimônia da puberdade das moças e cuja contemplação é proibida às mulheres sob pena de morte, é chamado de *Mauarí* (Martin Matos Arvelo, *Algo sobre etnografia del Territorio Amazonas de Venezuela*, Ciudad Bolívar, 1908, p.11, 15-6). Provavelmente, *Mauarí* é uma palavra estrangeira de uma língua Aruak ocidental, já que não se acha nos outros dialetos Karib.

391 Vide v.II, p.70.

Dizem que ao norte do Roraima, na região da mata, o jardim das delícias dos índios do cerrado e de cuja fertilidade os Taulipáng contam maravilhas, existem muitos bananais que pessoa alguma plantou. Pertencem aos *Mauarí*. Que todas as montanhas de lá, o Roraima e outras, são suas casas.[392]

Assim como as pessoas, também os *Mauarí*, que, não raro, são pessoas metamorfoseadas, possuem nomes característicos.[393]

Menciona-se várias vezes nas lendas que as pessoas, devido a acontecimentos extraordinários, abandonam seus familiares e se tornam *Mauarí*.[394] Um tio de *Mayūluaípu*, assim este me contou, num dia quente sentiu grande sede no cerrado, então se transformou num *Mauarí*. Não quis mais saber de sua gente e foi embora, não se sabe para onde.[395]

Se uma pessoa comum vir um *Mauarí*, é sinal de que ela morrerá em breve. Na serra *Amātá-tepẹ*, nas cabeceiras do Surumu, segundo a crença dos Taulipáng, vive um *Mauarí* de nome *Amḗluaẕaípu*, que antigamente era um pajé e hoje é primeiro dançarino dos *Mauarí* de lá. Quando uma pessoa morre e passa por esse lugar, o espírito lhe aparece com um colar de dentes de porco, *amātá*, no pescoço e um grosso bastão de ritmo de bambu, *waluṅ̊gá*, na mão. A pessoa que o vê vai para casa e, dentro de poucos dias, está morta.[396]

Perto da *serra do Mel*, no médio Surumu, há um mutum transformado em pedra. Quando uma pessoa está para morrer, a pedra (ou seja, o *Mauarí* dentro dela) canta como essa ave.[397]

Espessos ninhos de aranha com ovos, *žinég* ou *žiníg*, que, com frequência, se encontram grudados nos galhos junto às corredeiras e cachoeiras, são adornos dos *Mauarí*, que eles usam nas orelhas e em volta do pescoço.[398] Eles os abandonam quando, como seus colegas terrenos, os pajés, vão às cachoeiras para beber água em abundância e vomitar no rio, coisa de que trataremos mais adiante.

Espírito protetor: a crença na existência de uma espécie de espírito protetor do homem, a quem ele auxilia em horas de grande necessidade, parece depreender-se de um trecho da poética lenda Arekuná de *Zilikawaí*. O mutilado envia *tẹ-yažī́*, "seu espírito",[399] que meu informante índio traduziu por "seu *Mauarí*", na figura de um passarinho, para sua casa, a fim de denunciar ao irmão o crime da mulher.[400]

---

392 Vide v.II, p.45.

393 Vide v.II, p.115, onde aparece um *Mauarí* de nome *Uaẕā́la-luẹ́ni*.

394 Vide v.II, p.115-6, entre outras.

395 Provavelmente, ele ficou louco. Martius, *Beiträge*..., v.I, p.652, escreveu sobre loucura repentina entre os índios.

396 Vide v.II, p.116-7.

397 Ibidem, p.46.

398 Vide v.II, p.109, onde os *Mauarí*, enfeitados com *žiníg* e com coroas de penas de *arara* na cabeça, chegam dançando a uma aldeia dos Sapará e, na ausência dos homens, raptam as mulheres.

399 No v.II, p.245, frase 52, traduzido erroneamente por "sua alma" – *tẹ* é pronome reflexivo.

400 De modo semelhante, na lenda Akawoío de parentesco próximo, legada por Brett, o mutilado Serikoai envia um pequeno pássaro, que surgiu de uma lágrima sua, até sua mãe para lhe anunciar o trágico destino

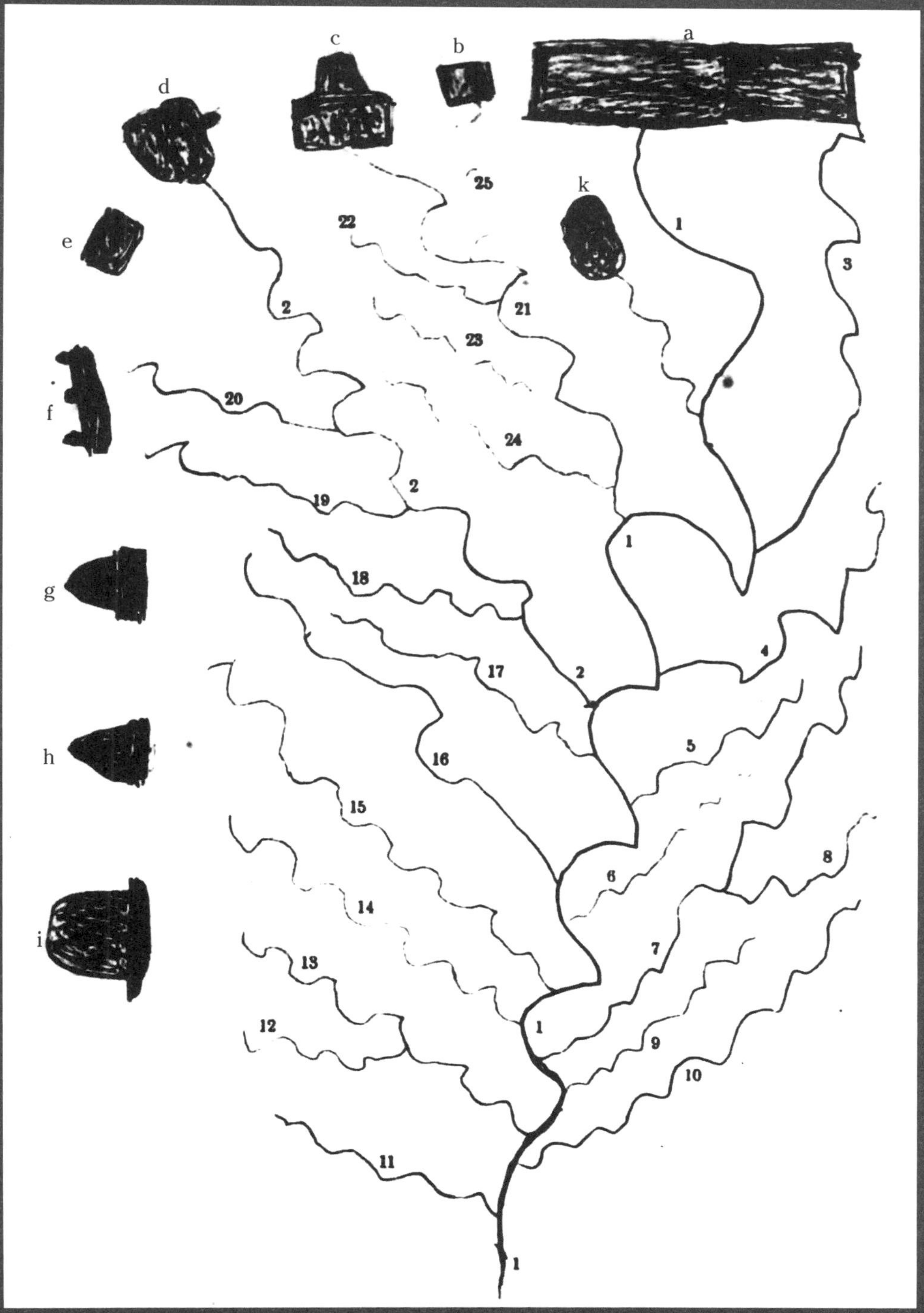

Montanhas:
a. Roroíma
b. Iwalekálima
c. Wayaka-piápe
d. Karaulín-tepe
e. Urú-tepe
f. Wéi-tepe
g. Pauí-tepe
h. Kayá-tepe
i. Talipán-tepe
k. Sharán-tepe

Rio e córregos:
1. Yuruaní
2. Karaulíng
3. Kapéi
4. Walali
5. Noipe
6. Tapípa
7. Shilima
8. Kómig
9. Káde
10. Kuruiwég
11. Kopé
12. Karana-páru
13. Walubápe
14. Urayenape-páru
15. Urayá-paru
16. Múra
17. Tauáng
18. Watánta
19. Aualekaid
20. Kaiuarág
21. Wayakáte
22. Akálamai
23. Sámba
24. Luayalima
25. Iwalikáute

PRANCHA 35. MAPA DO RIO YURUANÍ, QUE NASCE NO LADO NOROESTE DO ROROÍMA E FORMA O CARONI COM O KUKENÁNG. (DESENHO A LÁPIS DO TAULIPÁNG EMAZÍ, DE 20 ANOS.)

Demônios das montanhas: além desses espíritos verdadeiros, há uma espécie de demônios das montanhas em grupos isolados ou tribos, seres intermediários entre gente e espírito, que em sua aparência e hábitos de vida são muito próximos dos homens, mas que têm de ser contados entre os seres sobrenaturais, já que possuem poder superior ao dos homens e são visíveis apenas aos pajés. São os *Umā́yikog* ou também *Mā́yikog* e os *In̊garikóg*. Esses demônios ocasionalmente também são designados pelo nome genérico de *Mauarí*.

"Os *Umā́yikog* são habitantes das serras. As montanhas são suas casas. São gente como nós. Há grandes e pequenos, assim como entre nós. São invisíveis para o homem comum, só os pajés podem vê-los e relacionar-se com eles. Quando os pajés andam sozinhos, encontram os *Umā́yikog*. Estes têm grandes plantações e fazem muito *caxiri*. Geralmente, são bons, mas, às vezes, também maus. Quando um homem mata uma onça, os *Umā́yikog* vão atrás dele até agarrá-lo e o matam."

Na lenda, os primeiros pajés humanos que voltaram de seu mestre *Piai̯'mā́* transformam toda sua parentela em *Umā́yikog*.[401]

"Os *Ingarikóg* (*Ingalikóg*) também são gente como nós. Vivem na mata cerrada; daí o seu nome. Todos falam a língua Ingarikó.[402] Só os pajés podem vê-los e falar com eles. Andam com eles na mata como companheiros. Quando um pajé se perde na mata, os *Ingarikóg* vão até ele, mostram-lhe o caminho e dizem: 'Aqui é o seu caminho! Vá em frente e não se perca!'. Então desaparecem de novo. As pessoas comuns não podem vê-los; só podem ouvir seu assobio.[403] Quando um pajé mata uma onça, os *Ingarikóg* não lhe fazem nada. Só lhe perguntam: 'Quem matou meu cachorro?'. Ele responde: 'Fui eu que o matei'. Então o *Ingarikóg* diz: 'Agora me pague por ele! Deixe um pedaço de tecido naquele riacho! Vou buscá-lo para usar como tanga'. Então o pajé deixa um pedaço de tecido na margem de um riacho. Se ele for lá num outro dia, o tecido desapareceu. Quando um homem comum mata uma onça, os *Ingarikóg* o matam."

Quando *Mayūluaípu* matou um puma no Uraricoera, disse: "Agora seu dono vai ficar bravo conosco e nos perseguir porque atirei no seu cachorro".

Animais sobrenaturais: na ideia do índio, a diferença entre homem e animal é totalmente confusa. Isso já se manifesta de modo claro em suas lendas, que são apenas expressão de sua

---

dele (Brett, *Legends and Myths*, p.194-5). Evidentemente, também temos de ver tais espíritos protetores nos *Icheiri* ou *Chemiin*, os numerosos bons espíritos dos Karib das ilhas. Cada ser humano tinha seu bom espírito especial, que também guiava sua alma para o céu após a morte (Rochefort, op. cit., p.338, 360).

401 Vide v.II, p.70.

402 Mas não se podem confundir esses demônios com a tribo Karib de mesmo nome, que vive na região da mata a nordeste do Roraima. A palavra *In̊gali-kóg* significa "gente que vive na mata cerrada (*in̊galẹ̊tá*)". É significativo dizerem que esses temidos semiespíritos falam a língua dos outrora inimigos mortais e ainda hoje, devido a sua feitiçaria, mal-afamados vizinhos dos Taulipáng e Arekuná, cujo antepassado é considerado o gigante antropófago *Piai̯'mā́* (vide v.II, p.20-1).

403 Três semitons.

crença. *Kéyẹmẹ̃*, *Rató* e outros monstros d'água aparecem ora como pessoas, ora como animais. Mas, enquanto estes últimos são espíritos, há alguns animais que ou são verdadeiros animais ou são representantes gigantescos da espécie animal em questão e que se distinguem de seu ambiente por meio de características sobrenaturais. Em sua maior parte, estes também são apenas pessoas que, ao vestir o invólucro animal, se transformam em animal.

Aqui, deve-se mencionar principalmente *Kasána-podolẹ*, o "pai do urubu-rei", de certo modo um protótipo de todo o gênero, que, com sua tribo, os urubus-rei e abutres comuns, vive no céu, onde ele e sua gente, após tirar sua plumagem, *kasána-z̮amấtalẹ*, ficam iguais a pessoas. Ele aparece como um poderoso soberano, com poder incomparavelmente maior do que o que o cacique dos índios de hoje possui. Isso corresponde inteiramente à verdadeira natureza do urubu-rei,[404] que ocupa uma posição singular em relação aos outros abutres, de modo que ele "não só exige dignidade real e prestígio real dos *Cathartes* (abutres comuns), mas também que lhe seja tributado respeito por toda a família, por assim dizer, segundo um instinto obrigatório".[405] *Kasána-podolẹ* também é um grande pajé. Na lenda, ele põe novos olhos na onça, mais claros e brilhantes do que os olhos velhos que um peixe engoliu.[406] Mais adiante, ainda o veremos como um poderoso auxiliador do pajé terreno. É considerado antropófago e, também no céu, apesar de sua figura humana, entrega-se a seus hábitos de abutre, em que gente e animais putrefatos constituem seu prato predileto.[407] *Kasána-podolẹ* tem duas cabeças. A cabeça direita se chama *mẹ́žimẽ*, a cabeça esquerda, *ẹtẹtó*. Segundo a lenda, ele recebeu esta última posteriormente.[408]

Mẹ́žimẹ ou *Mẹ́žimã* também é o nome de uma gigantesca ave de rapina que, segundo a crença desses índios, faz das suas nas serras da Guiana, mas que só aparece raras vezes. Ocasionalmente, também é uma pessoa. As penas são seu traje, *mẹ́žimã-z̮amấtalẹ*. Antigamente, ela levava muita gente embora, até mesmo da entrada de casa, e as comia. Os pajés aconselharam-na a não fazê-lo mais. Desde então, ela vai buscar quase somente veados, porcos e outros animais. Na lenda, é assassinada pelo valente *Ẹmẹžimaípu*.[409] Talvez se trate da imponente harpia[410] ou de uma outra ave de rapina rara nessas regiões.

A onça também é uma pessoa que só de vez em quando veste a pele, *kai̯kusẹ́-z̮amấtalẹ*. De modo inverso, o pajé, como veremos, pode se transformar arbitrariamente numa onça. Além das "onças terrestres" comuns que, devido a essa característica, já têm de pertencer aos animais

---

404 *Vultur papa* Lin., *Sarcorhamphus papa* Sw.

405 Rich. Schomburgk, op. cit., v.I, p.464*ss.*; v.II, p.500-1.

406 Vide v.II, p.123-4, 204*ss*.

407 Ibidem, p.83*ss*.

408 Ibidem, p.93.

409 Vide v.II, p.111.

410 *Harpyia destructor*, *Thrasaëtus harpyia* Linn, uma das maiores águias da América do Sul, segundo Schomburgk, pertence às aves mais raras e é considerada pelos índios o maior inimigo dos bugios; dizem que ela também leva embora corças e até mesmo crianças (Rich. Schomburgk, op. cit., v.II, p.365-6).

sobrenaturais, existem diferentes espécies de "onças aquáticas" fabulosas que são, sem dúvida, apenas produto da fantasia indígena.

O ruído abafado que se ouve com frequência na água, especialmente abaixo das corredeiras, e que deve resultar dos violentos redemoinhos, é produzido por um monstro de nome *Wa̰i̯lalímę̄*, "onça-anta", que é maior do que uma anta.[411] Tem sua morada sob a terra, nas serras. A entrada fica debaixo d'água, como nas moradas de *Kęyęmę̄*, *Ratô* e de outros monstros aquáticos.

Uma outra onça gigantesca, maior do que um veado, chama-se *Wai̯kiníme*;[412] uma outra, *Usâliuala*. Esta é bem maior do que o animal de mesmo nome do cerrado, uma espécie de puma de pelo avermelhado, semelhante ao do veado-do-mato, *usâli*, que lhe deu o nome.

Outras onças d'água que vivem sempre em bandos são as *Ulútulú*. Existem onças d'água em quantidade extraordinária, mas é difícil vê-las.[413]

As onças míticas *Wai̯lalíma* e *Wai̯kínimã* desempenham um papel nas fórmulas mágicas, juntamente com muitos outros animais mágicos.[414]

Por fim, como um tipo especial de onças negras, os Taulipáng chamam as "onças-agami", *Z̯akâmižâlai̯*, que devem seu nome ao engraçado jacami,[415] pois, como este, elas andam sempre em grandes bandos e produzem os mesmos sons estridentes, tamborilantes e murmurantes. São, supostamente, onças verdadeiras, mas que devem existir apenas na fantasia do índio. Dizem que são muito perigosas e que, de um salto, pulam na árvore mais alta quando uma pessoa se refugia nela. Caso alguém queira se safar delas, tem de passar urina pelo corpo todo, também nos galhos da árvore. Nenhuma onça gosta disso e não suporta a urina. Foi assim que fez, antigamente, um pajé dos Taulipáng, enquanto seus quatro companheiros eram mortos e devorados. Essas onças também atacam as pessoas nas casas; elas só têm medo do fogo.[416]

---

411 *Wa̰i̯la-l-imę̄*, literalmente "grande anta", é, sem dúvida, idêntica a *Walyarima*, o nome da onça negra na lenda das amazonas "das tribos das montanhas do interior", transmitida por Brett, cuja figura era assumida pelo amante enquanto ele atravessava o rio a nado para se reunir às mulheres. Sua morte violenta leva ao êxodo das mulheres (Brett, *Legends and Myths*, p.180*ss*.). Uma figura lendária semelhante é *Tobe-horoanna*, a gigantesca onça negra dos Warrau (Roth, op. cit., p.213*ss*.).

412 *Wai̯kíṅ-imẽ*, literalmente "grande veado (galheiro)".

413 Também entre os patagônios (Tehuelchen) encontra-se a crença em "onças d'água", que dizem ser "maiores do que um puma" (G. Ch. Musters, *Unter den Patagoniern*, Jena, 1877, p.109-10).

414 Vide "Fórmulas mágicas", n.II.

415 *Psophia crepitans* L.

416 Pelo visto, idênticas a essas "onças agami" são as *Waracaba-arowa* dos Aruak, cujo nome tem o mesmo significado. Rich. Schomburgk e Brown as consideram onças verdadeiras, que dizem ser muito ferozes e que ocorrem em bandos de mais de cem indivíduos. Dizem que se detêm nos bosques mais fechados das serras e só descem à planície movidas pela fome. Os Akawoío as chamam de *Y'agamisheri* (Rich. Schomburgk, op. cit., v.II, p.85; Brown, op. cit., p.74*ss*.). Roth (op. cit., p.367) contesta a existência dessas onças e acha que talvez a lenda tenha sua origem em certos cães selvagens autóctones, que caçam em grandes bandos.

Por fim, pertencem aos animais sobrenaturais vespas gigantescas, *Kamayuág*, do tamanho de uma mão ou maiores. Sua casa fica numa cachoeira do Miáng,[417] chamada *Kamáyua-yeň*, "ninho de vespa", e cercada de rochas. Elas entram na água debaixo da cachoeira, através de um buraco que leva para bem dentro da serra. Homem nenhum vai lá, pois é muito perigoso, já que as vespas saem imediatamente e o picam.[418]

Pode-se ver a *Kamayuág* (Alfa Centauro) no céu, onde ela persegue um mutum (Cruzeiro do Sul) com a zarabatana.[419] É considerada um prestimoso companheiro do caçador e do pescador.[420] Por isso, o índio se deixa picar por vespas nos braços para, desse modo, assimilar a força mágica da *Kamayuág* e ter sucesso na caça e na pesca.

Pajé: a personalidade mais importante numa comunidade maior é o pajé, *Piasán*.[421] Ele detém um poder bem maior do que o próprio cacique, que, como *par inter pares*, ocupa uma posição mais representativa. Somente na guerra ela se tornava um real poder de mando, mas hoje as guerras cessaram. Como mediador entre os homens e o mundo sobrenatural, que ele sabe influenciar por meio de seus exorcismos e chamar para assisti-lo em todas as suas ações, o pajé é feiticeiro, sacerdote e médico em uma única pessoa e tem, dessa maneira, graças a seus cúmplices do mundo dos espíritos, um poder ilimitado, que ele pode empregar em benefício ou prejuízo de seu próximo.[422]

Via de regra, os pajés são pessoas especialmente inteligentes, às vezes astutas, em todo caso, têm força de vontade e necessitam de significativa energia e autodomínio para se preparar e exercer sua profissão. São conhecedores de muitas plantas e de suas características, são os detentores das lendas, que muitas vezes enaltecem o poder de sua classe, e são quem mais conhece o céu estrelado, as constelações intimamente relacionadas com a mitologia.[423]

---

417 Afluente esquerdo do Surumu, que vem das serras.

418 Vide v.II, p.46.

419 Ibidem, p.66.

420 Ibidem, p.256.

421 Em cada aldeia maior, em cada área onde as pessoas vivem espalhadas, há um pajé, diz Im Thurn (op. cit., p.339).

422 Entre os Makuxí, toda a aldeia está irrestritamente sujeita à vontade do pajé. Ele preside as reuniões e, nas festas, é o primeiro dançarino (Rich. Schomburgk, op. cit., v.I, p.423). Segundo Barrere (op. cit., p.210), os pajés dos Galibí eram muito respeitados pelos outros índios e eram até mesmo considerados juízes sobre vida ou morte. Tudo lhes era permitido, e não se ousava negar-lhes o que quer que fosse. Tolerava-se tudo deles sem protestos, e sem que alguém sequer pensasse em se queixar a respeito. O que quer que o pajé exija, ele recebe. Ninguém ousa lhe negar algo, mesmo que seja a própria mulher (Im Thurn, op. cit., p.339-40). Vide também Brett, *The Indian Tribes*, p.365; Roth, op. cit., p.328.

423 Rich. Schomburgk (v.II, p.147) conta isso de um pajé dos Makuxí. Rochefort (op. cit., p.332) diz dos Karib das ilhas que os caciques, os pajés e os idosos tinham uma inteligência mais aguda do que o povo comum e conheciam, de seus antepassados, vários corpos celestes. Entre os Aruak, os pajés noviços aprendem a conhecer as características das plantas, das estações do ano, das constelações e as lendas da tribo (Roth, op. cit., p.338). Vide também Im Thurn, op. cit., p.335.

Em vista da grande influência que os pajés exercem sobre seus companheiros de tribo, compreende-se facilmente que eles se casem com as moças mais bonitas e, na maioria das vezes, tenham o maior número delas.[424]

Há muitos pajés em uma tribo, mulheres também entre os Taulipáng e Arekuná, supostamente menos entre os Makuxí. Em Koimélemong, vi uma velha Taulipáng, cujo pai fora pajé, esmagando folhas cheirosas de uma certa árvore que, pelo visto, tinham poder mágico, e passando no corpo de um garoto doente.[425]

Alguns pajés têm uma reputação que vai além de seu círculo de ação mais estreito e, em casos graves, chegam mensageiros que, muitas vezes, viajaram muitos dias para levá-los até os doentes.[426]

Também o feiticeiro de uma tribo estrangeira pode gozar de grande prestígio em uma aldeia, e isso tem seu motivo no fato de que, na tribo estrangeira que fala uma outra língua, se pressupõem, sem mais nem menos, poderes mágicos, na maioria das vezes, de natureza má. Assim, um Yekuaná, casado com uma Makuxí e que vivia em Koimélemong, era considerado um pajé especialmente eficaz e bem-sucedido.

Os sonhos são, como vimos antes, realidade para o índio, ações e vivências independentes da sombra liberta do corpo, da alma. Um pajé me disse que minha alma também trabalha de noite, lê e escreve enquanto o corpo descansa. Por isso, os índios dão grande importância aos sonhos, especialmente os pajés. Graças a seu contato ininterrupto com o mundo dos espíritos, o pajé é uma espécie de vidente; ele pode interpretar seus próprios sonhos e os dos outros; tem o dom de profetizar; é onisciente, acordado, em transe e dormindo.[427]

Certa noite, no Uraricoera, *Akũli* sonhou que pessoas queriam roubar os barcos. Ele acordou, correu para a praia onde tínhamos puxado os barcos até a metade sobre a areia e os amarrado em varas fincadas nela, e viu, para seu horror, que a maré que subia tinha soltado as varas, e os barcos dançavam livremente sobre as ondas. Provavelmente, o homem nervoso tinha ouvido, em estado semi-inconsciente, o ruído das ondas batendo na parede dos barcos, causando esse sonho.

---

424 Rich. Schomburgk também relata isso dos pajés dos Makuxí (op. cit., v.I, p.423); do mesmo modo, Im Thurn, op. cit., p.339.

425 Roth (op. cit., p.334) conhece uma velhíssima mulher Warrau que exerce a prática da feitiçaria na vizinhança da Missão Santa Rosa, no Moruca *river* "nas barbas do padre, que não suspeita de nada". Entre os Aruak, no Barama *river*, duas meninas, assim como os garotos, foram educadas para a profissão de pajé (idem).

426 Alguns pajés dos Trio e Ojana desfrutam de grande renome (De Goeje, *Beiträge*, p.14). Crevaux (op. cit., p.250) conta como um famoso pajé já velho dos Rukuyenne (Ojana) foi convidado para uma consulta por mensageiros vindos de longe.

427 Vide também Roth, op. cit., p.341*ss*. Roth conta como ele, certo dia, perguntou a um velho pajé, seu amigo, se ele conhecia isto e aquilo, ao que este, depois de alguns instantes de silêncio, lhe respondeu com um olhar aniquilador: "Eu conheço todas as coisas!" (ibidem, p.343).

Na lenda, o pajé *Maitxaúle̥* sonha com uma moça bonita que, no outro dia, realmente vai até ele na pessoa da filha do urubu-rei. Mais tarde, em sonho, ele vê sua mulher voltando do céu com dois irmãos abutres, coisa que realmente acontece logo a seguir.[428]

Como na vida, também na morte o pajé assume uma posição privilegiada. Sua sombra não vai para o Além dos mortais comuns, mas para as serras, para os *Mauarí*, de onde seu espírito auxilia seus colegas terrenos nos ritos de cura.

Toda doença, qualquer que seja sua espécie, é atribuída à influência vingativa de um mau espírito ou à ação mágica de uma pessoa má, na maioria das vezes de um pajé.[429] Por isso, o pajé, graças a suas forças sobrenaturais, está qualificado, em primeiro lugar, para curar doenças.

O transcorrer exterior de um rito de cura é sempre mais ou menos o mesmo. Ele só ocorre à noite, depois que todos os fogos na cabana do doente foram apagados, e, via de regra, dura das oito às onze horas, em casos difíceis, até a meia-noite.[430] Às vezes, a cura prossegue por várias noites seguidas.[431] Nunca o pajé exerce seu cargo durante uma chuva, e se durante o seu trabalho desaba uma tempestade, ele interrompe imediatamente a cura e só a reinicia na noite seguinte.[432]

---

428 Vide v.II, p.80, 82-3.

429 Assim é em todas as tribos da América do Sul; vide especialmente Rochefort, op. cit., p.343 (Karib das ilhas); Quandt, op. cit., p.258; Brett, op. cit., p.365 (Aruak); Barrere, op. cit., p.213 (Galibí); De Goeje, *Beiträge*, p.13 (Ojana, Trio); Roth, op. cit., p.346. Dobrizhoffer expressa isso de modo muito acertado quando escreve: "Se alguém morrer com excesso de feridas, com ossos esmagados ou esgotado pela idade, de modo que as feridas ou o esgotamento de suas forças físicas sejam culpados de sua morte, nenhum Abipão vai admiti-lo. Pelo contrário, eles se esforçarão para encontrar o necromante e a causa de este ter-lhe tirado a vida" (Martin Dobrizhoffer, *Geschichte der Abiponer, einer berittenen und kriegerischen Nation in Paraguay. Aus dem Lateinischen übersetzt Von A. Kreil*, Viena, 1783, v.II, p.107).

430 O mesmo ocorre entre os Trio e os Ojana (De Goeje, *Beiträge*, p.13). Também entre os Karib das ilhas, os ritos de cura sempre ocorriam à noite, depois que todos os fogos na cabana e ao redor tinham sido cuidadosamente apagados (Rochefort, op. cit., p.341, 501-2); o mesmo entre os Galibí (Barrere, op. cit., p.215). Entre os Warrau, o desencanto começa imediatamente após o pôr do sol, depois que o exorcista tenha, antes disso, apagado cada carvão no interior da cabana e afastado cada morador (Rich. Schomburgk, op. cit., v.I, p.170-1); o mesmo entre os Makuxí (ibidem, v.II, p.145). Uma cura mágica entre os Makuxí, descrita por Im Thurn (op. cit., p.335*ss.*), começou uma a duas horas depois de escurecer e durou seis horas inteiras. Todos os fogos foram apagados. Entre os Rukuyenne (Ojana), um rito de cura, ao qual Crevaux estava presente, começou com o pôr do sol e durou duas horas. Apagaram-se cuidadosamente todos os fogos da aldeia, para que os espíritos pudessem se aproximar sem temor (Crevaux, op. cit., p.299). Segundo Coudreau (*Chez nos Indiens*, p.207), a cura, na mesma tribo, começa por volta das sete horas da noite e, muitas vezes, termina apenas à meia-noite. Entre os Aruak, os ritos de cura duram até a meia-noite e prosseguem nas noites seguintes (Brett, *The Indian Tribes*, p.364). Entre os Aruak de hoje no Pomeroon, a cura vai desde o pôr do sol até por volta das duas ou três da manhã. No exorcismo em si, todos os fogos são apagados, para que os espíritos que se quer chamar não tenham medo (Roth, op. cit., p.347). Também entre os Karib do Pomeroon, o pajé exerce sua atividade apenas à noite (ibidem, p.349); vide também Im Thurn, op. cit., p.335.

431 Entre os Makuxí, quando o pajé não tem sucesso na primeira noite, então, nas noites seguintes, é chamado um segundo, às vezes até um terceiro (Im Thurn, op. cit., p.339).

432 O mesmo entre os Warrau (Rich. Schomburgk, op. cit., v.I, p.171) e os Aruak de hoje (Roth, op. cit., p.348).

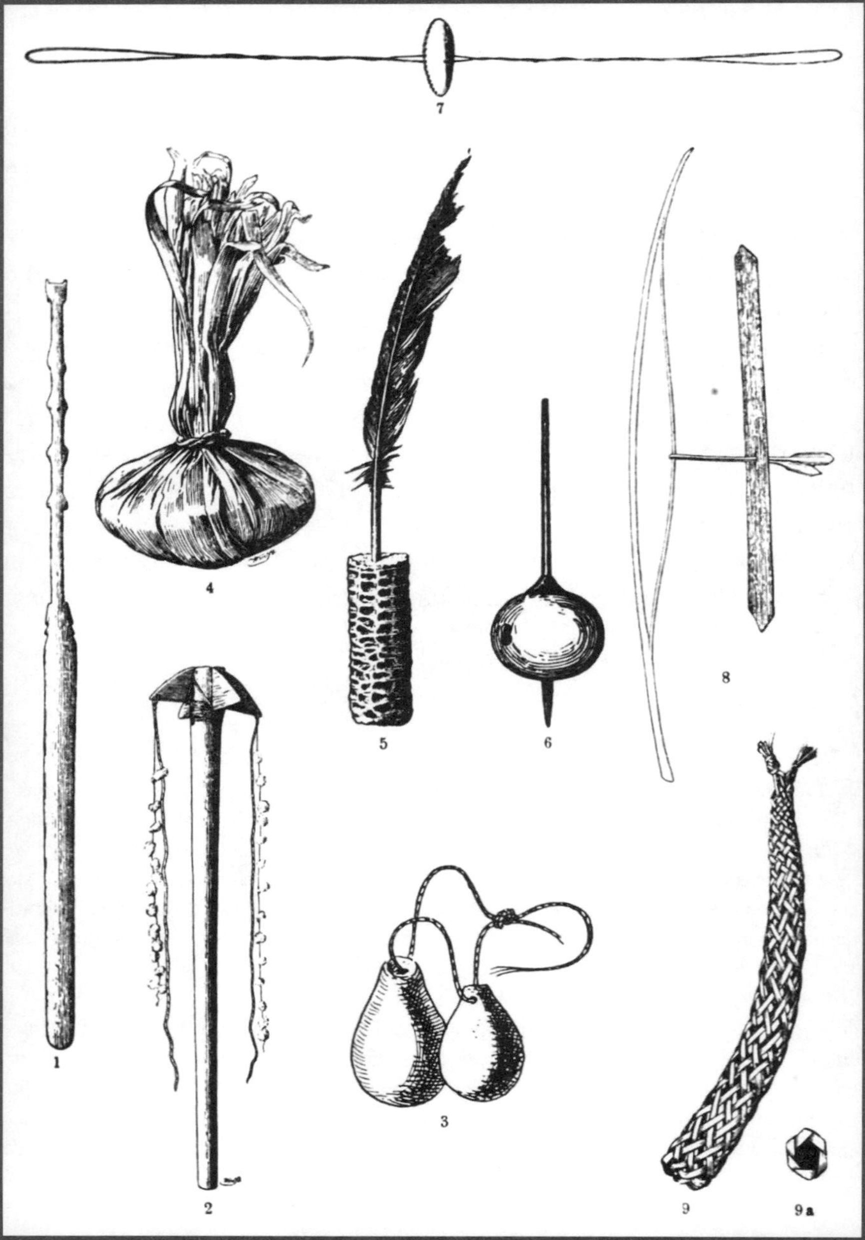

Prancha 36. 1. Espátula de madeira para mexer bebidas de mandioca, Taulipáng. 2. Espiral, decorada para festivais, influência europeia, Taulipáng. 3. Brinquedo infantil feito de duas cabaças pequenas, Taulipáng. 4. Bola feita com palha de milho. 5. Bola de arremesso feita de espigas de milho com pena inserida, Taulipáng, Makuxí, Wapixána. 6. Pião, Taulipáng. 7. Matraca, Taulipáng, Makuxí, Wapixána. 8. Taquara repartida em três partes, mas que continuam unidas, Taulipáng. 9. Pequena mangueira trançada como o tipiti, do mesmo material elástico, aberta em uma das extremidades e, na outra, terminando em um anel, Wapixána. 9a. Abertura inferior de 9.

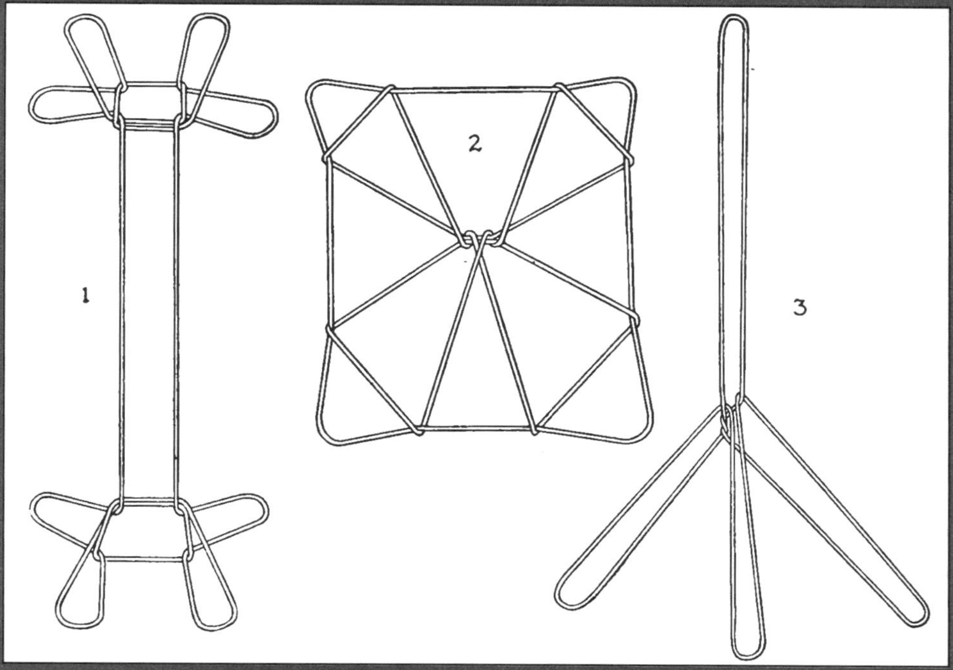

1

PRANCHA 37(1). JOGOS DE FIOS (CAMA DE GATO) DOS TAULIPÁNG: 1. "ORÓWE PÚ'YI" — "ÂNUS DO PAPAGAIO". 2. "ÄLÁI" — "GRANDE ARANHA DOMÉSTICA (NÃO VENENOSA)". 3. "KAPAIZÁHKALA" — "RAÍZES DA PALMEIRA BACABA" (RAÍZES EMBAIXO, TRONCO EM CIMA).

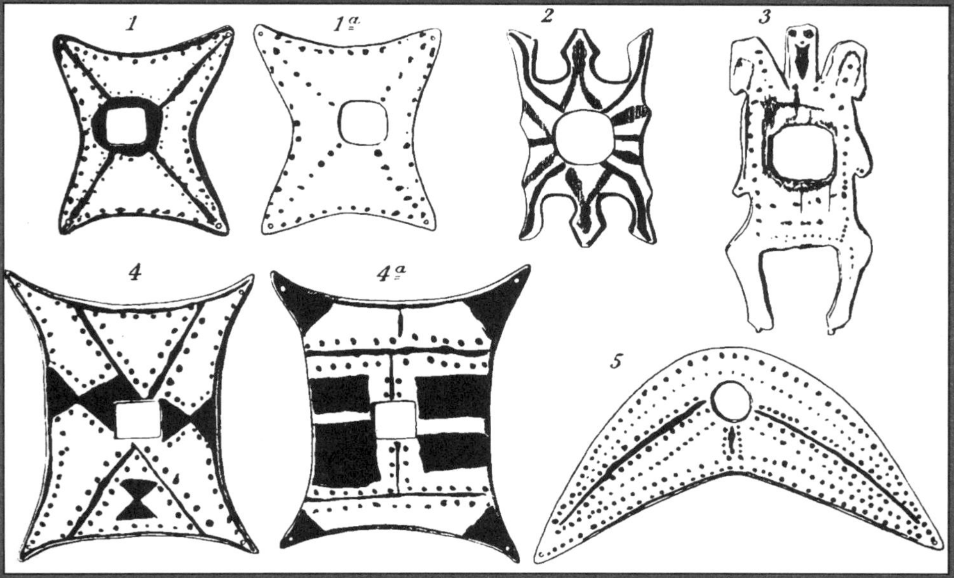

2

PRANCHA 37(2). PLACAS DECORATIVAS, ESCULPIDAS EM MADEIRA CLARA E PINTADAS COM DESENHOS EM PRETO E VERMELHO, SÃO COLOCADAS NA EXTREMIDADE INFERIOR DAS TROMBETAS TUBULARES TOCADAS NA DANÇA PARIXERÁ, 1, 4 E 5, TAULIPÁNG; 2 E 3, WAPIXÁNA.

Em Koimélemong, várias vezes tive oportunidade de ouvir os exorcismos de *Katū́ra*, um dos pajés mais respeitados dos Taulipáng, separado dele somente pela fina parede de folhas da cabana. Mais tarde, após certa resistência, ele também confiou seus cantos mágicos ao fonógrafo, quando se comportou exatamente como se tivesse um doente diante de si.

Na cura, o doente fica estendido na rede de dormir amarrada perto do chão. Junto dele, o pajé fica sentado num banco baixo talhado em forma de animal, segurando, na mão direita, um feixe de ramos mágicos com folhas frescas, com o qual, durante o canto, bate o compasso no chão, na mão esquerda, o longo charuto, do qual, de vez em quando, tira fortes baforadas, a fim de, soprando alto, soprar a fumaça salutar nas partes doloridas do corpo do doente.

O chocalho mágico, *maraká*, que desempenha o principal papel nos ritos de cura da maioria das outras tribos da Guiana, parece não estar em uso entre os Taulipáng e os Arekuná. Em seu lugar, aparece o feixe de folhas.[433]

Primeiro, o pajé canta solenemente uma canção monótona, em graves sons guturais com voz anasalada. Ela se divide em estrofes isoladas, que ele inicia com uma gritaria selvagem "*yā́ ——— hă — hă — hắ ——— hă — hă — hā́ ——— hă — hă — hā́ ———!*" e vai extinguindo com um longo "*ō* ————".[434] Então, ouvem-se gemidos e suspiros, sopros, um "*hă — hă — hă — hă — hắdede — hắdede*" balbuciado selvagemente, sons guturais. Ele bebe suco de tabaco. Passa o feixe de folhas, que cicia para lá e para cá pelo chão e faz seu som extinguir-se baixinho, como à distância. Sua sombra soltou-se do corpo e foi para o alto.[435] Ele vai buscar um *Mauarí*, um espírito das montanhas, na maioria das vezes o espírito de um pajé morto, que continua a cura por ele. Já se ouvem algumas palavras balbuciadas selvagemente com uma outra voz, mais rouca. O espírito está aí. Ele trouxe o seu cão, uma onça. Pode-se ouvi-la rosnar. Essa onça fantasmagórica é perigosa para as pessoas comuns, dizem os índios, mas em relação aos pajés é dócil como um cão. O urro do pajé transforma-se, aos poucos, num canto monótono, que dura até o fim da cura.[436]

---

433 Segundo Rich. Schomburgk (op. cit., v.I, p.423), os pajés dos Makuxí geralmente utilizavam chocalhos mágicos. Mas na aldeia Makuxí Nappi, na bacia do rio Maú, onde o viajante foi tratado por um pajé, este sentou-se no chão, junto a sua rede de dormir, e chicoteava a terra com dois feixes de folhas que trazia na mão, ao mesmo tempo que soltava gritos de arrepiar os cabelos (ibidem, v.II, p.145-6). O mesmo foi observado por Im Thurn entre os Makuxí (op. cit., p.335*ss*.). Crevaux, ao descrever um rito de cura dos Rukuyenne, também fala de se esfregar e se bater com determinadas folhas (op. cit., p.299; vide mais adiante na nota de rodapé 4).

434 Vide o Apêndice "A música dos Makuxí, Taulipáng e Yekuaná". Entre os Warrau, as fórmulas de exorcismo preliminares dos pajés no rito de cura frequentemente duram mais de uma hora (Rich. Schomburgk, op. cit., v.I, p.171).

435 O pajé dos Galibí, de vez em quando, diz em seus exorcismos "que ele vai subir ao céu, e se despede dos presentes, mas, ao mesmo tempo, lhes promete que voltará em breve. Então modifica sua voz e fala sempre baixinho, até que, finalmente, cessa de falar para fazer crer que realmente subiu ao céu" (Barrere, op. cit., p.215-6).

436 De modo semelhante transcorreu um rito de cura entre os Rukuyenne (Ojana), descrito por Crevaux (op. cit., p.299): o pajé subiu num pequeno tapume, semelhante a uma gaiola, feito de folha de palmeira. O doente

Katũra deu a seguinte explicação: no rito de cura, o pajé bebe suco de tabaco, a seguir, sua sombra, sua alma, que ele designou pelo nome genérico para "espírito", *mauarí*, separa-se do corpo e vai para o alto. O corpo fica no mesmo lugar. Nas altas serras, a alma se encontra com os espíritos (*mauarí*) de pajés mortos, conta-lhes que aqui há uma pessoa doente e a chama. Quando o suco de tabaco "seca" no corpo do pajé, sua alma tem de voltar para o corpo, mas ela traz um ou vários espíritos e, com o auxílio deles, realiza a cura. Se a alma do pajé não quiser partir, o doente morre. Por isso, durante o rito de cura, de vez em quando o pajé tem de tomar suco de tabaco, a fim de soltar sua alma do corpo.[437] Então, esta chama sempre novos espíritos de pajés.

Alguns meses depois, ouvi do Arekuná *Akũli* um rito de cura muito dramático.[438] Foi realizado em um garoto febril na cabana da família de um Taulipáng que vivia na extremidade oriental da ilha Maracá. Primeiro, o pajé cantou, com sua voz natural, um canto melódico que daria um belo motivo para um compositor. No meio, ouvia-se o sopro "*ch* ———*ch* ———" - ele soprava fumaça de tabaco sobre o garoto –, e o ciciar do feixe de folhas passando para lá e para cá pelo chão, de modo bem regular. Isso, por si só, já deve exercer um efeito hipnótico sobre um doente com febre. Aos poucos, o canto e o ciciar se extinguem. Gargarejando, o feiticeiro bebe o caldo de tabaco que um outro lhe preparou, depois cospe terrivelmente. Então, silêncio profundo. Sua alma foi para o alto e chama uma colega entre os *mauarí*, que assume a cura em seu lugar. De repente, ouve-se uma voz rouca falando e cantando. *Ratô*, a "mãe d'água", o monstro dos rios, apareceu. Então se ouve novamente uma voz feminina bem alta, ora perto, ora longe. Uma ventriloquia excelente.[439] Uma voz briga com a outra. No meio, um diálogo agitado entre *Ratô* e uma mulher índia da vizinhança, presente à cura. O recinto, cuidadosamente fechado, está totalmente às escuras. Cobriram-se antes, com folhas de palmeira, buracos grandes na parede externa, para que a lua não possa brilhar lá dentro. Apesar disso, para alegria dos

---

ficou temporariamente lá fora, sentado num banco em meio aos espectadores. "Após um instante de silêncio, ouvimos um ruído de esfregação. O feiticeiro bate com as mãos nas folhas de *uapu*. Então ele sopra com força e imita o grito da onça. A seguir, ele assobia como o macaco, canta como o mutum, como o jacu, como todos os animais da mata virgem. Chama todos os seus colegas, os pajés animais, o 'pajé-onça', o 'pajé--macaco', o 'pajé-cobra', o 'pajé-*pacu*', que devem ajudá-lo com seus conselhos. Eles lhe darão remédios para curar o doente. Segue-se um silêncio profundo; é o momento solene da consulta entre o pajé humano e os pajés animais." Após um canto do pajé, o doente, tremendo de medo, é levado até ele lá dentro, e começa o tratamento em si, com soprar, aspirar etc.

437 O pajé dos Galibí, diz Barrere (op. cit., p.212), de vez em quando tem de renovar a força que o torna médico por meio de algumas doses de suco de tabaco.

438 Vide v.I, p.162-3.

439 A arte de imitar diferentes vozes, humanas e de animais, uma espécie de ventriloquia, é sublinhada em todas as descrições de ritos de cura; é ensinada aos pajés noviços por seu professor; vide Rochefort, op. cit., p.341-2, 502 (Karib das ilhas); Barrere, op. cit., p.215; De Goeje, *Beiträge*, p.14 (Galibí-Kalínya); Rich. Schomburgk, op. cit., v.I, p.171 (Warrau); v.I, p.423; v.II, p.146 (Makuxí); Im Thurn, op. cit., p.334, 336-7 (Makuxí); Crevaux, op. cit., p.299 (Rukuyenne); Roth, op. cit., p.338, 340, 347-8 (Aruak atuais do Pomeroon): o pajé tem de chamar todos os espíritos dos animais, a fim de descobrir a causa da doença.

ouvintes, logo ao chegar, o espírito ralha por causa das muitas fendas na parede de folhas da cabana descuidada. Aliás, entrementes, ele faz muitas piadas que sempre provocam altas gargalhadas. Os ouvintes, meus índios também, deitados em suas redes de dormir, junto à parede externa, conversam com o espírito, fazem-lhe perguntas, que ele responde sem pestanejar. É uma espécie de oráculo.[440] Agora vem um outro espírito, grunhindo, o "pai do porco-do-mato". A voz do feiticeiro está totalmente mudada. Soa como a de um velho. Dá-se um diálogo entre o pai do doente e o espírito, que também diz o seu nome: *Z̯au̯e̥le̥z̯ā́li*.[441] Entrementes, ouve-se o canto de uma voz grave, interrompido por grunhidos. De repente, soa um alto e selvagem "*haí* — — — *haí* — — — *haí* — — —", a seguir, um baixinho "*ch* — — — *ch* — — —". O feiticeiro sopra, novamente, o corpo do doente. Ele cicia o feixe de folhas e bate compassadamente no chão. Por fim, chega *Ayũg*, o espírito de uma planta mágica, um dos mais fortes cúmplices dos pajés, do qual ainda se falará mais adiante. Ele conversa com os outros espíritos. A "mãe d'água" foge dele, como *Ayũg* conta triunfantemente com sua voz clara e divertida, em meio a diferentes piadas, das quais os ouvintes riem. Durante toda a ação, que durou umas duas horas, de vez em quando o feiticeiro bebia caldo de tabaco, gargarejando alto, para voltar a fortalecer seu poder mágico.[442]

Tenho a impressão de que os ouvintes, apesar de suas risadas, em geral, acreditam no feitiço. Por isso, têm um grande respeito pelos pajés, pois são pessoas com forças misteriosas, que poderiam fazer mal aos mortais comuns.

O próprio pajé também crê em sua arte e na eficácia dela. A melhor prova disso é que, quando fica doente, ele é tratado por um colega.[443]

Em alguns casos de doença, o rito de cura pode, de fato, provocar a cura ou, pelo menos, ajudar, de modo semelhante como, entre nós, a psicoterapia pode, em grande medida, causar

---

440 Nos ritos de cura dos Karib das ilhas, o espírito aparecia, chamado pelo pajé por meio da fumaça do tabaco, do alto da cabana, fazendo muito barulho, e respondia claramente a todas as perguntas que o pajé lhe fazia (Rochefort, op. cit., p.502). O pajé dos Galibí "imita todo tipo de voz. Ora ele fala, ora seu espírito (uma espécie de espírito auxiliar que o serve), ora ele exorciza o diabo (o mau espírito que entrou no doente), a quem, de vez em quando, dirige a palavra energicamente e lhe ordena que saia, fazendo que ele responda tudo que lhe convém" (Barrere, op. cit., p.215).

441 Vide v.II, p.93-8, onde se conta como um pajé, depois de muitas aventuras, por fim se torna "pai do porco--do-mato".

442 Foi semelhante o transcorrer de uma cura que um pajé dos Makuxí realizou em Im Thurn (op. cit., p.335*ss*.), e que o viajante descreve vivamente. Foi citada uma série de espíritos que, aparentemente, desciam do alto e, depois de dizer seu nome e prometer não afligir o doente, voavam novamente embora dali, ciciando. Vinham na figura de onças, veados, macacos, aves, tartarugas, cobras, índios Akawoío e Arekuná, e o pajé sabia expressar isso habilmente, graças a sua ventriloquia e a seu talento de ator, por meio de modulações da voz e da imitação dos sons naturais do animal em questão.

443 De Goeje (*Beiträge*, p.14) conta que um pajé dos Trio curou o filho de um colega e se deixou tratar por este quando ficou doente. "Estou convencido", escreve Rich. Schomburgk (op. cit., v.II, p.116), "de que tanto o *Piai* (dos Makuxí) quanto seus protegidos acreditam de modo inabalável na eficácia de suas feitiçarias." Vide também Roth, op. cit., p.327.

alívio por meio de hipnose e magnetismo, até mesmo cura em certos casos.[444] O canto monótono, então novamente selvagem e agitado, o bater e o ciciar com o feixe de folhas, o soprar o corpo do doente com a fumaça do tabaco, o alisar e o amassar com regularidade, o sugar as partes doloridas do corpo,[445] além disso, a crença tradicional na força salutar do pajé, tudo isso deve causar um efeito altamente sugestivo no doente.[446]

O pajé também não é um mero charlatão, como é chamado em alguns relatos. É verdade que faz parte de seu ofício muita ilusão consciente. Ele precisa ter um certo talento como ator, dispor o máximo possível do dom da ventriloquia para agir sobre seus ouvintes.[447] Mas muita coisa ele também faz de boa-fé. Por meio de seu excessivo consumo de tabaco, mas especialmente por meio da ingestão do ardido caldo de fumo, ele entra num estado de entorpecimento dos sentidos, um estado de delírio que lhe simula alucinações e visões, nas quais, segundo a crença indígena, sua alma se solta do corpo e tem experiências maravilhosas, que ele sente como realidade após voltar para o estado normal.[448]

Em agosto de 1911, durante minha estada em São Marcos, três Taulipáng morreram em Koimélemong, um logo após o outro, de uma espécie de disenteria. Quando a doença estava desaparecendo, *Katũra* me contou o seguinte: à noite, ele "cantou". Então, um homem grande e forte chegou e lutou com ele. Por fim, ele o venceu e o trancou em uma mala. Mas, na manhã seguinte, quando foi ver, não havia nada dentro dela. "Deve ter sido o 'pai da doença'", disse *Katũra*.

Os pajés estão firmemente convencidos de que podem se transformar em onças ao vestir a *kai̯kusẹ́-za̯mấtalẹ*, a "roupa da onça". Eles viram o corpo todo, de modo que a barriga fica virada para cima. As costas vão para baixo, como barriga. Mãos e pés tornam-se redondos e são armados com garras, como os pés de uma onça, e ficam virados para trás.[449]

---

444 Quandt (op. cit., p.259-60) admira-se de que índios doentes, nos quais os remédios dados pelos missionários não queriam fazer efeito, às vezes eram curados por seus pajés. Ele atribui isso ao fato de que estes, por meio do tratamento mágico, faziam o doente transpirar e o curavam completamente por meio de vomitivos.

445 Esse tratamento de um doente é mais ou menos o mesmo em todas as tribos da Guiana; vide Rochefort, op. cit., p.502-3 (Karib das ilhas); Barrere, op. cit., p.214 (Galibí); De Goeje, *Beiträge*, p.14 (Trio); Quandt, op. cit., p.261; Brett, op. cit. p.365 (Aruak); Roth, op. cit., p.347 (Aruak atuais no Pomeroon); Rich. Schomburgk, op. cit., v.I, p.171-2 (Warrau), p.423, v.II, p.146 (Makuxí); Crevaux, op. cit., p.116-7, 299; Coudreau, op. cit., p.206 (Rukuyenne) etc.

446 Mesmo Im Thurn (op. cit., p.337), num rito de cura, depois de pouco tempo, entrou em uma espécie de narcose, na qual ele não tinha poder sobre sua vontade nem lembrança.

447 Vide a excelente descrição de um exorcismo em Im Thurn, op. cit., p.336-7.

448 Dizem que, com frequência, o êxtase do pajé (dos Makuxí) se intensifica tanto, que ele sucumbe, exausto e inconsciente (Rich. Schomburgk, op. cit., v.II, p.146). Em seu transe, o pajé realmente acredita que se relaciona com os espíritos (Roth, op. cit., p.338). O mesmo diz Brett (op. cit., p.366), que acha, com razão: "Neste caso, como em alguns outros, fica difícil dizer onde termina a crença e onde começa a fraude".

449 A crença nas características de "lobisomem" do pajé é bastante difundida na América do Sul. É muito desenvolvida nas tribos do grupo Tukáno do noroeste da Amazônia, que, em parte, têm a mesma palavra para "pajé" e "onça" (vide Koch-Grünberg, *Zwei Jahre...*, v.II, p.155).

1

2

3

4

5

6

7

8

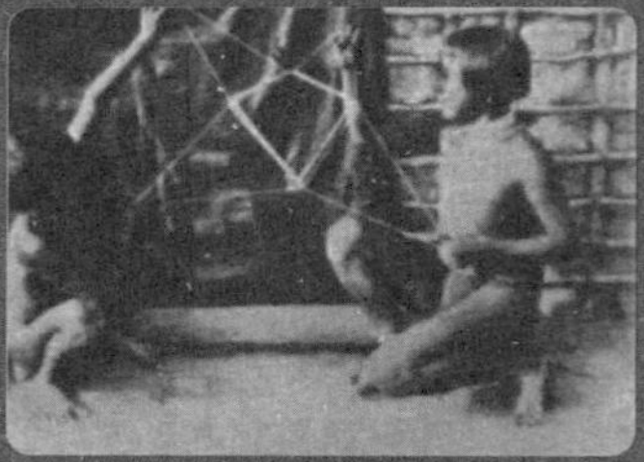

9

10

Prancha 38. Jogos de fios (cama de gato) dos Taulipáng. 1-3. "Queixo do bugio". 4-5. "Peixe acará". 6-10. "Espelho".

Quando os pajés estão muito embriagados, eles se transformam em onças sem saber. *Akúli* contou que, numa grande festa de dança no Roraima, ele se transformou em uma onça na própria casa da dança, à vista de todo mundo, que fugiu e barricou a casa. Ele também subiu em um poste da casa e caiu. Quando as pessoas lhe contaram isso no dia seguinte, ele ficou muito envergonhado.[450]

Existem pajés maus que, quando são hostis a uma pessoa, se transformam em uma onça e ficam à sua espreita no caminho e a matam. O cacique Taulipáng *Džilawó*, perto da missão beneditina no alto Surumu, é temido e odiado pelas tribos das vizinhanças, e até mesmo por seus próprios companheiros de tribo, como um feiticeiro muito mau. Muitos casos de doença e de morte lhe são atribuídos. Dizem que, um dia, ele encontrou *Katúra*, quando este estava pescando sozinho no Miáng, como onça, para pegá-lo e comê-lo. Mas que *Katúra* lhe acertou algumas flechas na clavícula, de modo que *Džilawó* ficou um bom tempo doente. Pelo visto, *Katúra* acertou uma onça de verdade e, como *Džilawó* adoeceu na mesma época, relacionou--se um fato com o outro. Os índios diziam que "*Džilawó* come gente. Ele já matou muita gente, também os cavalos e o gado dos *padres*.[451] Em breve ele também vai matar os *padres*! Agora os pajés disseram: 'Vamos finalmente matá-lo, para que ele nos deixe em paz!'".[452]

O pajé não pode exigir honorários para sua atividade; na maioria das vezes, porém, eles lhe são dados, mas somente depois que a cura se concretizou. Geralmente, ele recebe mercadorias europeias, uma faca, um facão, um pedaço de tecido, uma caixa de fósforos e coisas semelhantes.[453]

Se um doente que foi tratado por um pajé morrer, pode acontecer de os parentes do falecido darem uma surra no pajé ou até mesmo o matarem.

---

450 O incidente deve ter ocorrido da maneira como o excelente P. Dobrizhoffer (op. cit., v.II, p.100) relata sobre os pajés de seus Abipões, que tinham a mesma crença: "Muitas vezes, esses reféns dos supersticiosos, quando se creem ofendidos por alguém ou o consideram um inimigo, ameaçam se transformar ali mesmo em uma onça e despedaçar tudo de uma só vez. Mal começam a imitar o rugido da onça, todos à sua volta, tremendo de medo, se dispersam para todos os lados. Mas, de longe, ficam ouvindo o rugido imitado. Imediatamente, começam a gemer de terror, fora de si: veja como ele está ficando com as manchas da onça, como as garras estão crescendo, apesar de não poderem ver o enganador esperto, que fica escondido em sua cabana. O medo sozinho já faz que vejam coisas que não existem em parte alguma".

451 À época de minha estada, quase todos os cavalos e muito gado da missão morreram, provavelmente devido ao mau pasto.

452 Uma epidemia entre os Ojana foi atribuída a dois pajés maus da mesma tribo. Um Trio tinha a fama de ser um pajé extremamente poderoso. Tinha-se muito medo dele, pois matava muita gente com suas artes mágicas. Também se contavam dele todos os prodígios possíveis (De Goeje, *Beiträge*, p.14).

453 Na maioria das tribos, os honorários médicos são pagos somente após a cura, assim, entre os Galibí, um facão, um machado, alguns pacotes de miçangas, uma tanga ou coisas semelhantes (Barrere, op. cit., p.217); entre os Rukuyenne (Ojana), um pente, uma rede de dormir, uma peneira (Crevaux, op. cit., p.250, 299); entre os Warrau (Rich. Schomburgk, op. cit., v.I, p.173) e os Makuxí (Im Thurn, op. cit., p.338, 339). Mas também há relatos de casos em que, apesar do óbito de seu paciente, o pajé é pago pela família enlutada, assim, entre os Aruak (Quandt, op. cit., p.260) e os Makuxí com artigos europeus (Rich. Schomburgk, op. cit., v.I, p.422).

Mas, na maioria das vezes, esses espertos feiticeiros sabem se desculpar habilmente quando sua cura não dá certo. Algum poderoso espírito mau ou uma outra força inimiga, explicam eles, impediu a cura;[454] ou, então, eles nem se envolvem com o tratamento quando o estado do doente lhes parece grave ou sem esperança. Em Koimélemong, um velho Taulipáng estava com a barriga terrivelmente inchada e dura e, às vezes, se queixava de fortes dores. Provavelmente, ele sofria de hidropisia. O pajé Yekuaná diagnosticou um animal com galhada, como um veado que rumorejava. Se ele o tirasse, disse, o velho morreria; por isso, ele não o tirava![455]

O cargo de pajé seria muito cobiçado se o longo e cansativo período preparatório e as provas, em parte repugnantes, não desencorajassem a maioria das pessoas.

Katũra deu informações muito sumárias sobre a formação do pajé, que não servem para muita coisa: "Quando um Taulipáng quer se tornar pajé, ele bebe, por cinco noites seguidas, a casca dissolvida em água de determinadas árvores, *likauá*, *ayũg*, *ual(e)kán-yẹg*, *pauẹnẹ-yẹg*, *dzalaúla-yẹg*, cada noite uma mistura diferente, com a qual, toda vez, ele vomita. Então ele bebe caldo de tabaco, *kaúai̯*. Durante todo o tempo ele não come nada e fica muito magro. Então vai buscar determinadas folhas, *ayú-yalẹ*, *kuālĩ-(d)yalẹ*, *ual(e)kán-yalẹ*, faz um feixe delas, como o que o pajé usa mais tarde na cura, vai com ele para o alto, volta e é pajé".

Muito importante para essa questão é uma lenda dos Arekuná, em que se conta como o grande feiticeiro *Piai̯'mã́* faz os primeiros pajés.[456] Todo o período de aprendizado de um pajé é descrito nela com todas as minúcias: alguns garotos se perdem e chegam até *Piai̯'mã́*, que os torna seus aprendizes. Diz para eles: "Vou educá-los para que vocês não andem por aí como animais". Durante todo o período preparatório, eles ficam com ele numa pequena cabana afastada, onde ninguém os vê; "pois isso é muito perigoso para as mulheres". Primeiro, *Piai̯'mã́* lhes dá água para beber, até que eles a vomitam, e diz: "A água que dei para vocês até vomitarem deve tornar a voz de vocês boa e bonita, para que possam cantar bonito e sempre dizer a verdade e nunca uma mentira".

---

454 É assim entre os Galibí e Aruak (Barrere, op. cit., p.216-7; Quandt, op. cit., p.260; Brett, op. cit., p.365). Entre os Warrau, se o doente morrer, então a influência dos espíritos foi mais forte, ou um pajé mau, com sua arte, frustrou as boas intenções do médico, impedindo, assim, a cura. "Não se pode negar", diz, com razão Rich. Schomburgk, "que este último motivo promove a reputação dos *piais* (pajés) em geral; um desses homens divinos aponta, assim, sempre para o poder do outro e, ao nos curvarmos diante de um deles, reconhecemos a força de todos" (op. cit., v.I, p.172). No rito de cura de um Rukuyenne em estado desesperador, que Crevaux (op. cit., p.300) observou, primeiro o pajé efetuou os costumeiros exorcismos. Mas, por fim, ele se retirou com um pequeno arco e flecha para detrás de um tapume de folhas de palmeira, que, em muitas tribos da Guiana, serve como domicílio durante o rito de cura. Depois de algum tempo, ele saiu e mostrou, triunfante, a flecha manchada de sangue, dizendo: "Eu o acertei; ele vai morrer depressa!". Ele tinha acertado, de modo fatal, o feiticeiro inimigo que havia causado a morte inevitável do doente.

455 O pajé dos Warrau chupa as partes doloridas do doente e traz à luz impurezas, como espinha de peixe, ossos, espinhos etc., que o inimigo, por meio de feitiço, inseriu no corpo do doente (Rich. Schomburgk, op. cit., v.I, p.172). Vide também Brett, op. cit., p.365; Im Thurn, op. cit., p.338. É assim por toda parte nos ritos de cura. Vide Koch-Grünberg, *Zwei Jahre*..., v.I, p.159*ss*.

456 Vide v.II, p.66*ss*.

[De vez em quando, os pajés bebem água do rio até vomitarem, especialmente água com espuma das cachoeiras. Então eles vomitam várias vezes e voltam a beber; é uma espécie de limpeza interior. Observei isso em *Akūli* várias vezes durante a viagem pelo Uraricoera. Ele sempre o fazia de manhã cedo, antes do nascer do sol e, como acompanhamento, cantava, em sons terrivelmente guturais, o canto de exorcismo do pajé no rito de cura.][457]

Então *Piai̯'mã* dá vomitivo aos garotos e diz: "O vomitivo que dou para vocês não é só para vocês e não é só para hoje, mas para sempre e para todos os pajés. Quando vomitam, reconhecem o que é certo no mundo". As crianças emagrecem muito, já que ele lhes dá vomitivos todos os dias. São feitos das cascas de diferentes árvores, trituradas fininho e misturadas com água. Primeiro ele lhes dá *karaíla-yeg*, então *paúna-yeg*, então *tolõma-yeg*, então *kozõkozo*, então *kapeyenkumá(x)pe*, então *elekauá* e, por fim, *ayũg*. Eles vomitam numa cachoeira, "para absorver as diferentes vozes da queda d'água, que, primeiro, canta alto, depois, baixo, então, alto de novo, então, bem mais baixo, de modo que se ouve como se três estivessem cantando juntos". Então eles vomitam numa canoa grande e ficam bebendo o que vomitaram até não aguentarem mais, a seguir, esvaziam a canoa "na cabana, onde ninguém vê", e misturam uma outra casca. Por fim, as crianças ficam narcotizadas. Elas "caíram embebedadas", diz a lenda, "mas ainda tinham os sentidos; seu coração ainda batia; seus olhos ainda estavam vivos". Então *Piai̯'mã* vai embora buscar tabaco. Ele o amolece na água com a casca da *ayũg*, enche uma cuia alongada com o caldo, uma espécie de funil de uma pequena cabaça cortada ao meio, e joga o caldo pelo nariz das crianças. Então elas ficam "embriagadas" de novo. A seguir, *Piai̯'mã* faz duas cordas com o cabelo de sua mulher, enfia-as nas duas narinas dos garotos e as puxa de novo, devagar, boca afora, até sangrar.

[Assim como o cordão de fibra de palmeira esfregada com drogas mágicas concede poder mágico ao jovem na puberdade e ao caçador e pescador no exercício de suas atividades, aqui, do mesmo modo, o poder mágico dos cabelos é transmitido ao corpo do noviço.][458]

Esse cordão de cabelo, chamado *karãualí*, explicou o narrador, "serve à sombra (alma) do pajé como escada, para (na cura) subir por ela até o alto, enquanto o corpo fica na terra". Serve ao mesmo propósito, como veremos mais tarde, o cipó *kapeyenkuma(x)pe*.

Mais uma vez, *Piai̯'mã* dá suco de tabaco para seus aprendizes beberem pelo nariz. Então ele os restaura, pois tinham emagrecido muito. Ele os faz engordar de novo. Ficam com ele por muitos anos, e ele os torna pajés. Nesse meio-tempo, os garotos ficaram velhos. Então *Piai̯'mã* os manda para sua pátria. Na despedida, ele lhes dá fumo, além disso, *kamãyíñ-pēlu* (frutos da *ambaúba*,[459] uma droga mágica), *kántig* (bardana), *kumíg* (uma espécie de capim, remédio para dor de barriga e outras dores, uma das drogas mágicas mais importantes para transformação), *wai̯kíñ-epig*, *(u)sãli-epig*, *wãíla-epig* etc. (feitiço de plantas para ser bem-sucedido na caça do veado galheiro, do veado-do-mato, da anta etc.).[460] Diz a eles: "Quando vocês ficarem

457 Vide v.II, p.98, 115.
458 Vide p.125-6.
459 *Cecropia* sp.
460 Vide p.125-6.

bravos com uma pessoa, joguem *kántig* na plantação dela! Ela vai sufocar tudo". Ele também lhes dá *azaú* (uma planta) para deixar uma mulher louca; do mesmo modo, um remédio, *wēlidžáň-auādžilúmpato* (uma planta), para deixar uma mulher apaixonada. Assim, os homens obtiveram todas as drogas mágicas de *Piai'mā*.

A descrição mais valiosa da aprendizagem de um pajé, muito minuciosa, baseada em experiência própria, foi *Akūli* quem fez. Vou reproduzi-la aqui exatamente como me foi contada.

Um pajé nunca está só. Ele tem sempre um companheiro que, com frequência, primeiro é educado por ele. Alguns também têm três a quatro companheiros.

[Geralmente, o filho aprende magia com o pai, mas, se não houver um filho, então o pajé pega para aprendiz algum garoto que ele considera apto e que não se atemoriza diante das longas e difíceis provas.][461]

Quando alguém quer se tornar pajé, sua preparação começa quando ele é bem jovem, dos 10 aos 12 anos de idade. Ele é preparado para sua profissão por um pajé mais velho. Via de regra, o aprendizado dura cerca de dez anos, às vezes, de dezesseis a vinte, até mesmo 25 anos. Quanto mais longo o estudo, mais forte se torna o pajé.[462] Nunca é um só noviço; são, pelo menos, dois, às vezes, três, às vezes, também quatro, ensinados juntos. Com quatro noviços são sempre dois mestres: primeiro, os garotos têm de tomar água até vomitar. Então, podem descansar por cinco dias. A seguir, o velho lhes dá um vomitivo da casca da árvore *pélę-yęg*,[463] que é pulverizada e misturada com água. Os garotos tomam isso todo dia, uma semana inteira. Eles vomitam numa canoa e voltam sempre a beber disso. Só podem comer pequenos peixes e aves e pequenos beijus de *tapioca*. Esses beijus têm de ser bem secos. Eles os deixam secar por dez dias ao sol. Primeiro, o mestre faz um buraco redondo no centro do beiju. Então, o noviço come migalha por migalha do centro, de modo que o buraco fique sempre redondo, até que o beiju tenha um buraco tão grande que se possa, mais ou menos, abarcá-lo com ambas as mãos. Então ele deixa isso de lado.[464] A seguir, os garotos recebem um outro vomitivo da casca da árvore *muré-yęg*, cujos frutos são comestíveis. Este eles tomam, novamente, por uma

---

461 O mesmo ocorre com os Karib das ilhas (Rochefort, op. cit., p.491), Galibí (Barrere, op. cit., p.208-9), Makuxí (Rich. Schomburgk, op. cit., v.I, p.423), Warrau (ibidem, v.I, p.172); vide também Appun, *Ausland*, 1872, p.684; Im Thurn (op. cit., p.334), que, entre outras coisas, afirma que indivíduos com epilepsia eram preferidos na escolha para pajés noviços, mas que Roth (op. cit., p.333) contesta, com razão.

462 Entre os Galibí, o aprendizado dura de um a vários anos. Alguns perdem a vida devido às duras provas (Barrere, op. cit., p.208, 211). O mesmo diz Crevaux (op. cit., p.117) dos Rukuyenne. Entre os Makuxí, o noviciado dura "alguns anos" (Rich. Schomburgk, op. cit., v.I, p.423).

463 Uma árvore que ocorre com frequência no cerrado, chamada de *muriti* pelos brasileiros e que não deve ser confundida com a palmeira *miriti*, *Mauritia flexuosa*.

464 Esse costume singular, cujo significado não consigo explicar, também se encontra em outras tribos da Guiana, mesmo que em outras ocasiões: durante as longas e rigorosas dietas que o Karib das ilhas fazia após o nascimento de seu filho, ele cortava a *cassava* (beiju) que lhe era servida somente no centro e deixava a borda inteira. Esta ele pendurava em sua cabana até a festa que oferecia aos seus amigos no fim da semana (Rochefort, op. cit., p.481). As moças Aruak, na primeira menstruação, comem somente pequenos beijus, dos quais podem comer apenas o centro (Roth, op. cit., p.309).

semana inteira, até ficarem muito mal. Então o velho lhes dá um vomitivo da casca da árvore *dzalaúra-yeg*, então *péunę-yeg*, então *mése-yeg*,[465] então *maualitalękálu-yeg*, então da casca da árvore da canela *maipaíme*,[466] por fim, da árvore *zolói-yeg*,[467] cada um, uma semana inteira. Misturam-se aos vomitivos os ninhos em forma de tubo, feitos de lama amarela, de uma cigarra, que foram triturados até virar pó, "para que os garotos tenham uma bela voz". Esses ninhos se chamam *katánękābu(x)pę*, que foi traduzido por: "a cigarra o fez". Então os noviços começam a cantar: "*tulūbępé ęnákę yúmaua umõtali-puna męnākapę auížipa ulấtoyupę*", "Sente-se amigavelmente no meu ombro, *Mauarí*, você deverá ser meu acompanhante". A seguir, eles recebem novamente vomitivos esmagados e misturados com água, cada um por uma semana; primeiro, *kozōkozó*, um cipó muito forte que "despedaça todas as entranhas", de modo que os noviços expelem muito sangue; além disso, o cipó estranho, semelhante a uma escada, *kapęyeńkumá(x)pę*, que também desempenha um papel nos ritos de cura;[468] além disso, a casca da árvore *makấlula*, então *elīkauá*, por fim, *ayũg*.[469] "Todas essas cascas", disse o narrador, "são como gente, as sombras (almas) das árvores." – Então os garotos têm de tomar um forte caldo de tabaco pela boca, então um caldo bem forte de tabaco pelo nariz, só por um dia.[470] Quando tomam o tabaco pelo nariz, ficam inconscientes e dormem. Sua alma abandona o corpo e vai para a casa dos *Mauarí*. Antes disso, o noviço diz para seus parentes: "Não chorem!

---

465 Chamada de *paricá* no Brasil: *Mimosa acacioides* Benth. Das sementes secas, os índios fazem um rapé de forte efeito narcotizante.

466 Segundo Rich. Schomburgk (v.I, p.443), é *Cryptocaria pretiosa* (Mart. *Mespilodaphne pretiosa* Nees), *amapaima* dos Makuxí, *casca preciosa* dos brasileiros, uma árvore gigantesca cuja "casca do tipo da canela, de odor aromático, contém um óleo extremamente rico e etéreo". Vide também Rob. Schomburgk, op. cit., p.111*ss*.

467 Cajueiro selvagem, *Anacardium* sp.

468 O nome *kapéi-eńku-ma-(x)pę* significa: "a Lua subiu por ele", como conta a lenda (vide v.II, p.58). Por ele, o pajé também sobe ao céu durante o rito de cura (vide mais adiante).

469 As duas últimas plantas, como veremos, desempenham um grande papel como auxiliares dos pajés.

470 Em todas as tribos da Guiana, o aprendiz de feiticeiro tem de tomar essa bebida várias vezes e em doses cada vez mais fortes (Roth, op. cit., p.338), porque se atribui a ela, assim como ao tabaco, em toda a América, um efeito mágico. Nas tribos do Suriname, por longo tempo o noviço tem de tomar um caldo de folhas de tabaco cozidas e só pode comer muito pouco, fazendo que, no fim, ele fique "completamente esgotado" (Quandt, op. cit., p.261). Entre os Warrau, das provas a que o futuro pajé tem de se submeter, faz parte principalmente engolir grandes quantidades de forte suco de tabaco. Ele não pode ousar fazer reivindicações quanto a novo cargo sem que antes consiga, no ato de iniciação, beber uma grande taça cheia disso "sem que sua natureza se revolte contra esse suco infernal ou que um único músculo do rosto denuncie sua aversão interior" (Rich. Schomburgk, op. cit., v.I, p.172. Vide também Appun, *Ausland*, 1871, p.159; 1872, p.684). Coisa semelhante ocorre entre os Galibí. No dia em que o noviço é definitivamente aceito na corporação, todos os pajés das cercanias são convidados. Diante dos olhos deles, ele tem de esvaziar de um só trago uma grande taça cheia de suco de tabaco. Geralmente, depois disso, ele desmaia. Se ele não vomitar, então tem convulsões terríveis que terminam em longa enfermidade e, com frequência, em morte (Barrere, op. cit., p.211). Crevaux (op. cit., p.158) chegou mesmo a ouvir que os futuros pajés dos Galibí tinham de tomar suco de tabaco ao qual foram acrescentadas algumas gotas do líquido da decomposição do cadáver de um pajé morto. Pelo visto, desse modo uma parte da força mágica do velho curandeiro deve ser transferida para o noviço.

Eu sei o que estou fazendo! Deixem-me tentar!". Ficam deitados como mortos. Só o coração ainda bate. Toda sua alma foi embora. Agora o pajé ordena que amarrem determinadas folhas, *wālegáñzale̱*, para que ele possa "soprar", ou seja, curar, os noviços (deitados e narcotizados).[471] A seguir, o velho começa a cantar. Sua alma vai embora para a casa dos *Mauarí*, onde os garotos estão dançando com as filhas dos *Mauarí*. Ele traz as almas dos garotos de volta. Antes de a alma voltar, o corpo desperta. Só então o pajé vem com a alma. Agora os garotos se levantam e falam de novo. Então eles dançam, como na *parixerá*. À noite, o mestre lhes dá um feixe de folhas, e os garotos cantam.[472] De manhã, eles dançam de novo. À noite, ele lhes dá folhas novamente, e eles cantam. Assim vai, dia após dia, durante cinco a seis meses. Então, à noite, vem um *Mauarí*, um para cada noviço. Vem como cristal e "cai na bolsa"[473] de cada um dos garotos.

[Esses cristais se encontram em diferentes cores, claros como água, azulados e avermelhados, especialmente no Roraima e na *serra dos Cristais*, que deve seu nome a eles, no rio Tacutu. Eles constituem um importante componente dos utensílios dos pajés, que estes sempre trazem consigo, usam em suas curas e nos quais, de vez em quando, à noite, sopram fumaça de tabaco, murmurando fórmulas de exorcismo, como observei várias vezes durante a viagem.][474]

O *Mauarí* (saindo do cristal) entra no corpo do garoto. Depois de algum tempo, chega um segundo *Mauarí*, depois de algum tempo, um terceiro, e assim por diante, até cada garoto ter vários *Mauarí*. Então o pajé pode liberar os noviços, "depois que muitos *Mauarí* caíram". O aprendizado terminou. Os noviços se tornaram pajés prontos, que agora podem exercer a sua profissão.

Durante todo o aprendizado, o noviço só pode comer pequenas aves e pequenos peixes e beber *caxiri* leve de beijus, *sa'burú*, outro *caxiri* não, nem *payuá* nem, principalmente, *pelákali*.[475] Este último é fermentado com folhas da planta *wolélẹ-yeg*, que cresce na mata. Essas folhas lhe queimariam a garganta, e ele nunca mais poderia cantar.[476]

---

471 É o mesmo feixe de folhas que o pajé utiliza no rito de cura.

472 Como o pajé canta durante o rito de cura.

473 Espécie de bolsa de caça feita de pele de onça ou de lontra ou de tricô de algodão.

474 Vide v.I, p.216. Esses cristais mágicos parecem ser usados em todas as tribos da Guiana (em sentido amplo). Eu os encontrei em 1903 no alto *rio* Negro, onde, ao que parece, são originalmente estranhos e introduzidos do Orinoco (Koch-Grünberg, *Zwei Jahre*..., v.I, p.67, 158). O Lindenmuseum, em Stuttgart, possui alguns exemplares muito bonitos de grandes cristais da montanha, que são presos por meio de cera negra na abertura de gigantescos dentes de jacaré e usados pelos pajés dos Guahíbo, no *rio* Vichada, num cordão no pescoço (Kat. n.I. C. 94766-94768). Crevaux (op. cit., p.554), que viu um desses adornos no pescoço de um Guahíbo, observa que, com esse utensílio mágico, os Guahíbo enfeitiçam seus odiados vizinhos, os Piaroa. Certa vez, um Aruak viu, nas coisas de Quandt, um grande cristal. Imediatamente, ele deu um passo para trás e lhe perguntou se ele também era um *semmeti* (pajé) (Quandt, op. cit., p.259).

475 Ou *parákali*; vide p.66-7.

476 Durante o noviciado, ordena-se em todas as tribos um jejum rigoroso; Karib das ilhas (Rochefort, op. cit., p.491), Makuxí (Rich. Schomburgk, op. cit., v.I, p.423), Aruak (Roth, op. cit., p.338), Galibí (Barrere, op. cit., p.209-10): "A comida que recebem durante esse período é quase insuficiente para mantê-los com vida. É-lhes terminantemente proibido comer certos peixes, caça, frutos e coisas desse tipo". Brett (op. cit., p.362) também sublinha o rigor das provas, que, juntamente com jejum e o consumo de caldo de tabaco, levam

Se o seu mestre o dispensou, o jovem pajé pode, novamente, beber e comer de tudo, menos *piranhas*,[477] pois estas lhe cortariam a "escada para o céu",[478] e nunca mais ele poderia ir para o alto.[479]

Como vimos, a alma de um pajé morto vai para a morada dos *Mauarí*, as serras. Lá ela se transforma em um cristal, como os que os pajés usam na cura. Se esse espírito do morto encontrar lá a alma de um outro pajé, que se soltou do corpo durante o rito de cura, então ele se torna seu companheiro, seu ajudante. Ele auxilia os bons pajés nas curas e lhes dá tabaco. Ele também dá tabaco aos *Mauarí*. O pajé tem como ajudantes muitos espíritos de pajés mortos.[480]

---

o noviço a um estado de fraqueza semelhante à morte. Sua morte é anunciada em voz alta, e sua gente é chamada para testemunhar seu estado. Aos poucos, ele se recupera. Vide também Appun, *Ausland*, 1872, p.684; Im Thurn, op. cit., p.334.

477 *Serrasalmo* sp. Os dentes afiados desse peixe voraz e perigoso são usados pelos índios para cortar.

478 Vide mais adiante.

479 Em algumas tribos, o pajé pronto também está sujeito a rigorosas proibições alimentares. Assim, entre os Galibí, ele não pode comer certos peixes e caça, senão perderia sua força (Barrere, op. cit., p.212). Entre os Karib das ilhas, de vez em quando ele tinha de jejuar (Rochefort, op. cit., p.352). Entre os Warrau, a carne de animais grandes lhe é proibida, e ele só pode comer animais autóctones (Rich. Schomburgk, op. cit., v.I, p.173). O mesmo viajante (v.I, p.423) chega mesmo a dizer dos pajés dos Makuxí: "Um caldo de folhas de tabaco é sua bebida na presença de outros, um pedacinho de pão de *cassada* é seu alimento". Por mais dez meses, o novo pajé deve se abster da carne de aves e de outros animais; somente peixes bem pequenos lhe são permitidos e um pouco de *cassava*. Bebidas inebriantes lhe são proibidas. Mais tarde, ele também não pode comer carne nem alimentos que não sejam autóctones (Brett, op. cit., p.362-3). Vide também Roth, op. cit., p.328.

480 Diferentes autores apontam para esses ajudantes do pajé vindos do mundo dos espíritos: segundo Rochefort (op. cit., p.341), cada pajé dos Karib das ilhas tinha "seu deus especial, ou melhor, seu diabo secreto", que ele chamava por seu canto e pela fumaça do seu tabaco, que era muito agradável ao espírito, a fim de expulsar o *maboya* ou mau espírito. Segundo Barrere (op. cit., p.341), cada pajé dos Galibí mantém estreitas relações com um determinado espírito (*un diable familier*) e, por seu intermédio, pode conseguir tudo que quiser. Ele usa esse espírito para afugentar os maus espíritos, curar doenças ou também enviar doenças para aqueles de quem quer se vingar. Sobre o relacionamento do pajé com o mundo dos espíritos, Coudreau (op. cit., p.208-9) obteve informações exatas de um pajé idoso dos Rukuyenne (Ojana): "Em todas as suas ações, os pajés servem-se do auxílio de algum espírito (*yolock*). Assim como procuram os espíritos para matá-los, também podem lhes dar ordens. O pajé, que é o senhor da doença, é também, em certa medida, o senhor dos espíritos. Mas os espíritos de que se trata aqui se autodenominam 'pajés' (*piayes*), como os próprios feiticeiros. Existe o '*piaye-homme*' e existe o '*piaye-esprit*'. Cada espécie de planta, animal etc. tem seu '*esprit-piaye*'. Existe o pajé mutum (*piaye-hocco*), o pajé porco-do-mato (*piaye-pakira*), o pajé mandioca (*piaye-manioc*). É o espírito da mandioca, dos porcos-do-mato, dos mutuns. Cada índio escolhe para si um '*esprit-piaye*', um único. Quando, por exemplo, ele escolhe o '*piaye-maïpouri*' (pajé anta), nunca mais comerá carne de anta, pois a anta é seu pajé, ou seja, neste caso, seu protetor, seu anjo da guarda. Os '*esprit-piayes*' têm forças diferentes. Existem '*esprit-piayes*' para os índios, os brancos, os negros, a floresta, os rios. Os '*esprit-piayes*' só se relacionam com os '*hommes-piayes*'. Eles mantêm estes últimos a par de várias coisas. Pode-se trocar de '*esprit-piayes*'. Por intermédio desses '*esprit-piayes*', que eles chamam simplesmente de seus 'pajés', os pajés terrenos realizam suas ações. É deles que recebem seu poder. Os '*esprit-piayes*' vivem no céu, em uma grande casa comunitária sob o seu cacique, que se chama *couloun* (abutre) e que manda a chuva para os índios na Terra. Os pajés humanos, que só entre os Rukuyenne possuem a imortalidade, também no céu continuam realizando suas artes mágicas e mantendo relações com os '*esprit-piayes*'". Pelo visto, esses "*esprit-piayes*" correspondem aos espíritos dos animais e das plantas, que na crença dos Taulipáng e dos Arekuná desempenham um papel tão importante como ajudantes dos pajés terrenos. Trata-se, sem dúvida, dos mesmos seres sobrenaturais, quando Crevaux (op. cit., p.299) fala do "pajé onça, pajé macaco, pajé cobra", entre outros, que prestam assistência ao

Quando os pajés, ou também os *Mauarí*, são muitos ruins, o espírito morto não os ajuda. "Ele não ajuda *Džilawó*, por exemplo".

Outros ajudantes dos pajés são certas plantas, especialmente a árvore *ayúg*, seu irmão *ẹlīkauá* e seu irmão mais velho *mẹsẹ-yẹ́g*; do mesmo modo, a "canela" *maịpaímã*. Todas são "almas das árvores", muito fortes e "perigosas".

[Pelo fato de os pajés noviços ingerirem partes dessas plantas como vomitivos, elas limpam, ao mesmo tempo, seu interior e o tornam adequado para absorver o poder mágico que existe nas plantas, de certo modo, o elemento que anima as plantas e que o índio, por isso, também deve ter procurado explicar com a palavra para "alma". É a mesma ideia que faz o índio, na puberdade dos rapazes ou na caça e na pesca, utilizar o cordão de fibra de palmeira embebido em droga mágica e que, na lenda, faz *Piaị'mã́* utilizar o cordão mágico de cabelo na iniciação dos jovens pajés.][481]

Um outro ajudante do pajé é a planta *kazāpá*, igualmente uma "alma de planta", mas transformada na "clava da *ayúg*". As flechas desses espíritos das plantas são as vespas *kamayuág*, animais míticos, cujo poder mágico traz sucesso para o caçador e para o pescador.[482]

Outros ajudantes do pajé são as onças *tẹmẹ́nulẹṅ*, *džilī́'lu*, *pẹlẹkẹ́* e *tẹ́mẹṅ*, os cães do pajé falecido. São onças míticas, que em parte também desempenham um papel nas fórmulas mágicas.[483]

Pajés maus servem-se de maus espíritos para prejudicar pessoas. Um pajé em Koimélemong disse do mal-afamado *Džilawó* que a alma dele se separa do corpo quando ele dorme e incumbe todos os maus espíritos possíveis em forma de onças, cobras gigantescas e outros animais para fazer mal às pessoas.[484]

A essência interna de um rito de cura, cujo transcurso externo narrei anteriormente, foi-me descrita em todos os pormenores por *Akúli*. Reproduzo aqui sua narrativa, tal como foi traduzida para o português por *Mayūluaípu*.* O rito de cura representa uma prova de força entre o pajé mau, que causou a doença, e o pajé bom, que quer curá-la; uma luta disputada com o auxílio de todos os espíritos possíveis, entre as duas autoridades mágicas e que termina com a vitória do pajé bom.

---

pajé terreno dos Rukuyenne no rito de cura. Entre os atuais Karib do Pomeroon, cada rito de cura inicia com o chamamento de quatro espíritos bons, amigos do pajé, que vêm dos corpos de ex-pajés, sendo, portanto, espíritos de suas almas. O pajé chama o primeiro espírito, este, o segundo, e assim por diante. Eles dizem para o pajé se a doença foi mandada por um outro espírito, ou por um outro feiticeiro, ou por um inimigo. Um desses espíritos bons tem o nome de *mawari*. Entre os três maus espíritos, que mandam doença e infelicidade, encontra-se *Okoyumo*, a "mãe d'água" (Roth, op. cit., p.349), assim como entre os Taulipáng e Arekuná as doenças e acidentes são atribuídos aos espíritos das águas *Kẹ́yẹmẽ* e *Rató* (vide p.173*ss.*).

481 Vide p.125-6, 197.

482 Vide p.184-5.

483 Vide "Fórmulas mágicas", n.II.

484 *Okoyumo*, o mau espírito dos Karib, tem a forma de uma gigantesca cobra d'água (Roth, op. cit., p.243, 349).

* No v.I desta obra, Koch-Grünberg comenta que *Akúli* era um índio Arekuná que não falava português. Assim, todas as informações dadas por ele foram traduzidas para o português por *Mayūluaípu*; posteriormente, Koch-Grünberg as verteu para o alemão. (N. T.)

Quando, num rito de cura, a alma do pajé quer ir para a terra dos *Mauarí*, antes disso o pajé corta alguns pedaços do cipó *kapẹyeñkumá(x)pẹ*, semelhante a uma escada. Esses pedaços são triturados por alguma velha e misturados com água. Quando ela termina, sai da casa. O pajé bebe a mistura até vomitar. Assim, esse cipó [do qual ele bebeu][485] se torna uma escada para ele subir até a terra dos *Mauarí*.[486] Agora, a alma do pajé bom sobe pela escada até a casa dos *Mauarí* e chama a alma do doente, que se encontra lá. A escada fica pendurada para que a alma do pajé possa voltar para a Terra. Enquanto isso, vem a alma do pajé mau [que causou a doença] para cortar a escada do pajé bom e, com isso, a sua volta. Caso fosse bem-sucedida, a alma do pajé bom não poderia mais voltar para o corpo, e ele morreria. As almas das plantas *ayũg*, *ẹlikauá*, entre outras, ajudantes do pajé bom, sabem imediatamente que agora a alma do pajé mau está vindo, que quer fazer mal à alma do bom e cortar a escada. Elas se reúnem imediatamente em grande número, dez de cada alma de árvore, em ambos os lados da escada, de baixo para cima. A alma do pajé mau vem de cima, para onde subiu depois que deixou o corpo na Terra; ela tem uma clava, uma espécie de faca, com a qual tenta cortar a escada. Assim que levanta o braço para, com sua clava, cortar a escada em cima, os ajudantes, as almas das plantas, a agarram e jogam a escada para baixo. As que estão mais abaixo a pegam e a jogam mais para baixo, e assim por diante, até ela cair no chão. Lá a onça a pega. Se a alma estiver fraca, a onça a deixa viver. Então as *ayũg* a agarram e lhe dão muitas folhas da árvore *tẹmaí'ya*, para que ela cante.

Do mesmo modo, os *Mauarí* tentam, primeiro, provar a alma do pajé que vai até eles – também a de um pajé bom –, se ela é forte ou fraca, principalmente se é mais forte ou mais fraca do que a alma do pajé mau que elas querem destruir. Elas lhe dão, na mão, folhas da árvore *tẹmaí'ya* e, com isso, capacitam-na, primeiro, a cantar como um pajé num rito de cura. A seguir, a alma canta para chamar os espíritos de outros pajés [mortos]. Pelo canto, os *Mauarí* reconhecem se a alma é forte ou fraca em seu poder mágico. Se ela for mais fraca do que a alma do pajé mau, que tenta destruir aquela, então os *Mauarí* a matam. Não adianta nada ela fugir. Os *Mauarí* a seguem por toda parte e a agarram. Às vezes, ela se esconde sob o solo, sob a água, em uma folha, em uma árvore, na cavidade de uma árvore. Os *Mauarí* arrombam seu esconderijo e a agarram onde quer que ela se esconda.

Depois que as *ayũg* dominaram a alma do pajé mau, elas a seguram para que não possa subir a escada de novo e a deixam cantar. Então vem um *Mauarí*, pega todas as folhas [mágicas] das mãos do mau[487] e vai para cima, para buscar o bom. Lá ele diz a este: "Lá embaixo há um pajé que quer se igualar a você". A seguir, ele lhe dá duas das folhas, fica com duas e volta com ele para a Terra. Penetra com ele na serra por sob a terra. O mau está sentado em um banco[488] na terra. De repente, a terra sob ele arrebenta e ele cai no chão. O banco voa longe, mas é reco-

---

485 As explicações seguintes, entre colchetes, foram acrescentadas por mim para uma compreensão melhor. K-G.

486 *Kapẹi*, a Lua, que, segundo a lenda, quando ainda se encontrava na Terra, era um pajé mau, criou esse cipó e foi a primeira a subir ao céu por ele (vide v.II, p.58). Também o pajé *Maitxaúlẹ*, um ajudante dos pajés terrenos, na lenda sobe ao céu por essa escada, para visitar seu sogro (vide v.II, p.83).

487 Para simplificar, no que segue, em lugar de "a alma do pajé mau" e "a alma do pajé bom", na maioria dos casos virá "o mau" e "o bom", como o índio também fez em sua narrativa.

488 Banco baixo na forma de um animal, como aquele que os pajés possuem.

locado em seu lugar pelos *Mauarí*, para o "pai dos *Mauarí*", o pajé bom. Os *Mauarí* chamam todo pajé bom de "pai". Agora o bom vem para a superfície através do buraco, para ver o que o mau quer dele. Este se levantou novamente e está agachado no chão. O bom se senta no banco e pergunta àquele: "Onde é que você mora?". Este responde: "Moro lá e lá". Ele indica o lugar onde realmente mora e diz o seu nome. O bom o conhece. Continua lhe perguntando: "O que você quer fazer aqui?". O mau responde: "Venho sem intenção". Mas o bom sabe o que aquele quer; diz a seguir: "Não, você não vem sem intenção! Mostre o tabaco que você tem! Existem muitos tipos de tabaco". Então, de repente, aparece tabaco na mão do mau. Então o bom diz: "Mostre outro tabaco. Mostre todo o tabaco que você tem!". Então aparece outro tabaco em sua mão, então outro, então outro, ao todo dez tipos de tabaco. A seguir, o bom diz: "Mande vir mais fumo! Quero ver todo o fumo que você tem!". Mas não vem mais nada. Só vêm alguns espíritos de maus pajés mortos para ajudar aquele, mas não valem nada. São ruins para coisas boas e só servem um pouco para coisas más. Então o bom pergunta: "Isso é tudo?". O mau responde: "É!". A seguir, aquele diz: "Quer me ver?". Então ele mostra ao mau todos os seus tabacos e todas as coisas mágicas que tem e que, de repente, aparecem depressa em sua mão, uma depois da outra. É uma montanha inteira de coisas, tabaco de muitos tipos, do bem leve até o bem forte, tabaco de folhas bem finas até folhas da grossura de um dedo, tabaco de folhas bem pequenas até folhas do tamanho de uma folha de bananeira. Todo tabaco que os pajés usam é escondido pelos *Mauarí*, do qual dão aos pajés bons, não aos maus. Então chegam, convidados pelo bom, muitos espíritos e almas dos pajés bons vivos e mortos. Vêm, também, muitas *ayũg*, companheiras dos pajés bons e das almas e espíritos dos pajés vivos e mortos. Então vem muito tabaco dos pajés bons. Vêm muitas "flechas dos *Mauarí*";[489] são cristais, como os que se acham no Roraima. Então vêm todas as folhas que os pajés usam na cura, de bem finas a bem grossas, de bem pequenas a bem grandes, do tamanho de uma folha de bananeira. Por fim, vêm as "armas dos *Mauarí*", raios de todo tamanho. Então o bom diz para o mau: "Agora mostre as suas coisas!". Então vêm algumas coisas e armas do mau. Ele só tem poucas. Vêm algumas folhas, algumas armas, mas não dão para nada. A seguir, a alma da *ayũg* desafia o bom a mostrar se ele tem força. Então ambos lutam um com o outro, o bom e o mau pajé. Primeiro, o bom joga o mau no chão. A alma do mau penetra no chão. Então o bom manda uma *ayũg* atrás dele. O mau foge debaixo da terra o mais depressa que pode; *ayũg* corre atrás dele e lhe dá uma surra.[490] Então a alma do mau penetra em uma rocha; *ayũg* vai atrás dele. O mau sai de novo e entra em uma árvore; *ayũg* sempre atrás dele. O mau se esconde debaixo de folhas secas para procurar um lugar onde possa fugir; *ayũg* sempre atrás dele. Então o pajé bom, quando ficam muito tempo fora, manda outras *ayũg* atrás deles. Estas também correm atrás do mau, agarram-no em ambos os braços e o trazem lá de cima. Aqui já foi preparado bastante caldo de tabaco para ele. Agora agarram com força o pajé mau e jogam todo o suco de tabaco por seu nariz. Então *ayũg* desafia o bom a brigar e lutar com o mau. O bom joga o mau no chão. A seguir, este se levanta e joga o bom no chão. Quando ele o aperta contra o chão, o bom desaparece de repente e aparece de novo sobre

---

489 As vespas *kamayuág* também são "flechas dos espíritos das plantas" *ayũg*, entre outras. Vide p.202.

490 No rito de cura de *Akũli*, na ilha Maracá (vide p.191*ss*.), *Ratö*, a mãe d'água, foge da *ayũg*.

o mau, que agora ele aperta contra o chão. Mas então o mau também desaparece de repente sob suas mãos e entra no corpo de um de seus companheiros. A seguir, o bom faz a mesma coisa e entra no corpo de uma de suas *ayũg*. Agora os dois brigam entre si [ou seja, as almas dos dois pajés dentro deles]. Jogam um ao outro no chão. Por fim, o bom vence e mata o mau. Ele o joga no chão e bate nele sem dó nem piedade: "*bó(u)-bó(u)*". O mau morre: "*ã* — — — — ↘". Todas as pessoas que estão na casa do doente ouvem o barulho.[491] O pajé bom agora dá ao seu cão, a onça, todas as folhas que ele tem. Então ele canta. A seguir, a onça agarra o pajé mau, coloca-o em suas costas e o leva para sua [da onça] casa. Pode-se ouvi-lo: "ẹ̥ — ẹ̥ — ẹ̥".[492]

Se um pajé bom matar a alma de um mau (por exemplo, de *Džilawó*) dessa maneira, o corpo deste adoecerá. Alguns então morrem se não tiverem tempo de recuperar a saúde com drogas que eles possuem.[493]

O pajé tem um conselheiro sinistro em *Kasána-pōdolẹ̥*, o "pai do urubu-rei", que também na lenda surge como poderoso pajé.[494] É muito perigoso para o pajé terreno ir visitá-lo. *Akũli* me contou:

Quando o pajé [quer dizer, sua alma] sobe ao céu no rito de cura – o tabaco que ele bebe o leva imediatamente para o alto –, encontra, abaixo do céu, um urubu-rei. Este voa bem de perto atrás dele. Passam pela entrada do céu e chegam à casa de *Kasána-pōdolẹ̥*. Este oferece ao pajé *caxiri* de pessoas e animais putrefatos. O pajé não bebe disso, e sim o seu companheiro, o urubu-rei, que fica sempre bem perto atrás dele, para não ser visto por *Kasána-pōdolẹ̥*, pega sua cuia com *caxiri* de debaixo do braço, bebe todo seu conteúdo e a devolve a ele, sem que *Kasána-pōdolẹ̥* perceba alguma coisa. Senão ele mataria o pajé. Este devolve a cuia vazia para o "pai dos urubus-rei". *Kasána-pōdolẹ̥* lhe pergunta se ele não quer mais *caxiri*. O pajé responde: "Não, é suficiente!". Então ele volta para a Terra. Seu acompanhante, o urubu-rei, mantém-se sempre bem perto dele, para não ser visto por *Kasána-pōdolẹ̥*.

Na lenda, é assim que o pajé *Mai̯txaúlẹ̥* visita no céu o seu sogro *Kasána-pōdolẹ̥* e escapa de seu instinto sanguinário apenas com auxílio de animais amistosos.[495]

A essa lenda se refere um canto que o pajé canta no rito de cura, quando *Mai̯txaúlẹ̥* vem assisti-lo.[496]

---

491 Rochefort (op. cit., p.341-2) diz das curas mágicas dos Karib das ilhas: quando vários pajés chamam seus deuses ao mesmo tempo, esses deuses ralham e brigam entre si, e parece que batem uns nos outros.

492 Quando, entre os atuais Karib do Pomeroon, uma doença se mostra renitente, chama-se, por fim, a "onça". Assim que se ouve a sua voz, o mal sai e é engolido rapidamente por ela. Se a onça se mostrar malsucedida, nada mais pode salvar o doente (Roth, op. cit., p.349).

493 Vimos antes que o pajé *Katũra* acertou o suposto *Džilawó*, uma onça, de modo que *Džilawó* esteve muito tempo doente (vide p.195), e como o pajé dos Rukuyenne, após o tratamento de um doente sem esperança, mostrou uma flecha coberta de sangue, com a qual, supostamente, matara o mau espírito (Crevaux, op. cit., p.300).

494 Vide p.183 e v.II, p.123-4, 204*ss*. Segundo a crença dos Rukuyenne (Ojana), o cacique dos "*esprit-piayes*", os poderosos ajudantes dos pajés terrenos, que vivem no céu, tem o nome de *kulun* (vide p.201-2, nota 480). É a designação de um abutre de cabeça branca, que os Taulipáng e Arekuná chamam de *kulún̊*.

495 Vide v.II, p.80*ss*.

496 Ibidem, p.87, nota 211.

Kanaimé: ouve-se essa palavra inúmeras vezes nas conversas, nestas e em outras tribos da Guiana. Se numa povoação alguma doença grave deixa os ânimos exaltados, se uma pessoa definha lentamente devido a um mal insidioso como tuberculose, hidropisia ou coisa semelhante sem uma causa visível, se um ou vários óbitos repentinos causam horror à família enlutada, é sempre o *Kanaimé*[497] que causou o mal.[498]

Kanaimé pode ser determinada pessoa. O vingador de uma ofensa, o vingador de morte, que muitas vezes persegue sua vítima anos a fio até alcançar seu objetivo,[499] o assassino oculto que vagueia por aí especialmente à noite, alguma pessoa má que prejudica os outros com sua magia, todos eles "fazem *Kanaimé*", como o índio se expressa. Assim, o cacique Taulipáng *Džilawó*, várias vezes mencionado, tem num extenso círculo a má fama de ser *Kanaimé*. "Matar um *Kanaimé* é uma boa ação", diz o índio, "e não acontece nada à pessoa que faz isso".[500]

Tribos inteiras podem ser *Kanaimé*. Tribos inimigas vizinhas, tribos cuja antiga inimizade, com o passar do tempo, transformou-se em amizade duvidosa, são chamadas, com franqueza ou às escondidas, de *Kanaimé*. Uma tribo sempre chama a outra disso.[501] Os Yekuaná afirmam que há muitos *Kanaimé* entre os Arekuná, Taulipáng e Makuxí, mas que em sua tribo, naturalmente, não há nenhum. Entre os Makuxí e Taulipáng, por sua vez, os Ingarikó e Seregóng são considerados maus *Kanaimé*. Na chamada "Maloca Bonita", uma aldeia habitada por Makuxí e Taulipáng na encosta oriental da serra Mairari, assim me contou *Pitá*, tinham se estabelecido alguns Seregóng do alto Cotingo. Mas, "como *Kanaimé*", eles tinham matado, "sem motivo", algumas pessoas (ou seja, alguns óbitos repentinos foram atribuídos a eles). Por isso, o cacique não queria gente dessa tribo em Koimélemong. Especialmente os Ingarikó que habitam a mata, outrora inimigos mortais dos Taulipáng e Arekuná, são temidos como *Kanaimé* por seus inimigos. Isso foi expresso várias vezes imediatamente antes e durante nossa viagem ao Roraima. Não é à toa que a lenda chama o feiticeiro mau e antropófago *Piai̯'mã́* de progenitor dessa tribo. Dizem que o inglês que morreu pouco antes de minha chegada ao Roraima foi envenenado

---

497 Anotei a palavra em diferentes dialetos Karib: Makuxí e Ingarikó: *kanaimẹ́*; Taulipáng: *kanaimẹ̃*; Purukotó: *kanaimẹ̄*. Os Sapará e Wayumará, supostamente, não usam a palavra em sua língua; os primeiros dizem *ẹlẹ̄pẹ̄sáṅ*, os últimos, *ulẹhẹ́džahẹ́*. Os irmãos Schomburgk, Appun, Brett, Brown, Roth, entre outros, pelo visto, escrevem na grafia inglesa: *kanaima*; Im Thurn: *kenaima*; Coudreau: *canaémé*.

498 Rich. Schomburgk, op. cit., v.I, p.322; Im Thurn, op. cit., p.330.

499 Vide Rich. Schomburgk, op. cit., v.I, p.158, 323-4; v.II, p.497. Brett, op. cit., p.357-8. Im Thurn, op. cit., p.329-30.

500 O *Kanaima*, ou seja, o vingador e assassino oculto, é, segundo Rich. Schomburgk (v.I, p.323-4) um fora-da-lei entre os Makuxí. Todo índio considera sua obrigação matá-lo se o encontrar na mata.

501 Os Akawoío têm, entre seus vizinhos, fama especial de ser *Kenaima* (Im Thurn, op. cit., p.333). Segundo a crença dos Makuxí, Atorai, Wapixána, sempre é o *Kanaima* Arekuná a causa da morte de seus companheiros de tribo. Inversamente, os Arekuná, assim como os Wapixána, temem os Makuxí (Appun, *Ausland*, 1869, p.303, 304; 1871, p.523). Os habitantes do alto Yauaperý, *rio* Trombetas e dos rios vizinhos, os Cucoachis, Chiricumos, Caras, Paricotes, entre outros, são temidos por seus vizinhos pacíficos como tribos *Kanaimé* (H. Coudreau, *La France Équinoxiale*, v.II, p.235-6, 362). Do mesmo modo, os Pianakoto do *rio* Cuminá e os Uayeué (Wayewé) do Mapuera chamam seus vizinhos inimigos de *Kanaimé* (O. Coudreau, *Voyage au Cuminá*, Paris, 1901, p.159; e *Voyage à la Mapuerá*, Paris, 1903, p.72).

pelos Ingarikó-*Kanaimé*. Parentesco linguístico próximo não protege dessa acusação. Alguns subgrupos dos Makuxí são difamados como *Kanaimé* por seus parentes ocidentais. Os Monoikó que me acompanharam até Koimélemong em setembro de 1911 foram, depois de partir, chamados de *Kanaimé*. Os Asepanggóng, como os Makuxí do alto Tacutu são chamados, são considerados *Kanaimé* muito perigosos. "Em sua terra não se pode cuspir", disse *Mayūluaípu*. "Eles trancam a saliva num estojo de bambu e fazem um feitiço sobre ela, de modo que a pessoa em questão morre." Os *Kanaimé* mais sinistros são os Pixaukó, porque hoje, pelo visto, só existem na fantasia dos índios. Todo mundo fala deles, mas quando se investiga o assunto a fundo, ninguém os viu. Três óbitos seguidos em Koimélemong, em curto espaço de tempo, foram atribuídos aos *Kanaimé* dessa tribo lendária.

"Às vezes, o *Kanaimé* veste a pele de uma onça e assusta as pessoas, e elas ficam doentes e morrem." Assim fazem os temidos Pixaukó. "Eles não matam abertamente, mas à noite, como *Kanaimé*, disfarçados com peles de onças e de veados."[502] Essa é uma prova clara de que a crença em *Kanaimé* está intimamente relacionada com a crença no poder do pajé, que pode se transformar numa onça ao vestir a pele dela, a fim de prejudicar as pessoas.[503]

No conceito de *Kanaimé* esconde-se, também para o índio, muita coisa indeterminada.[504] "O *Kanaimé* não é uma pessoa", dizem. Ele anda por aí à noite e mata gente, não raro com a clava curta, pesada e quadrangular, a velha clava de guerra que hoje é usada por sobre o ombro na dança. "Com ela, ele quebra todos os ossos da pessoa que encontra, mas a pessoa não morre imediatamente, ela vai para casa; à noite, fica com febre e, depois de quatro ou cinco dias, está morta." "O *Kanaimé* só mata pessoas isoladas à noite, no caminho, mas nunca várias juntas."

Meus acompanhantes índios não bebiam água de um riacho perto de São Marcos, porque em sua margem, anos antes, um Makuxí morreu de forma inexplicável. Ele foi achado morto na rede de dormir. Supostamente, encontrou um *Kanaimé*.

---

502 O *Kanaima* dos Makuxí se veste com uma pele de animal (Rich. Schomburgk, op. cit., v.I, p.324). O *Kanaima* pinta sua pele com manchas vermelhas, para mostrar que, à noite, ele pode se transformar em uma onça e matar sua vítima (Brett, *Legends and Myths*, p.154). Segundo Im Thurn, o *Kenaima* tem o dom de fazer sua alma entrar em um outro corpo e corromper sua vítima em figura de animal. Ele pode ser uma onça, uma cobra, uma raia, uma ave, um inseto ou algo semelhante. Na figura de vermes, insetos e objetos inanimados, o *Kenaima* pode penetrar no corpo de um inimigo e lhe causar todas as dores possíveis, até ser eliminado pela arte do pajé (op. cit., p.332-3).

503 Vide p.193, 195. Uma onça que se aproxima com especial ousadia de uma pessoa, com frequência, mesmo num caçador corajoso, desperta o receio de que possa ser uma onça-*Kanaima*, ou seja, uma onça possuída por um *Kanaima*. Pessoas sanguinárias podem transformar suas almas em onças (Brett, *The Indian Tribes*, p.374).

504 Rich. Schomburgk (v.I, p.322) o chama de "Proteu sem forma fixa e sem conceito definido". Apesar de sua longa estada entre os Makuxí, ele não conseguiu "obter uma opinião clara sobre esse *Kanaima*, já que este não só aparece como ser mau, invisível, demoníaco, mas, em muitos casos, também como uma personalidade individual, mas sempre como vingador para ofensas conscientes ou inconscientes. Quem e o que é *Kanaima*, nunca puderam nos dizer, mas explicavam todo óbito como seu efeito, sua ação". Vide também Appun, *Ausland*, 1869, p.303-4.

1

2

PRANCHA 39. 1. FESTIVAL DE DANÇA NO RIO SURUMU: MAKUXÍ, WAPIXÁNA E TAULIPÁNG; DANÇARINOS DE *TUKÚI* À ESQUERDA, DANÇARINOS DE *PARIXERÁ* À DIREITA. 2. DANÇA *PARIXERÁ* NO RORAIMA, TAULIPÁNG.

Assim, o *Kanaimé* é sempre o inimigo oculto, algo imprevisível, com frequência, inexplicável, fantasmagórico, do qual não podemos nos proteger. Para o índio, *Kanaimé* é tanto o mal que o ameaça quanto o próprio sentimento de vingança que, de repente, o assalta, o preenche totalmente e o obriga ao ato funesto. Originalmente, o nome deve se referir apenas ao verdadeiro vingador e sua obra. Então foi transferido a todo mal maior; pois, segundo a concepção indígena, nunca se pode saber se o mal se originou da vingança de um inimigo. A crença em *Kanaimé* tem sua real origem no medo, no medo da vingança que pode nos atingir a qualquer hora, no medo geral de doença e morte. A crença é favorecida ainda pelo fato de que os estados de angústia que surgem no início da febre provocam alucinações semelhantes a pesadelos, contribuindo para a personificação do mal. A sensação de se "estar despedaçado" quando se tem febre alta é expressa de modo drástico pelo índio.[505]

Fórmulas mágicas: até agora, que eu saiba, as fórmulas mágicas da América do Sul não são conhecidas, e, no entanto, a maioria das tribos deve tê-las.[506] Elas só não chamam a atenção do estrangeiro e são pouco notadas porque raramente são pronunciadas em público, e sim, em geral, na intimidade da família, ou melhor, sussurradas. Também o índio não as revela facilmente ao europeu, provavelmente com medo de enfraquecer o poder mágico ou de perdê-lo completamente.

Os Taulipáng têm inúmeras fórmulas mágicas, que podem ser empregadas com sucesso não apenas por pessoas especialmente agraciadas, como os pajés, mas por cada um e em todas as ocasiões possíveis, contra machucados, úlceras, picada de cobra, picada de raia, para e contra garganta inflamada, pústulas, contra vermes intestinais, diarreia de recém-nascidos, para dificultar ou facilitar o parto, para transformar inimigos em amigos etc.[507]

A maioria dessas fórmulas mágicas procede de uma breve narrativa mítica, que conduz à fórmula.[508]

---

505 Tudo que se refere à crença em *Kanaimé* foi compilado da literatura por Roth (op. cit., p.354*ss.*). Vide especialmente Brett, op. cit., p.357-60; Im Thurn, op. cit., p.328*ss.*

506 Curt Nimuendajú, cuja atenção chamei para as fórmulas mágicas antes de ele ir até os Aparaí do *rio* Paru, escreveu-me sobre esses índios em 23 de outubro de 1915: "As fórmulas mágicas desempenham um grande papel; às vezes, devem durar uns quinze minutos e são empregadas nas ocasiões menos importantes (operação de bicho do pé), combinadas com soprar, a ponto de borrifar. Quando fiquei doente, os índios, vez ou outra, me traziam pequenos pedaços de *beiju*, peixe e coisas semelhantes que tinham tratado dessa maneira à minha vista e que eu tinha, a todo custo, de comer". Infelizmente, o pesquisador não pôde dar continuidade a essa questão, já que adoeceu gravemente na aldeia dos Aparaí, e os índios não entendiam português. "Os Jibaros (no Equador) não têm longas fórmulas mágicas contínuas contra doenças", escreveu-me Rafael Karsten (30 de agosto de 1920), "mas breves fórmulas mágicas, que são recitadas pelos pajés nos ritos de cura." Fórmulas mágicas semelhantes às dos Taulipáng encontramos entre os Hupa e Cherokee na América do Norte (Pliny Earle Goddard, "Hupa Texts", *University of Calif. Publications*, v.I, n.2, Berkeley, 1904, p.275*ss.*; James Mooney, "The Sacred Formulas of the Cherokees", *Seventh Annual Report of the Bureau of Ethnology*, Washington, 1891, p.301*ss.*).

507 Vide Koch-Grünberg, "Zaubersprüche der Taulipáng-Indianer", em *Archiv für Ethnologie. Neue Folge*, Braunschweig, v.XIII, n.4, p.371*ss.*, 1915.

508 De modo semelhante ao das fórmulas mágicas de Merseburg.

Os heróis da tribo, de índole pérfida, trouxeram muitos males ao mundo, como castigo aos homens que não lhes faziam as vontades ou com os quais ficaram zangados por outro motivo.

Na cura, plantas e animais solícitos desempenham um papel, especialmente as diferentes espécies de pimenta, ou também forças da natureza, como vento, chuva, trovão e raio.

Os animais chamados para a cura têm uma certa relação com a doença: para eliminar tumores, que, segundo a crença dos índios, surgem devido ao consumo de caça de grande porte – anta, veado, porco-do-mato –, são chamadas diferentes espécies de onças, pois as onças podem "espantar" os tumores, como os índios dizem, porque comem toda essa caça e não sofrem de tumores. Portanto, devem possuir um poder mágico, conhecer uma fórmula mágica que os protege contra a má influência dessa comida, que, como diríamos, as tornam imunes a ela. O mesmo ocorre com os peixes grandes, cujo consumo é proibido aos pais de recém-nascidos, senão a criança teria diarreia e morreria. A fim de anular esse efeito funesto, são chamadas as diferentes espécies de lontra, que devem conhecer um feitiço contra ele, pois vivem de comer grandes peixes sem que estes prejudiquem seus filhotes. Contra vermes intestinais são chamados dois cães, pois os cães muitas vezes têm vermes sem que morram disso. A garganta inflamada surgiu porque os heróis da tribo jogaram folhas ásperas na flauta, ou seja, na garganta do pica-pau, porque ele cantava muito para eles, e, assim, o tornaram rouco. A fim de curar essa doença, são chamadas diferentes espécies de macacos, que cantam o dia todo e, com frequência, também à noite sem ficaram roucos, portanto devem possuir um meio mágico contra isso. Pústulas que aparecem especialmente na época de transição da puberdade também foram causadas pelos heróis da tribo, que fizeram um feitiço em uma esquiva moça dos tempos primitivos, jogando-lhe ovos de peixe no rosto. Essas e outras doenças, por exemplo, complicações no parto, devidas novamente à má inclinação dos heróis da tribo, são curadas pelos ventos e pela chuva e por diferentes espécies de pimenta personificadas, que, na realidade, também desempenham um papel na cura como lavagens com água morna e esfregando-se pimenta. As chuvas são chamadas de modo diferente segundo sua natureza diferente, ou têm nomes diferentes segundo constelações, segundo a época do ano em que caem. Os tatus são chamados para se neutralizarem inimigos de modo pacífico, pois o tatu é, em si, uma figura cômica especialmente quando provoca o riso ao se enrolar depressa de medo de um ataque inimigo e enfiar a cabeça entre as pernas. Mas um inimigo que ri não é mais perigoso. Com certeza, essa fórmula mágica é antiquíssima; ela se move inteiramente na analogia da vida diária e ainda não tem nada a ver com magia.

Os animais que aparecem nas fórmulas mágicas são, em sua maioria, animais míticos que, em parte, também desempenham um papel nos exorcismos dos pajés.

A "moça dos antepassados", o "jovem dos antepassados", a "moça do cerrado", o "jovem da terra" são, de certo modo, protótipos de seu gênero, homens primevos que, pela primeira vez, sentem os sofrimentos humanos em seu corpo, e com os quais "o povo de hoje, os filhos", ou seja, seus descendentes atuais, são confrontados e devem aplicar a fórmula mágica.

Ocorrem comparações. O "jovem da terra" (fórmula II), no qual os animais de caça, como anta, veado, porco-do-mato, fazem "graves feridas", é a própria terra que é revolvida por esses animais. A "moça do rio" (fórmula X), que está com dificuldades no parto, é o próprio rio, no qual a madeira flutuante se acumula, até que chegam ventos e chuvas e a impelem para a frente.

Na fórmula mágica, a chuva é comparada ao líquido amniótico. Com os golpes de vento, que devem expelir a criança, provavelmente entendem-se as dores.

Há dois tipos de fórmulas mágicas, más e boas; más para, com feitiço, causar doença em outra pessoa, boas para libertar uma pessoa da doença.

As fórmulas mágicas são proferidas monotonamente e se destacam por meio de inúmeras repetições verbais de determinadas fórmulas. Pelo visto, é um patrimônio antiquíssimo que, com o passar do tempo, se manteve bastante inalterado. Isso já se comprova pelas arcaicas formas e expressões idiomáticas. São feitiços que ainda têm suas raízes longe de qualquer crença animista ou de espíritos e, quase sempre, na analogia da vida diária e, por isso, pertencem às mais antigas noções.

De todas as fórmulas obtive de meu informante, primeiro, uma versão em português, que, a seguir, é reproduzida, sob A, em tradução literal.* Ela é de especial importância por conter a introdução mítica que falta ao texto original. Sob B encontra-se, de cada fórmula, o texto original com tradução interlinear. Ao lado, há uma tradução mais livre. Sob C segue a indicação pormenorizada para o emprego da fórmula.

I. *Za̭'noánẹtālimū́lu*, fórmula do inimigo (fórmula mágica para transformar inimigos em amigos)

A.

Os raios queriam matar os tatus. Mas havia um homem jovem na casa dos raios. Os raios disseram: "Amanhã vamos matar os tatus!". Assim disseram ao homem jovem. Este era amigo dos tatus. Ele saiu da casa dos raios, foi até os tatus e lhes contou: "Os raios estão vindo para matar vocês". O tatu disse: "Está bem, que venham! Vou fazê-los rir. Vou enfiar minha cabeça entre os braços!". O homem foi embora. Na manhã seguinte, os tatus estavam esperando. Disseram uma fórmula mágica: "Vou fazer esses meus inimigos rirem, para que eles nunca digam essas palavras. Vou fazer o coração deles fraco. Vou agarrar todas as armas deles para que nunca sejam corajosos. Vou fazê-los rir com essa minha pele. Vou enfiar minha cabeça entre meus braços. Sou *Pipẹ́za*! Eu também estou aqui! Eu agarro as armas desses inimigos e faço o coração inteiro deles fraco. Faço eles ficarem alegres para nunca serem corajosos, com essa minha cabeça. Esse povo de hoje, esses filhos,[509] devem dizer essa fórmula mágica quando tiverem inimigos, para que estes nunca sejam corajosos. Faço todos eles rirem. Sou *Mulúimẹ̄*!". Pegaram um pedacinho de madeira pintado com *urucu* e sopraram nele. Movimentavam esse pau para lá e para cá na direção dos raios. Então veio a trovoada, a tempestade, vieram os raios. Quando chegaram mais perto, os tatus saíram de sua casa para ir ao encontro deles. Um tinha enfiado a cabeça entre os braços. O outro tinha virado a cabeça e a colocado nas costas. Enfrentaram os raios com braços e pernas cruzados. Todos os raios riram muito e não mataram nenhum dos

* Aqui, traduziu-se do alemão para o português. (N. T.)

509 Ou seja, os filhos dos antepassados, os atuais descendentes.

tatus. Ficaram amigos até hoje. Os raios lhes deram minhocas para comer; é a comida dos tatus até hoje. Quando os raios estavam indo embora, disseram para os tatus: “Quando a época das chuvas começar, saiam da sua casa para comer veado! Vamos lhes dar muitos veados!”.[510]

B.

1. *U-y-ē̱ẕ̯atónõ é̱ku-sag wé̥-pe̥g*
dos meus amigos prontos para me matar
tēse̱ tó(g)-ulā́payi móka-ẕ̯a
estão suas armas eu tiro

Tiro as armas dos meus inimigos, quando estão prontos para me matar.

2. *sakṓlo(x)-pe̱ tóg é̱ku-sag e̱wán*
bravos eles prontos corpo
piā́pan nepé̥-ẕ̯a
fraco eu faço

Quando ficam bravos, faço seu corpo ficar fraco.

3. *tó(g)-e̱wá(n-e-) na(x)pe̥ me̱lún*
do seu coração força
te̥léka-ẕ̯a
tiro

Tiro a força do seu coração.

4. *to-žílumpa-ẕ̯a*
eles eu faço rir

Eu os faço rir.

5. *me̥lénaua t-ez̯ā́ton-gon wake̥-té*
o mesmo seus inimigos impedir
téu̯z̯a-ne̥-gon-z̯au aménan-gon
(eles) fazem quando o povo de hoje
mule̱-sán n-esā́te-tém-be
filhos devem falar

O mesmo deve dizer o povo de hoje, os filhos, quando quiserem impedir seus inimigos.

6. *yeu̯lé y-e̱-s-esā́te-tém-be*
me devem chamar

Eles devem me chamar.

7. *Pipé̥za piā́-te!*
Pipé̥za eu sou

Eu sou *Pipé̥za*!

8. *Yeu̯lé-'na-le-te*
Eu sim sou

Eu também estou aqui!

9. *e̱né̱-ton zakṓlo(x)-pan-gon*
animais ferozes
é̱ku-sag wé̥-pe̥g
prontos para me matar

Quando os animais ferozes estão prontos para me matar, me cortar, eu os faço fracos.

---

510 Segundo explicação do narrador, os “veados” dos tatus são as minhocas, que saem da terra em grande número no início da época das chuvas.

u-y-akẹ́-pẹ-te-pẹg *tó(g)* me querer cortar para eles *piāpán* *nepẹ́-z̭a* fracos eu faço	
10. *to-e̱wán(x)pẹ-poi̭* *tó(g)-sakṓlole* seus corações dos sua ferocidade *paka'maz̭a* jogo fora	Jogo sua ferocidade pra fora dos seus corações.
11. *to(g)* *žilumpaz̭a* eles eu faço rir	Eu os faço rir.
12. *to-ulā́payi* *e̱wopánepẹ-z̭a* suas armas eu seguro	Eu seguro suas armas.
13. *mẹlénaua* *t-ez̭ā́ton-gon* *ḗku-sa(g̯)-pẹg* o mesmo seus inimigos prontos para *aménan-gon* *mule̱-sán* o povo de hoje filhos *n-esā́te-tém-be* devem dizer	O mesmo deve dizer o povo de hoje, os filhos, para seus inimigos, quando estiverem prontos (para matar).
14. *yeu̯lé* *y-e̱-s-esā́te-tém-be* me devem eles chamar	Eles devem me chamar.
15. *Mulúimẹ̃* *piā́-te!* *Mulúimẹ̃* eu sou	Eu sou *Mulúimẹ̃*.

C.

"As pessoas dizem essa fórmula mágica seis vezes quando têm inimigos que querem transformar em amigos. Elas movimentam para lá e para cá um pauzinho soprado, pintado com *urucu*, na direção em que o inimigo vive, então o jogam fora nessa direção. Então elas assopram nessa direção. Assim, tornam o coração do inimigo fraco."

II. *E̱lẹ́g-etālimū́lu*, fórmula das úlceras (fórmula mágica para impedir que a carne de caça cause úlceras na pessoa que a come, e para curar essas úlceras)

A.

"As úlceras surgem através da nossa comida. Os animais de caça, anta, veado, porco-do-mato, que revolvem a terra, fazem 'feias feridas' no moço da terra."

[Provavelmente essas palavras, como em todas as fórmulas mágicas, deviam iniciar um pequeno mito que, pelo visto, meu informante não sabia mais, pois ele continuou imediatamente com a fórmula mágica em si:]

"Essa comida que comi, esses animais de caça, porco-do-mato, anta, veado, *aguti*, *paca*, gado, me deixaram doente com úlceras. Eu espanto as úlceras com estas pimentas, *Tolotolóima*, *Ke̥lḗke̥lélima*, *Pimīlokoíma*, *Nuā́piu*, *Me̥lakitā́lima*, para que elas nunca doam. Faço a dor passar. Como eu sofro, assim esse povo de hoje, esses filhos, sofrem do que eu sofro. Quando eles sofrerem dessas úlceras, eles têm de dizer esta fórmula mágica para fazer a dor passar. Eu sou *We̥pé̥men*!"[511] — — —

[Assim a fórmula continua, com as mesmas palavras para cada onça.]

B.

1. *U-y-óg morṓne(x)pe̥*
da minha comida doença
u-y-e̥po-z̭au̯ mé̥semōnan
me atingiu quando desses
pé̥yinge
do grande porco-do-mato
pakī́la wa̭íla
do pequeno porco-do-mato da anta
kalī́yau̯ke̥
do veado-do-mato
(u)sā́li akū́li
do veado-capoeira do *aguti*
urā́na waíkin
da *paca* do veado galheiro
pā́ga morṓne(x)pe̥-z̭a
do gado doença
u-y-e̥po-zá-z̭au̯ me̥lé
me atingiu, quando essa
morṓne(x)pe̥ atā́nun-za(g)-z̭a
doença que levo como carga
u-y-ā́we̥ká-z̭au̯
me amolecer quando
i-té̥leká-z̭au sé̥neg
ela eu espanto estas

Quando, através da minha comida,
a doença me atingiu, quando
a doença desses (animais) me
atingiu, do grande porco-do-mato,
do pequeno porco-do-mato, da anta, do
veado-do-mato, do veado-capoeira,
do *aguti*, da *paca*, do veado-galheiro, do
gado, quando essa doença,
que pus sobre mim para eu carregar,
amolecer a minha carne,
eu a espanto com estas (pimentas:)
tolotoloíma, *kelekelélima*,[512]
pimilokoíma, *nuápiu*,
melakitálima,
para que eu nunca sofra disso.

511 Onça negra: um animal mítico.

512 Pimenta muito ardida, chamada de *pimenta canaimé*.

tolotoloíma-ke̱ kelẽ́kelelimã-ke̱
tolotoloíma com *kelekeleíma* com
pimī́lokoíma-ke̱ nuā́piu-ke̱
pimilokoíma com *nuaípu* com
melakitā́limã-ke̱ me̥lẽ́
melakitálima com esta
n-eká'nunga-tén-bē-pela
para eu sofrer não

2. *me̥lénaua t-ó-gon molṓne(x)pe̥* — O mesmo deve dizer o povo de hoje,
o mesmo de suas comidas doença — os filhos, quando,
t-epṓ-zá-gon-za̯u̯ — através de suas comidas,
encontrá-los quando — a doença os atingir.
aménan-gon mūle̱-sán
o povo de hoje filhos
n-esā́te-tém-be
devem dizer

3. *me̥lénaua i-te̥leka* — Eles devem, igualmente, dizer sua fórmula se quiserem espantá-la.
o mesmo eles assustam
téu̯za̯-ne-gón-za̯u̯ tó(g)-sé̥lenga
(eles) fazem quando eles cantam
tó-tem-be
eles devem

4. *yeu̯lé y-ē̱-s-esā́te-tén-be-te* — Eles devem me chamar.
me devem chamar

5. *we̥pe̥men piá-te!* — Eu sou a onça negra!
onça negra eu sou

6. *Yeu̯lé-'na-le-te* — Eu também estou aqui!
eu sim sou

7. *entána(x)-pe̥(g) molṓne(x)pe̱-za̯* — Quando, através da comida, a doença me atingiu, quando sofro dela, eu a espanto com estas mesmas (pimentas:) *tolotoloíma*, *pimilokoíma*.
comer através doença
u-y-e̱po-zá-za̯u̯ me̥lẽ́-za̯
me atingiu quando esta
u-y-ē̱ka'núnga-za̯u̯ me̥lé
me dói quando esta
teléka-za̯ se̥nég penaí'yi
eu espanto estas mesmas
tolotoloíma-ke̱ pimī́lokoíma-ke̱
tololoíma com *pimilokoíma* com

8. *mōlonkane̥pe̥-za̯* — Eu afasto a doença.
eu afasto a doença

9. *yeu̯lé y-ē̤-s-esā́te-tém-be*
me devem chamar

Eles devem me chamar.

10. *wai̯lalī́ma*[513] *piá-te!*
Anta-onça eu sou

Eu sou a onça-anta!

11. *Yeu̯lé-'na-le*
eu sim

Eu também (estou aqui)!

12. *entā́na(x)-pe̥g molṓne(x)pe̥-z̯a*
comer através doença
u-y-e̥po-zá-z̯au̯ me̥semṓnan
me atingiu quando destes
wotoímã pé̥yinge
animais de caça do grande porco-do-mato
pakī́la waíla
do pequeno porco-do-mato da anta
kalī́yau̯ke̥ (u)sáli
do veado-do-mato do veado-capoeira
akū́li urā́na waíkin
aguti *paca* do veado-galheiro
pā́ga morṓne(x)pe̥-z̯a
do gado doença
u-y-é̥po-zá-z̯au̯ me̥lḗ
me atingiu quando esta
i-teléka-z̯a
ela eu espanto

Quando, através da comida, a doença me atinge, quando a doença desses animais de caça me atingiu, do grande porco-do-mato, do pequeno porco-do-mato, da anta, do veado-do-mato, do veado-capoeira, do *aguti*, da *paca*, do veado-galheiro, do gado, eu a espanto.

13. *me̥lénaua t-ó-gon molṓne(x)pe̥-z̯a*
o mesmo de suas comidas doença
t-au̯é̯ka-gon-[z̯au][514]
ela amolece [quando]
aménan-gon mū́le̥-san
o povo de hoje filhos
n-esā́te-tém-be
devem dizer

O mesmo deve dizer o povo de hoje, os filhos, quando a doença de suas comidas amolece sua carne.

14. *i-tē̥leka téu̯z̯a-ne-gón-z̯au̯*
ela espantar (eles) fazem quando
yeu̯lé y-ē̤-s-esā́te-tém-be
me devem chamar

Eles devem me chamar quando quiserem espantá-la.

15. *tewílen*[515] *piā́-te!*
Puma eu sou

Eu sou o puma!

---

513 *wai̯la* – anta, *-ima*, sufixo aumentativo. Onça d'água mítica, "maior do que uma anta"; vide p.184-5.

514 *-z̯au* aqui foi acrescentado.

515 Onça mítica.

16. *Yeu̯lé-'na-le-te*
eu sim sou

Eu também estou aqui!

17. *u-y-óg morṓne(x)pe̥-z̯a*
das minhas comidas doença
u-y-e̥po-zá-z̯au̯ me̥semṓnan
me atingiu quando destes
pe̥yinge
do grande porco-do-mato
pakíla waíla
do pequeno porco-do-mato da anta
kalíyau̯ke̥
do veado-do-mato
(u)sáli akū́li
do veado-capoeira *aguti*
urā́na waíkin
paca do veado-galheiro
pā́ga morṓne(x)pe̥-z̯a
do gado doença
u-y-āwe̥kā́-z̯au̯ me̥lḗ
me atingiu quando esta
i-teléka-z̯a me̥lé
ela eu espanto esta
n-eká'nunga-tén-bē-pela se̥neg
para que eu sofra não estas
Tolotoloíma-ke̥ Kelḗkelelimā-ke̥
tolotoloíma com *kelekeleíma* com
pimī́lokoíma-ke̥ nuā́piu-ke̥
pimilokoíma com *nuaípu* com
melakitā́limā-ke̥
melakitálima com

Quando, através da minha comida, a doença me atingiu, quando a doença destes (animais), do grande porco-do-mato, do pequeno porco-do-mato, da anta, do veado-do-mato, do veado-capoeira, do *aguti*, da *paca*, do veado-galheiro, do gado, amolecer minha carne, eu a espanto para que eu nunca sofra disso, com estas (pimentas:) *tolotoloíma*, *kelekelélima*, *pimilokoíma*, *nuápiu*, *melakitálima*.

18. *me̥lénaua t-ó-gon molṓne(x)pe̥-z̯a*
o mesmo de suas comidas doença
t-epṓ-za-gón-z̯au
os atingiu quando
aménan-gon mū́le̥-san
o povo de hoje filhos
n-esā́te-y-e̥ka-tém-be
devem chamar meu nome

Do mesmo modo deve chamar o povo de hoje, os filhos, meu nome, quando, através de suas comidas, a doença os atinge.

19. *yeu̯lé y-ē̥-s-esā́te-ten-be-te*
me devem chamar

Eles devem me chamar.

20. *temé̥nulen*[516] *piấ-te*
onça pintada eu sou

Eu sou a onça pintada!

21. *Yeu̯lé-'na-le-te*
eu sim sou

Eu também estou aqui!

22. *u-y-óg* *morṍne(x)pe̥-z̯a*
das minhas comidas doença
u-y-é̥po-zá-z̯au̯ *mé̥semṍnan*
me atingiu quando destes
pé̥yinge
do grande porco-do-mato
pakíla *waíla*
do pequeno porco-do-mato da anta
kalíyau̯ke̥
do veado-do-mato
(u)sáli *akū́li*
do veado-capoeira *aguti*
urā́na *waíkin*
paca do veado-galheiro
pā́ga *morṍne(x)pe̥-z̯a*
do gado doença
u-y-āwe̥kā́-z̯au̯ *me̥lḗ*
me amoleceu quando esta
oalánte-nḗ-le *t-o-gón*
portanto sim de suas comidas
morṍne(x)pe̥-z̯a *t-epṍ-za-gón-z̯au̯*
doença os atingiu quando
t-e̥'sekánunga-on-z̯au̯
eles sofrem quando
aménan-gon *mū́le̥-san*
o povo de hoje filhos
n-esā́te-y-e̥ka-tém-be
devem dizer

Quando, através da minha comida, a doença me atingiu, quando a doença destes (animais), do grande porco-do-mato, do pequeno porco-do-mato, da anta, do veado-do-mato, do veado-capoeira, do *aguti*, da *paca*, do veado-galheiro, do gado, do mesmo modo deve dizer o povo de hoje, os filhos, quando, através das suas comidas, a doença os atingiu, quando eles sofrem.

23. *me̥lé* *n-eká'nunga-tén-bē-pela*
isto para que sofram não
i-teléka-z̯a *Tolotoloíma-ke̥*
ela eu espanto *tolotoloíma* com

Para que eles nunca sofram disso, eu a espanto com (estas pimentas:) *tolotoloíma*, *kelekelélima*, *pimilokoíma*, *nuápiu*, *melakitálima*.

---

516 Mítica onça pintada com grandes manchas no pelo; também é considerada auxiliar do pajé; vide p.202.

Kelẽ́kelelimã-ke̱ Pimĩ́lokoíma-ke̱
kelekeleíma com *pimilokoíma* com
Nuã́piu-ke̱ Melakitã́limã-ke̱
nuápiu com *melakitálima* com

24. *umpoí-winekei̯(d)* — Para fora das costas eu jogo sua doença.
costas fora
tó-molṍne(x)pe̥ paká'me̥-z̲a̯
sua doença eu jogo

25. *yeu̯lé y-e-s-esã́te-tém-be* — Eles devem me chamar.
me devem chamar

26. *žilĩ́lu*[517] *pia-te* — Eu sou a pequena onça pintada!
pequena onça pintada eu sou

27. *Yeu̯lé-'na-le-te* — Eu também estou aqui!
eu sim estou

28. *entaná(x)-pe̥(g) molṍne(x)pe̥* — Quando eu sofro da doença, que, através da comida, pus sobre mim para eu carregar, quando a doença destes animais de caça tirar o meu juízo eu a espanto.
comer através doença
atã́nun-za(g)-z̲a̯
sobre mim carreguei
u-y-ẽ̱kanúnga [-z̲au̯][518] *mesemṍnan*
me dói [quando] destes
wotóimẽ molṍne(x)pe̥-z̲a̯
animais de caça doença
u-y-ẽ̱katón-ka-z̲au̯
meu juízo pega quando
i-te̥leká-z̲a̯
ela eu espanto

29. *i-mõlónkanepé̥-z̲a̯* — Eu afasto a doença.
ela eu espanto doença

30. *yeu̯lé y-e-s-esã́te-tén-bẽ-te* — Eles devem me chamar.
me devem chamar

31. *wai̯kinimã́*[519] *pia-te!* — Eu sou o puma vermelho!
puma vermelho eu sou

---

[517] Ou *džilĩ́lu*, mítica onça pintada com pequenas manchas no pelo; também é considerada auxiliar do pajé; vide p.202.

[518] *-z̲au̯* aqui foi acrescentado.

[519] O nome é composto de *wai̯kín*, a designação para “veado-galheiro”, e do sufixo aumentativo *-ima*. Onça d'água mítica, “maior do que um veado”; vide p.184-5.

Quando alguém tem úlceras, esta fórmula mágica é pronunciada duas vezes sobre pimenta moída – se possível, todas as espécies de pimenta indicadas na fórmula –, e sobre o *mingau* que o doente come depois. A seguir, a pimenta é soprada e passada com um tufo de algodão sobre as úlceras. Dizem que, então, estas passam imediatamente. Por fim, o *mingau* é soprado e comido pelo doente.

"Quando as pessoas querem comer anta, porco-do-mato, veado etc., primeiro esta fórmula é pronunciada sobre tinta de *urucu*, que, então, é soprada. A seguir, elas pintam o rosto e o corpo todo com ela, até a sola dos pés, para não ficarem com úlceras. Quando querem comer *veado-capoeira*, o pequeno veado-do-mato (*[u]sā̃li*) que, com sua cor vermelha, se assemelha ao puma,[520] então elas só pronunciam duas vezes a 'fórmula do puma' (*tewī́len*) sobre o *urucu* e sopram a tinta, com a qual, então, se pintam. A seguir, pegam um pequeno pedaço dessa carne de caça, passam a pimenta soprada na carne e a comem. A seguir, elas podem comer à vontade (dessa carne de caça). Quando elas querem comer *veado-galheiro* (*waikín*), pronunciam a 'fórmula do puma vermelho' (*waikínimã*). Quando elas querem comer anta, pronuncia-se a 'fórmula da onça da anta' (*wailalī́ma*). Quando elas querem comer porco-do-mato, pronuncia-se a 'fórmula da onça pintada' (*teménulen*). Quando elas querem comer toda essa carne de caça misturada, todas as fórmulas são pronunciadas uma após a outra."

Nessa ocasião, sempre se procede de modo que a tinta de *urucu* fique ao lado da panela com a carne de caça, já misturada com pimenta especialmente preparada e soprada, de modo que a fórmula em questão é pronunciada ao mesmo tempo sobre ambas as coisas. Então eles sopram o *urucu* e se pintam com ele. A seguir, sopram a comida e a consomem.

Assim, essas fórmulas valem, ao mesmo tempo, para prevenir e afugentar as úlceras causadas pelo consumo da carne de caça em questão.

Uma outra medida preventiva contra a má influência da carne de caça é o chicoteamento.

O bisavô de *Mayūluaípu* não deixava que nenhum de seus parentes comesse carne de caça pesada (anta, veado, porco-do-mato) antes de ele os ter chicoteado: "Quando uma anta era abatida, ele reunia todo mundo. Tinha na mão um chicote de cordão de *miriti* trançado. A cabeça da anta ficava no chão. Então o velho chicoteava com força todas as crianças. Cada uma recebia uma chicotada. Cada uma tinha de pisar na cabeça da anta, recebia a chicotada, então podia ir embora. As crianças gritavam, pois a chicotada era muito dolorida. Depois das crianças era a vez dos rapazes e das mocinhas. Eles recebiam mais chicotadas, de uma perna até um dos ombros e da outra perna até o outro ombro. A seguir, vinham os homens e as mulheres adultos e, por fim, os velhos."

---

520 Por conseguinte, o puma comum se chama *(u)sā̃liuala*, que deve significar o mesmo que *suasurā̃na*, "falso veado", na *língua geral*.

Entre os Taulipáng no Majari, esse costume desapareceu. Em Koimélemong, o chicoteamento, ainda em setembro de 1911, foi realizado, do mesmo modo há pouco descrito, pelo velho sogro do cacique Pitá quando se abateu um boi para os inúmeros convidados de uma festa. Observei esse costume também entre os Yekuaná.[521] É sempre realizado pelo decano da povoação.

Chicoteamento como prevenção contra doenças também ocorre em outra ocasião, como veremos mais tarde.

Entre os Taulipáng, antigamente só os velhos comiam coração, rins e língua dos animais de caça. Isso era proibido aos mais jovens, pois temia-se que, nestes, as partes do corpo em questão seriam atacadas dessa maneira se eles adoecessem.[522] Esse costume está desaparecendo aos poucos.

III. *Pio-etālimūlu*, fórmula dos espinhos (fórmula mágica para e contra pústulas, "espinhas no rosto")[523]

A.

Era uma vez uma bela moça de nossos antepassados, *Piắ'āmã'nẽmõ*. *Makunaíma* queria se casar com ela, assim como *Ma'nấpẹ*, assim como *Žigé*. O que foi que *Makunaíma* fez? Foi até lá para se deitar com ela. Quando se deitou com ela, a moça lhe bateu no rosto e mordeu o braço dele. Então *Makunaíma* foi embora. A moça não queria nenhum deles. Então *Makunaíma* disse para *Ma'nấpẹ*: "Fiquei todo mordido pela moça dos antepassados!". *Ma'nấpe* disse: "Agora eu vou lá, irmão! Agora eu é que vou tentar!". Então *Makunaíma* disse: "Ela não quer você!". *Ma'nấpe* respondeu: "Não, ela me quer! Ela me ama!". *Ma'nấpe* foi até lá para se deitar com ela. Foi até a rede de dormir dela e se deitou com ela. Então a moça lhe bateu no rosto com o punho e o mordeu. Então *Ma'nấpe* foi até o seu irmão. Ele disse: "Ah, ela me mordeu e me bateu com força!". *Makunaíma* disse: "Eu não lhe disse que ela ia lhe dar isso?". Então *Žigé* chegou. Ele disse: "Vou me deitar com ela! Vou tentar!". Foi até lá e se deitou com ela. A moça lhe bateu no rosto e o mordeu. Então *Žigé* voltou e disse para os seus irmãos que a moça tinha batido nele e o tinha mordido. Então *Makunaíma* disse: "Vamos fazer que ela fique feia, com espinhos no rosto!". Então *Makunaíma* reuniu todos os seus irmãos e disse: "Eu sou *Makunaíma*! Vou fazer essa moça dos antepassados ficar feia, com ovos de *Padžidži*,[524] com ovos de *Padžidžipốdolẹ*,[525] com ovos de *Alālemấ*,[526] com ovos de *Kulūtu*,[527] com ovos de

---

521 Vide v.I, p.332-3.

522 Ou seja, temia-se que a doença, então, se jogasse sobre essas partes do corpo.

523 Espinhas, que aparecem com frequência na transição para a puberdade.

524 Pequena espécie de *piraíba*, chamada de *filhote* no Norte do Brasil: *Bagrus* sp.

525 *Piraíba* grande: *Bagrus reticulatus*.

526 *Caparari*; espécie de siluro.

527 *Surubim*; siluro: *Platistoma* sp.

Z̯andiá,[528] com ovos de *Wai̱̯taú*,[529] com ovos de *Kēmḗta*,[530] com ovos de *Paẕ̯ā́*,[531] com ovos de *Oalā́pai̱d*,[532] com ovos de *Arāuaná*,[533] com ovos de *Alaíd*,[534] com ovos de *Ai̱malá*,[535] com ovos de *Patā́gai̱*,[536] com ovos de *Kãmãge̥la*,[537] com ovos de *Tukū́luli*,[538] com ovos de *Pṓlumaī*,[539] com ovos de *Ālumag*,[540] com ovos de *Kuán*,[541] com ovos de *Kána*,[542] com ovos de *Wéimoroko*,[543] com ovos de *Tí'mulu*,[544] com ovos de *Latt̄́*,[545] com ovos de *Kanāmu̱*.[546] Com os ovos desses peixes vou fazer ela ficar feia, com espinhos no rosto. Vou estragá-la, para que nunca mais ela fique bonita. O povo de hoje, os filhos, deve dizer estas palavras. Devem nos chamar pelo nome quando quiserem deixar os outros doentes. Eu sou *Makunaíma*!". Então *Ma'nā́pe* disse: "Eu também! Eu sou *Ma'nā́pe*. Vou fazer essa moça dos antepassados ficar feia, com ovos [etc., como antes]. Com os ovos desses peixes vou fazer ela ficar feia, com espinhos no rosto. Vou estragá-la para que ela nunca mais fique bonita. O povo de hoje, os filhos, deve dizer estas palavras. Eles devem nos chamar pelo nome quando quiserem deixar os outros doentes. Eu sou *Ma'nā́pe*!". Então *Žigé* disse: "Eu também! Eu sou *Žigé*! Eu faço essa moça dos antepassados ficar feia, para que nunca mais ela fique bonita, com ovos [etc., como antes]. Eu faço ela ficar com espinhos no rosto. O povo de hoje, os filhos, deve dizer estas palavras. Eles devem nos chamar pelo nome quando quiserem deixar os outros doentes. Eu sou *Žigé*!". Eles sopraram no espelho dela. No dia seguinte, vieram muitos espinhos[547] em seu rosto. Ela sofreu com esses espinhos. Ela tinha o rosto e o corpo cheios desses espinhos.

[Até aqui vai a primeira parte, a fórmula mágica má para deixar alguém com pústulas. A segunda parte, que segue, é o antídoto para curar a doença.]

Então a chuva *Džividživigómbe̥limẽ*[548] encontrou a moça dos antepassados. Perguntou a ela: "O que você está fazendo, cunhada?". Ela respondeu: "Estou sofrendo de espinhos feitos

---

528 *Jandiá*: *Platistoma* sp.
529 *Pacu*: *Myletes* sp.
530 *Curimatá*: *Curimata* sp.
531 *Pirandira*.
532 *Pirarucu*: *Sudis gigas*.
533 *Arauaná*, um peixe do cerrado.
534 *Piranha*: *Pygocentrus* sp.
535 *Aimará*: *Hoplias macrophtalmus*.
536 *Traíra*: *Erythrinus tareira*.
537 *Tucunaré*: *Cichla* sp.
538 *Tucunaré* grande.
539 *Matrinxã*, saboroso peixe de escamas.
540 Peixe pequeno dos riachos das serras.
541 *Aracu*: *Corimbata* sp.
542 *Aracu* pequeno.
543 "*Aracu* pintado": *Corimbata* sp.
544 *Acará*: *Scaiena squamosissima*.
545 Pequeno peixe branco de lagoa, semelhante a uma pequena *piranha*.
546 Peixe pequeno.
547 Pústulas.
548 "Chuva da Andorinha", uma das constelações; na verdade, *-gon-be̥limẽ̥*, mas pronunciado, adaptado: *gombe̥limẽ*. *-gon* é sufixo do plural.

pelo *Makunaíma*, feitos por *Ma'nãpe* e *Žigé*. O povo de hoje, os filhos, devem sofrer do que eu sofro quando outros os deixarem doentes!". Então *Malítegómbelimẽ*[549] a encontrou. Perguntou a ela: "O que você está fazendo, cunhada?". Ela respondeu: "Estou sofrendo de espinhos feitos pelo *Makunaíma*, feitos por *Ma'nãpe* e *Žigé*. O povo de hoje, os filhos, deve sofrer do que eu sofro quando outros os deixarem doentes!". Então *Tamekángombelimẽ*[550] a encontrou. Perguntou a ela: "O que você está fazendo, cunhada?". Ela respondeu: "Estou sofrendo de espinhos feitos pelo *Makunaíma*, feitos por *Ma'nãpe* e *Žigé*. O povo de hoje, os filhos, deve sofrer do que eu sofro quando os outros os deixarem doentes!". Então *Tamekánesagombelimẽ*[551] a encontrou. Perguntou a ela: "O que você está fazendo, cunhada?" "Estou sofrendo de espinhos feitos pelo *Makunaíma*, feitos por *Ma'nãpe* e *Žigé*. O povo de hoje, os filhos, deve sofrer do que eu sofro quando os outros os deixarem doentes!". Então *Peponóngombelimẽ*[552] a encontrou. Perguntou a ela: "O que você está fazendo, cunhada?". "Estou sofrendo de espinhos feitos pelo *Makunaíma*, feitos por *Ma'nãpe* e *Žigé*. O povo de hoje, os filhos, deve sofrer do que eu sofro quando os outros os deixarem doentes!". Então *Pemeĩula*[553] a encontrou. Perguntou a ela: "O que você está fazendo, cunhada?". "Estou sofrendo de espinhos feitos pelo *Makunaíma*, feitos por *Ma'nãpe* e *Žigé*. O povo de hoje, os filhos, deve sofrer do que eu sofro quando os outros os deixarem doentes!". Então *Melákitalĩmã*[554] a encontrou. Perguntou a ela: "O que você está fazendo, cunhada?". "Estou sofrendo de espinhos feitos pelo *Makunaíma*, feitos por *Ma'nãpe* e *Žigé*. O povo de hoje, os filhos, deve sofrer do que eu sofro quando os outros os deixarem doentes!". Então *Pimilokoímẽ*[555] a encontrou. Perguntou a ela: "O que você está fazendo, cunhada?". "Estou sofrendo de espinhos feitos pelo *Makunaíma*, feitos por *Ma'nãpe* e *Žigé*. O povo de hoje, os filhos, deve sofrer do que eu sofro quando os outros os deixarem doentes!". Então as chuvas disseram [agora vem a verdadeira fórmula mágica para a cura do mal]:

"Eu sou *Džiwidžiwigómbelimẽ*! Eu limpo o rosto da moça dos antepassados, para que ela nunca sofra de espinhos. O povo de hoje, os filhos, deve dizer estas palavras. Devem nos chamar pelo nome. Eu sou *Džiwidžiwigómbelimẽ*! Com minha água eu limpo o rosto dela. – Eu também; eu sou *Malítegómbelimẽ*! Eu limpo o rosto da moça dos antepassados, para que ela nunca sofra desses espinhos. O povo de hoje, os filhos, devem dizer estas palavras. Devem nos chamar pelo nome quando outros os tiverem deixado doentes, quando sofrerem desses espinhos, para fazer a dor passar. Eu sou *Malítegómbelimẽ*! – Eu também; eu sou *Tamekángombelimẽ*! A moça dos antepassados sofria desses espinhos feitos por *Makunaíma*, *Ma'nãpe* e *Žigé*. Eu limpo o rosto dela com minha água. O povo de hoje, os filhos, devem dizer

549 "Chuva do Escorpião", *malíte*, de uma constelação.

550 "Chuva das Plêiades", *tamekán*.

551 "Chuva do corpo de *Tamekán*"; grupo Aldebarã.

552 Difícil de traduzir: "Chuva do quarto traseiro (do *Tamekán*)", de algumas estrelas no Órion: perna e coto da perna; vide v.II, p.60.

553 Pimenta verde.

554 Pimenta *malagueta*, muito picante, de frutos pequenos.

555 Pimenta vermelha redonda.

estas palavras. Devem nos chamar pelo nome. Eu sou *Tamekángombe̥limẽ̥*! Eu faço a dor passar, para que ela nunca sofra de espinhos. Eu sou *Tamekángombe̥limẽ̥*! – Eu também; eu sou *Tamekáne̥sagombe̥limẽ̥*! A moça dos antepassados sofria dos espinhos feitos por *Makunaíma*, *Ma'nãpe* e *Žigé*. Eu limpo o rosto dela, para que ela nunca sofra de espinhos. Eu faço a dor passar. O povo de hoje, os filhos, devem dizer estas palavras. Devem nos chamar pelo nome quando outros os tiverem deixado doentes. Eu sou *Tamekáne̥sagombe̥limẽ̥*! – Eu também; eu sou *Pe̥ponóngombe̥limẽ̥*! Eu limpo o rosto da moça dos antepassados, para que ela nunca sofra dos espinhos feitos por *Makunaíma*, *Ma'nãpe* e *Žigé*. Eu faço a dor passar. O povo de hoje, os filhos, devem dizer estas palavras. Devem nos chamar pelo nome quando outros os tiverem deixado doentes. Eu sou *Pe̥ponóngombe̥limẽ̥*!"[556]

Então as pimentas disseram:

"Eu também! A moça dos antepassados sofria dos espinhos feitos por *Makunaíma*, *Ma'nãpe* e *Žigé*. Eu espanto esses espinhos, para que ela nunca sofra desses espinhos. O povo de hoje, os filhos, deve dizer estas palavras. Devem nos chamar pelo nome quando outros os tiverem deixado doentes. Eu sou *Pe̥me̥ĩula*! – Eu também! A moça dos antepassados sofria dos espinhos feitos por *Makunaíma*, *Ma'nãpe* e *Žigé*. Eu espanto esses espinhos, para que ela nunca sofre desses espinhos. Eu faço a dor passar. O povo de hoje, os filhos, deve dizer estas palavras. Devem nos chamar pelo nome quando outros os tiverem deixado doentes. Eu sou *Me̥lákitalĩmã*! – Eu também! A moça dos antepassados sofria desses espinhos feitos por *Makunaíma*, *Ma'nãpe* e *Žigé*. Eu espanto esses espinhos, para que ela nunca sofra desses espinhos. O povo de hoje, os filhos, deve dizer estas palavras. Devem nos chamar pelo nome quando outros os tiverem deixado doentes. Eu sou *Pimilokoímẽ̥*!"

Então as chuvas se armaram. Choveu. Ela estava lá fora, na frente da casa. A chuva a banhou e lavou tudo. Então veio a pimenta. A pimenta disse que ela não deveria gritar, que deveria ficar quieta. Quando a chuva passou, veio a pimenta. A pimenta andou pelo rosto e pelo corpo todo da moça e queimou rosto e corpo. A moça sofreu com a pimenta ardida. Então a chuva foi embora. A pimenta também foi embora. A moça ficou curada. Ficou bonita de novo. Nunca mais ela sofreu de espinhos.

Esta fórmula ficou até hoje para nós, Taulipáng.

B.

1. *Piã-baži* a moça dos antepassados *e̥'ne̥i̯lúmpa-zag* doente feita	Quando a moça dos antepassados sofre, adoecida pelos monstros pela parentela de *Makunaíma*, *Ma'nãpe*, *Žigé*, enquanto ela

---

[556] São todas chuvas de inverno, que, dependendo do desaparecimento das constelações isoladas no oeste, das quais recebem os nomes, surgem mais fortes ou mais fracas.

e̱'ne̱i̯-ne-gón-z̯a makṹnai̯me̥
animais através *Makṹnai̯ma*
ma'nā́pe žigé z̯amẽ̥-z̯a
Ma'nā́pe Žigé parentela
t-e̱'ne̱i̯lúmpa-za(g) pe̥g
doente feita de
piā́-baži
moça dos antepassados
s-e̱ka'núnga-[z̯au̯]
sofre [quando]
morokoímẽ̥ pomoī-ke̱ padžidži
morokoíma ovos com *filhote*
pomoī-ke̱ oalā́pai̯ pomoī-ke̱
ovos com *pirarucu* ovos com
alā́lemã pomoī-ke̱ kulútu
caparari ovos com *surubim*
pomoī-ke̱ wai̯taú pomoī-ke̱
ovos com *pacu* ovos com
pōlumaī̃ pomoī-ke̱
matrinxã ovos com
t-e̱'ne̱i̯lúmpa-za(g) pe̥g
doente fez de
y-e̱-s-ekánunga-tana
ela sofre durante
i-mōlonka'nepe̥i̯-z̯a
ela a doença expulso eu
mẽ̥lé n-eka'nunga-tem-bḗ-pela
isto para que ela sofra não

sofre, adoecida com ovos de *morokoíma*, com ovos de *filhote*, com ovos de *pirarucu*, com ovos de *caparari*, com ovos de *surubim*, com ovos de *pacu*, com ovos de *matrinxã*, eu expulso a doença, para que ela nunca sofra disso.

2. *me̥lénauá t-e̱'ne̱i̯lúmpa-za-gón-z̯au̯*
o mesmo doente fez quando
aménan-gon mū́le̱-san
o povo de hoje filhos
n-esā́te-tém-bē
devem dizer

O mesmo deve dizer o povo de hoje, os filhos, quando forem curados.

3. *džiwidžiwi-gómbe̱limẽ̥ piā́-te!*
da Andorinha chuva eu sou

Eu sou a chuva da Andorinha!

4. *Yeu̯lé-'na-le-te*
eu sim sou

Eu também estou aqui!

5. *t-e̱'ne̱i̯lúmpa-zag e̱'ne̱i̯-ne-gón-z̯a*
doente fez animais através
makūnaímẽ̥-z̯āmẽ̥(g)
Makunaíma parentela

Quando a moça dos antepassados, adoecida pelos monstros da parentela de *Makunaíma*, *Mā'nápe*, *Žigé*, enquanto ela sofre, adoecida

mā'nápe-z̭a Žigé-z̭a pe̥(g)
Mā'nápe através *Žigé* através de
piā́-baži
moça dos antepassados
s-e̱kā-núnga-z̭au̯ me̥semṓnan
sofre quando estes
molōkoímẽ̥ pomoī-ke̱ padžídži
morokoíma ovos com *filhote*
pomoī-ke̱ oalā́pai̯ pomoī-ke̱
ovos com *pirarucu* ovos com
alā́lemā pomoī-ke̱ kulū́tu
caparari ovos com *sorubim*
pomoī-ke̱ wai̯taú pomoī-ke̱
ovos com *pacu* ovos com
pōlumaī pomoī-ke̱
matrinxã ovos com
t-e̱'ne̱i̯lúmpa-za(g) pe̥g
doente fez de
y-ē̱-s-e̱kā́nunga-tana
ela sofre durante
i-mṓlonka'nepe̥i̯-z̭a
ela a doença expulso eu
me̥lé n-eka'nunga-tem-bē̃-pela
isto para que ela sofra não

(com) estes (ovos de peixes), com ovos de *morokoíma*, com ovos de *filhote*, com ovos de *pirarucu*, com ovos de *caparari*, com ovos de *surubim*, com ovos de *pacu*, com ovos de *matrinxã*, eu expulso a doença, para que ela nunca sofra disso.

6. *me̥lénauá t-e̱'ne̱i̯lúmpa-za-gón-z̭au̯*
igualmente doente fez quando
aménan-gon mū́le̱-san
o povo de hoje filhos
n-esā́te-tém-bē
devem dizer

O mesmo deve dizer o povo de hoje, os filhos, quando tiverem adoecido.

7. *malī́te-gómbe̥limẽ̥ piā́-te!*
Escorpião chuva eu sou

Eu sou a chuva do Escorpião!

8. *Yeu̯lé-'na-le-te*
eu sim sou

Eu também estou aqui!

9. *t-e̱'ne̱i̯lúmpa-zag e̱'ne̱i̯-ne-gón-z̭a*
doente fez animais através
makūnaímẽ̥-z̭āmẽ̥(g)
Makūnaíma parentela
mā'nápe-z̭a žigé-z̭a pe̥(g)
Mā'nápe através *Žigé* através de

Quando a moça dos antepassados, adoecida pelos monstros da parentela de *Makunaíma*, *Mā'nápe*, *Žigé*, enquanto ela sofre, adoecida (com) estes (ovos de peixe) com ovos de *morokoíma*, com ovos de

piá̃-baži
moça dos antepassados
s-e̥kā-núnga-z̑au̯ me̥semṍnan
sofre quando estes
molōkoímẽ̥ pomoī-ke̥ padžīídži
morokoíma ovos com *filhote*
pomoī-ke̥ oalā́pai̯ pomoī-ke̥
ovos com *pirarucu* ovos com
alā́lemã pomoī-ke̥ kulū́tu
caparari ovos com *surubim*
pomoī-ke̥ wai̯taú pomoī-ke̥
ovos com *pacu* ovos com
pōlumaī pomoī-ke̥
matrinxã ovos com
t-e̥'ne̥i̯lúmpa-za(g) pe̥g
doente fez de
y-ē̥-s-e̥kā́nunga-tana
ela sofre durante
i-mṍlonka'nepe̥i̯-z̑a
ela a doença afasto eu
me̥lé n-eka'nunga-tem-bḗ-pela
isto para que ela sofra não

filhote, com ovos de *pirarucu*, com ovos de *caparari*, com ovos de *surubim*, com ovos de *pacu*, com ovos de *matrinxã*, eu expulso a doença, para que ela nunca sofra.

10. *me̥lénauá t-e̥'ne̥i̯lúmpa-za-gón-z̑au̯*
igualmente doente fez quando
aménan-gon mū́le̥-san
o povo de hoje filhos
n-esā́te-tém-bē
devem dizer

O mesmo deve dizer o povo de hoje, os filhos, quando tiverem adoecido.

11. *tamekán-gómbe̥limẽ̥ piá̃-te!*
Plêiades chuva eu sou

Eu sou a chuva das Plêiades!

12. *Yeu̯lé-'na-le-te*
eu sim sou

Eu também estou aqui!

13. *t-e̥'ne̥i̯lúmpa-zag e̥'ne̥i̯-ne-gón-z̑a*
doente fez animais através
makūnaímẽ̥-z̑āme̥(g)
Makūnaíma parentela
mā'nápe-z̑a žigé-z̑a pe̥(g)
Mā'nápe através *Žigé* através de
piá̃-baži
moça dos antepassados

Quando a moça dos antepassados sofre, adoecida pelos monstros da parentela de *Makunaíma*, *Mā'nápe*, *Žigé*, enquanto ela sofre, adoecida (com) estes (ovos de peixe), com ovos de *morokoíma*, com ovos de *filhote*, com ovos de *pirarucu*, com ovos de *surubim*, com ovos de *pacu*,

s-e̱kā-núnga-z̯au̯ me̥semṓnan
sofre quando estes
molōkoímẽ̥ pomoī-ke̱ padžídži
morokoíma ovos com *filhote*
pomoī-ke̱ oalā́pai̯ pomoī-ke̱
ovos com *pirarucu* ovos com
alā́lemã pomoī-ke̱ kulū́tu
caparari ovos com *surubim*
pomoī-ke̱ wai̯taú pomoī-ke̱
ovos com *pacu* ovos com
pōlumaī pomoī-ke̱
matrinxã ovos com
t-e̱'ne̱i̯lúmpa-za(g) pe̥g
doente fez de
y-ē̱-s-e̱kā́nunga-tana
ela sofre durante
i-mṓlonka'nepe̥i̯-z̯a
ela a doença afasto eu
mē̥lé n-eka'nunga-tem-bḗ-pela
isto para que ela sofra não

com ovos de *matrinxã*, eu expulso a doença, para que ela nunca sofra disso.

14. *me̥lénauá t-e̱'ne̱i̯lúmpa-za-gón-z̯au̯*
igualmente doente fez quando
aménan-gon mū́le̱-san
o povo de hoje filhos
n-esā́te-tém-bē
devem dizer

O mesmo deve dizer o povo de hoje, os filhos, quando tiverem adoecido.

15. *tamekane̱sá-gómbe̥limẽ̥ piā́-te!*
Plêiades corpo chuva eu sou

Eu sou a chuva do corpo das Plêiades!

16. *Yeu̯lé-'na-le-te*
eu sim sou

Eu também estou aqui!

17. *t-e̱'ne̱i̯lúmpa-zag e̱'ne̱i̯-ne-gón-z̯a*
doente fez animais através
makūnaímẽ̥-z̯āmẽ̥(g)
Makunaíma parentela
mā'nápe-z̯a žigé-z̯a pe̥(g)
Mā'nápe através *Žigé* através de
piā́-baži
moça dos antepassados
s-e̱kā-núnga-z̯au̯ me̥semṓnan
sofre quando estes
molōkoímẽ̥ pomoī-ke̱ padžídži
morokoíma ovos com *filhote*

Quando a moça dos antepassados sofre, adoecida pelos monstros da parentela de *Makunaíma*, *Mā'nápe*, *Žigé*, enquanto ela sofre, adoecida (com) estes (ovos de peixe) com ovos de *morokoíma*, com ovos de *filhote*, com ovos de *pirarucu*, com ovos de *caparari*, com ovos de *surubim*, com ovos de *pacu*, com ovos de *matrinxã*, eu expulso a doença, para que ela nunca sofra disso.

pomoī-ke̯   oalā́pai̯   pomoī-ke̯
ovos com   *pirarucu*   ovos com
alā́lemã   pomoī-ke̯   kulū́tu
caparari   ovos com   *surubim*
pomoī-ke̯   wai̯taú   pomoī-ke̯
ovos com   *pacu*   ovos com
pōlumaĩ   pomoī-ke̯
matrinxã   ovos com
t-e̯'ne̯i̯lúmpa-za(g) pe̥g
doente   fez   de
y-ē̯-s-e̯kā́nunga-tana
ela   sofre   durante
i-mṓlonka'nepe̥i̯-z̯a
ela a doença   afasto   eu
mē̥lé   n-eka'nunga-tem-bḗ-pela
isto   para que   ela   sofra   não

18. *me̥lénauá t-e̯'ne̯i̯lúmpa-za-gón-z̯au̯*
igualmente   doente   fez   quando
aménan-gon   mū́le̯-san
o povo de hoje   filhos
n-esā́te-tém-bē
devem   dizer

O mesmo deve dizer o povo de hoje, os filhos, quando tiverem adoecido.

19. *pe̯ponón-gómbe̯limḗ̥   piā́-te!*
do traseiro   chuva   eu sou

Eu sou a chuva do traseiro (das Plêiades)!

20. *piā́-baži*
moça dos antepassados
s-ē̯ka'nungá
sofre

A moça dos antepassados sofre.

21. *t-e̯'ne̯i̯lúmpa-zag e̯'ne̯i̯-ne-gón-z̯a*
doente   fez   animais   através
me̥lḗ̥-pe̥g   y-e̯-s-ekā́'nunga
dela   ela   sofre

Adoecida pelos monstros, ela sofre disso.

22. *aménan-gon   mūle̯-sán*
o povo de hoje   filhos
maĩmũ   y-e̯ua-tém-be
voz   devem   levantar
t-e̯'ne̯i̯lúmpa-za-gón-z̯au̯
doente   fez   quando
me̥lḗ̥-pe̥(g)   t-e̯-s-eka'nunga-gón-z̯au̯
disso   eles sofrem   quando

O povo de hoje, os filhos, devem elevar a voz quando tiverem adoecido, quando sofrerem disso.

23. *me̥lẽ́ molonkánepe̥*
esta doença expulsar
teu̯z̯á-ne-gón-z̯au̯
(eles) fazem quando
to-maĩmũ y-e̯ua-tém-be
sua voz eles devem elevar

Quando quiserem expulsar esta doença, devem elevar sua voz.

24. *i-te̥leka-z̯a*
ela eu espanto
piã́-baži-poi̯
moça dos antepassados da
mē̥lé n-eka'nunga-tem-bẽ́-pela
isto para que ela sofra não

Eu a espanto da moça dos antepassados, para que ela nunca sofra.

25. *yeu̯lé kín-me̥-te pe̥mei̯yulã́*
eu sim! sou a pimenta verde
piã́-te!
eu sou

Eu, sim! Sou a pimenta verde!

26. *Yeu̯lé-'na-le-te*
eu sim sou

Eu também estou aqui!

27. *piã́-baži*
moça dos antepassados
s-ē̯ka'nungá
sofre
t-e̯'ne̯i̯lúmpa-zag e̯'ne̯i̯-ne-gón-z̯a
doente fez animais através
makūnaímẽ̥-z̯āmẽ̥(g)
Makunaíma parentela
mā'nápe-z̯a žigé-z̯a
Mā'nápe através *Žigé* através de

A moça dos antepassados sofre, adoecida pelos monstros da parentela de *Makunaíma*, *Mā'nápe*, *Žigé*,

28. *me̥semṍnan morōkoímã pomoī-ke̥*
estes *morokoíma* ovos com
t-e̯'ne̯i̯lúmpa-za(g) pẽ̥(g)
doente fez de
piã́-baži
moça dos antepassados
s-ē̯ka'nunga-z̯au̯ mē̥lé te̥lẽ́ka-z̯a
sofre quando isto eu espanto

Quando a moça dos antepassados sofre, adoecida com estes ovos de *morokoíma*, eu espanto esta (doença).

29. *me̥lénaua t-e̯'ne̯i̯lúmpa-za-gon*
igualmente doente fez
e̯'ne̯i̯-ne-gon-z̯a pẽ̥(g)
animais através de

O mesmo deve dizer o povo de hoje, os filhos, quando sofrem, adoecidos pelos monstros.

t-e̯-s-eká'nunga-gón-za̯u̯
eles sofrem quando
aménan-gon mű̄le̯-sán
o povo de hoje filhos
n-esấte-tém-bē
devem dizer

30. *yeu̯lé kín-me̥-te melakitấlimã* — Eu, sim! Eu sou a pimenta *malagueta*!
eu sim! sou pimenta *malagueta*
pia!
eu (sou)

31. *i-té̥-poi̯* — Dela eu expulso a doença, para que ela nunca sofra disso.
dela
mōlonkanepé̥-za̯ me̥le
a doença espanto eu isto
n-eka'nunga-tem-bế-pela
para que ela sofra não

32. *Yeu̯lé-'na-le! t-e̯'ne̯i̯lúmpa-zag* — Eu também! Quando ela sofre disso, adoecida pelos monstros, a parentela de *Makunaíma*, *Mā'nápe*, *Žigé*, dela eu expulso a doença.
eu sim doente fez
e̯'ne̯i̯-ne-gón-za̯
animais através
makūnaímẽ̥-za̯mẽ̥(g)
Makunaíma parentela
mā'nápe-za̯ žigé-za̯ me̥lế-pe̥g
Mā'nápe através *Žigé* através de
y-ē̯-s-e̯kấ'nunga-za̯u̯ i-té̥-poi̯
ela sofre quando dela cair
mōlonkanepé̥-za̯
a doença espanto eu

33. *i-té̥leka-za̯* — Eu a espanto.
ela eu espanto

34. *me̥lénaua t-e̯'ne̯i̯lúmpa-za-gón* — O mesmo deve dizer o povo de hoje, os filhos, quando sofrem, adoecidos pelos monstros.
igualmente doente fez
e̯'ne̯i̯-ne-gón-za̯ me̥lế-pe̥(g)
animais através de
t-e̯-s-eká'nunga-gón-za̯u̯
eles sofrem quando
aménan-gon mūle̯-sán
o povo de hoje filhos
tő(g) n-esấte-tém-be
eles devem dizer

35. *me̥lé molonkánepe̥* esta doença espantar *teu̯z̯á-ne-gón-z̯au̯* (eles) fazem quando *tó-(e)sḗlenga to-tem-be* eles cantam eles devem	Devem cantar quando quiserem expulsar esta doença.
36. *yeu̯le kín-me̥-te pimīlokoíme* eu sim! sou a pimenta redonda *piā́-te!* eu sou	Eu, sim! Eu sou a pimenta redonda!
37. *i-t-énbata ekaílumpa-z̯a-* sua face lisa fazer *kín-te!* eu quero!	Deixo seu rosto liso!
38. *i-kū́lantanē̥pe̥-z̯a!* ela eu faço curar	Eu a curo!

C.

"Quando alguém sofre desses espinhos, pronuncia-se seis ou sete vezes a 'fórmula das chuvas'. Então sopra-se água morna e, com ela, lava-se seis a sete vezes o rosto e o corpo do doente. A seguir, pronuncia-se seis a sete vezes a 'fórmula das pimentas' e passa-se seis a sete vezes a pimenta moída sobre o corpo doente."

IV. *Lotamá-etālimū́lu*, fórmula da dor de barriga, também chamada de "fórmula do cachorro" (fórmula mágica contra vermes intestinais e para a família enlutada em caso de morte, para que ela se proteja dos vermes da decomposição)[557]

A.

"O jovem dos antepassados sofria desses vermes. Vou limpar a barriga dele, para que ele nunca sofra de dor de barriga. Do mesmo modo deve dizer esse povo de hoje, esses filhos, com

557 Segundo a crença dos Taulipáng, os vermes da decomposição entram no corpo da família como vermes intestinais; vide p.165.

estas palavras, para fazer a dor de barriga passar. Eu sou *Sā̃lo*![558] – Eu também estou aqui! O jovem dos antepassados sofria desses vermes. Vou limpar a barriga dele, para que ele nunca sofra de dor de barriga. O mesmo deve dizer esse povo de hoje, esses filhos, com estas palavras, para fazer a dor de barriga passar. Eu sou *Pe̱lo*!"[559]

B.

1. *Motṍkoimã ne̱-lótažíle(x)-pe̥*
   o verme fez dor de barriga

   O verme fez dor de barriga.

2. *s-ēká'nunga-z̯au̯ me̥lé*
   ele sofre quando esta
   molonkánepé-z̯a̯ me̥lé
   doença expulso eu esta
   ne̱-lótaži-tem-bē-pela
   para que dor de barriga faça não

   Quando ele sofre disso, eu expulso esta doença para que ela nunca lhe faça dor de barriga.

3. *motṍkoima solṍga-z̯a me̥lé*
   o verme eu jogo fora este
   n-ēká'nunga-tem-bḗ-pela
   para que ele sofra não

   Eu jogo o verme fora, para que ele não sofra mais disso.

4. *me̥lénaua tē̱-lotamā́-le-za(g)-gón-z̯au̯*
   o mesmo eles têm dor de barriga quando
   aménan-gon mūle̱-sán
   o povo de hoje filhos
   n-esā́te-tém-be
   devem dizer

   O mesmo deve dizer o povo de hoje, os filhos, quando tiverem dor de barriga.

5. *yeule-kín-me̥-te sā́lo pia-te!*
   eu sim sou *Sā́lo* eu sou

   Eu, sim! *Sā́lo* eu sou!

6. *Yeulé'-na-le-te!*
   eu sim sou

   Eu também estou aqui!

7. *motṍku̱imã-z̯a ne̱-lótažile(x)-pe̥*
   o verme fez dor de barriga
   pia-moínele
   no jovem dos antepassados

   O verme fez dor de barriga no jovem dos antepassados.

8. *me̥lḗ-pe̥(g) y-ē̱-s-e̱kā́'nunga-z̯au̯*
   disso ele sofre quando

   Quando ele sofre disso, eu o jogo fora.

---

558 Nome da lontra grande; designa aqui um cão mítico de pelo marrom-avermelhado como o dessa lontra.

559 Cão mítico de pelo negro. Pelo visto, o nome é espanhol *perro*, cão, e veio com o próprio animal, nos primeiros tempos do descobrimento, para os Taulipáng. O cão comum é chamado entre eles de *aimalága*.

mele̥lé solṍga-za̭
isto eu jogo fora

9. *i-lo'tá kai̯lúmpa-za̭* — sua barriga eu faço lisa — Deixo sua barriga lisa.

10. *mele̥nẽ́naua tē̱-lotama-le-za(g)-gón-za̭u̯* — o mesmo eles têm dor de barriga quando
aménan-gon mū̃le̥-sán — o povo de hoje filhos
n-esā́te-tém-be — devem dizer
O mesmo deve dizer o povo de hoje, os filhos, quando tiverem dor de barriga.

11. *yeulé-kín-me̥-te pē̱lo pia-te!* — eu sim sou *Péro* eu sou — Eu, sim! Eu sou *Péro*!

C.

Quando alguém tem dor de barriga ou está com vermes, esta fórmula mágica é pronunciada e soprada cinco vezes sobre o *mingau* ou o *caxiri* feito de beijus. O doente não pode comer animais de caça grandes (quadrúpedes: anta, porco-do-mato, veado etc.) nem beber qualquer outro tipo de *caxiri*. Ele pode comer aves e peixes. Mas todas essas comidas precisam, primeiro, receber a fórmula e ser sopradas.

A mesma fórmula mágica é proferida pelos parentes de um morto por um mês para se protegerem dos vermes da decomposição. Durante esse período, eles não podem comer animais de caça grandes. Aves e peixes lhes são permitidos. Mas sobre tudo o que eles comem e bebem, a fórmula deve ser pronunciada, e os alimentos, soprados.[560]

V. *Senuoímē̥*, fórmula contra rouquidão (fórmula mágica para e contra inflamação da garganta e rouquidão)

A.

Era uma vez uma "trombeta do pica-pau" (*tolongónuayi*).[561] *Ma'nā́pe* a encontrou. Então ele disse a seu irmão *Makunaíma*: "Vamos colocar folhas na trombeta do pica-pau, *kurāteké-za̭le*,[562]

560 Vide p.166.

561 Assim traduzido. *-tolon* = pássaro; *-gon*, sufixo do plural; *uayi* = trombeta. No que segue, *tolongónuayi* é personificado.

562 Folhas da árvore *caimbé*: *kurāteké-ye̥g*.

uasán-z̯ale, azankaí-z̯ale, kai̯ualakuimấ-z̯ale,[563] *uazḁnấ-z̯ale, kau̯zamã-z̯ale*!".[564] Eles estavam cansados da trombeta que *Tolongón* soprava o dia todo. Então, *Ma'nấpe*, *Makunaíma*, *Anžikílan* e *Wãkalámbe̥* puseram essas folhas na trombeta de *Tolongón*. Disseram:

"O povo de hoje, os filhos, devem nos chamar pelo nome quando quiserem deixar outros doentes. Devem dizer os nomes das folhas que pusemos na trombeta de *Tolongón*!"

Então foram embora. Aí *Tolongónuayi* ficou doente com feridas e rouquidão e não conseguia engolir.

[Até aqui vai a primeira parte, a fórmula mágica má para deixar alguém com garganta inflamada e rouquidão. A segunda parte, que segue, é o antídoto para curar a doença.]

Tolongónuayi sofria com essa ferida e não conseguia comer nada. Então o macaco *Zalegón*[565] o encontrou. Perguntou-lhe: "O que você está fazendo, cunhado?". Este respondeu: "Estou sofrendo com o que *Makunaíma* e *Ma'nấpe* puseram na minha garganta. O povo de hoje, os filhos, devem sofrer do que estou sofrendo!". Então o macaco *We̥líli*[566] o encontrou. Perguntou-lhe: "O que você está fazendo, cunhado?". *Tolongónuayi* respondeu: "Estou sofrendo com o que *Makunaíma* e *Ma'nấpe* puseram na minha garganta. O povo de hoje, os filhos, devem sofrer do que estou sofrendo!". Então o macaco *Imáe̥mutun*[567] o encontrou. Perguntou-lhe: "O que você está fazendo, cunhado?". *Tolongónuayi* respondeu: "Estou sofrendo com o que *Makunaíma* e *Ma'nấpe* puseram na minha garganta. O povo de hoje, os filhos, devem sofrer do que estou sofrendo!".

[Agora vem a fórmula mágica em si para a cura do mal:]

Então *Zalegón* disse: "Eu tiro todas as folhas que *Makunaíma* e *Ma'nấpe* puseram na trombeta de *Tolongón*, para que ele nunca sofra da doença da garganta. Eu o curo. Eu sou *Zalegón*!". Então *We̥líli* disse: "Eu tiro todas as folhas que *Makunaíma* e *Ma'nấpe* puseram na trombeta de *Tolongón*, para que ele nunca sofra da doença da garganta. Eu o curo. O povo de hoje, os filhos, devem nos chamar pelo nome quando sofrerem da doença da garganta. Eu sou *We̥líli*!". Então *Imáe̥mutun* disse: "Eu também tiro todas as folhas que *Makunaíma* e *Ma'nấpe* puseram na trombeta de *Tolongón*. Eu o curo, para que ele nunca sofra da doença da garganta. O povo de hoje, os filhos, devem nos chamar pelo nome quando sofrerem da doença da garganta. Eu sou *Imáe̥mutun*!".

"Tudo isso ficou para nós até hoje. Quando sofremos com a garganta, nós os chamamos pelo nome."

---

563 Folhas da cana-de-açúcar.

564 "Todas essas folhas deixam a garganta rouca."

565 "*Macaco grande*"; pelo visto, um animal mítico. Dizem que o nome designa: "o pulador".

566 "Macaco pequeno", supostamente, *macaco prego = Cebus fatuellus*, que, no mais, tem o nome de *iwãle̥ká*; pelo visto, um representante mítico dessa espécie. Dizem que *We̥líli* designa: "aquele que desce da árvore".

567 "Grande macaco cinza". Dizem que o nome designa: "branco no pescoço". Pelo visto, um macaco mítico.

B.

1. *Tolon-gón uayí e̥'ne̥i̯lúmpa-za(g)*
das aves trombeta doente fez
Mã́'nape-z̯amé̥-z̯a
Mã́'nape parentela pela
makṹnai̯mẽ̥-z̯a
Makunaíma pela
anžikĩ́lan-z̯a wākalámbe̥-z̯a
anžikĩ́lan pela *Wakalámbe* pela
t-e̥'ne̥i̯lúmpa-za(g) pe̥(g)
doente fez de
tolon-gón uayi s-e̥'kánunga
das aves trombeta sofria

A trombeta das aves sofria, adoecida pela parentela de *Mã́'nape*, *akṹnai̯mẽ̥-z̯a Makunaíma*, *Anžikĩ́lan*, *Wakalámbe̥*.

2. *aménan-gon mūle̥-sán*
o povo de hoje filhos
s-e̥kã́'nunga piá-te!
devem (disso) sofrer

O povo de hoje, os filhos, devem sofrer (disso).

3. *y-ẽ̄-s-e̥ká'nunga-tana*
eles (disso) sofrer enquanto
sologá-z̯a-te
jogar fora eu vou
me̥lḗ-pe̥(g) y-ẽ̄-s-ekánunga-tem-bḗ-pela
disso para que eles sofram não

Enquanto eles sofrem disso, eu vou jogá-la fora, para que não sofram mais disso.

4. *i-nepánga-z̯a u-sukú-li-mẽ̥-ke̥*
ela faço fria minha urina com

Eu a deixo fria com a minha urina.

5. *yeu̯lé y-e̥-s-esã́te-tem-be-te*
me eles devem chamar

Eles devem me chamar.

6. *zalegón pia!*
zalegón eu sou

Eu sou *Zalegón*!

7. *Yeu̯lé-'na-le-te*
eu sim sou

Eu também estou aqui.

8. *tolon-gón uayi*
das aves trombeta
e̥'ne̥i̯lúmpa-za(g) mã́'nape-z̯āme̥(g)
doente fez *Mã́'nape* parentela
makṹnai̯mẽ̥-z̯a anžikĩ́lan
Makunaíma pela *Anžikĩ́lan*
wākalámbe̥-z̯āmé̥(g)
Wakalámbe parentela
kurā́teké-z̯ale̥-ke̥
kuráteke uráteke folhas com

Quando a trombeta das aves sofre, adoecida pela parentela de *Mã́'nape*, *Makunaíma, Anžikĩ́lan, Wakalámbe*, adoecida com folhas *kuráteke*, *uráteke*, com folhas *uasán*, com folhas *az̯ankaíd, z̯ankaíd*, com folhas *kaíuarakuimã*, com folhas *pelĩ̄žá*, *elĩ̄žá*, com folhas *kauz̯amá*, adoecida pelos monstros, eu vou jogá-la fora.

uasán-z̯ale̱-ke̱
uasán folhas com
az̯ankaíd-z̯ale̱-ke̱
az̯ankaíd folhas com
kaíuarakuimã-z̯ale̱-ke̱
kaíuarakuimã folhas com
pelīžá-z̯ale̱-ke̱
pelīžá folhas com
kau̯z̯amá̃-z̯ale̱-ke̱
kauz̯amá folhas com
t-e̱'ne̱i̯lúmpa-za(g) pe̥g
doente fez de
e̱'ne̱i̯-ne-gón-z̯a t-e̱'ne̱i̯lúmpa-za(g)
animais através doente fez
pe̥g y-ē̱-s-ekā́nunga-z̯au̯
de eles sofrem quando
sologá-z̯a-te
jogar fora eu vou

9. *i-mōlonká'nepē̥i̯-z̯a*
ela a doença expulso eu

Eu expulso a doença.

10. *yeu̯lé y-ē̱-s-esā́te-tem-be-te*
me eles devem chamar

Eles devem me chamar.

11. *i'máemutun pia!*
Imaemutun eu sou

Eu sou *Imaemutún*!

12. *me̥lḗnaua te̱-s-e̱'ne̱i̯lúmpa-za-gón*
o mesmo doente fez
z̯au̯ aménan-gon
quando o povo de hoje
sē̱lénga-to-tem-be
cantar eles devem
mūle̱-sán n-esā́te-tém-be
os filhos devem dizer
mōlonkánepe̥
doença expulsar
teu̯z̯a-ne-gón-z̯au̯
(eles) fazem quando

O mesmo deve cantar o povo de hoje, os filhos devem dizer quando quiserem expulsar a doença.

C.

Quando alguém está com garganta inflamada ou rouquidão, esta fórmula é pronunciada seis a sete vezes sobre o *mingau*, que então é soprado e dado de comer ao doente.

VI. *Džipále̥tálimṹlu*, fórmula da raia (fórmula mágica contra picada de raia)

A.

A raia tinha sido feita por *Makunaíma*.[568] O jovem de nossos antepassados tinha sido picado por essa raia. Ele estava sofrendo com a picada da raia. O jovem da cana-de-açúcar o encontrou. Perguntou-lhe: "O que você está fazendo, cunhado?". Este respondeu: "Estou sofrendo com a picada da raia, feita pelo *Makunaíma*. Os jovens de hoje devem sofrer do que estou sofrendo!". Então o jovem da cana-de-açúcar disse: "Está bem, vou ajudá-lo. Vou tomar este veneno como minha água.[569] Eu misturo o veneno com a água que tenho. Sou o jovem da cana-de-açúcar! Quando os jovens de hoje forem picados pela raia, quando sofrerem com esse veneno da raia, então devem me chamar pelo nome para fazer a dor da picada da raia passar. Eu sou o jovem da cana-de-açúcar!"

"Ele tomou o veneno da raia como sua água, e ela ficou doce até hoje. Hoje, quando alguém for picado pela raia, ele chupa a cana-de-açúcar, e a dor passa."[570]

B.

1. *Makṹnai̯mã nekṍbe̥(x)-pe̥-z̭a* *Makunaíma* criou	Makunaíma criou (a raia).
2. *pia-moíne̥le* o jovem dos nossos antepassados *džípo-za(g) pe̥g* picado de *y-ḙ̄-s-ekã́nunga-z̭au̯* ele sofre quando *i-mṍlonkanepe̥-z̭a* ela a doença expulso eu	Quando o jovem de nossos antepassados sofre com a picada, eu expulso a doença.
3. *džipã́le-z̭a te-žípo-za(g)*[571] raia de picado *pe̥(g) pia-moíne̥le* de o jovem dos nossos antepassados *s-ḙ̄kã́'nunga* sofre	O jovem de nossos antepassados sofre com a picada da raia.

---

568 Vide v.II, p.50-1: "Como a raia e a cobra venenosa vieram ao mundo".

569 Ou seja, como a água, o caldo de cana.

570 O que está indicado aqui entre aspas é a explicação textual do narrador *Mayūluaípu*.

571 *te* – pronome reflexivo; refere-se a *pia-moíne̥le*.

4. *apížǐ-ya uyeukū́līme-pē*
eu pego o veneno como minha água (?)

Eu pego o veneno como minha água (?)

5. *me̥lénauá džipā́le-z̯a*
o mesmo raia de
te-žípo-za(g)-gón-z̯au̯[572] *mule̯-sán*
picado quando os filhos
n-esā́te-y-e̯ka-tém-be
devem chamar meu nome

Os filhos devem chamar igualmente o meu nome quando forem picados pela raia.

6. *kaínia piā́-te!*
o jovem da cana-de-açúcar eu sou

Eu sou o jovem da cana-de-açúcar!

7. *e-mṓlonkanepe̥-tū-*
ela a doença expulsar
z̯au̯ t-ē-s-ekanúnga-gón-
eles fazem quando eles sofrem
z̯au̯ tó(g) n-esā́te-
quando eles devem chamar
y-ē̯ka-tém-be-te
meu nome

Quando eles sofrerem e quiserem expulsar a doença, devem chamar o meu nome.

8. *kaínia piā́-te!*
o jovem da cana-de-açúcar eu sou!

Eu sou o jovem da cana-de-açúcar!

C.

Quando alguém é picado pela raia, esta fórmula deve ser proferida sete vezes sobre o ferimento; então a dor passa logo. Lava-se o ferimento com o leite da planta aquática *mukumúku-ye̯g*, de cuja folha *Makunaíma* criou a raia.[573] Então se tritura um novo rebento dessa planta, assa-se um pouco a massa, deixa-se que ela esfrie, e ela é atada ao ferimento.

VII. *E̥ké̥itālimū́lu*, fórmula da cobra (fórmula mágica contra picada de cobra)

A.

1. *Makunaíma* fez uma cobra com um pedaço de cipó.[574] A moça de nossos antepassados foi mordida pela cobra feita por *Makunaíma*. Ela estava sofrendo com a picada da cobra. "Eu reco-

---

572 *te* – pronome reflexivo; refere-se a *mule̯-sán*.

573 Vide v.II, p.50-1 e pr. V e pr. VI, fig. 2. É uma espécie do gênero *Arum*, provavelmente, *Caladium arborescens*, chamada de *aninga* pelos brasileiros e muito frequente nas margens dos rios.

574 Vide v.II, p.51-2. Segundo o mito lá anotado, é *Žigé* quem faz a cobra para se vingar do seu irmão *Makunaíma*.

lho o veneno da cobra no meu sangue, como a virgem, para que nunca doa. Faço a dor passar. Eu, sim! A moça deles sou eu!"[575]

2. A moça dos nossos antepassados foi mordida pela cobra feita por *Makunaíma*.[576] Então ela encontrou uma virgem. Esta lhe perguntou: "O que você está fazendo, cunhada?". Ela respondeu: "Fui picada por uma cobra feita por *Makunaíma*. Estou sofrendo com a picada da cobra. *Makunaíma* me fez provar da ponta de sua seta. As pessoas de hoje devem sofrer do que estou sofrendo!". Então a virgem disse: "Faço a dor passar. As pessoas de hoje devem dizer meu nome quando forem picadas pela cobra. Quando sofrerem com a picada da cobra e disserem o meu nome, a dor vai passar!"

B.

1. *Tezīnaté z̯apíte(x)pe̥ ku-zá(g)* cipó pedaço fez *makúnai̯mã-z̯a eke̥i-pe̱* *Makunaíma* por cobra como	Um pedaço de cipó (foi) feito cobra por Makunaíma.
2. *māle piá́-baži* esta moça dos nossos antepassados *é̱kape̥-zag e̥ke̥i-ya-z̯au̯* mordida cobra pela quando *y-ē̱-s-ekā́nunga-z̯au̯ anūme̥-z̯a* ela sofre quando eu recolho *kaúnale-zá(g)* sangue (?), na menstruação (?) *kau̯nape̥-pe̱* virgem como	Quando a moça dos nossos antepassados sofre, picada pela cobra, eu recolho o sangue como uma virgem em sua primeira menstruação.
3. *džímale yeu̯le-kín-me̥-te* ? eu sim sou *tó-baži piá́-te!* sua moça eu sou	? Eu, sim! Eu sou a moça deles!

C.

Quando alguém é picado por uma cobra venenosa, esta fórmula é pronunciada cinco a seis vezes sobre o ferimento, que então é soprado. Tanto o curandeiro, quanto o doente não podem

[575] Obtive ambas as versões, em épocas diferentes, do mesmo informante, *Mayūluaípu*. Esta primeira versão é quase a tradução literal do texto original; mas nela falta a introdução mítica, que se encontra na segunda versão, mais minuciosa.

[576] Vide v.II, p.51-2. Segundo o mito lá anotado, é *Žigé* quem faz a cobra para se vingar do seu irmão *Makunaíma*.

beber água fria, apenas água morna. Se beberem água fria, o ferimento dói. Quando as pessoas têm um remédio, elas dizem esta fórmula e sopram, primeiro, o remédio, então o ferimento, e atam o remédio no ferimento, por exemplo, as folhas do cipó *pa'leuraí*[577] ou sementes da planta baixa *a'nepú*.

VIII. *Mulẹ̄tālimúlu*, fórmula da criança, também chamada de "fórmula da lontra" (quando a criança é recém-nascida, e os pais querem comer peixe, então eles pronunciam esta fórmula mágica para que o recém-nascido não fique com dor de barriga e diarreia[578] e morra disso)

A.

Auálepõka, a grande lontra,[579] tinha um filho recém-nascido. Uma semana após o nascimento, *Aúalepõka* foi pescar e pegou dois *acarás* pequenos. Então, duas *Asâlen*[580] a encontraram. *Aúalepõka* estava tomando banho e se lavava com os peixes.[581] Então as duas *Asâlen* lhe perguntaram: "O que você está fazendo, cunhado?". *Auálepõka* respondeu: "Estou vindo da pesca para o meu filho, que é novo (recém-nascido)". Havia muitos *tucunarés* naquele lugar. As *Asâlen* lhe perguntaram: "Por que você não mata os *tucunarés* que estão aqui?". Ela disse: "Eu não atiro flecha, porque meu filho é novo (recém-nascido); para que a criança não tenha diarreia". Então as duas disseram: "Como é possível, então, que nós temos recém-nascidos e matamos peixes grandes, e nunca há diarreia? Assim como nós matamos peixes, você também pode matá-los. Não faz mal à criança. Depois que matamos peixes grandes, *tucunarés*, *pirandiras*, todos os peixes grandes, pronunciamos uma fórmula mágica para que a criança nunca tenha diarreia". Depois que elas disseram isso, vieram outras lontras, *Kalí'nagon*.[582] Perguntaram a *Aúalepõka*: "Por que você não mata os *tucunarés* que estão aqui?" Ela respondeu: "Eu não atiro flecha, porque meu filho é novo; para que a criança não tenha diarreia." Então as *Kalí'nagon* disseram: "Como é possível, então, que nós temos recém-nascidos e matamos peixes grandes, e nunca há diarreia? Assim como nós matamos peixes, você também pode matá-los. Não faz mal à criança. Depois que matamos peixes grandes, *tucunarés*, *pirandiras*, todos os peixes grandes,

---

577 Chamado de *mixió* pelos brasileiros; desempenha um papel, como planta mágica, na menstruação das mocinhas e antes da gravidez: vide p.133-5, indicado lá como "planta baixa".

578 *Ye̱-wasúka námai̯*, "para que ele não fique com diarreia", disse o narrador.

579 Nunca anda em bandos, mas está sempre sozinha. O nome foi interpretado: "seteiro da *mucura*" (*Didelphys* sp.).

580 Menores do que *Aúlepõka*: sempre andam em dupla. Dizem que o nome designa: "os dois".

581 "Como a gente se lava com sabonete."

582 Sempre andam em bandos, muitas juntas. Dizem que o nome tem relação com o nome de tribo *Kali'ná* (Kaliña, Galibí, Caribi, Caribisi).

pronunciamos uma fórmula mágica para que a criança nunca tenha diarreia." Depois que elas disseram isso, vieram cinco lontras *Kalāsaiyenā*.[583] Elas perguntaram a *Auálepõka*: "Por que você não mata os *tucunarés* que estão aqui?". Ela respondeu: "Eu não atiro flecha, porque meu filho é novo (recém-nascido); para que a criança não tenha diarreia". Então as *Kalāsaiyenā* disseram: "Como é possível, então, que nós temos recém-nascidos e matamos peixes grandes, e nunca há diarreia? Assim como nós matamos peixes, você também pode matá-los. Não faz mal à criança. Depois que matamos peixes grandes, *tucunarés*, *pirandiras*, todos os peixes grandes, pronunciamos uma fórmula mágica para que a criança nunca tenha diarreia". Depois que disseram isso, vieram muitas lontras pequenas, *Džilílu*.[584] Elas perguntaram a *Auálepõka*: "Por que você não mata os *tucunarés* que estão aqui?". Ela respondeu: "Eu não atiro flecha, porque meu filho é novo (recém-nascido); para que a criança não tenha diarreia". Então as *Džilílu* disseram: "Como é possível, então, que nós temos recém-nascidos e matamos peixes grandes, e nunca há diarreia? Assim como nós matamos peixes, você também pode matá-los. Não faz mal à criança. Depois que matamos peixes grandes, *tucunarés*, *pirandiras*, todos os peixes grandes, pronunciamos uma fórmula mágica para que a criança nunca tenha diarreia". Então todas as lontras convidaram *Aúalepõka* para pegar peixes. No meio do rio havia uma bela rocha lista. *Auálepõka* disse: "Está bem, vamos pegar peixes!". Então elas pularam na água e pegaram muitos peixes de todas as espécies, *tucunarés*, *pirandiras*, *filhotes*, *surubins*, *matrinxãs*, todos os peixes. Então puseram os peixes sobre as rochas e disseram a *Aúalepõka*: "Agora vamos comer peixe, cunhado. Vamos todos soprar antes de comer! Você sopra primeiro!". Então *Auálepõka* disse:

[Agora vem a fórmula mágica em si, para curar o mal.]

"Eu como estes peixes na tigela com sal e pimenta, mas meu filho nunca tem diarreia. Por meio desta comida que comi, nunca a doença me pega. Nunca a carrego. Com isto (esta fórmula) circundo (cerco) (a doença). Este povo de hoje, estes filhos, devem dizer esta fórmula quando tiverem crianças pequenas; devem me chamar pelo nome para que seus filhos nunca tenham diarreia, enjoo e dor de cabeça. Eu circundo! Eu sou *Aúalepõka*! – Eu também estou aqui! Apesar do recém-nascido, eu como estes peixes colocados na tigela com sal e pimenta. Por isso, eu os comi. Nunca virá doença sobre meu filho, diarreia, enjoo, dor de cabeça! Sempre vou ver meu filho com saúde. O mesmo deve dizer este povo de hoje, estes filhos, quando comerem peixes grandes. Devem cantar as mesmas palavras para que nunca venha doença sobre seus filhos. Eu circundo todas as doenças para que nunca venha doença sobre as crianças. Eu sou *Asãlen*! – Eu também estou aqui! Eu como estes peixes com esta pimenta e este sal. Com esta mesma pimenta espanto a doença para que nunca a doença fique; para que nunca esta doença venha sobre meu filho. O mesmo deve dizer este povo de hoje, estes filhos, para que nunca haja diarreia em nossas crianças. Eu abarco a doença. Eu sou *Kalāsaiyenā*! – Eu também estou aqui! Eu como todos os peixes, *filhote*, *pirarucu*, *surubim*, *caparari*, *jandiá*, *elekeyún*, *lekeyún*,

583 O nome foi interpretado: "comedor de *jeju*". *Jeju* é um peixe.

584 Lontras bem pequenas.

aimará, *pacu*, *matrinxã*, *morokó*, *zaue̯'yun*, *tucunaré*, para que nunca venha doença sobre esta criança, diarreia, enjoo, dor de cabeça. Eu abarco! O mesmo deve dizer este povo de hoje, estes filhos, quando tiverem crianças recém-nascidas, para que a doença nunca venha sobre suas crianças. Devem me chamar pelo nome! Devem dizer esta fórmula! Eu sou *Kalí'nagon*! - Eu também estou aqui! Eu como estes peixes com sal e com pimenta. Com a mesma pimenta espanto a doença, para que nunca venha doença sobre meu filho, para que ele nunca tenha diarreia, enjoo, dor de cabeça. Por isso, este povo de hoje, estes filhos, devem dizer estas palavras quando tiverem crianças novas (recém-nascidas), quando comerem peixes, para que a doença nunca venha. Devem dizer esta fórmula. Devem me chamar pelo nome. Eu abarco. Eu sou *Džilílugon*!"[585]

Então elas comeram peixe, todos os peixes que havia sobre a rocha. Então *Aúalepõka* foi para casa. Depois disso, nunca seu filho teve diarreia.

Esta fórmula ficou para nós, os Taulipáng, até o dia de hoje.

B.

1. *Masã́ u-mandží(g) tesé*
novo meu filho sendo
morokoímã-pe̯g entá'na
grandes peixes de eu como

Quando meu filho é recém-nascido,
eu como dos peixes grandes.

2. *sẽ̯né(g) palāpelímã-ponã́*
destes tigela sobre
moró-z̯amẽ̯(g) padžidži oalāpaíd
peixes *filhote* *pirarucu*
kulūtú alālemā z̯andiá
surubim *caparari* *jandiá*[586]
ele̯keyún aímala waítau̯
ele̯keyún *le̯keyún* *aimará* *pacu*
pũlumaĩ mólō'kó zaúe̯'yun
matrinxã *morokó* *zaúe̯'yun*
tukũluli-pe̯g entá'nã
grandes *tucunarés* de eu como
sẽ̯né(g) palaú-tũlemũ sẽ̯né(g)
deste sal do mar deste
tolotoloíma pimilokoímã
tolotoloíma *pimilokoíma*

Eu como destes peixes que (estão) na
tigela, o *filhote*, o *pirarucu*, o *surubim*,
o *caparari*, o *jandiá*, o *ele̯keyún*, *le̯keyún*,
o *aimará*, o *pacu*, o *matrinxã*, o *morokó*,
o *zaúe̯'yun*, o grande *tucunaré*, deste
sal do mar, destas (pimentas) *tolotoloíma*,
pimilokoíma, *melakitálima*, *kelekelélima*,
nuapiúlima, que deixam doente porque
estão apimentados, que causam úlcera,
dor de cabeça, cansaço, tontura,
enjoo, para que eu nunca carregue
esta doença, para que esta doença
nunca me atinja, para que eu nunca
ponha essa carga sobre o meu filho.

585 No texto original *Džilíli-gon*, em que *-gon* é terminação em plural.
586 *Platystoma spatula*.

melakitā́limã kelekelélimã
melakitálima kelekelélima
nuãpiū́limã yúnpalepe̥ té̥se̥
nuapiúlima apimentados sendo
z̯ame̥íno-'na-le se̱nég e̱lé(g)
doente fazendo! esta úlcera
z̯ame̥íno ká'z̯au̯ai̯g e̱le̱'nẽ
causando dor de cabeça cansaço
púpai̯to enkaz̯ípamẽ ului̯napánẽ
cabeça estonteado enjoo
z̯ame̥íno pe̥(g) me̥le moróne(x)pe̥
causando de esta doença
atā́nun-to(g)-tén-be̱-pela
sobre mim carrego para que não
u-tó'na me̥lé moróne(x)pe̥
me sobre (?) esta doença
n-epṓ-ten-bḗ-pela u-mandží-ponã
para que atinja não meu filho sobre
z̯-ātanún-ten-bḗ-pela
eu carrego para que não

3. *me̥lénaua māsá te-mandží-gon*
o mesmo novo seus filhos
tesé morōkoímã-pe̥(g)
sendo grandes peixes de
t-entá'nagón-z̯au̯ aménan-gon
eles comem quando o povo de hoje
mule̱-sán n-esā́te-tém-bē
filhos deve dizer

O mesmo deve dizer o povo de hoje, os filhos, quando tiverem filhos recém-nascidos e comerem peixes grandes.

4. *yeu̯lé y-e̱-s-esā́te-tén-bē*
me (eles) devem chamar

Eles devem me chamar.

5. *au̯ā́lepṓka pia-te!*
Au̯ā́lepṓka eu sou

Eu sou *Au̯ā́lepṓka*!

6. *(O)á! Yeu̯lé-'na-le-te!*
(O)á![587] eu sim sou

(O)á! Eu também estou aqui!

7. *māsá u-mándží(g) tēse*
novo meu filho sendo
morṓkoimã ewóka-za(g) pe̥g
grandes peixes colocados de

Quando meu filho é recém-nascido, eu como dos peixes grandes que estão (na tigela), (do) sal do mar (e das pimentas) *tolotoloíma*, *pimilokoíma*,

[587] Grito da lontra quando emerge da água.

entá'na palaú-tūlemū tolotoloíma
eu como sal do mar Tolotoloíma
pimilokoímã melakitắlimã
pimilokoíma melakitálima
kelekelélimã nuãpiűlimã yúnpalepe̥
kelekelélima nuapiúlima apimentados
tḗse̥ inēmalepe tḗse̥ me̥le
sendo salgado sendo esta
molóne(x)pe̥ n-epō-ten-bḗ-pela
doença para que atinja não
n-ekáz̯au̯ắžipe̥-ten-bḗ-pela
para que eu nunca dor de cabeça tenho
me̥lé molóne(x)pe̥
esta doença
atắnún-to(g)-ten-bḗ-pela
para que eu sobre mim carregue não

melakitálima, kelekelélima, nuapiúlima, que estão apimentados e salgados, para que esta doença nunca (me) atinja, para que eu nunca tenha dor de cabeça, para que eu nunca carregue esta doença.

8. *me̥lḗnaua mắsa te-mándžī-gon*
o mesmo novo (nascido) seus filhos
tḗse t-entána-gon-z̯au̯
sendo eles comem quando
aménan-gon mule̥-sán
o povo de hoje filhos
se̥lénga-tó-tem-bē
cantar eles devem

O mesmo deve cantar o povo de hoje, os filhos, quando tiverem filhos recém-nascidos e comerem (peixes).

9. *yeu̯lé y-ē̥-s-esắte-tén-bē*
me (eles) devem chamar

Eles devem me chamar.

10. *asá'len piắ-te!*
Asá'len eu sou

Eu sou *Asá'len*!

11. *Yeu̯lé-'na-le-te*
eu sim sou

Eu também estou aqui!

12. *morōkoímã-pōnã sḗlenga*
os grandes peixes sobre eu canto
palắpelīmē̥-pōnã ewōka-sá(g)-gon-
travessa sobre colocou
pōnã me̥lé molóne(x)pe̥
sobre esta doença
atắnun-to(g)-tem-bḗ-pela
eu carrego para que não
u-mandži-́pōnã z̯ame̥ínō
meu filho sobre fazendo doente

Eu canto sobre os peixes grandes que estão na tigela para que eu nunca carregue esta doença, porque eles, salgados, causam enjoo (e) fazem dor de barriga, para que esta (doença) nunca atinja (meu filho).

inḗmalē̥pe̱ tḗse luínapana
salgado sendo enjoo
z̯ame̥ínõ lótama(g)
causando dor de barriga
z̯ame̥ínõ me̥lé n-epō-ten-bḗ-
causando isto atinja para que
pe̥la
não

13. *me̥lénaua aménan-gon*
o mesmo o povo de hoje
mūle̱-sán n-esḗte-tém-be
filhos devem dizer

O mesmo deve dizer o povo de hoje, os filhos.

14. *yeu̯lé y-ē̱-s-esḗte-tén-bē*
me (eles) devem chamar

Eles devem me chamar.

15. *kalāsaíyenā́ piā́-te*
Kalāsaíyenā́ eu sou

Eu sou *Kalāsaíyenā́*!

16. *u-mandžig n-epṓ-ten-bḗ-pela*
meu filho atinja para que não
i-wake-tḗ-z̯a
ela deter eu vou

Eu vou detê-la, para que ela nunca atinja meu filho.

17. *Yeu̯lé-'na-le-te*
eu sim sou

Eu também estou aqui!

18. *me̥lḗnaua mā́sa te-mándží-gón*
o mesmo recém-nascidos seus filhos
tḗse t-entána-gón-z̯au̯
sendo eles comem quando
aménan-gon mūle̱-sán
o povo de hoje filhos
sē̱lénga-tó-tem-bē
cantar eles devem

O mesmo deve cantar o povo de hoje, os filhos, quando eles tiverem filhos recém-nascidos e comerem (peixes).

19. *me̥lé molone(x)pe̥ n-epō-ten-bḗ-pela*
esta doença atinge para que não
u-mándží-põnã palaú-tūlemũ
meu filho sobre sal do mar
inḗmalē̥pe̱ tḗse entá'na
salgado sendo eu como
morōkoímã-pe̥(g) se̱ne(g)
grandes peixes de estes

Para que esta doença nunca atinja meu filho, eu como o forte sal do mar (e) estes peixes grandes que estão em sua tigela.

te-palā́pelímẹ̄-pōnā ẹwu̯ka-sá(g)-
sua tigela sobre colocado
gon-pẹ(g)
de

20. *mẹlé molṓne(x)-pẹ*
esta doença
n-epṓ-ten-bē-pela i-wake-tḗ-z̯a
atinja para que não detê-la eu vou

Para que esta doença nunca atinja (meu filho), eu vou detê-la.

21. *yeu̯lé y-ē-s-esā́te-tém-be*
me devem chamar

Eles devem me chamar.

22. *kalí'na-gon pia-te!*
Kalí'na-gon eu sou

Eu sou *Kalí'na-gon*!

23. *Yeu̯lé-'na-le-te*
eu sim sou

Eu também estou aqui!

24. *mẹsemṓnan morōkoímā*
estes grandes peixes
te-palapalímā-pōnā ewōka-sá(g)-gon
sua travessa sobre colocado
pẹg entá'na z̯amẹíne-gon-pẹ(g)
de eu como doente fazendo de
mẹlé molóne(x)pẹ atā́nun-to(g)-
esta doença eu carrego
tem-bḗ-pela u-mandži-pōnā
para que não meu filho sobre

Eu como destes peixes grandes que estão em sua tigela (e) que fazem doente, para que eu nunca carregue meu filho com esta doença.

25. *mẹlénaua māsá te-mándži-gon*
o mesmo recém-nascido seus filhos
tḗse t-entána-gón-z̯au̯ mẹsemṓnan
sendo eles comem quando destes
morōkoímā-pẹg
grandes peixes de
aménan-gon mūlẹ-sán
o povo de hoje filhos
n-esā́te-tém-be
devem dizer

O mesmo deve dizer o povo de hoje, os filhos, quando eles tiverem filhos recém-nascidos e comerem destes peixes grandes.

26. *mẹlé molṓne(x)pẹ n-epṓ-ten-bē-pela*
esta doença atinja para que não
i-wake-tḗ-z̯a
ela deter eu vou

Para que esta doença nunca atinja (meu filho), eu vou detê-la.

27. *džilíli-gon piā́-te!*
Džilíligon eu sou

Eu sou *Džilíligon*!

C.

Por uma semana inteira após o parto, os pais só podem comer peixes pequenos. Então podem comer peixes grandes de novo, depois que pronunciarem sete vezes esta fórmula e tiverem soprado sal e pimenta sobre os peixes.

IX. *Mulé̱tālimū́lu*, fórmula da criança (fórmula mágica para facilitar o parto)

A.

Era uma vez uma moça dos nossos antepassados, uma "moça do cerrado", ela estava grávida e não conseguia dar à luz. Então ela foi para a frente da casa e encontrou o raio, o vento e a chuva. O raio lhe perguntou: "O que você está fazendo, cunhada?". Ela respondeu: "Estou sofrendo por causa da criança que não pode sair". Então o raio disse: "Está bem, cunhada, eu vou ajudá-la. Eu vou tirar a criança. Mas não se assuste se eu vier armado!". – Então o vento lhe perguntou: "O que você está fazendo, cunhada?". Ela respondeu: "Estou sofrendo por causa da criança que não pode sair". Então o vento disse: "Está bem, cunhada, eu vou ajudá-la. Eu vou tirar a criança". – Então *Gombe̥límẽ* (a chuva fina) disse: "Eu vou sair como água da criança!". – Então *Iwangombe̥límẽ* (a chuva forte) disse: "Eu vou sair como água da criança!". Então *Pulū́limẽ* (o aguaceiro) disse: "Eu vou sair como água da criança!". – O raio disse: "Não se assuste se eu vier com trovão e com chuva!" Então eles foram bem longe. O raio foi entre as nuvens, e caiu uma chuva forte. A chuva e o vento chegaram perto da mulher e remoinharam como pó. Choveu e ventou sobre a mulher, que estava sofrendo. O raio brilhou e bateu com a clava, e houve um grande barulho, e ela teve a criança sem sentir. Ela lavou a criança com a mesma água. Então o raio disse: "Bem, cunhada, eu a ajudei. Agora vou embora. Quando você tiver outra criança, chame o meu nome! Então a criança sai". A chuva e o vento disseram o mesmo. Então o raio foi embora. O vento e a chuva também foram embora.

B.

1. *Yeu̯lé y-ē-s-esā́te-tem-be-te* me chamar deve *lemón-baži* a moça do cerrado *s-ē̱ka'núnga-ẕa̯u̯* sofrer quando	A moça do cerrado deve me chamar quando ela sofrer.
2. *tē-lemé apē̥tapé̥-za(g)-pe̥g* seu filho preso de	Quando ela sofrer por causa de seu filho que está preso, eu vou lançá-lo fora.

y-ē-s-ekấnunga-z̯au̯ ela sofre quando *pấkama-z̯a-te* lançar fora eu vou	
3. *yeu̯lé y-ē-s-esấte-tem-be-te* me ela deve chamar	Ela deve me chamar.
4. *telímẽ̥ piấ-te!* relâmpago eu sou	Eu sou o relâmpago!
5. *gombe̥límẽ* a chuva fina *i-pấlu-e̥-te* sua água como (eu) sou	A chuva fina, como sua água, eu sou!
6. *Yeu̯lé-'na-le-te* eu sim sou	Eu também estou aqui!
7. *lemón-bažī* a moça do cerrado *s-ē̥ka'núnga-z̯au̯ pấkama-* sofre quando lançar fora *z̯ấ-te* eu vou	Quando a moça do cerrado sofre, eu vou lançar (seu filho) fora.
8. *iwangombe̥límẽ̥ ˜ pia!* a chuva forte eu sou	Eu sou a chuva forte!
9. *Yeu̯lé-'na-le-te* eu sim sou	Eu também estou aqui!
10. *mulé̥-pe̥(g) t-ē-s-ekanúnga-gón-z̯au̯* a criança de elas sofrem quando *mūle̥-sán n-esấte-* os filhos devem chamar *y-e̥ka-tém-be* meu nome	Quando ela sofrer por causa da criança, os filhos devem chamar meu nome.
11. *yeu̯le-kín-me̥-te pulū́limẽ̥* eu sim sou o aguaceiro *piấ-te!* eu sou	Eu, sim! Eu sou o aguaceiro!
12. *Yeu̯lé-'na-le-te* eu sim sou	Eu também estou aqui!
13. *lemón-bažī* a moça do cerrado	Eu vou lançar fora a criança da moça do cerrado quando ficar

mulé̥ apé̥tape̥-za(g)
a criança presa
pakáma-z̭a-te
lançar fora eu vou

presa.

14. *asé'nemũ*
Asé'nemũ
iasitúnu-ke̥-le
a força do vento com
pắkamã-z̭á-te
lançar fora eu vou

Eu, *Asé'nemũ*, vou lançá-la fora com a força do vento.

15. *asé'nemũ piắ-te!*
a tempestade eu sou

Eu sou a tempestade!

C.

Quando uma mulher está com dores do parto, primeiro os homens sopram sobre a cabeça e a coluna da parturiente. Então eles pronunciam esta fórmula sobre ela. Então sopram de novo sobre sua cabeça, sobre a coluna entre os ombros e sobre o traseiro, a seguir, deixam a casa. Passa-se um tempinho, e a criança vem. Se a criança não vier, a mãe da parturiente despeja água morna sobre a parte superior do corpo, depois de ter soprado a água.[588]

X. *Mulé̥talimúlu*, fórmula da criança (fórmula mágica, para dificultar e para facilitar um parto)

A.

Era uma vez uma "moça do rio" que estava grávida. O que foi que *Makunaíma*, *Žigé*, *Ma'nắpe* e *Wãkalambé̥* fizeram? Eles a encontraram. Era no início da época da seca. O filho estava saindo. Então *Makunaíma* disse: "Vamos prender o filho da moça do rio!". Os outros disseram: "Está bem, vamos prendê-lo! Ele já está saindo".

Então *Ma'nắpe* disse: "Vou prender o filho da moça do rio para que ele nunca saia. Eu sou *Ma'nắpe*!". Então *Makunaíma* disse: "Eu vou prender o filho da moça do rio para que ele nunca saia. Eu sou *Makunaíma*!". Então *Žigé* disse: "Eu vou prender o filho da moça do rio para que ele nunca saia. Eu sou *Žigé*!". Então *Wãkalambé̥* disse: "Eu vou prender o filho da moça do rio para que ele nunca saia. Eu sou *Wãkalambé̥*!".

A criança ficou presa.

---

588 Vide p.136.

[Até aqui vai a primeira parte, a fórmula mágica má, para dificultar um parto. A segunda parte, que segue, é o antídoto para facilitar o parto.]

A mulher sofria com a criança que não podia sair. Ela sofreu por muito tempo. Então *Pulū́limẽ*[589] (o aguaceiro) a encontrou. Ele lhe perguntou: "O que você está fazendo, cunhada?". Ela respondeu: "Estou sofrendo com uma criança que foi presa por *Ma'nā́pe*, por *Makunaíma*, por *Žigé*, por *Wākalambẹ́*. As pessoas de hoje que dão à luz devem sofrer do que estou sofrendo!". – Então *Iwangombẹlī́mẹ̃*[590] a encontrou. Ele lhe perguntou: "O que você está fazendo, cunhada?". Ela respondeu: "Estou sofrendo com uma criança que foi presa por *Ma'nā́pe*, por *Makunaíma*, por *Žigé*, por *Wākalambẹ́*. As pessoas de hoje que dão à luz devem sofrer do que estou sofrendo!". – – Então *Gombẹlī́mẽ*[591] a encontrou. Ele lhe perguntou: "O que você está fazendo, cunhada?". Ela respondeu: "Estou sofrendo com uma criança que foi presa por *Ma'nā́pe*, por *Makunaíma*, por *Žigé*, por *Wākalambẹ́*. As pessoas de hoje que dão à luz devem sofrer do que estou sofrendo!". – Então as chuvas e o vento disseram: "Nós vamos ajudá-la, cunhada, para que você nunca mais sofra com a criança!". – Então *Pulū́limẽ* disse: "Eu vou empurrar o filho da moça do rio[592] para que ele saia. Eu sou *Pulū́limẽ*!". – Então *Iwangombẹlī́mẹ̃* disse: "Eu vou empurrar o filho da moça do rio para que ele saia. Eu sou *Iwangombẹlī́mẹ̃*!". – Então *Gombẹlī́mẹ̃* disse: "Eu vou empurrar o filho da moça do rio para que ele saia. Eu sou *Gombẹlī́mẹ̃*!". – Então o vento disse: "Eu também, com toda a minha força, vou empurrar o filho da moça do rio[593] para que ele saia. Eu sou *Ilowalī́mā*!". – Eles sopraram sobre o *caxiri* da moça do rio. Então foram embora e voltaram com toda força. Foram até a moça do rio. Caiu muita chuva, e veio a tempestade, e eles rasgaram a corda com a qual a criança estava presa. A criança saiu. O rio subiu. A criança desceu.

("A criança da moça do rio é um monte de troncos de árvore mortos que, na cheia, vêm da parte superior da bacia do rio[594] e flutuam rio abaixo. Na estiagem, quando o rio baixa, os troncos de árvore ficam presos nas rochas e nos bancos de areia. Então a moça do rio sofre porque a criança não consegue sair. Quando vem a época das chuvas, com muita chuva e muito vento, o rio sobe e leva todos os troncos de árvore rio abaixo. Então a moça do rio não sofre mais. A criança saiu".)[595]

Então as chuvas e o vento disseram: "As pessoas de hoje, quando sofrerem com uma criança, devem nos chamar pelo nome para que nunca mais sofram com a criança!".[596]

---

589 "Ele causa dor quando cai sobre a barriga das pessoas."

590 Chuva forte, chamada no Norte do Brasil, segundo as constelações, de "*chuva de boiaçu*" (chuva do escorpião) ou de "*chuva de camaleão*".

591 "Chuva fina, que cai com toda a força com vento."

592 Aqui também indicado: "da filha do rio".

593 Idem.

594 Arrancados com a margem solapada.

595 O texto aqui entre aspas e parênteses é a explicação textual do narrador *Mayūluaípu*.

596 Esta é a conclusão da fórmula mágica e deve vir, na verdade, depois das palavras: "A criança saiu."

B.

1. *Palaú-e̥uáyulu*[597] *mulḙ e̥uáte-za(g)*
rio largura criança presa
mā'napé-z̯a pē̥g y-e̥-s-ekánunga-
Mā'nape por de ela sofre
z̯au̯ me̥lé i-téuka-z̯a
quando esta a eu empurro

Quando ela sofre por causa da criança da largura do rio, presa por *Mā'napé*, eu a empurro.

2. *ye̥-patene-kā́-za(g) pe̥g*
dela atravessada de
y-e̥-s-ekánunga-tana
ela sofre enquanto
palaú-baži téuka-z̯a
a moça do rio eu empurro

Enquanto ela sofre por causa da (criança) atravessada, eu empurro a moça do rio.

3. *yeu̯lé-kī-mē̥-te pulū́limā*
eu sim sou o aguaceiro
pia!
eu sim

Eu, sim! Eu sou o aguaceiro!

4. *Yeu̯lé-'na-le-te*
eu sim sou

Eu também estou aqui!

5. *palaú-baži s-e̥ka'núnga*
a moça do rio sofre

A moça do rio sofre.

6. *tē-leme̥ e̥nā-zá(g) paté'nī*
seu filho deitado atravessado
pe̥g y-ē̥-s-ekánunga-tána
de ela sofre enquanto
ī́-lime̥ téuke
seu filho eu empurro

Enquanto ela sofre por causa do seu filho que está atravessado, eu empurro seu filho.

7. *iwangómbe̥limā pia!*
a chuva forte eu sou

Eu sou a chuva forte!

8. *Yeu̯lé-'na-le-te*
eu sim sou

Eu também estou aqui!

9. *ma'napé-z̯amē̥(g) makúnai̯mā*
Ma'napé parentela *Makunaíma*
anžikīlan wākalámbe̥
Anžikīlan Wākalámbe̥

A moça do rio sofre por causa de (seu filho), que a parentela de *Ma'napé*, *Makunaíma*, *Anžikīlan*, *Wākalámbe̥* prendeu.

---

597 Foi traduzido como "*estirão*", a designação em português para um "longo trecho reto de rio".

n-e̱uáte(x)-pe̥ pe̥(g)
o prenderam de
palaú-baži
a moça do rio
s-e̱ka'núnga
sofre

10. *kolṓli-ká-z̯a-te*
corrente soltar eu vou
iasitúnu ipé̥džimã
com do vento (?) força (?)

Eu vou romper a corrente com a força do vento.

11. *yeu̯lé-kí-mẽ̥-te gómbe̥limã*
eu sim! sou a chuva fina
pia!
eu sou

Eu, sim! Eu sou a chuva fina!

12. *Yeu̯lé-'na-le ilómalimã pia!*
eu sim a tempestade eu sou

Eu também, eu sou a tempestade!

13. *atasémakēle*
eu sopro ao ir embora (?)

Eu sopro ao ir embora (?)

14. palaú-baži muré̱
da moça do rio criança
pakáma-z̯a
eu lanço fora

Lanço fora a criança da moça do rio.

15. *t-ē̱-s-ekanunga-gon-z̯au̯*
elas sofrem quando
mule̱-sán n-e̱sā́te-tém-be
os filhos dizer devem

(O mesmo) devem dizer os filhos quando sofrerem.

C.

Esta fórmula é pronunciada sobre água morna, que então é soprada. A seguir, a cabeça e a barriga da parturiente são lavadas com essa água. Por fim, dão-lhe *mingau* para comer, sobre o qual pronunciou-se antes a fórmula e soprou-se da mesma maneira.

Quando se pronuncia apenas a primeira parte da fórmula (que aqui não foi indicada com o texto original),[598] dificulta-se o parto. Então a criança fica deitada de lado (coisa que, dizem,

598 *Mayūluaípu* tinha medo de me revelar as fórmulas mágicas más no texto original especialmente porque ele próprio tinha uma mulher grávida em casa.

acontece de vez em quando), e a parturiente morre. Quando se diz a segunda parte, a fórmula das chuvas e do vento, o parto fica fácil. A criança sai.[599]

XI. *Mulḙtalimū́lu*, fórmula da criança Também chamada de *Kesḙtalimū́lu*, "fórmula da mandioca" (fórmula mágica para dificultar um parto, "para fazer uma criança crescer no ventre da mãe e não poder sair")

Ma'nā́pe e *Makunaíma* plantaram *maniba*[600] na "moça da terra" (*Nōnīmā-amā́-nāmō*). Disseram: "Quando o povo de hoje, os filhos, nos chamarem pelo nome, vamos plantar esta *maniba*. Esta *maniba* cresce. Quando a mandioca[601] cresce, ela não encontra um buraco pelo qual possa sair, até a moça da terra morrer". Quando a mandioca cresceu na moça da terra, esta sofreu. Então *Akū́li*[602] a encontrou. *Akū́li* perguntou: "O que você está fazendo, cunhada?". Ela respondeu: "Estou sofrendo com uma criança. *Ma'nā́pe* e *Makunaíma* plantaram *maniba*. Agora a mandioca está crescendo. Estou sofrendo com isso. Não encontro ninguém que tire esta criança". Então *Akū́li* disse: "Está bem, cunhada, vou ajudá-la!". *Akū́li* se revirou no ventre da moça da terra e puxou para fora toda a mandioca.[603]

("Por isso, até hoje *Akū́li* adora desenterrar mandioca e comê-la. Ele não morre disso.")[604]

Outros feitiços e drogas mágicas: além dos feitiços que ficamos conhecendo até agora, os Taulipáng ainda utilizam muitos outros nas mais diferentes situações da vida. O que posso informar deles, no que segue, certamente não esgota, nem de longe, o seu número. Segundo a lenda, alguns feitiços originalmente estiveram em poder do primeiro pajé, *Piai̯'mā́*, de quem as pessoas os receberam de modo bom ou violento.[605]

Primeiro, dois exemplos de feitiço a distância:

Os Taulipáng têm um remédio vegetal, *empukúžimā*, para matar um inimigo a distância. Ele é preso num bastão partido até a metade, depois as duas metades são amarradas novamente em cima. Então agarra-se o bastão na extremidade inferior, e ele é movimentado vagarosamente na direção em que o inimigo se encontra. Caso se faça o movimento de modo rápido e precipita-

599 Vide p.136.
600 Estaca da mandioca.
601 A raiz da mandioca.
602 Cutia; *Dasyprocta aguti*.
603 Infelizmente, *Mayūluaípu* tinha esquecido a fórmula mágica, ou não quis dizê-la pelo motivo antes indicado (p.253, nota 598).
604 Comentário do narrador.
605 Vide p.197-8.

do demais, supostamente o efeito do remédio volta para quem está fazendo o feitiço e o mata. Segundo a lenda, também esse feitiço, originalmente, estava em poder de *Piai̯'mã́*, que, junto com sua mulher, foi morto por *Ma'nãpe* por meio de seu próprio feitiço.[606]

Pertence à mesma classe de feitiçaria matar uma pessoa utilizando restos de corpos, uma forma de feitiçaria disseminada por toda a Terra, que pode ser considerada típica do feitiço a distância e que procede da seguinte ideia: se eu disponho de um pedaço do corpo do inimigo, então disponho do inimigo inteiro e tenho, assim, um meio de matá-lo apesar da distância.

Consegue-se o cabelo de uma pessoa que se quer arruinar, enfia-se o cabelo em um pedaço de bambu que tem uma das extremidades fechada pelo internódio, sopra-se fumaça de tabaco sobre ele e tapa-se a abertura com pez. Então a pessoa em questão morre. É assim que, na lenda, a filha do urubu-rei aconselha seu marido a fazer com o cabelo dela caso ela não volte para ele.[607]

Muitos feitiços servem à cura de doenças e ferimentos. Na maioria das vezes, são plantas que, não raro, desempenham um papel na mitologia ou na ciência dos pajés como seus auxiliares, quando, também na vida comum, podem ser empregadas como feitiço por qualquer pessoa.

Folhas das plantas *me̥nã́ka*, *z̯au̯z̯óg*[608] e *kumĩ́g*, empregadas nas lendas para a metamorfose,[609] são remédios populares contra dor de barriga e outras dores corporais. São mastigadas e dadas ao doente em ambas as mãos, colocadas uma contra a outra de punhos cerrados. Então, com suas duas mãos, o curandeiro pega as mãos do doente, abarca-as com força e sopra através de suas mãos, portanto, também através das mãos do doente, o poder curativo do remédio sobre o corpo enfermo. A seguir, a massa do feitiço é colocada nas axilas do doente.

Um extrato das folhas da planta *ayṹg*, cuja alma é considerada um dos cúmplices mais fortes dos pajés no rito de cura,[610] "as pessoas bebem quando estão doentes. Então não podem comer nada. O remédio só pode ser tomado em silêncio absoluto. Por isso, as pessoas quase só o tomam de noite, quando tudo está quieto, especialmente quando as crianças dormem; pois não se pode falar quando alguém toma esse remédio. Quando as pessoas tomam esse remédio, só os homens podem estar presentes. É terminantemente proibida a presença das mulheres, a não ser quando elas é que são os pajés".

Na picada de raia, o sumo da *múkumúku-yeg* é pingado sobre o ferimento, ou, então, colocam-se cortes transversais do caule grosso e carnoso dessa planta aquática, o que deve eliminar dor e tumores.[611] É uma espécie de feitiço por analogia, pois foi da folha dessa espécie de *arumá*,

---

606 Vide v.II, p.216-7.
607 Vide v.II, p.82.
608 Uma espécie muito pequena da planta que os brasileiros chamam de *mutubi* ou *mutupi*.
609 Especialmente a última, um capim ou uma planta com folhas longas em forma de capim; vide v.II, p.82, 83, 87, 98-100, 109-10, 218.
610 Vide p.202*ss*.
611 Vide v.I, p.186.

que, em sua forma, lembra uma raia, que, segundo a lenda, o infame *Makunaíma* criou esse perigoso habitante dos rios.[612]

Contra epilepsia, os Taulipáng empregam um tratamento verdadeiramente bárbaro, que dura vários dias. "Eles procuram as folhas que ardem da árvore *wẹtệzá*, além disso, grandes formigas *tocandira*, cuja picada causa uma dor forte e duradoura,[613] *tocandiras* negras, *kuyúg*,[614] e *tocandiras* bem pequenas, *kuyukulí*. Então, numa cuia pequena, eles misturam água com pimenta triturada. Quando o epiléptico tem uma convulsão e fica caído, tremendo, eles põem as formigas nele e o deixam ser picado no corpo todo, no rosto também. Além disso, passam *wẹtệzá* por todo o seu corpo, também no rosto, até ele ficar coberto de bolhas. Então despejam o caldo de pimenta pelo nariz até a garganta. A pimenta não pode ser forte demais; há pessoas que não aguentam isso. A seguir, eles queimam algodão sob o nariz do doente. No dia seguinte, queimam pimenta sob o seu nariz e sua boca. O vapor queima muito, e ele não consegue respirar. No dia seguinte, eles põem suco da pimenta triturada nos olhos dele, ao mergulhar um fio de algodão no suco e passá-lo sobre os olhos. Então banham o doente no seguinte caldo: existem formigas pequenas, *eménuli*, que têm um ninho comprido que pende dos ramos, semelhante ao das vespas, e cuja picada arde muito. Retiram cuidadosamente um ninho desses e o enfiam, com seus ocupantes, em uma panela com água morna, que é tampada. No dia seguinte, eles banham o doente no caldo resfriado. Então cozinham várias dessas formigas, passam o caldo por uma peneira fina, deixam-no descansar por uma noite e, quando estiver bem frio, dão-no de beber ao doente. Por fim, eles o banham em água morna. No dia seguinte, o curandeiro vai embora e logo recebe a notícia de que o doente está melhor. Todas as pessoas podem realizar esse tratamento, mas foram os pajés que o descobriram."

Os Taulipáng também têm uma fórmula mágica contra epilepsia, mas que o meu informante não soube me dizer.

Pessoas briguentas são transformadas em "boas" da seguinte maneira, bem cruel: agarra-se a pessoa em questão, e um velho da tribo puxa o capim cortante *salá*[615] através do nariz e da boca dela, para que "saia o sangue ruim, que a torna má e a faz brigar e matar gente". Se, na primeira vez, não adiantar nada, então o remédio é repetido várias vezes, "até sete", até que o homem "fique alegre e bom como um outro". Essa tortura lembra o cordão mágico dos caçado-

---

612 Vide v.II, p.50-1, pr. V e pr. VI, fig. 2. Por motivo semelhante, os pecíolos e a raiz da *Dracontium dubium* são considerados pelos Makuxí como um remédio excelente contra a picada da *Trigonocephalus atrox* (*Lachesis muta* L.), quando esmagados e colocados sobre o ferimento; pois o singular desenho dos pecíolos é bem semelhante ao desenho da pele daquela cobra terrível (Rich. Schomburgk, op. cit., v.I, p.435). Os Kalínya--Galibí empregam como feitiço contra picada de cobra um cipó que sobe pelos troncos das árvores e é muito semelhante a uma cobra (Penard, op. cit., p.212).

613 *Cryptocerus atratus*.

614 As formigas *ilág* e *kuyúg* também desempenham um papel na flagelação das formigas e como feitiço de caça; vide p.126. Os Oyampi tratavam a febre com picadas de formigas (Coudreau, *Chez nos Indiens*, p.282.)

615 *Seleria* sp., chamada de *tiririca* pelos brasileiros; talvez: *Seleria flagellum* Sw.

res, que, como vimos anteriormente, também é empregado no rito da puberdade dos jovens e na iniciação dos pajés.[616]

Como remédio contra qualquer doença, dores nos membros, febre, disenteria, entre outras, fazem-se nos braços e pernas longos cortes ou arranhões sangrentos, que são esfregados com as pequenas folhas do arbusto *ai̯piá*[617] amolecidas em água fria.[618]

Também faz parte dos feitiços para caça e pesca, que os Taulipáng designam com o nome genérico de *ẹpíg* e a que, como diferencial, se acrescenta o nome do bicho[619] em questão, a *kunawá*, uma trepadeira da altura de um homem e que contém muita seiva leitosa. Ela é cozida, e o extrato é bebido frio até que se vomite. Isso é considerado um meio para caça bem-sucedida à anta, ao veado-do-mato, ao mutum e a outras aves, mas também para a pesca.[620] Na lenda, essa planta mágica se origina de uma pequena criança abandonada que é transformada pela mítica vespa *kamayuág*,[621] a solícita companheira do caçador e do pescador.[622]

Como vimos,[623] os vomitivos desempenham um grande papel na feitiçaria. Por isso, o seguinte remédio também deve ser, em primeiro lugar, um feitiço, e não ser apenas empregado com a finalidade de aliviar o estômago de restos de comida do dia anterior, como supõem certos viajantes que observaram esse costume em outras tribos.

Meu pessoal raspava a casca vermelho-escura da árvore *zalau̯ra-yẹ́g*, espremiam-na com água em uma cuia e bebiam o caldo de manhã cedo. Então coçavam a garganta com um pauzinho ou um talo e vomitavam em alguma cachoeira do Uraricoera onde estávamos acampados. Diziam que isso era bom para o estômago. Eles usam esse remédio especialmente para estômago ruim, após o consumo de peixe gordo ou de carne de caça de difícil digestão, como

---

616 Vide p.125-6, 197.

617 Assim é o nome em Makuxí.

618 Vide Appun, *Ausland*, 1869, p.774. "Arranhões na pele", diz Karl von den Steinen (*Naturvölker*, p.188) dos índios das cabeceiras do Xingu, "é uma espécie de remédio universal." Os arranhões são "ou esfregados com lama amarela, ou com fuligem, ou com o suco de uma fruta".

619 Vide p.125.

620 Farabee (*The Central Arawaks*, p.51) menciona essa planta para feitiço da caça, *kunaua*, entre os Wapixána a leste do *rio* Branco. Os índios da Guiana empregam, nas mais diferentes ocasiões, inúmeros feitiços, que os Karib chamam de *tulala* ou *turala*, os Aruak, de *bina*, e que correspondem aos *ẹpig* dos Taulipáng, especialmente para se tornarem bem-sucedidos na caça e na pesca. Na maioria das vezes, são folhas de diferentes plantas (principalmente de diferentes espécies de *Caladium*), que, em parte, em sua forma exterior, lembram a cabeça do animal de caça em questão, como da anta, do veado, do porco-do-mato (feitiço por analogia). Os irmãos Penard foram os primeiros a pesquisar pormenorizadamente e a reproduzir esses feitiços e seu uso (op. cit., p.177-223, pr. A-D). Vide também De Goeje, *Beiträge...*, p.14-5; Im Thurn, op. cit., p.228*ss*.; Roth, op. cit., p.281*ss*.

621 Vide v.II, p.255-6.

622 Vide p.185.

623 Vide p.196*ss*.

anta.[624] *Z̯alau̯ra-yé̱g* ou *dzalaúra-ye̱g* é mencionada entre as árvores cuja casca é dada como vomitivo aos pajés noviços por seus mestres.[625]

Por fim, alguns remédios não deixam que se reconheça se eles são mais feitiços ou se são verdadeiros medicamentos.

Em caso de picada de raia, os índios também queimam aos pés do doente ninhos de cupins com os ocupantes dentro e deixam a fumaça densa e corrosiva passar sobre o ferimento, a seguir, como eu mesmo observei,[626] uma hora e meia a duas horas depois a dor diminui, e o local picado quase não incha. Dizem que passar óleo da semente de *caju* (*Amacardium*) sobre o ferimento faz o mesmo efeito. Também se dá água salgada para o paciente beber.

Erupções cutâneas, sarna também, são tratadas da seguinte maneira: deixa-se a casca marrom-avermelhada da árvore ciliar *z̲anaí-ye̱g* por algum tempo na água, então, com o caldo venenoso, friccionam-se com força[627] os locais inflamados, coisa que arde muito no início, mas que, já no dia seguinte, alivia decididamente o prurido e logo traz a cura.[628]

Não sei se os índios possuem remédios eficazes contra picada de cobra. Duvido. Eles temem todas as cobras e, com frequência, não sabem a diferença entre cobras inofensivas e cobras venenosas. A cobra venenosa mais terrível das florestas de lá, que ataca somente o homem, é a "surucucu", *Lachesis muta* L., que os Taulipáng e Makuxí chamam de *sororoíma*. Sua picada, dizem os índios, faz os membros apodrecerem. No alto Kukenáng, vi um Taulipáng que, dessa maneira, tinha perdido a perna abaixo do joelho e se movia com dificuldade para a frente em duas muletas primitivas.[629]

Superstição, presságios: são inúmeras as manifestações de uma superstição universalmente disseminada de modo semelhante, da qual, de novo, posso dar apenas poucos exemplos.

Quando aparece uma estrela cadente, então um homem morre e deixa sua mulher viúva, ou uma mulher abandona maldosamente seu marido e vai com outro.

Quando alguém espirra, então alguém está falando dele lá longe; quando é um homem jovem, na maioria das vezes é uma moça, uma antiga namorada.

---

624 Uma semelhante bebida com poder mágico é a *guayusa* dos Jibaros no Equador, um extrato das folhas de uma espécie do gênero *Ilex*, que esses índios bebem de manhã cedo logo depois de se levantarem e que tem o efeito de um vomitivo. Segundo a sua concepção, ela não é apenas um eficaz remédio catártico, mas também deixa o corpo forte e saudável, especialmente para a caça (Rafael Karsten, *Beiträge zur Sittengeschichte der südamerikanischen Indianer*, Helsingfors, 1920, p.71-2). Vide também Paul Rivet, *Les Indiens Jibaros* (Extrait de L'Anthropologie, v.XVIII e XIX), Paris, 1908, p.46.

625 Vide p.199. Segundo uma lenda, assim também se chamava a árvore dos tempos primitivos, que dava todos os frutos; vide v.II, p.53.

626 Vide v.I, p.150.

627 Vide p.107.

628 Segundo Humboldt (op. cit., v.III, p.304-5), os índios do Atabapo e do Guaínia curam a sarna bem depressa lavando as partes afetadas com a infusão fria da casca de um arbusto que eles chamam de *uzao*. Segundo a sua descrição, parece ser a mesma planta.

629 Vide Rich. Schomburgk, op. cit., v.II, p.130*ss*.

Se, numa viagem, longe de casa, alguém é picado por um moscardo, então sua mulher em casa lhe é infiel.

Se alguém sonhar com uma casa velha cheia de furos, é porque ele vai morrer logo.

Se, ao comer, se jogarem restos de peixe na água, então vai chover.

Quando se atira com a espingarda num palmeiral de *Mauritia*, então vai haver tempestade e chuva.

Quando se quebra uma folha de um certo junco que tem folhas[630] da largura de um dedo e se sopra essa folha, então vai chover.

Quando, em uma panela com carne de caça, há muita água, de modo que ela ferva e apague o fogo, então o caçador que abateu a caça não será bem-sucedido ao caçar.

Quando um caçador abate uma caça com uma arma nova (não utilizada), então ele mesmo não come nada dela; senão nunca mais terá sucesso com essa arma. Assim, o Arekuná *Akūli* não comeu nada da anta que ele tinha abatido no Uraricoera com a espingarda que eu lhe dera no dia anterior. Alguns caçadores também não o fazem nem com a segunda caça.

Dois de meus índios não queriam tocar em um puma que *Mayuluaípu* acertara, "senão seu filhinho morreria", que um tinha em casa, que o outro estava esperando.

Quando a pomba-trocal *Oi̭otõko*[631] grita, ela manda uma vespa picar as pessoas.

Com tempestade forte, todos os fogos são cobertos com folhas, "porque o trovão não ama o fogo".

De serras altas, como Roraima, Mairari, Töpeking, Marutani, entre outras, ouve-se, às vezes, com tempo totalmente claro, um estrondo abafado, semelhante ao trovão, que talvez tenha relação com o aquecimento desigual e de velocidade desigual das diferentes partes da serra. "A montanha está resmungando porque estrangeiros se aproximam", dizem os índios e veem isso como um mau prenúncio.[632]

Dizem que, toda vez que um branco sobe o Roraima, faz tempo ruim.

"Todos os estrangeiros que sobem até o cume do Roraima morrem depois de voltar para sua terra", disse-me um velho Taulipáng.[633]

Estrelas e constelações: as estrelas são importantes para o índio como indicadores de caminhos; elas lhe indicam as estações do ano; a elas associam-se suas mais belas lendas.

Os índios tinham vívido interesse por minhas observações astronômicas e, pelo visto, sentiam grande satisfação em me explicar suas constelações. Muitas vezes, nós nos reuníamos e comparávamos o céu estrelado com meu mapa celeste, e acontecia de eles me acordarem no meio da noite para me mostrar alguma constelação sobre a qual haviam me falado antes.

---

630 É nesse junco, que ocorre com frequência às margens do Uraricoera, que as grandes cobras d'água gostam de ficar.

631 Boa onomatopeia.

632 Vide p.116, onde se conta como os Kali'ná não respeitaram o aviso da serra *Ulāpalu* e, logo a seguir, perderam um companheiro por morte. Os Rukuyenne têm a mesma crença, como Coudreau (*Chez nos Indiens*, p.344*ss*.) mostra com um exemplo; o mesmo ocorre com os Waiomgomos (Yekuaná) do baixo Merevari (Eugène André, *A Naturalist*..., p.230).

633 Roth (op. cit., p.267, 274) reuniu inúmeros exemplos de superstição e presságios.

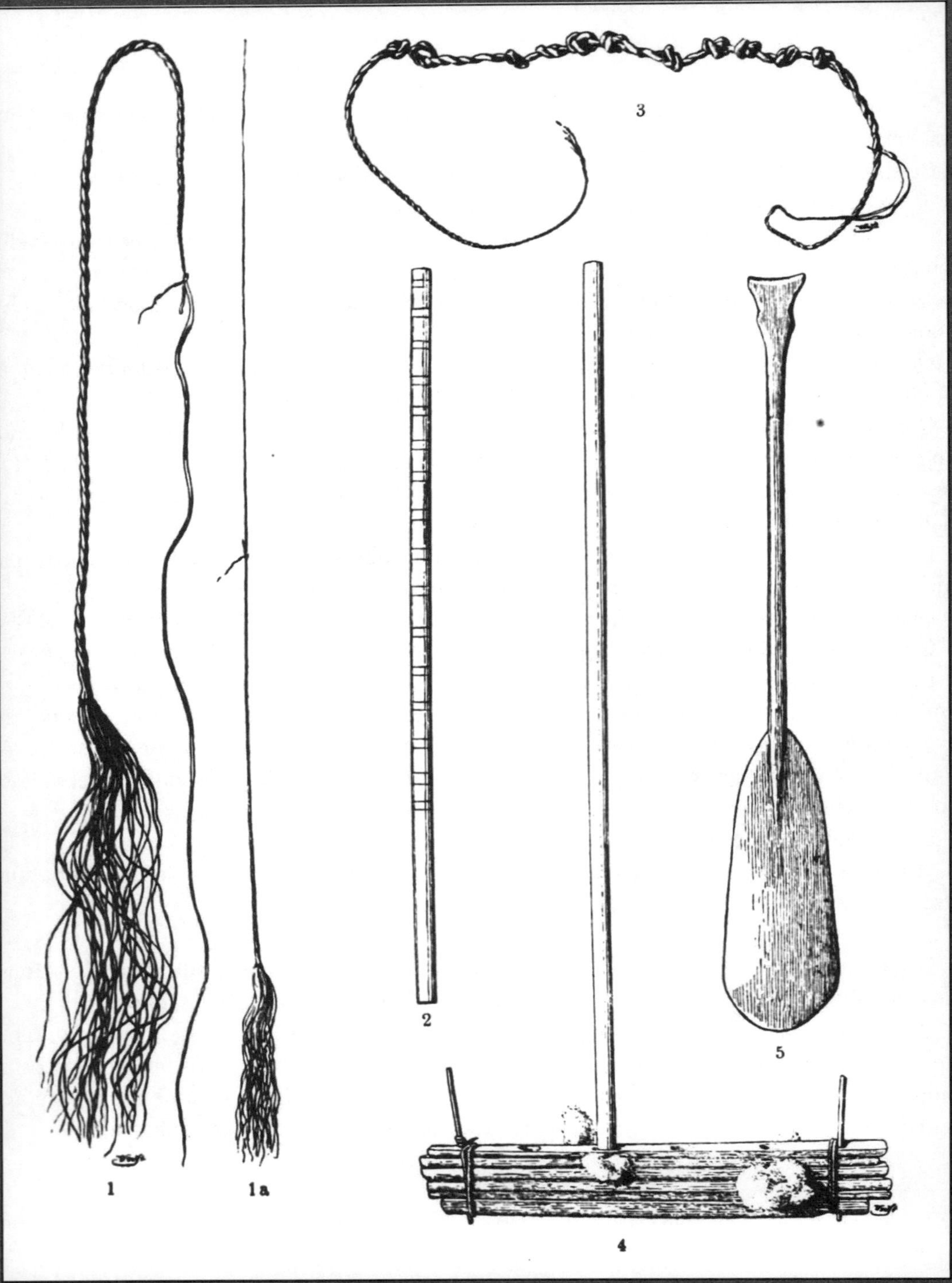

PRANCHA 40. 1. CORDÃO MÁGICO, COM O QUAL O CAÇADOR SE TORNA BEM-SUCEDIDO, MAKUXÍ. 2. CAJADO DE CANA, QUE OS ENLUTADOS CARREGAM NAS MÃOS QUANDO SAEM DE CASA À NOITE PARA SE PROTEGER CONTRA OS MAUS ESPÍRITOS, TAULIPÁNG. 3. CORDÃO DE MEMÓRIA; CADA NÓ SIGNIFICA UM DIA, TAULIPÁNG ETC. 4. PAU IGNÍGERO, TAULIPÁNG. 5. REMO, TAULIPÁNG.

"Antes do grande dilúvio", dizem, "as estrelas eram pessoas. Elas disseram: 'O que seremos (depois do dilúvio)? *Aguti*, *paca*, anta, veado? Todos eles são comidos.[634] É melhor virarmos estrelas para que os homens nos vejam lá de baixo'. Enquanto subiam, elas cantavam um lindo canto. Primeiro, subiu *wazâmaka*, o camaleão. Ainda se pode vê-lo e também os seus ovos.[635] Depois dele, veio arazalí, o golfinho. Ele disse: *'arazalí-pe-te ká-puna'*, 'vou para o céu como golfinho'. Então subiu *oalâla*, a *tartaruga*.[636] Ainda se pode vê-la, e seus ovos, no céu. Então veio *mẹlí*, o caranguejo."

Mẹlí é a parte principal de nossa constelação de Câncer. Um montinho de pequenas estrelas que, a olho nu, parece névoa, é o corpo do caranguejo. Duas estrelas maiores que ficam mais ou menos no ângulo direito dele são seus olhos salientes (Pr. 41, 6).

Onde aparece a "grande nuvem de Magalhães", o caranguejo cavou um buraco através do qual se enfiou no céu. "Ao fazer isso, ele revirou sujeira, como o caranguejo faz aqui na água." Ele se arrastou de novo para fora na "pequena nuvem de Magalhães", para ir para o seu lugar, onde ainda hoje se pode vê-lo.

Oalâla, com seus ovos, são um semicírculo de estrelas menores e um monte de estrelas bem pequenas (semelhante às Plêiades), que pertencem a "Órion" e que ficam entre Betelgeuse e Aldebarã (Pr. 41, 3).

Uma outra constelação é *malité*, o escorpião, uma série de estrelas menores em nossas constelações de Áries, dos "peixes do sul" e do "grou" e que formam mais ou menos a seguinte figura: Y.[637] Uma estrela isolada entre os dois braços do escorpião é chamada de *malité-mẹtâle*, passarinho do escorpião, ou também *džiwídžiwi*, andorinha. É um passarinho, uma andorinha, que o escorpião capturou e que parece ser a "Fomalhaut".[638]

Uma importante constelação dos Taulipáng, que, como tal, também é facilmente identificável aos olhos europeus, é a *táuna*, "um homem muito mau. Ele faz as trovoadas e, com os raios, destroça as árvores. No raio, existe um menino com uma clava pequena na mão. Quando ele bate com ela, cai um raio e destroça árvores, queima casas e mata gente. Talvez ele tenha sido enviado pelo táuna malvado".

---

634 Expressões semelhantes são usadas, nas lendas de diferentes tribos sul-americanas, pelas pessoas que sobem ao céu para se tornar estrelas. Vide v.II, p.247, 57-8; J. Capistrano de Abreu, *rã-txa hu-ni-ku-ĩ: a língua dos Caxinauás*, Rio de Janeiro, 1914, p.470-1. Lenda da Lua dos Caxinauá no *alto* Juruá. Koch-Grünberg, *Indianermärchen aus Südamerika*, Jena, 1920, p.238-9, 332.

635 Foi impossível determinar essa constelação de modo mais preciso. Em janeiro-fevereiro, às nove horas da noite, ela se encontra bem distante a leste.

636 *Emys amazonica.*

637 Foi impossível determinar algo mais exato, já que se trata de pequenas estrelas. Segundo Rich. Schomburgk (op. cit., v.II, p.328), os Makuxí chamam nossa constelação "Escorpião" de *marité*, ao passo que eu obtive dos Makuxí do Surumu o nome de *ẹ(x)kéi* para ela. Segundo Roth (op. cit., p.261), os Aruak do Pomeroon também veem nessa constelação uma "cobra grande"; segundo minha experiência, o mesmo ocorre com as tribos do alto *rio* Negro.

638 Foi impossível determinar algo mais exato.

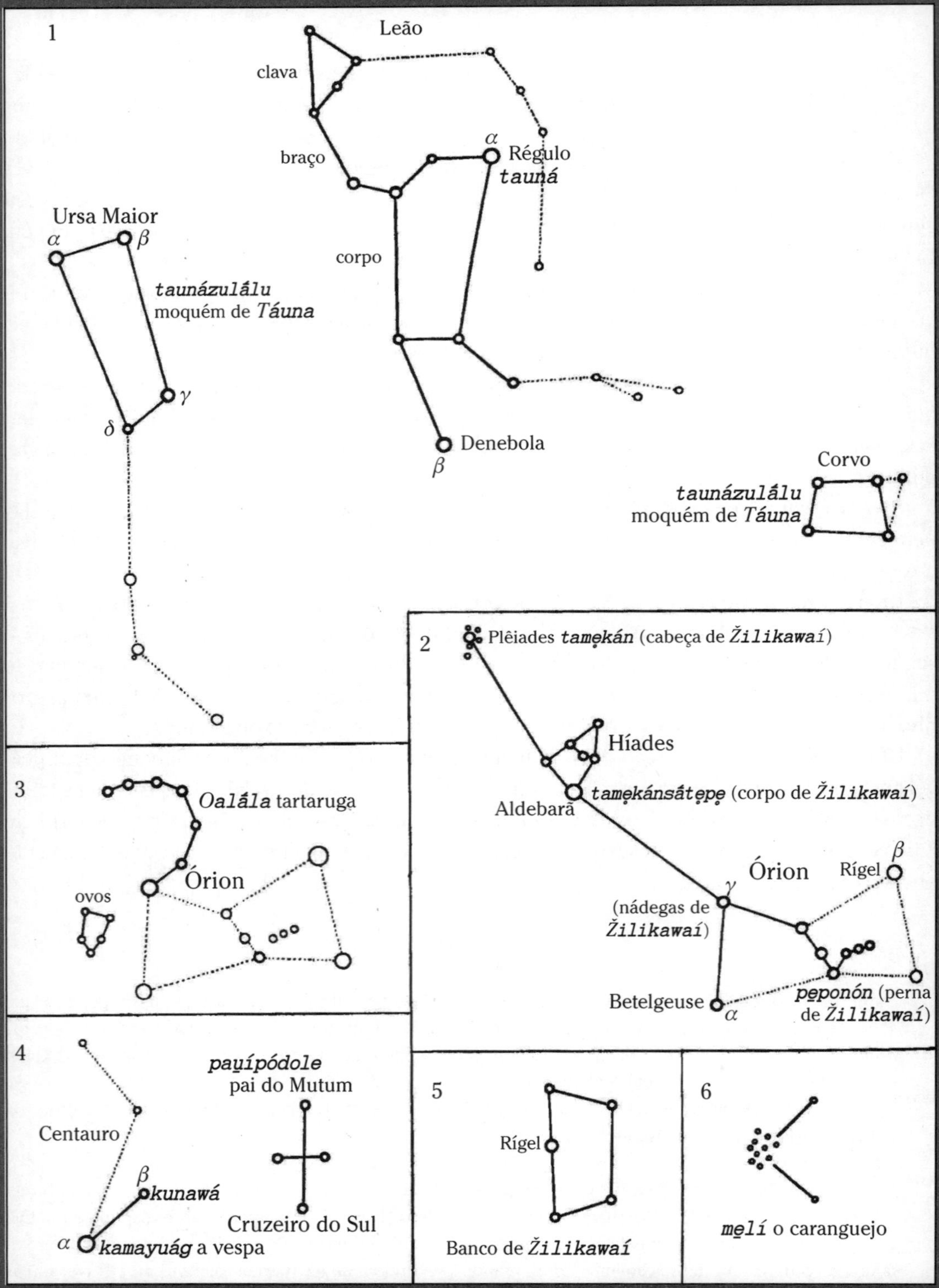

PRANCHA 41. CONSTELAÇÕES DOS TAULIPÁNG E AREKUNÁ.

Este é visto pelos índios no cintilante "Régulo" que, na verdade, representa somente sua cabeça. "*Táuna* cintila como quando um homem pisca os olhos", disse o meu informante. Talvez por isso ele seja também o "senhor dos raios". Seu corpo e seu braço, que brande a clava triangular, é formado pelas estrelas restantes do "grande leão".

Táuna fica entre seus dois moquéns, *tauná-zulā̃lu*, as quatro principais estrelas (α, β, γ, δ) da Ursa Maior e das quatro principais estrelas do Corvo[639] (Pr. 41, 1).

O Cruzeiro do Sul é *paui̯í-pódole*, pai do mutum, um mutum[640] grande que, segundo a lenda,[641] voou até o céu e lá ficou.

"Alfa Centauro" é a grande vespa mítica *kamayuág*, que persegue o mutum para acertá-lo com a zarabatana e, ao fazê-lo, seu caminho é iluminado pela planta mágica *kunawa*; "Beta Centauro", com um incêndio[642] (Pr. 41, 4). Como vimos anteriormente (p.184-5, 257-8), ambas são consideradas feitiços para a caça e a pesca.

Segundo a interpretação indígena, as Plêiades, *tamẹkán*,[643] formam com o grupo Aldebarã e uma parte do Órion a figura de um homem perneta, *Žilikawaí* ou *Žilížuaípu*, que subiu ao céu depois que, na Terra, sua mulher infiel lhe cortou a outra perna.[644] Junto das Plêiades, que representam a cabeça do homem, as demais estrelas desempenham um papel secundário. Por isso, no texto original, o herói tem, várias vezes, o nome de *žilĩke-pupaí*, cabeça de estrela. Seu corpo, *tamẹkán-sā̃tẹpẹ*, é formado pela Aldebarã e por uma série de estrelas menores que formam com ela um triângulo de ângulo agudo. A Belatriz (Gama Órion) é o traseiro de *Žilikawaí*. A ligação entre Belatriz e Betelgeuse representa a coxa da perna cortada. O "cinto de Órion" forma, com a "espada", sua perna ilesa. Os Taulipáng chamam essas partes de Órion de *pẹponón*, que me foi traduzido por: "perna que resta" (Pr. 41, 2).[645]

---

639 Segundo a crença dos Aruak e de alguns Warrau, quatro estrelas formam um moquém no Pégaso (Roth, op. cit., p.261).

640 *Crax* sp.

641 Vide v.II, p.65*ss*.

642 Segundo Roth (op. cit., p.261), os Aruak e Warrau dizem que o Cruzeiro do Sul é um mutum. Que a estrela próxima dele (portanto, Beta Centauro) é um caçador que está atirando nele; que a estrela um pouco mais distante dele (portanto, Alfa Centauro) é seu companheiro, que está correndo atrás dele com um facho. O Cruzeiro do Sul também parece servir como um sinal para a caça dessa ave: segundo Rob. Schomburgk, os Makuxí dizem que, quando o Cruzeiro está na vertical, o mutum começa a resmungar. Evidentemente, os Makuxí veem essa constelação como a morada dessa ave. Segundo a crença dos Wapixána a leste do *rio* Branco, o "Cruzeiro do Sul" é um mutum (*Crax alector*) e Alfa e Beta Centauro são um homem e uma mulher que caçam o mutum. Dizem que a constelação indica a época para o início da caça a essa ave; Farabee, *The Central Arawaks*, p.102.

643 Os Makuxí as chamam de *tamẹ'kán*, segundo Rich. Schomburgk (op. cit., v.II, p.328), de *ta-mukang*.

644 Vide v.II, p.59*ss*., 238*ss*.

645 Lehmann-Nitsche abordou exaustivamente a explicação indígena de Órion como a figura de um homem perneta. Aceito de bom grado como correta sua pequena modificação; R. Lehmann-Nitsche, "Mitología Sudamericana IV, Las Constelaciones Del Orión y de las Hiadas", *Revista Del Museo de La Plata*, Buenos Aires, v.XXVI, p.17*ss*., 1921.

O banco de *Žilikawaí*, no qual ele se senta após chegar ao céu, é formado pela "Rígel" (Beta Órion) e por quatro estrelas menores ao norte e ao sul de lá. A primeira é a cabeça, as últimas são os quatro pés do banco (Pr. 41, 5).[646]

As Plêiades são da maior importância para o índio determinar as estações do ano, a época certa dos trabalhos na plantação. Quando elas desaparecem no horizonte a oeste, começa a época das chuvas; quando elas reaparecem a leste, começa a estiagem. Seu desaparecimento significa abundância de alimento. Quando as águas sobem, densos cardumes de peixes sobem os afluentes para a desova, proporcionando ao índio presa abundante.[647] Seu reaparecimento lhe indica que é tempo de desmoitar a mata para lavrar a plantação. Assim, podemos falar decididamente de um "ano das Plêiades" do índio.[648]

Os Taulipáng chamam o Sírio de *pižosó* ou *pižóso*.

Já ficamos conhecendo a Via Láctea como "caminho dos mortos" ou "caminho das almas".[649] Entre os Taulipáng, ela se chama *ulu(e)kḗpẹ̥*, que não consegui traduzir.

Vênus e Júpiter são chamados indistintamente de *kai̯uanóg* e, na lenda, são consideradas as duas mulheres, de índoles diferentes, da Lua.[650]

Os cometas, por exemplo, o cometa Halley do ano de 1910, *kai̯uanõ-tālitétẹ̥zag* ou *žílikẹ̥ atālitétẹ̥sag* entre os Taulipáng, *kai̯uanõ a'taket(e)sa* entre os Makuxí, são "estrelas com uma cauda".[651]

Segundo informação indígena, as estrelas cadentes são "estrelas que estão procurando um outro lugar no céu". Os Taulipáng as chamam de *žīlikémo(x)ka*.[652]

---

646 Os índios estão pensando, aqui, em um de seus bancos zoomorfos entalhados num pedaço de madeira.

647 Na lenda, antes de ir para o céu, *Zilikawaí* chama a atenção para esses acontecimentos relacionados ao seu desaparecimento; vide v.II, p.247*ss*.

648 Vide também Barrere, op. cit., p.179: "Cette constellation (des Pleyades) leur sert d'époque pour fixer leurs temps. Ils comptent et commence même les années avec elle [Essa constelação (as Plêiades) servem-lhes para marcar seu tempo. Eles contam e começam o ano com ela]" (Roth, op. cit., p.262); "... their (Pleiades) rising from the east marked the commencement of their new year: this measurement of time was adopted from the Orinoco to Cayenne [(...) seu aparecimento [das Plêiades] no leste marca o início do novo ano: essa mensuração do tempo era adotada do Orinoco a Caiena]" (Farabee, op. cit., p.101) (Wapixána).

649 Vide p.171. Entre os Wapixána, a Via Láctea tem o mesmo nome que o rio Amazonas e é considerada o "rio dos mortos" (Farabee, op. cit., p.102).

650 Vide v.II, p.58-9. Segundo Rich. Schomburgk (v.II, p.328), os Makuxí chamam a Vésper de *kai-wono* e a designam como a "mulher da Lua", já que Vênus não é a única entre todas as estrelas próximas da Lua que brilha mais e lança, ela própria, uma sombra, mas é sempre encontrada perto da mesma. Os Akawoío têm um único nome, *koinuk*, para a Estrela d'Alva e para Vésper, pois supõem que se trata da mesma estrela (Roth, op. cit., p.260; segundo Dance).

651 Segundo Brett (op. cit., p.107-8), os Aruak chamam o cometa de "estrela com cauda". Segundo Roth (op. cit., p.259), os Aruak do Pomeroon designam do mesmo modo o cometa Halley.

652 A segunda parte da palavra talvez forme o radical verbal *moka* = puxar, tirar (de alguma coisa), extrair, sacar, arrancar.

Nas bolas de fogo (bólidos), os índios veem *watóimã*, a grande *arara* branca do demônio das águas *Amāliwág*.[653]

Sobre as figuras mitológicas do Sol e da Lua, ambas concebidas antropomorficamente e do sexo masculino, vide v.II, p.23-4, 55*ss.*, 232*ss.*

Os Taulipáng chamam o halo da Lua de *kapẹ́yāluko* = toucado, chapéu da Lua.[654]

Segundo a sua concepção, os raios do Sol formam a coroa emplumada do homem do Sol.[655]

Estações do ano: "quando *táuna* vai embora", dizem os Taulipáng, "vem a época das chuvas. Primeiro, somem seus moquéns: um pouco de chuva; então, os braços e o corpo de *táuna*: chuva mais forte e fortes aguaceiros; então, *džividživi*; então, *malité*, por fim, sua cauda; então, *tamẹkán*: chuva constante; então, *tamẹkánsấtepẹ*; por fim, *pẹponón*".

Sequência em que as constelações declinam no oeste:[656]

1. *mẹlí*, caranguejo (Câncer).[657]
2. *táuna* ("grande leão").
3. *wažamạka*, camaleão.
4. *džividživi*, andorinha; traz chuva leve e flores, o "toucado do escorpião".
5. *malité*, escorpião, chuva mais forte.
6. *tamẹkán* (Plêiades); chuva forte, completa época das chuvas.
7. *tamẹkánsấtepẹ* (grupo Aldebarã).
8. *pẹponón* (partes de Órion).
9. Ovos de *tartaruga* } declinam quase simultaneamente
10. *pižosó* (Sírio) }

Sequência em que as constelações reaparecem no leste:[658]

1. *tamẹkán*; rio cheio; cessa a chuva densa.
2. *mẹlí*; chuva leve e breve.
3. *táuna*; trovoada com tempestade.

Quando as Plêiades nascem, entre 4 e 5 da manhã, começa a verdadeira época das chuvas.

Os Taulipáng chamam a "pequena época das chuvas", em novembro-início de dezembro,[659] de *wažamạkấgombẹ* = "chuva do camaleão", segundo a constelação de mesmo nome.

---

653 Vide p.177*ss.* Segundo Rich. Schomburgk (op. cit., v.II, p.328), os Makuxí chamam a estrela cadente de *wai-taima*. Num outro trecho (v.II, p.308), ele diz, provavelmente por engano, que os Arekuná (Taulipáng) chamam o cometa de *wa-taima*.

654 *kapẹ́i-y-ấleko* = toucado da Lua, chapéu da Lua.

655 Vide v.II, p.23, 56, 234.

656 Segundo informações do Taulipáng *Mayūluaípu*.

657 Os nomes entre parênteses indicam nossas estrelas e constelações correspondentes.

658 Segundo informações do Taulipáng *Mayūluaípu*.

659 Chamada de *boiaçu*, "cobra grande", na *língua geral*.

II

Os Xirianá e Waíka e seus vizinhos

Encontro as primeiras notícias sobre os Xirianá em Robert Schomburgk, que, como primeiro branco, atravessou a região deles nos anos de 1838-1839 e os chama de Kirischana; um nome que passou para a literatura como Krischaná e, com isso, como veremos, deu motivo a equívocos. Schomburgk não teve contato próximo com essa tribo, mas no alto Uraricoera, na região da serra Marutaní, deparou com uma "plantação" deles e descreve brevemente seu caráter e modo de vida da seguinte maneira: "Os Kirischanas formam, de modo semelhante ao dos Oewakus, só que são mais belicosos e mais valentes, uma tribo nômade que vive em estado totalmente natural. Andam sem qualquer vestimenta e vivem ou da caça nas serras, ou, se ela não lhes dá presa suficiente, dos peixes, tartarugas e jacarés dos rios. De vez em quando, também limpam um pequeno terreno na mata e plantam *capsicum* e *cassada* para, se suas outras ocupações permitirem, regressar e fazer a colheita. Se fazem uma excursão por água, usam pequenas canoas de casca de árvore, que são construídas rapidamente e nas quais o fogo toma o lugar do machado. Desprezados que são pelos demais índios na mesma medida que os Oewakus, os Kirischanas são temidos; sabem disso e saqueiam as outras tribos mais fracas sem qualquer receio: suas flechas envenenadas estão sempre prontas para matar".[1]

Como morada dos "Kirischanas", Schomburgk indica o curso superior do Uruwé, um afluentezinho esquerdo do Uraricoera que desemboca pouco acima da parte ocidental da grande ilha Maracá e que, sem sombra de dúvida, é idêntico ao Kauadí-kene do meu mapa.[2] Mas, como sua principal região, ele designa a cadeia Parima, o prolongado divisor de águas entre Uraricoera e Orinoco.

Naquela época, como ainda hoje, os Xirianá eram muitíssimo temidos pelas tribos vizinhas. Viviam especialmente em acirrado conflito com os "Maiongkong", como Schomburgk chama

---

1 Rob. Schomburgk, op. cit., p.417.

2 Ibidem, p.412.

os Yekuaná com seu nome Makuxí. Em geral, estes levavam a pior. Schomburgk conta de três Maiongkongs que, em uma viagem ao baixo Uraricoera, depararam com alguns Kirischanas. Estes mataram dois deles, enquanto o terceiro, fugindo, conseguiu salvar a vida e levou a notícia para sua tribo, que ficou com tanto medo que todos fugiram imediatamente. Por isso, os acompanhantes índios do viajante, apesar de não se ter descoberto o menor vestígio desses inimigos traiçoeiros, também ficavam alerta toda noite.[3] Os Kirischanas também foram o motivo pelo qual Schomburgk teve de voltar pouco antes das nascentes do Orinoco. Depois de penosas caminhadas através da região serrana de mata fechada entre o Merevari e o Orinoco, seguindo rumo ao sul pela serra Parima, quando ele estava a apenas alguns dias de viagem da realização de seus desejos, de repente, suas esperanças malograram. Na aldeia, bastante avançada para o sul, ele encontrou os Maiongkongs "na maior consternação e em vias de abandonar sua pátria, já que tinham recebido a notícia de que os Kirischanas, que habitam as serras entre o Orinoco e o Ocamo (um afluente direito do primeiro), tinham matado vinte de sua tribo depois de tê-los atacado traiçoeiramente quando estes estavam em viagem até eles para fazer comércio de troca. Pouco depois, os mesmos selvagens também surpreenderam uma aldeia dos Maiongkongs, distante apenas um dia de viagem de nossa atual estada, e mataram todos os moradores". Essas selvagerias tinham causado verdadeiro pânico entre os pobres índios, e os acompanhantes de Schomburgk "foram contaminados em tão alto grau pelo mesmo medo, que não só se negaram decididamente a seguir adiante, como até mesmo tomaram as mais rápidas providências para fugir" e abandonar ao seu destino o viajante com a bagagem. Em vão ele lhes ofereceu tudo que possuía, até mesmo sua própria espingarda, mas eles não se deixaram demover de sua decisão, e assim Schomburgk se viu forçado a retornar imediatamente antes de seu objetivo.[4]

Schomburgk supõe que esses "Kirischanas" da serra Parima sejam idênticos aos índios inimigos dos afluentes do Orinoco, os temidos "Guaharibos e Guaicas", que outrora impediram Alexander von Humboldt de procurar as nascentes do Orinoco.[5]

Depois da viagem de Robert Schomburgk, o alto Uraricoera permaneceu uma *terra incognita* para o mundo científico. A Comissão de Divisas brasileira, sob a direção do tenente-coronel Francisco Xavier Lopes de Araújo, não passou, no ano de 1882, da foz do Uraricapará. Por isso, também só encontramos na literatura vagas notícias sobre os Xirianá, chamados de "Krischaná" (Crichanás) e, por causa da consonância dos nomes, em geral são aproximados dos Krixaná do *rio* Jauaperi. Não é possível determinar a quem se deve essa confusão, que se encontra quase concomitantemente em dois diferentes pesquisadores.

Henri Coudreau indica os "Krischaná" acima da ilha Maracá até as nascentes do Uraricoera e os chama de antropófagos. Diz que no Uraricapará[6] eles estão em guerra com os Porocotos. Que

---

3 Ibidem, p.417-8.

4 Ibidem, p.437-8, 444.

5 Ibidem, p.438; A. von Humboldt, op. cit., v.IV, p.119.

6 Coudreau escreve "Araricapara", que também ouvi várias vezes dos índios como nome desse rio, assim como "Araricuéra" junto com "Uraricoera". Mas, em geral, eles chamam o primeiro de "Kurarikará" e o segundo, por seu antigo nome Karib "Parima" ou "Parime".

formam uma família com os Uaimiri do *rio* Jauaperi, dos quais, segundo uma vaga tradição, separaram-se antigamente para emigrar, para além do Tacutu, até o alto Uraricoera. Que falam quase a mesma língua que os "Macuchis, Yarecunas, Porocotos, Chiricumos" e as tribos do *rio* Jauaperi.[7] Não está claro em que Coudreau baseia essa afirmação, já que, até a minha viagem, não havia a menor amostra linguística do Xirianá do Uraricoera.

Devemos a João Barboza Rodrigues as primeiras notícias exatas sobre os habitantes do baixo *rio* Jauaperi. Junto de uma breve descrição de seu modo de vida, armas e utensílios, usos e costumes e de seu caráter, ele dá uma rica lista de palavras de sua língua, que pertence ao grupo Karib. Ele também supõe um estreito parentesco entre esses índios e os "Krischaná" do alto Uraricoera. Diz que os principais centros desse grande e indomado povo ficam entre as nascentes do Orinoco e do Parima (Uraricoera), na *serra* Arutani (Marutani),[8] entre as margens do Uraricoera e do Uraricapará e, por fim, nas cabeceiras do Essequibo e, ao sul dele, no *rio* Jauaperi. Que os Krischaná do Jauaperi se separaram da tribo-mãe de mesmo nome, na serra Marutani, por volta de meados do século XVIII, ou devido a disputas familiares, ou em consequência do aumento da população. Que, no início, viveram no *rio* Uaracá, um afluente esquerdo do *rio* Negro, que desemboca acima do *rio* Branco quase diante da antiga capital Barcelos, onde, na segunda metade do século XVIII, eram conhecidos pelo nome de "Guaribas" ou "Uaríutapuya" (índios bugio). Que foram expulsos de lá talvez pelos bravos "Aicas" (Waíka). Que no Demenene, também escrito Demeneny nos mapas, um afluente do Uaracá, ainda hoje existem Krischaná.[9] Em outro trecho, Barboza Rodrigues diz que os rios *das Cuieiras* e Mamimeu, afluentes do Demenene,[10] são habitados por Chirianás que estenderam suas incursões até o Catrimani (Caterimani, Caratirimani), um grande afluente direito do *rio* Branco.[11] Isso já é possível. Os Xirianá são, sem dúvida, um povo nômade de grande extensão, e toda a grande região entre o *rio* Negro, *rio* Branco e Uraricoera, até hoje, é inexplorada.

Mais longe do que Coudreau e Barboza Rodrigues, e talvez levado pelas afirmações não comprovadas deles, vai um pesquisador brasileiro mais novo, que chama os Xirianá do Uraricoera categoricamente de "Yauaperý",[12] e assim também os chamam hoje os colonos brasileiros na extremidade oriental da ilha Maracá.

Quer os habitantes do baixo Jauaperi se chamem realmente Krischaná, como Barboza Rodrigues afirma, ou Uaimirí, Uah-mi-ri, como querem Coudreau e Richard Payer,[13] ou quer se

---

7 H. A. Coudreau, *La France Équinoxiale*, v.II, p.234-5, 395-6.

8 Arutamy, como se chama na p.137, é erro de impressão. Nas atas da última Comissão de Divisas, essa serra é chamada de Urutani, no mapa, de Urutany (Relatório, p.190 e mapa). Esses nomes são falsos. Os índios geralmente chamam a serra de Marutani ou Malutani.

9 J. Barboza Rodrigues, op. cit., p.136, 148.

10 Demeune, como se chama lá, é erro de impressão. Todo o livro contém inúmeros erros de impressão, o que desvaloriza, em especial, as listas de palavras.

11 Op. cit., p.167.

12 Jacques Ourique, *O Valle do Rio Branco*, Manaus, 1906, p.24.

13 Richard Payer, *Reisen im Yauapery-Gebiete: Petermanns Mitteilungen*, v.52, Gotha, 1906, p.217*ss*.

trate de duas tribos diferentes, das quais, segundo Coudreau, os Uaimiri habitam a margem direita do baixo Jauaperi, e os "Kirichamans" vivem junto de tribos de domínio desconhecido, como "Assahys" e "Coutias" ou "Cuitias" nas cabeceiras desse rio,[14] hoje já é certo que esses índios não têm, linguisticamente, a mínima relação com os Xirianá, os velhos Kirischana ou Krischaná do Uraricoera.

Conheci duas hordas dos Xirianá. Os primeiros provinham do alto Uraricapará e, chamados por dois corajosos índios de minha comitiva, me visitaram nos dias de Natal de 1911, com mulheres e filhos, na alta cachoeira de Purumamé (Urumamy). Quatro semanas depois, encontramos os outros em sua aldeia primitiva, no pequeno riacho afluente direito Motomotó, diante da serra Marutani.

Os Xirianá do alto Uraricapará agora são considerados "pacíficos". Quanto tempo vai durar esse estado um pouco insólito entre eles não se pode, decerto, dizer desses índios belicosos, alguns dos quais tinham uma aparência que inspirava muito pouca confiança. Pouco antes de minha viagem, seu mal-afamado chefe *Kuranaí* tinha feito, com alguns de sua gente, a primeira visita amigável à pequena povoação dos Taulipáng na extremidade oriental da ilha Maracá e, como sinal de sua disposição pacífica, tinha deixado um grosso feixe de arcos e flechas magnificamente trabalhados em troca de mercadorias europeias. Ainda hoje me soa nos ouvidos o grito de despedida de um Taulipáng: "Deem lembranças minhas ao chefe *Kuranaí*!". Infelizmente, não pude mais transmitir as lembranças, pois *Kuranaí* estava morto; apesar de seu passado agitado, tinha morrido de causas naturais. Na cachoeira Purumamé conheci um filho seu, um rapaz belíssimo, e uma bonita filha recém-casada.

Somente em tempos recentes é que esses Xirianá se mudaram para o Uraricapará. Antigamente, *Kuranaí* vivia com seu bando na margem direita do Uraricoera, acima de Maracá, na encosta de uma baixa cumeada, defronte à ilha Kamauántade. De lá, ele empreendia suas incursões de saque e ataques a índios em viagem, tornando-se, assim, o terror de toda a região. Minha gente sabia contar muitos de seus crimes. Certa vez, ao alvorecer, ele surpreendeu um grupo de índios Yekuaná em viagem, dos quais, supostamente, só uma mulher conseguiu se salvar. Outra vez, um Sapará de nome *Schikuraí* foi vítima dele.

Uma longa lista de palavras que registrei da língua desses Xirianá comprova que são totalmente isolados; por conseguinte, também não têm nada a ver com o grupo Karib, ao qual eram atribuídos, até agora, devido à total falta de material. Algumas palavras Karib em Xirianá não podem servir de contraprova, pois se referem quase exclusivamente a utensílios e plantas e só apontam para as variadas, porém frouxas, relações que esses índios vinham tendo havia longo tempo com as tribos Karib que os cercam. Com isso, elimina-se também a lenda defendida por Coudreau, Barboza Rodrigues, entre outros, de uma relação próxima entre os Xirianá do alto Uraricoera e os chamados "Krischaná" do *rio* Jauaperi.

---

[14] Op. cit., p.235 e mapa V.

1

2

PRANCHA 42. 1. XIRIANÁ EM IGARA (CANOA ESCAVADA EM UM SÓ TRONCO), *RIO* URARICOERA. 2. ABRIGO DE XIRIANÁ, MOTOMOTÓ.

Os Xirianá de Motomotó hoje também são considerados pacíficos. Eles mantêm relações amigáveis com os Máku, uma pequena tribo do Auarí, pelos quais são, até certo ponto, culturalmente influenciados. Infelizmente, não consegui reunir amostras de sua língua. Essa sociedade de nível cultural baixo demonstrou total incompreensão de minhas tentativas desesperadas e, no terceiro dia de nossa convivência, sumiu com seus poucos pertences, pelo visto, assustada com o aparelho fotográfico e com os tiros dos meus caçadores. No entanto, parece que ambas as hordas, como me asseguraram repetidas vezes outros índios que já tiveram contato com elas anteriormente, possuem a mesma língua, que apresenta, no máximo, diferenças dialetais.

Os vizinhos mais próximos dos Xirianá e de reputação ainda pior do que eles são os Waíka ou Waiká.

A região dessa grande tribo parece ter-se estendido, no século XVIII, ainda mais para o leste do que hoje. No relatório da Comissão de Divisas portuguesa do ano de 1787, sob o comando superior do ativo governador Lobo de Almada, são indicados Oayacas entre as nascentes do Parimé[15] e aquelas do Amajari (Majari), afluentes esquerdos do baixo Uraricoera. Naquela época, eles tinham seis chefes e mantinham relações amistosas com os espanhóis.[16] Martius enumera entre as tribos na região do *rio* Negro: "Oiacá, Uaica, no Uraricoera, na região superior do *rio* Branco".[17] Coudreau considera a tribo desaparecida.[18]

A última Comissão de Divisas brasileira, em 1882, não encontrou, nas cabeceiras do Uraricapará, nem Xirianá, nem Waíka. Os primeiros ainda não habitavam essa região. Os últimos são chamados no relatório de "Uaycás, Uaicás" ou "Guaycás" e indicados como uma tribo brava no lado norte (venezuelano) do divisor de águas. Não foram vistos; foram encontrados, no entanto, vestígios bem frescos atribuídos a eles. Um dos guias indígenas da expedição, que tinha vivido entre eles, também se ofereceu para trazer alguns, mas tinha-se pressa, já que as provisões ameaçavam acabar, talvez também por medo desses selvagens mal-afamados, por cuja causa ficava-se, toda noite, com a máxima cautela. Dizem que esses Guaycás são os mesmos índios que, no alto Orinoco, juntamente com os "Guaharibos", impediam o acesso às nascentes.[19] Mas quando se diz, mais adiante, que "suas moradas se estendem de Esmeralda até a foz do Cuyuny", trata-se de um engano, novamente causado pela semelhança ou igualdade dos dois nomes de tribos, pois os "Waíka" da região do Uraricoera-Orinoco são uma tribo totalmente diferente dos Karib Akawaí ou Akawoío, que também são chamados de Waíka ou, na grafia espanhola, Guaícas, e que vivem bem longe no nordeste, nas regiões limítrofes da Guiana venezuelana e inglesa, especialmente no Cuyúni, um grande afluente esquerdo do baixo Essequibo.

---

15 Chamado de Maruá pelos índios, de Parimé pelos brasileiros.

16 Coudreau, op. cit., p.392-3.

17 Martius, *Beiträge*, v.I, p.566.

18 Coudreau, op. cit., p.393.

19 Relatório, p.190-1 e mapa. Wilh. Sievers, "Bemerkungen zur Karte der venezolanisch-brasilianischen Grenze", in: *Zeitschrift der Gesellschaft für Erdkunde zu Berlin*, 1887, p.1*ss*. e mapa. G. Grupe y Thode, op. cit., p.252.

Encontrei entre os Xirianá de Motomotó dois Waíka de pele bem clara e ouvi que eles habitam, em grande número, a serra Marutani, onde já a Comissão de Divisas brasileira os indica.[20] Mas eles também vagueiam pela mata cerrada ao sul do Uraricoera e na serra Parima e devem representar, como também asseguram seus vizinhos, apenas uma subdivisão dos Xirianá, com os quais ou vivem pacificamente, ou em acirrada inimizade. Ambas as tribos se entendem sem dificuldade, de modo que as diferenças dialetais certamente são pequenas. Robert Schomburgk nem menciona os Waíka, mas fala apenas de "Kirischana", caso os indique nas proximidades da serra Marutani ou na *serra* Parima. Os Yekuaná também chamam seus temidos vizinhos, com pequena modificação do verdadeiro nome da tribo, indistintamente de "Schirischána". Isso já é uma prova de que não se trata de duas tribos diferentes, apenas de duas divisões de um grande povo.

Com os Xirianá do alto Uraricapará, que nasce na serra Marutani, parece que os Waíka que lá vivem mantêm amistosas relações vizinhas, assim como com a pequena tribo dos Auaké, nas cabeceiras do Paragua. Pelo menos me contaram que Waíka de Marutani também participaram da grande festa de dança que os Xirianá comemoraram pouco antes do nosso encontro. No entanto, reina entre ambas as tribos uma certa desconfiança, e talvez hoje, de novo, estado de guerra. O mesmo vale para o relacionamento entre os habitantes de Marutani e os de Motomotó. Isso se manifestou claramente no modo como estes últimos nos preveniram sobre seus perigosos vizinhos.

Os Waíka de Marutani vivem há muito tempo em inimizade mortal com os Yekuaná do Merevari (alto Caura). Antigamente, a povoação mais oriental desses índios ficava no Waínya, um afluente direito do Merevari. Certo dia, os Waíka investiram contra os habitantes, mataram alguns deles e rechaçaram os demais para o rio principal. Já na época de Robert Schomburgk, o "Wai-ina", como ele chama o riozinho, era considerado "o esconderijo dos índios bravos, que não permitiam que estranhos pisassem em seu acampamento".[21]

Não sabemos muito mais sobre os Waíka dos afluentes do Orinoco. São chamados na Venezuela de "Uaicas" ou "Guaicas" e, em geral, são citados juntamente com os chamados "Guaharibos" ou "Uajaribos".

P. Caulín já enumera, em sua "Historia de la Nueva Andalucía", de 1779, os "uaicas" e "uaribas" entre as nações que habitavam o Orinoco e as regiões limítrofes.[22]

A famosa expedição para determinar as fronteiras das possessões espanholas e portuguesas no Orinoco e no *rio* Negro, em 1756-1761, que geralmente é chamada pelo nome do mais enérgico e mais inteligente de seus comandantes, Don José Solano, "*Expedición de Solano*", menciona os "uaribas" entre as tribos com as quais tiveram contato.[23]

O nome "Uaribas, Uajaribos, Uaharibos, Guaharibos" nem é um nome de tribo, e sim um apelido para os índios bravos dos afluentes do Orinoco. Pelo visto, foi tomado da *língua geral*

---

20 Relatório, p.190.
21 Rob. Schomburgk, op. cit., p.422.
22 B. Tavera-Acosta, op. cit., p.6-7.
23 Ibidem, p.6.

(Tupi), na qual "*uaríua, guariba*" designa o bugio (*Mycetes*).[24] Na história da pesquisa na Venezuela, esse nome ficou famoso por designar uma alta cachoeira do alto Orinoco, cerca de 195 km acima de Esmeralda,[25] que, por mais de um século, constituiu a *ultima thule* do Orinoco e, até o dia de hoje, comprovadamente, foi atravessada apenas por um branco.

Segundo informação de Humboldt, o primeiro a chegar a essa cachoeira foi o membro da Comissão de Divisas hispano-portuguesa Francisco Fernandez Bobadilla. "No sopé do dique rochoso, que forma a grande cachoeira, ele foi atacado subitamente, durante o desjejum, pelos Guaharibos e Guaicas, duas tribos guerreiras e famosas devido à força do *curare* com que envenenam suas flechas. Os índios ocuparam as rochas no meio do rio. Não viram arcos nas mãos dos espanhóis, não sabiam nada sobre armas de fogo, e assim atacaram as pessoas, que julgaram indefesas. Vários brancos foram gravemente feridos, e Bovadilla [*sic*] teve de empregar as armas. Seguiu-se uma terrível carnificina entre os nativos. Apesar da vitória, que não lhes foi difícil, os espanhóis não ousavam continuar subindo em direção ao leste por um rio muito ciliado na terra montanhosa."[26]

A narrativa desse banho de sangue impediu Humboldt de prosseguir seu caminho rio acima e procurar as nascentes do Orinoco. Na cachoeira dos Guaharibos, sobre a qual esses selvagens tinham construído uma ponte, "há índios com arco e flecha que não permitem nenhum branco nem ninguém que venha da região dos brancos prosseguir rumo ao leste".[27] Num outro trecho, ele diz que os Guaicas, que habitavam principalmente o *caño* Chiguire, um afluente esquerdo do alto Orinoco, não deixavam os espanhóis avançar além das cachoeiras.[28] No entanto, Humboldt foi enganado. O embate entre Bobadilla e os índios, segundo pesquisa das fontes feita pelo venezuelano Michelena y Rójas, nunca ocorreu. Em 1764, Bobadilla chegou apenas até a foz do Mavaca (Umauaca), um afluente esquerdo do Orinoco, a meio caminho entre Esmeralda e a cachoeira dos Guaharibos, e voltou de lá porque os víveres acabaram. Nem chegou a ter contato com os índios bravos. O primeiro e único a avançar, naquela época, até o "*raudal de Guaharibos*", foi um outro oficial da Comissão de Divisas, Apolinar Diez de la Fuente, quatro anos antes de Bobadilla. Ele também não sofreu nenhum incômodo por parte dos nativos. As condições desfavoráveis do rio, que aqui parece assumir o caráter de um riacho de montanha, e suas margens intransitáveis obrigaram-no a voltar.[29]

---

24 Com o mesmo nome indefinido, eram e são chamadas algumas tribos bravas no Brasil; assim, no século XVIII, os habitantes do *rio* Uaracá, os "Guaribas" ou "Uariua-tapuya", cujos descendentes Barboza Rodrigues vê nos Krischaná do *rio* Jauaperi (vide supra), e os atuais "Guariua" ou "Guariua-tapuyo", uma tribo de pertença desconhecida na margem esquerda do médio Japurá, sobre a qual descobri algumas coisas durante minha penúltima viagem, de 1903 a 1905 (vide Koch-Grünberg, *Zwei Jahre...*, v.II, p.315*ss*.).

25 Segundo Tavera-Acosta, *Anales de Guayana*, v.I, Ciudad Bolívar, 1913, p.121.

26 A. v. Humboldt, op. cit., v.IV, p.111.

27 Ibidem, v.IV, p.119.

28 Ibidem, v.IV, p.108, 110.

29 D. Angel de Altolaguirre y Duvale, *Relaciones Geográficas de la Gobernación de Venezuela (1767-1768)*, Madrid, 1909. Relatos de viagem de Apolinar Diez de la Fuente, 1760, e de Francisco Fernandez de Bobadilla, 1764, p.306*ss*. e p.323*ss*.; F. Michelena y Rojas, *Exploración oficial*, Bruselas, 1867, p.162*ss*., 167*ss*.,

Humboldt dedica longas reflexões à constituição física dos "Guaicas" e "Guaharibos", alguns dos quais teve oportunidade de ver na *Missión Esmeralda*, infelizmente sem anotar amostras de sua língua. Ele as inclui entre as tribos "de pele esbranquiçada e estatura muito baixa", entre as quais também inclui, com razão, os "Maquiritáres" (Yekuaná-Kunuaná), mas também acha que "a pequenez dos Guaicas e a brancura dos Guaharibos, que P. Caulín chama de Guaharibos *blancos*, tenham sido igualmente exageradas". Os Guaicas que ele mediu tinham, "em média, de 4 pés e 7 polegadas a 4 pés e 8 polegadas (segundo antiga medida francesa)",[30] cerca de 1,52 a 1,55 m, portanto abaixo da altura racial média. Os Waíka que encontrei em Motomotó, no Uraricoera, tinham aproximadamente a mesma altura e também se destacavam pela cor da pele muito clara.

Em 1853, Richard Spruce encontrou no alto Casiquiare um Guaharibo de cerca de cinquenta anos que, trinta anos antes, caíra prisioneiro dos índios Baré semicivilizados de lá. Ao procurar castanhas-do-pará (*Bertholletia excelsa*) na margem de um rio, provavelmente do Manaviche, um afluente direito do alto Orinoco, estes depararam com uma aldeia dos Guaharibos. O teto baixo e de leve caimento da cabana de planta redonda tinha apenas de 1,5 a 2,5 m de largura, de modo que o centro da casa ficava a céu aberto. O teto e a parede externa da casa eram cobertos com as longas, largas e implumes folhas de uma palmeira semelhante à *buçu* do baixo Amazonas. Sob o teto estavam presas as redes de dormir de várias famílias. Algumas picadas limpas levavam das cabanas para a mata. Em uma casa encontravam-se dois homens jovens com três mulheres jovens. Um dos homens fugiu; os outros foram presos. Depois que os índios amarraram os presos, foram atacados por uma divisão de Guaharibos que tinham voltado, mas conseguiram se salvar na mata fechada. Mataram a tiros um dos agressores. As três mulheres morreram alguns anos depois de escarlatina.

O Guaharibo, cujo nome nativo era Kudé-kubui, só falava um pouco de espanhol, mas Spruce conseguiu conversar com ele com auxílio de um intérprete e descobrir alguma coisa sobre os usos e costumes de sua tribo, o que é ainda mais importante pelo fato de representar a única notícia autêntica sobre os Guaharibos. Ele media apenas cinco pés, cerca de 1,52 m, tinha uma barriga grande e pernas fracas, pele clara e olhos castanho-claros. Seu cabelo era negro e, nas partes mais longas, levemente ondulado. Parecia ser muito bondoso, mas bem menos inteligente do que seus senhores, os Baré. Quando Spruce estava anotando sua língua, os índios à volta riam de suas palavras, mas era ele quem ria mais efusivamente. Disse que várias aldeias de sua tribo se encontravam no alto Orinoco até as nascentes. Que cada homem podia ter apenas uma mulher. Que os corpos de seus mortos eram queimados. Que eles recolhiam os ossos das cinzas, trituravam-nos em um almofariz e os guardavam, em suas cabanas, em cestos esféricos e de

182*ss.*; Tavera-Acosta, *En el Sur*, p.306-9; idem, *Anales de Guayana*, v.I, p.117; A. Jahn, *Contribuciones à la Hidrografía del Orinoco y Rio Negro*, Caracas, 1909, p.5-6; idem, "Beiträge zur Hydrographie des Orinoco und Rio Negro", em *Zeitschrift der Gesellschaft für Erdkunde zu Berlin*, 1909, p.99.

30 Op. cit., v.IV, p.113*ss.*

trama bem apertada. Que, quando mudavam de morada ou saíam em viagem, levavam consigo, nesses cestos, os restos mortais de seus antepassados.[31]

O que aconteceu com a lista de palavras que Spruce anotou[32] não é do meu conhecimento. Que eu saiba, é a única jamais registrada da língua Guaharibo.

O primeiro que avançou para além do *raudal de Guaharibos*, rumo ao leste, foi Jean Chaffanjon. Até hoje, não encontrou sucessores. Em sua viagem, que realizou em 1886, a serviço do Ministério da Educação francês, ele conseguiu, depois de uma viagem penosa, chegar até quase 80 a 90 km[33] das nascentes do Orinoco. Nela, encontrou várias vezes pequenos bandos de Guaharibos, mas que sempre fugiam tomados de pânico. Certa vez, no meio de uma clareira na mata, deparou com um acampamento deles que fora pouco antes abandonado, sete pequenas cabanas em círculo que, como o viajante se expressa, "tinham mais a aparência de um abrigo para galinhas ou cães do que para pessoas". Cinco a seis galhos de árvore, de extremidade partida, não cortada, de 2,50 a 3 m de comprimento, enfiados na terra e amarrados em cima, formavam um cone de 70 a 80 cm de diâmetro. Sobre ele ficavam algumas folhas. Isso era tudo. Ao redor, havia restos de castanhas-do-pará, que tinham simplesmente sido partidas entre duas pedras. No centro do círculo de cabanas ainda se viam vestígios de fogo.[34] Uma outra vez, ele surpreendeu um bando de sete pessoas, homens, mulheres e crianças, comendo uma refeição que consistia de broto de palmeira, castanhas-do-pará semiapodrecidas e pequenas esferas de cupins esmagados. O viajante descreve sua aparência exterior do modo como conseguiu captá-la às pressas. Andavam completamente nus. A cor de sua pele era mais clara do que a de todos os índios que ele encontrara até então. Também não lhe pareceram assim tão terríveis como haviam sido descritos. Eram pequenos e feios, e seus membros finos, suas barrigas desmedidamente inchadas, seus cabelos longos e sujos, um pouco avermelhados, sua expressão facial animalesca lhes conferiam um aspecto repugnante. As feias mulheres tinham seios pouco desenvolvidos, mas enormes mamilos. Alguns homens se destacavam por uma barba longa e fina. Como arma, não usavam nada além de um pau.[35] De uma outra divisão de catorze Guaharibos, que ele espantou pouco antes do último ponto atingido, teve a mesma impressão exterior, de modo que resumiu seu julgamento sobre esses índios mal-afamados com as palavras: "*Il n'y a donc rien à redouter de ces prétendus anthropophages*" [Não há, portanto, nada a temer desses pretensos antropófagos].[36]

---

31 Richard Spruce. *Notes of a Botanist on the Amazon and Andes 1849-1864.* Ed. Alfred Russel Wallace. v.I. London, 1908, p.396-8.

32 Ibidem, p.443.

33 Segundo os cálculos de Jahn, *Contribuciones*, p.13; *Beiträge*, p.102. Chaffanjon nunca alcançou as nascentes do Orinoco.

34 Jean Chaffanjon, op. cit., p.302-5. Encontrei em 1904 acampamentos muito semelhantes dos Máku, índios nômades da mata no médio e alto *rio* Negro.

35 Ibidem, p.308-11.

36 Ibidem, p.313-4.

Sobre uma das corredeiras, Chaffanjon encontrou uma ponte solidamente construída de pequenos troncos finos, ramos de árvores e cipós, como Humboldt, de ouvir dizer, já comenta sobre o "*raudal de Guaharibos*".[37] Os Guaharibos não têm barcos e, por isso, parecem especialmente habilidosos na construção dessas pontes, que lhes permitem atravessar o rio também com o nível da água mais alto. Os índios só podem construir uma ponte com o rio bem seco, para poder fixar as estacas entre as pedras ou nas frestas das rochas, que então sobressaem da água. As estacas mediam de 12 a 15 cm de diâmetro e tinham, cada uma, de acordo com a profundidade do rio, comprimentos diferentes que, no entanto, não ultrapassavam 4 m. De duas em duas, eram amarradas em cruz e colocadas de través contra a corrente. Em cima e embaixo eram unidas por meio de paus transversais mais longos. A fim de proporcionar maior firmeza às estacas, elas tinham sido fixadas com cipós nas árvores ciliares, o que dava ao conjunto todo a aparência de uma ponte suspensa. Os índios andam sobre as duas travessas inferiores e se servem das superiores como corrimãos. Nenhum pedaço de madeira usado na ponte tinha sinais de um machado ou de uma faca; as extremidades estavam cortadas ou queimadas.[38]

Muito se escreveu sobre a selvageria dos Guaharibos e ainda se conta muito a respeito disso no Orinoco. No entanto, há toda uma série de informações de épocas diferentes que sublinham a índole inofensiva desses índios e mostram como a culpa de ocasionais embates, em geral, deve ser procurada do lado dos chamados "civilizados", índios ou mestiços.

Os habitantes de Esmeralda contaram a Humboldt que, acima do Gehette e do Chiguire,[39] a *juvia* (*Bertholletia excelsa*) e o cacaueiro são tão comuns que os índios bravos (os Guaicas e Guaharibos *blancos*) deixavam os índios das missões colher os frutos sossegadamente.[40]

À época da viagem de Spruce (1853), os índios semicivilizados do alto Casiquiare organizavam verdadeiras caçadas aos Guaharibos. Quando estes, à procura de castanhas-do-pará, desciam bastante o rio, até abaixo das cachoeiras, aqueles os espreitavam, atacavam-nos pelas costas e os levavam consigo para usá-los como trabalhadores em suas plantações. Já vimos como isso ocorria de forma cruel, e o fato de que ocasionalmente os Guaharibos sabiam se defender é provado pelas cicatrizes que muitos índios do Casiquiare traziam em seus corpos.[41]

Quando, em 1857, Michelena y Rojas viajava pelo Mavaca, os índios lhe asseguraram que não tinham medo de ser atacados pelos Guaharibos quando iam às cachoeiras; pois aqueles eram pacíficos e faziam comércio de troca com eles.[42]

Durante sua viagem Orinoco acima, Chaffanjon foi advertido várias vezes sobre os sanguinários Guaharibos. Ouviu histórias horripilantes. Que no ano de 1879, certa noite, eles atacaram

37 Op. cit., v.IV, p.111, 112, 119.

38 Chaffanjon, op. cit., p.311 e ilustr. p.309. Essas pontes dos Guaharibos são, portanto, erigidas como as pontes dos Taulipáng; vide p.86 e ilustr. 6.

39 Afluentes esquerdos do alto Orinoco.

40 Humboldt, op. cit., v.IV, p.94.

41 Spruce, op. cit., p.355-6.

42 Michelena y Rojas, op. cit., p.161, 354.

uma aldeia dos Curiobanas no *rio* Siápa,[43] um grande afluente esquerdo do baixo Casiquiare, e mataram todos os habitantes só para tomar alguns utensílios de ferro. No ano seguinte, fizeram o mesmo com os "Maquiritares" do Ocamo.[44] Mais tarde, Chaffanjon soube que em ambas as tribos foram encontradas mulheres Guaharibo e, por isso, talvez com razão, supõe que em ambos os casos se tratasse de atos de vingança pelo roubo das mulheres.[45]

Há cerca de três anos (janeiro de 1920), a expedição norte-americana de Alexander Hamilton Rice teve um contato hostil com os Guaharibos na cachoeira que leva o seu nome. Segundo o relato apresentado pelo pesquisador na Sociedade Geográfica de Londres,[46] o incidente ocorreu da seguinte maneira: quando a expedição acampou pouco acima do *raudal de Guaharibos*, de repente apareceram na alta margem esquerda vários índios totalmente nus. Eram gente alta, musculosa e bem nutrida, de rostos largos e redondos e espesso cabelo negro. Um homem e uma mulher tinham pele mais clara e cabelo castanho-claro. Todos os homens estavam armados com longos arcos e flechas, clavas e paus. Um homem alto, forte e escuro, de bigode, parecia ser o líder do bando. Soltavam uma gritaria estridente. As tentativas de se entender com eles foram infrutíferas, assim como a oferta de facas, anzóis e espelhos. Por fim, quatro Guaharibos pularam na água rasa e vieram, com as flechas nos arcos ("*fitting arrows to their bows as they came*"), para o acampamento da expedição. Disparou-se um tiro sobre suas cabeças, a seguir, da outra margem, atirou-se uma flecha envenenada. Os quatro Guaharibos correram de volta, sob cobertura, na direção do tiro. Enquanto os americanos interrompiam o acampamento e seguiram rio acima, tiveram de manter, com tiros de espingarda, os índios afastados.

De seus índios mansos, Hamilton Rice soube o seguinte sobre os Guaharibos: são exclusivamente índios da floresta e não têm nem jangadas, nem botes. Na época de baixo nível do rio (de novembro a abril), eles vêm de suas moradas no lado norte das montanhas Guanaya,[47] atravessam o rio em pontes primitivas e vagueiam, em bandos isolados, para o sul até as nascentes do Umauaca (Mavaca) e, para o oeste, até o Ocamo, que também na estiagem fica tão baixo que forma uma barreira natural para suas incursões. Vivem em cabanas cilíndricas com tetos que terminam em ponta e não têm plantações nem cães. Vivem da caça e da pesca, que praticam com arco e flecha, e de frutos silvestres. Sabem usar e preparar o *curare*, que usam na caça e na guerra. Enterram seus mortos em cestos, que depois desenterram e queimam. Guardam as cinzas.[48]

---

43 O Siápa, ou Idápa, deve, em suas cabeceiras, se aproximar da serra Parima. Tem comunicação com o Mavaca por um breve trecho. Não conheço nenhuma tribo dos Curiobanas. Tavera-Acosta (*En el Sur*, p.5) também menciona os Coriubanas junto de outras tribos do *rio* Siápa. No Casiquiare, contaram-me de "índios bravos, talvez Guaharibos" nas cabeceiras do Siápa.

44 Chaffanjon, op. cit., p.247.

45 Ibidem, p.292-5.

46 A. Hamilton Rice. "The Rio Negro, the Casiquiare Canal and the Upper Orinoco, September 1919-April 1920", *The Geographical Journal*, v.LVIII, n.5, p.321-44, nov. 1921.

47 Uma cadeia de colinas na margem direita do Orinoco, abaixo do *raudal de Guaharibos*.

48 Hamilton Rice, op. cit., p.322, 341-2.

Os Maquiritares tinham muito medo dos Guaharibos e se recusavam categoricamente a acompanhar a expedição além de Esmeralda.

Dizem que os Maquiritares (Kunuaná) que vivem nas nascentes do Cunucunúma e Padámo antigamente faziam comércio de troca com os Guaharibos. Cerca de uma vez por ano, eles se encontravam com estes últimos e lhes vendiam mercadorias de ferro gastas em troca de fios para rede de dormir e esferas de argila seca, com a qual diversificavam um pouco sua alimentação uniforme.[49] Dizem que, atualmente, surgiu um distanciamento entre ambas as tribos devido a saques e assassinatos cometidos pelos Guaharibos.[50]

Segundo Hamilton Rice,[51] no alto Orinoco distinguem-se três classes de Guaharibos. Os primeiros, com os quais a expedição travou contato, vivem nas montanhas Guanaya e são gente alta e forte. Os outros têm baixa estatura e habitam as cabeceiras do Orinoco na serra Parima. Dizem que uma terceira classe de Guaharibos, devido a seus narizes retos, chatos e mongoloides, são chamados de "Chingos" pelos Maquiritares.[52]

É difícil determinar se se trata de três divisões do grande povo ou de três tribos. Os Guaharibos altos talvez sejam parentes próximos dos igualmente belicosos Xirianá do Uraricapará, enquanto os Guaharibos baixos talvez sejam próximos dos temidos Xirianá de Motomotó.

Não sabemos nada sobre a situação linguística dos Guaharibos, já que a lista de palavras de Spruce permanece desconhecida até agora, e Humboldt, ao que parece, infelizmente perdeu a oportunidade de anotar algumas palavras dos "Guaharibos e Guaicas" que ele viu em Esmeralda.

Jahn, induzido pela consonância dos nomes "Kirischana" e "Krischaná", talvez também pelas exposições de Barboza Rodrigues, quer classificar os Guaharibos no grupo Karib.[53]

Tavera-Acosta atribui os "Uaicas" e talvez também os "Uaharibos" a um grande grupo organizado por ele, os "Pariano", que, juntamente com outras, compreende principalmente as tribos Karib.[54]

Codazzi é quem se aproxima mais da verdade quando supõe uma "*lengua Guahariba*" especial, a que ele acrescenta o "Quiriquisana" (Kirischana) e o "Guaica".[55]

Podemos supor com grande probabilidade que os Guaharibos são parentes muito próximos, se não uma única tribo, dos Xirianá do Uraricoera, assim como os Waíka da serra Parima não podem ser separados da tribo de mesmo nome do alto Uraricoera. Os Yekuaná e Ihuruána do Merevari (alto Caura) e alto Ventuari falavam sempre somente de "Schirischána" e também chamavam o famoso *raudal de Guaharibos* de "širišána-zốdẹ̥", a "cachoeira dos Schirischána". Somente quando lhes perguntei diretamente sobre os Waíka, eles me contaram que estes habitam principalmente o alto Ocamo. Assim como à época de Schomburgk, os Yekuaná vivem

49 Os Xirianá do Uraricoera também comem um pouco de argila; vide mais adiante.
50 Hamilton Rice, op. cit., p.333.
51 Ibidem, p.334.
52 Não ouvi esse nome distintivo.
53 Jahn, *Contribuciones*, p.12.
54 Tavera-Acosta, *En el Sur*, p.17-8, 300*ss*.
55 Codazzi, *Resumen de la Geografía de Venezuela*, Paris, 1841, p.246. Segundo Tavera-Acosta, op. cit., p.15.

ainda hoje em inimizade mortal com seus vizinhos bravos da serra Parima e sabiam contar algumas coisas de lutas antigas e recentes. Assim, em 1912, os Yekuaná de Motokurúnya me contaram que, algum tempo antes, supostamente um ano antes, seus parentes de tribo do Matacuni, um grande afluente esquerdo do Padámo, tinham perdido algumas pessoas num embate com aqueles, um deles com uma flecha na têmpora. Eles nos preveniram insistentemente contra os bravos Xirixána da serra Parima, que, disseram, eram tão numerosos "quanto porcos-do-mato" e que certamente nos matariam com suas longas flechas. Somente em um local parece que se desenvolveram relações pacíficas entre ambos os grupos da tribo. Dizem que nas cabeceiras do Matacuni há uma aldeia de Xirixána mansos, que foram domiciliados pelos Yekuaná e que mantinham relações amigáveis com eles. Que eles também estão expostos aos ataques de seus irmãos de tribo bravos. Essa informação me foi expressamente confirmada mais tarde no Orinoco e Casiquiare por diferentes seringueiros que conheciam, em parte por experiência própria, a aldeia desses "Guaharibos *mansos*", assim como pelo "cacique geral do *alto* Orinoco", um Kunuaná do Padámo que encontrei no alto Casiquiare.

Segundo sua compleição física, quero considerar os Xirianá e Waíka uma camada populacional muito antiga dessas regiões, que, de modo semelhante ao dos inferiores Máku da região do *rio* Negro, dispersa em pequenos bandos frequentemente inimigos entre si, é encontrada sem moradas fixas nas cabeceiras dos afluentes do alto Uraricoera para além do divisor de águas até o alto Orinoco e, originalmente, vivia apenas da caça, da pesca e de frutos silvestres. Como se expressou um pesquisador brasileiro mais recente, em seu isolamento, eles dão "um exemplo do cuidado instintivo da raça contra sua própria degeneração e sua decadência".[56]

Casa e aldeia: não visitei a aldeia dos Xirianá no alto Uraricapará. Segundo informações dos índios que estiveram com eles, a horda toda, cerca de sessenta a oitenta almas, habita mata adentro, em local afastado do rio, duas grandes casas comunitárias de planta quadrada. Viviam lá dentro sobre andaimes, enquanto suas armas e utensílios ficavam no chão.

A aldeia dos Xirianá de Motomotó ficava no vale do riacho de mesmo nome, distante 45 minutos do Uraricoera, e se compunha de cerca de uma dúzia de abrigos pequenos, de uma só água, da altura de um homem, que ficavam bem juntos uns dos outros e estavam dispostos em círculo. Em dois pontos situados diagonalmente um diante do outro, havia dois espaços livres maiores, que formavam os acessos à praça da aldeia e, assim, às diferentes moradias (Pr. 43a). Cada abrigo servia de habitação a uma família. O modo de construção era extremamente simples. Quatro, às vezes apenas três estacas, das quais as da frente eram mais compridas e mais fortes do que as de trás, sustentavam o suporte do teto um pouco inclinado, feito de varas unidas de modo rudimentar por cipós e coberto com folhas de palmeira (Pr. 43b, c). O número de habitantes perfazia cerca de sessenta almas. Encontramos um círculo semelhante de abrigos, mas totalmente vazios, no porto da aldeia, na alta margem direita do Uraricoera (Pr. 42, 2).

---

56 Jacques Ourique, op. cit., p.24.

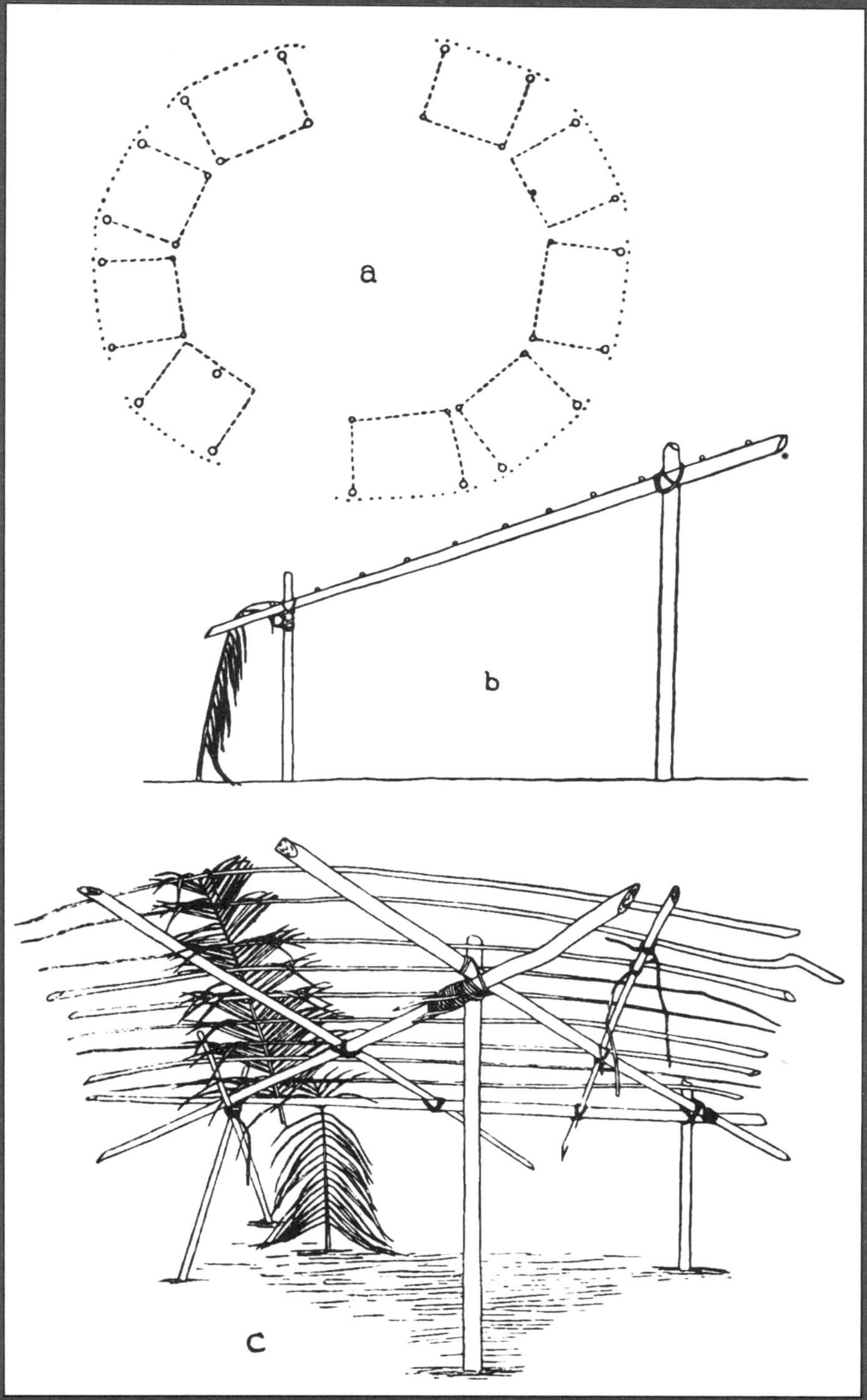

PRANCHA 43. CASAS DOS XIRIANÁ DE MOTOMOTÓ: A. DISPOSIÇÃO DA ALDEIA. B. VISTA LATERAL DE UM ABRIGO. C. ESTRUTURA DE UM ABRIGO VISTO DE FRENTE.

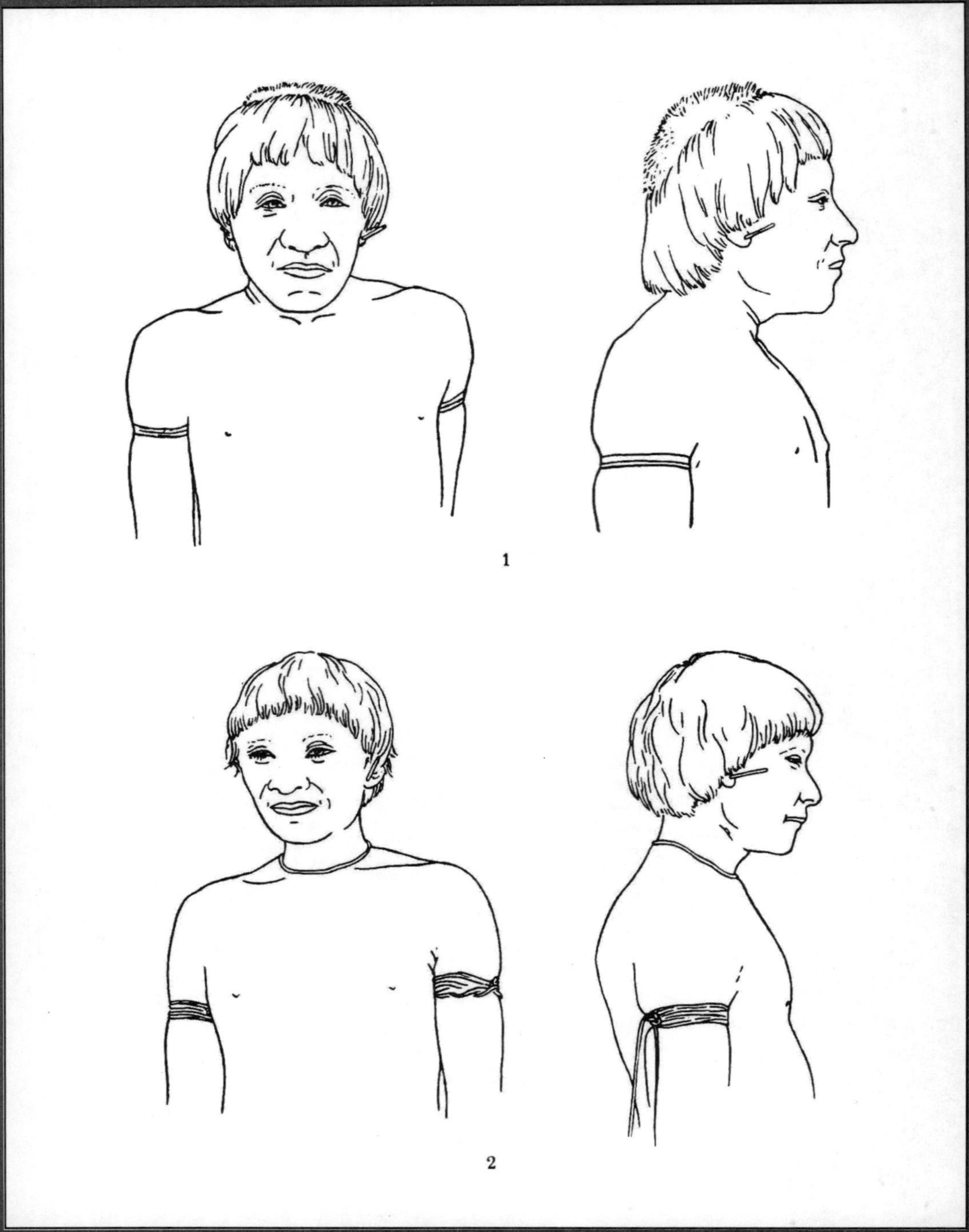

PRANCHA 44. 1. XIRIANÁ COM TONSURA, MOTOMOTÓ, *RIO* URARICOERA. 2. XIRIANÁ, ALTO *RIO* URARICAPARÁ. (DESENHOS A PARTIR DE FOTOGRAFIAS.)

Talvez essas aldeias dos Xirianá de Motomotó sejam apenas acampamentos móveis. Após a fuga dos Xirianá, um dos meus índios seguiu uma picada que levava para o interior da mata e chegou a uma grande roça com uma ampla cabana semipronta de planta quadrada, uma espécie de *maloca*. Mas talvez essa fosse uma aquisição cultural mais recente. Esses Xirianá não são capazes de construir as grandes casas de teto cônico de seus vizinhos culturalmente superiores, por isso, imitam os barracões de planta quadrada que, com frequência, se encontram como salas de trabalho junto das casas de teto cônico.

Segundo informação dos Yekuaná, as verdadeiras moradas da horda ficam nas nascentes do Caracurí, um afluentezinho direito do Uraricoera que desemboca um dia de viagem acima de Motomotó. Sua água clara e marrom corre sobre areia de quartzo. Os modernos Karib (Taulipáng, Arekuná, Makuxí, Yekuaná) desconhecem o significado da palavra *karukurí*: em antigo Karib significava "ouro".

Os habitantes de Motomotó ora me eram designados como Xirianá, ora como Waíka. Provavelmente são uma mistura de ambas as tribos, pelo visto, de parentesco próximo. Em todo caso, encontravam-se entre eles dois Waíka de pele muito clara, um homem jovem e uma mulher jovem, que me foram designados por seus próprios companheiros como tais.

Constituição física, estado de saúde: fisicamente, ambas as hordas se distinguem muito uma da outra. Entre os Xirianá do Uraricapará, quase sempre, os homens eram figuras hercúleas, a maioria deles acima da altura média dos índios, de tórax extraordinariamente grande e arqueado e musculatura muito desenvolvida. Um homem mais velho tinha uma barriga considerável. Os rostos eram largos, às vezes brutais, os olhos, um pouco oblíquos, em alguns, grandes e abertos. Em outros, o olhar era selvagem e irrequieto. Alguns tinham o nariz finamente curvado com ponta inclinada. O belíssimo filho do falecido cacique *Kuranaí* se distinguia por um nariz aquilino. Alguns tinham barba mais densa, outros, cabelo bem ondulado, quase crespo. Apesar de certa concordância, o tipo físico não era homogêneo. Um homem mais jovem se destacava totalmente dos demais. À primeira vista, poder-se-ia considerá-lo um vedá. Essa diferença dos tipos dentro de uma pequena comunidade tribal provavelmente se deve ao fato de que os Xirianá, assim como muitas tribos belicosas, têm o hábito de incorporar prisioneiros de guerra na tribo. Um Marakaná, que tinham tomado como prisioneiro quando criança, distinguia-se exteriormente de seus novos irmãos de tribo apenas pelo tipo um pouco divergente. Também as relações amigáveis com os Auaké, com os quais se casam reciprocamente, contribui para a mistura de tipos, pois estes, com suas figuras predominantemente atarracadas, sua constituição mais fina e seus traços fisionômicos regulares com o nariz reto e pontudo, se distinguem de imediato dos enormes Xirianá.

As mulheres dos Xirianá do Uraricapará eram de constituição significativamente menor e mais delicada do que os homens. Algumas, que mal haviam deixado a infância mas já tinham filhos, tinham rostos bonitos, redondos e amigáveis. Uma mulher se destacava pelo tamanho do corpo e por seus traços grosseiros, quase masculinos (Pr. 45). Também entre as mulheres não se pode determinar, sem mais dados, se são Xirianá ou se pertenciam originalmente a uma outra tribo.

Ao que parece, o estado de saúde dessa horda era muito bom. Até agora, eles se mantiveram distantes dos europeus e, por isso, foram poupados das doenças da civilização. Em geral, os corpos eram mantidos limpos. Um homem tinha os olhos tão remelentos que mal conseguia abri-los.

Prancha 45. Mulheres Xirianá, *rio* Uraricapará.

Os Xirianá e Waíka de Motomotó eram gente pequena, em média tinham cerca de 1,52 m de altura. Em nenhum deles a altura ultrapassava 1,55 m. As mulheres eram consideravelmente menores. Muitos pareciam raquíticos. Pessoas mais velhas tinham barrigas dilatadas e pernas secas. Algumas criancinhas eram deploravelmente magras. Um jovem era cego de um olho. As pessoas, em geral feias por natureza, davam uma impressão ainda mais repulsiva pela falta de qualquer asseio pessoal. Uma grossa camada de sujeira mal deixava distinguir a verdadeira cor da pele. A maioria ainda estava desfigurada por uma terrível doença de pele, que cobria o corpo todo com manchas escuras.

Vestuário e adornos: entre os Xirianá do Uraricapará, homens e mulheres usavam o cabelo cortado do mesmo modo, redondo em volta da cabeça. Vários deles tinham adotado o penteado de seus vizinhos Karib, aos quais deviam algumas influências culturais.[57] Em alguns, o cabelo era desgrenhado e desleixado, o que aumentava ainda mais a expressão selvagem do rosto. Entre os homens Xirianá e Auaké, os pelos púbicos e das axilas não eram depilados. Em ambos os sexos, o lábio inferior e o lóbulo da orelha eram furados, mas só um velho estava usando neles finos canutilhos.

Em um cordão de algodão, os homens usavam a costumeira tanga dos índios da Guiana, uma longa faixa estreita de chita europeia azul, mas em muitos ela era tão insuficiente que preenchia sua finalidade apenas de modo imperfeito. Em todo caso, essa peça de vestuário é uma aquisição cultural muito nova. Os Xirianá a designam pelo nome hispano-Karib *kamĩšã*; os Auaké dizem *kamisá*, os Kaliána, *kamidžá*.

As mulheres usavam delicadas tangas de franjas de cordões de algodão tingidos de vermelho, enlaçados em torno de um cordão idêntico (Pr. 45 e 48, 4 e 5).[58] Em uma mulher, a tanga estava pendurada num cordão com miçangas brancas. Em volta das canelas, acima dos tornozelos, as mulheres usavam os apertados "manguitos" de algodão tricotados das mulheres Karib.[59] A se julgar pelas marcas, de modo semelhante ao dos Yekuaná, as mulheres amarram com força estreitos cordões em torno da parte superior dos braços. Em nosso encontro, elas os tinham tirado.

Os homens envolvem a parte superior dos braços com longos cordões de algodão tingidos de vermelho, em cujas extremidades pendem peles de aves (Pr. 46, 2 e 2a). Quando vão para a guerra, eles enfiam na parte da frente, sob as braçadeiras, tufos de penas da cauda da *arara* vermelha, de um modo que elas sobressaem aos ombros.[60] Alguns homens jovens usavam as

---

57 Vide o penteado dos Taulipáng na p.43.

58 À época de Richard Schomburgk, as mulheres dos Maiongkong usavam tangas de franjas de algodão pintadas de vermelho, de modo que as mulheres Xirianá talvez tenham conservado o antigo traje das mulheres Yekuaná; vide Rich. Schomburgk, op. cit., v.I, p.402-3. Segundo Farabee (*The Central Arawaks*, pr. XXIX, A), as moças Wapixána e Mapidian, a leste do *rio* Branco, usam, ainda hoje, tais tangas de algodão.

59 Vide p.48-9.

60 Os Waiwai, a leste do *rio* Branco, também usam, na dança, tais adornos para o braço; vide as excelentes fotografias em W. C. Farabee, "The Amazon Expedition", *Museum Journal*, University of Pennsylvania, v.VI, n.I, Philadelphia, 1915, fig. 34 a 37.

placas decorativas dos Arekuná e Taulipáng na parte superior dos braços.[61] Envolvem-se as pernas, abaixo dos joelhos, com longos cordões de negros pelos de animais.

Os Taulipáng me contaram que os Xirianá tatuavam os braços para serem bem-sucedidos com o arco e a flecha. Não vi tatuagens entre eles. Uma mulher jovem tinha pintado no rosto os motivos de anzol e de pontos da tatuagem das mulheres Arekuná e Taulipáng. Na parte inferior dos braços, ela estava pintada com simples riscos diagonais paralelos. O belo filho do cacique tinha pintado o rosto de vermelho brilhante.

Os homens Xirianá de Motomotó tinham um penteado singular, uma tonsura à moda de algumas ordens monásticas.[62] Em um amplo círculo em torno do redemoinho e que abarca toda a parte superior da cabeça, o cabelo tinha sido tosado e esfregado com *urucu*. Em torno dessa tonsura, havia uma ampla coroa de cabelos cortados de maneira redonda em volta da cabeça, mais curtos na frente, atrás, caindo até a nuca. O Waíka, assim como dois jovens Xirianá que, segundo informaram, eram do alto Uraricapará, não usavam tonsura (Pr. 44, 1 e 2).[63]

As mulheres tinham os cabelos cortados da mesma maneira que os homens, só que sem tonsura.

Os pelos púbicos, nas mulheres, tinham sido depilados, nos homens, não.

O septo nasal, os lóbulos das orelhas e o lábio inferior dos homens eram furados e, em muitos, adornados com canutilhos quase do tamanho de uma mão. Em ocasiões especiais, eles também usam um dente de onça no lábio inferior.

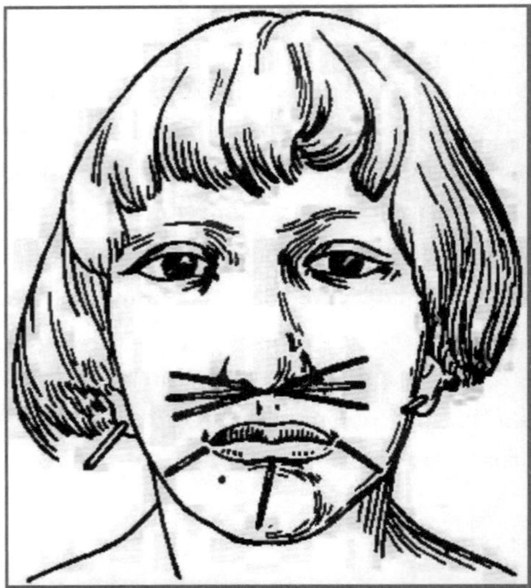

ILUSTRAÇÃO 12. ADORNO FACIAL DAS MULHERES XIRIANÁ DE MOTOMOTÓ.

As mulheres tinham longos canutilhos nos lóbulos das orelhas furados, no lábio inferior e nos cantos da boca. Três estreitas lascas de taquara, distantes entre si em forma de leque, adornavam o septo nasal (Ilustr. 12).

Como cinto de cordões, servia aos homens um feixe de cordões de algodão tingidos de vermelho *urucu*, sob o qual tinha sido preso o pênis levantado com o prepúcio. Sobre ele, alguns homens usavam uma tanga da largura de dois dedos de suja chita europeia, que, sem dúvida, imitaram de seus vizinhos e amigos, os Máku, mas que tinham adotado não por vergonha, pois essa vestimenta não cumpria em nada sua finalidade.

As tangas das mulheres, feitas de cordões de algodão vermelho *urucu*, assemelhavam-se

61 Vide na p.48-9.

62 Antigamente, a tonsura como penteado masculino era muito difundida na América do Sul.

63 Os desenhos da Prancha 44 foram muito bem feitos por Hermann Dengler com base em fotografias que, por terem sido tiradas na sombra da floresta, não eram adequadas para serem reproduzidas.

totalmente àquelas do Uraricapará (Pr. 48, 4). Com certeza, elas também não são próprias desses índios, pois algumas usavam a tanga na barriga, em outras, ela tinha escorregado até os joelhos.

Alguns homens tinham amarrado, em torno da parte superior dos braços, estreitos cordões de algodão tecido, que tinham uma grossa camada de *urucu*. Em alguns, havia asas de aves pendendo das longas extremidades dos cordões. As pernas abaixo dos joelhos estavam adornadas com os mesmos cordões. Outros tinham amarrado cordões de algodão tingidos de vermelho várias vezes em torno da parte superior dos braços e ao redor das pernas. As mulheres usavam cordões de algodão tecidos sobre os tornozelos. Todos esses cordões tecidos, segundo suas próprias informações, eles obtiveram de seus amigos, os "Makúli", que é como chamavam os Makú.

Era pouca a pintura corporal. Alguns tinham o rosto besuntado de vermelho brilhante e usavam restos de motivos sem arte pintados com *jenipapo* nos corpos sujos, provavelmente de uma festa de dança que ocorrera pouco antes. A tinta vermelha é guardada em pequenas cabaças esféricas ou em pequenos estojos simples feitos de um pedaço de taquara fechado embaixo pelo internódio ou, geralmente, com uma folha. Serve para aplicar a tinta um pauzinho estreito, entalhado de uma nervura de palmeira. Os mesmos utensílios de pintura são usados pelos Taulipáng e por outras tribos.[64] Em Motomotó, adquiri um estojo de pintura da parte superior de um bico de tucano (Pr. 46, 8). Ofereceram-nos para comprar tinta *carajuru* seca em forma esférica e envolta em folhas.

Alimentação e estimulantes: além de sua atividade principal, caça e pesca, hoje ambas as hordas cultivam a terra de modo significativo, atividade que adotaram dos vizinhos culturalmente superiores, os Xirianá do Uraricapará, dos Kamarakotó e de outras tribos Karib da região do Caroni, os Xirianá de Motomotó, dos Máku do Auari. Os primeiros nos trouxeram cestos cheios de excelentes e grandes tubérculos de *Dioscorea*, alguns cachos de banana e beijus; os últimos tinham, ao redor de sua aldeia, extensas plantações de mandioca, *Dioscorea*, bananas e cana-de-açúcar. Havia uma nova área desmatada e queimada recentemente. Esses índios me disseram que antes eles não tinham plantações.[65] Ao que parece, antigamente eles não tinham machados para desmatar. Em todo caso, não sabiam o que fazer com uma lâmina de machado de pedra que lhes mostrei. Disseram que viviam da caça e da pesca e de frutos silvestres, como fazem ainda hoje seus irmãos de tribo na serra Parima. Os Xirianá de Motomotó utilizam para seus trabalhos na plantação ferramentas de ferro que os Máku lhes conseguem.

Os aturás, nos quais as mulheres de Motomotó iam buscar as mandiocas das plantações, têm a forma de uma meia esfera um pouco alongada e seu trançado é regular e firme. Nesse tipo de trançado, que provavelmente é próprio dos Xirianá, faixas verticais que terminam em forma de raios do centro comum do fundo do cesto, são entrançadas alternadamente por duas faixas horizontais mais finas. Alguns anéis internos mais fortes, nos quais as faixas verticais são

---

64 Vide Pr. 8, 3 e 3a.

65 O "cultivo" dessa horda Xirianá pelos Máku parece ser mais antigo, pois Rob. Schomburgk encontrou um "campo arado dos Kirischanas" na região da Motomotó de hoje; op. cit., p.417.

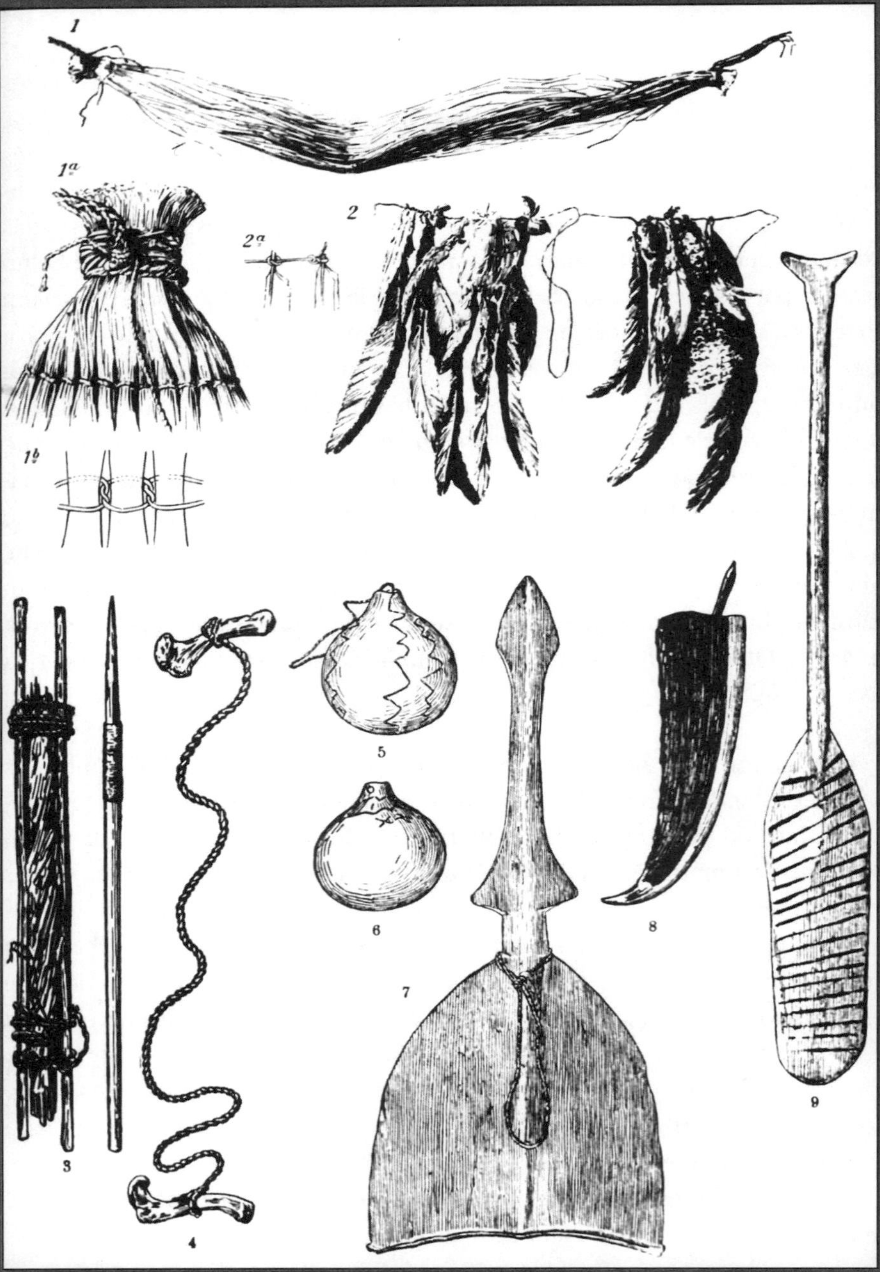

Prancha 46. 1. Rede feita de tiras de fibra de filodendro. 1a. Amarração nas extremidades da rede. 1b. Laçada transversal. 2. Pulseiras feitas de penas e peles de pássaros. 2a. Fixação das penas. 3. Pontas de flecha envenenadas no recipiente original e ponta de flecha envenenada. 4. Corda com ossos de tartaruga, usada na confecção de flechas. 5 e 6. Cabaças pequenas com desenhos incisos. 7. Clava de guerra. 8. Recipiente de tinta feito de bico de tucano com vareta para passar a tinta. 9. Remo com a pá pintada. Xirianá.

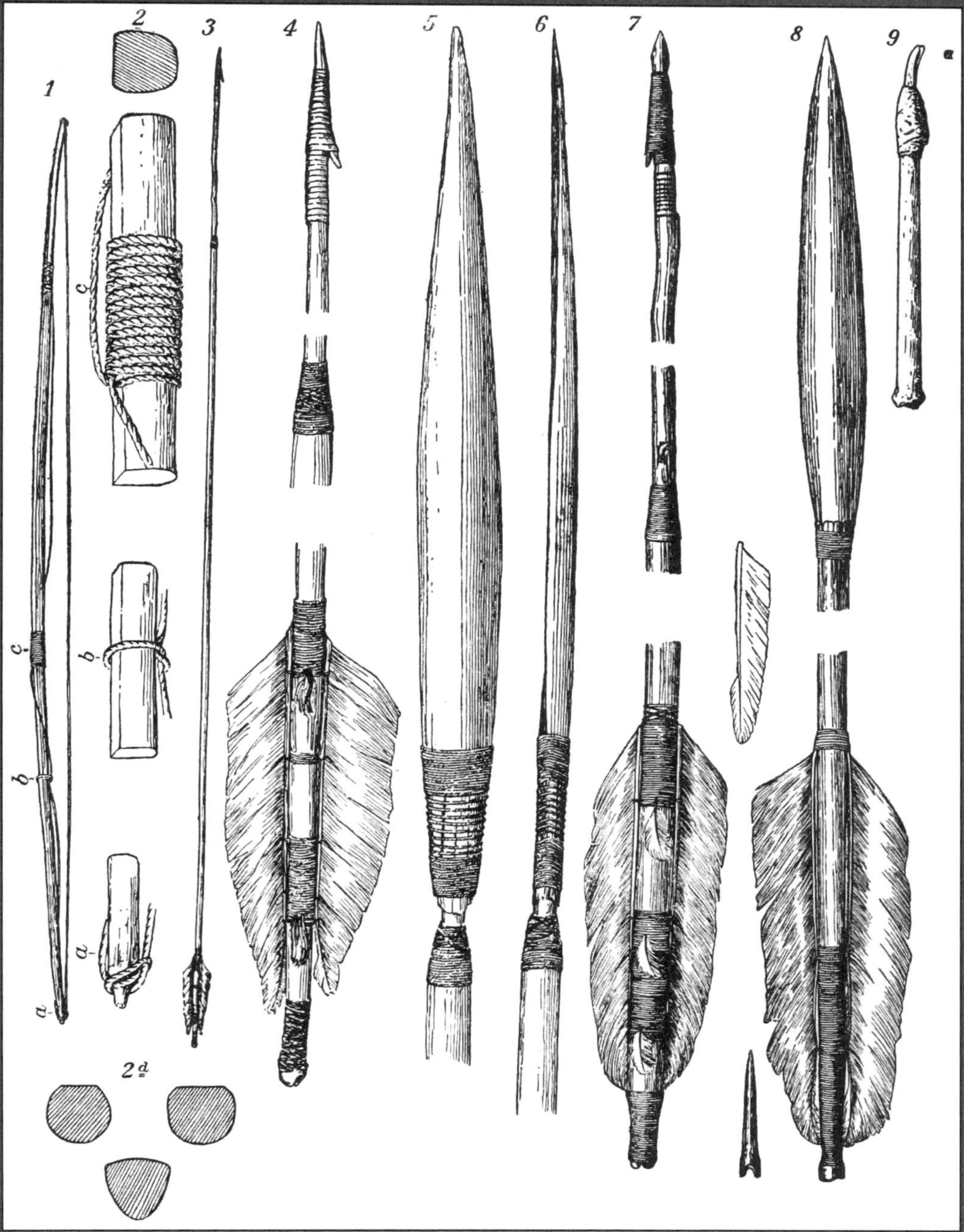

Prancha 47. Arco e flechas Xirianá. 1. Arco. 2 e 2a, b, c, d. Seções transversais do arco e detalhes de 1. 3. Flecha de pesca com ponta de osso. 5. Flechas de guerra e caça com pontas de bambu. 6. Vista lateral de 5. 7. Flecha de pesca com ponta de osso. 8. Flecha de guerra e caça com ponta de bambu; detalhes: corte de penas, pino de madeira com entalhe. 9. Facas de raspar feitas de dentes de roedor em um cabo de madeira. 1-6, Xirianá do *rio* Uraricapará; 7-9, Xirianá de Motomotó.

amarradas com cipó, dão forma e firmeza ao cesto.[66] Sob um especial trançado da borda, são guardadas as extremidades das faixas verticais (Pr. 23, 1). Por meio de um feixe de faixas de bambu, dos quais a casca ainda está pendendo, o cesto é carregado na testa sobre as costas.

Apás redondos e rasos, nos quais os frutos e os beijus são guardados, têm o mesmo tipo de trançado (Pr. 23, 2).

Para descascar e raspar a mandioca, as mulheres em Motomotó utilizavam lascas de bambu em forma de lanceta, que, às vezes, eram amarradas num cabo de madeira pontudo embaixo (Pr. 48, 6 e 7). Assemelham-se inteiramente às pontas de bambu das flechas de caça e pesca e, em sua origem, não devem ser nada além de pontas de flechas que se tornaram inúteis.

A mandioca era ralada em ásperas lajes de granito.[67] Eles tinham adquirido dois raladores dos Yekuaná, ou, como dizem, dos *Yakụná*.

Em lugar do tipiti das tribos culturalmente mais adiantadas e que lhes falta, em Motomotó, pequenos apás do tipo antes descrito serviam para espremer a massa de mandioca ralada; eram enrolados e espremidos com ambas as mãos.

Quando de nossa chegada à aldeia, serviram-nos gordo caldo de *bacaba*. Para esse fim, com suas mãos sujas, os homens amassavam os frutos maduros da palmeira *bacaba*[68] com água em grandes cuias que, como quase todos os utensílios dos Xirianá, não eram decoradas.[69]

Serve de iguaria uma argila gordurosa e branca, que eles secam em esferas e guardam envoltas em folhas.[70]

Não vi fumarem tabaco entre os Xirianá, mas vi mascarem fumo. O Waíka mantinha uma grossa linguiça de fumo entre o lábio inferior e os dentes e se entregava tanto à sua paixão, que o caldo marrom lhe escorria de ambas as comissuras da boca. Depois de algum tempo, ele tirava a linguiça de fumo e a enfiava na boca de um amigo agachado ao seu lado.

Para fazer fogo, ambas as hordas Xirianá utilizam o costumeiro pau ignígero composto de dois grandes bastões de madeira grossos e negros que, quando não estão em uso, são amarrados com um forte cordão de fibras, formando um feixe (Pr. 48, 8 e 9).

Caça, armas, pesca, navegação: com certeza, como todos os índios nômades, os Xirianá são excelentes caçadores. Seus arcos e flechas magnificamente trabalhados já depõem a favor disso. Não são difíceis de contentar em sua alimentação de origem animal. Como os Yekuaná me contaram, eles comem todos os animais da mata, onças e cobras também quando a necessidade

---

66 O mesmo tipo de trançado, que Max Schmidt chama de "trançado de fio duplo", é mostrado por pequenos cestinhos semiesféricos pendentes e apás que são usados pelas tribos Aruak e Tukano no alto *rio* Negro, mas que também são confeccionados pelos Máku, culturalmente inferiores, e que talvez sejam próprios dos últimos; vide Koch-Grünberg, *Zwei Jahren...*, v.II, p.220*ss.* e ilustr. 142e, 143a, 144.

67 O mesmo fazem os Makúna, Yahúna e outras tribos do baixo Apaporis; vide Koch-Grünberg, op. cit., v.II, p.289.

68 *Oenocarpus bacaba* Mart.

69 Os Taulipáng e seus vizinhos preparam a mesma bebida, só que de maneira mais apetitosa; vide p.67.

70 Hamilton Rice (op. cit., p.333) menciona essa iguaria entre os Guaharibos das cabeceiras do Orinoco.

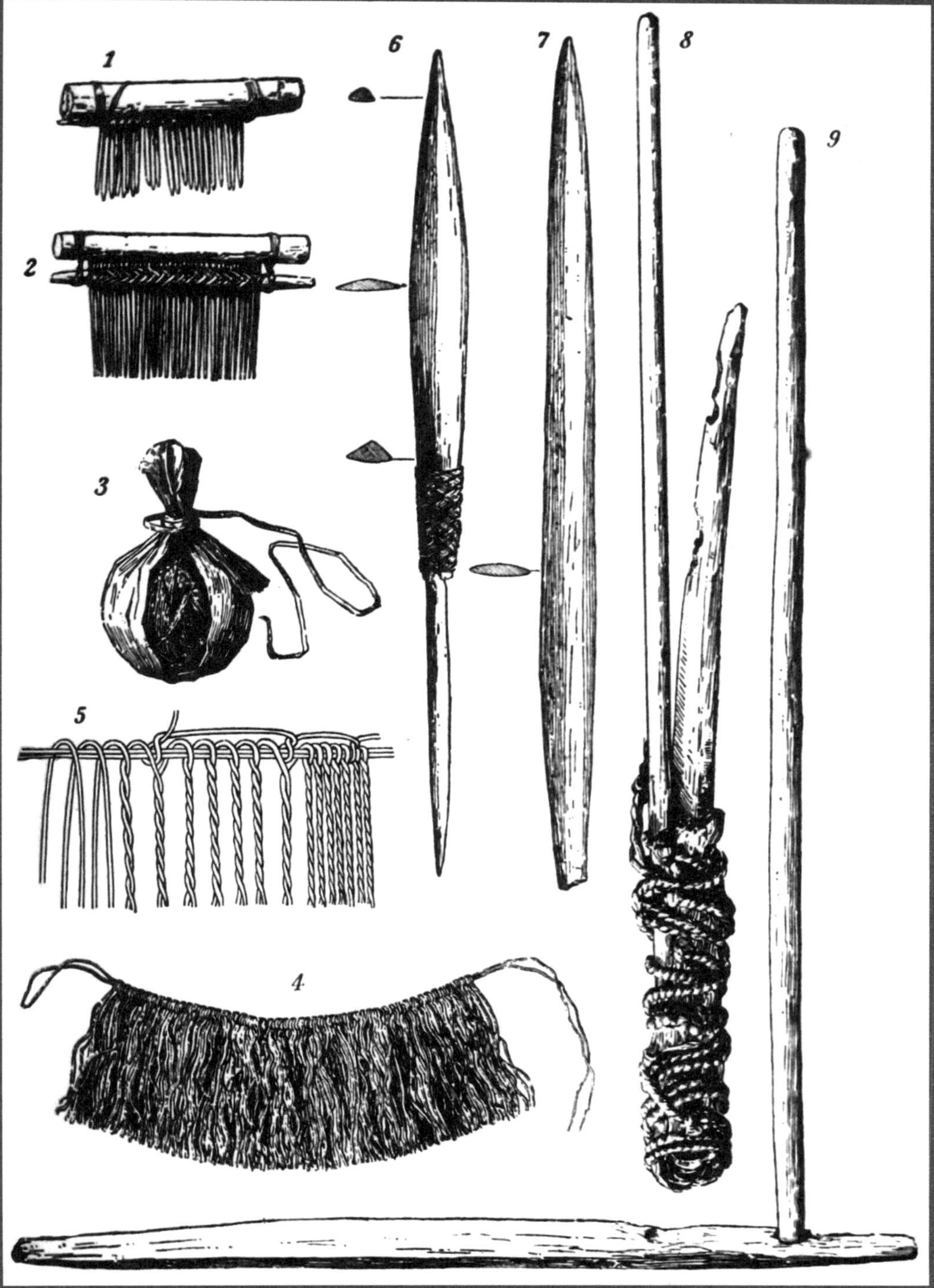

PRANCHA 48. 1 E 2. PENTES. 3. NOVELO DE FIO DE ALGODÃO NA EMBALAGEM ORIGINAL (FOLHAS). 4. TANGA FEMININA FEITA DE FIOS DE ALGODÃO. 5. TÉCNICA DE 4. 6. FACA PARA MULHERES FEITA DE BAMBU COM CABO DE MADEIRA. 7. FACA PARA MULHERES FEITA DE BAMBU. 8. PAU IGNÍGERO EMBALADO. 9. PAU IGNÍGERO EM POSIÇÃO DE USO. XIRIANÁ.

os obriga, mas nunca gente. A acusação de antropofagia, que muitas vezes lhes fazem, é tão injustificada para eles quanto para muitas outras tribos indígenas, pois seus inimigos mortais certamente não os perdoariam em caso contrário.

Os arcos são de madeira marrom escura, os de Motomotó também são feitos de pesada madeira negra e têm um comprimento de 1,89 a 2,25 m. Um arco infantil tem 1,51 m de comprimento. A parte superior é aplainada ou levemente convexa, a inferior é mais ou menos arredondada, de modo que o corte transversal se mostra diferente, ora mais quadrado, ora mais redondo, ora mais triangular. As extremidades são abaixadas. O forte cordão é de fibras de bromélia torcidas e enrolado como cordão de reserva em grande comprimento em volta da madeira do arco (Pr. 47, 1 e 2).

O comprimento das flechas varia entre 1,56 e 2,12 m. Há três tipos de flechas, flechas de pesca com pontas farpadas feitas de osso do macaco *quatá*,[71] que ocorre em grande número nessas regiões, ou de esporões de raia. Flechas de caça de grande porte e de guerra com largas pontas de bambu em forma de lancetas (Pr. 47, 4 a 8) e flechas envenenadas com pontas simples de lenho de palmeira. A haste de madeira introduzida na taquara e que segura a ponta é muito curta nas flechas de caça e de guerra. Em uma flecha de pesca de Motomotó, a haste é pintada abaixo da ponta com alguns anéis (Pr. 47, 7). Em algumas flechas de pesca, a ponta de osso era quebrada e a haste de madeira, afiada com desleixo. Todas as amarrações são de cordões de fibras de bromélia, somente em algumas flechas de pesca do Uraricapará a ponta é presa com estreitas tiras de líber de filodendro (Pr. 47, 4). Todas as flechas têm mais ou menos a mesma emplumação de dois remígios negros do mutum, preparados da seguinte maneira: na parte interna, com a qual a pena se prende à taquara, a barba é cortada bem perto da haste, até um terço ou quarto que fica em pé. O envolvimento da taquara, no qual, em muitas flechas, foram presas como adorno peninhas vermelho-escuras do tucano, compreende, em vários pontos, a haste das penas. Além disso, a extremidade superior da barba, em vários pontos, e a extremidade inferior da haste da pena são presas no envolvimento. As duas penas da flecha mostram, alternadamente, a parte superior e inferior da barba. Na extremidade da mão da flecha é inserido um pino de madeira que tem um entalhe na parte externa e espessa. O pino é untado com um pouco de resina e inserido cuidadosamente na taquara. A seguir, a extremidade da taquara é prensada bem junto da talha e firmemente unida a esta: para esse fim, o índio tem um cordão de fibras de bromélia que, em uma das extremidades, é amarrado em torno da metade de um osso da perna dianteira do jabuti. Ele segura a outra extremidade com os dedos do pé ou a amarra em um poste da casa. Então enlaça uma vez o cordão no ponto determinado em volta da taquara, põe o osso na mão, de modo que o cordão passe pelos dedos, então vira a flecha, firmemente cingida pelo cordão bem esticado, para lá e para cá até que a taquara esteja bem ajustada à talha. Desse modo, o índio pode empregar sua força máxima e, ao mesmo tempo, impede que a taquara rebente.

---

[71] *Ateles paniscus* L.

Às vezes, cada uma das extremidades do cordão está amarrada a um osso de jabuti, que cada um dos homens pega na mão enquanto segura a flecha com a outra mão (Pr. 46, 4).

Deve-se basear na crença do efeito mágico do osso do jabuti o seguinte costume dos Xirianá do Uraricapará: eles apertam, com toda a força, um osso desses atrás da omoplata do recém-nascido até surgir um ruído de algo estalando. Com isso, querem tornar a criança forte.

Os arcos e flechas dos Xirianá e Waíka em Motomotó assemelhavam-se totalmente aos do Uraricapará, mas não eram tão bem trabalhados.

Os Xirianá não empregam zarabatanas. Uma zarabatana que os Xirianá do Uraricapará possuíam procedia dos Yekuaná.

Também não notei clavas autóctones em ambas as hordas. A única clava que vi e adquiri em Motomotó tinha inteiramente a forma das clavas Yekuaná e, provavelmente, também se originava desses índios (Pr. 46, 7).

Os Auaké tinham as mesmas armas que os Xirianá. No mais, sua cultura parecia ser fortemente influenciada pelas tribos Karib vizinhas, Kamarakotó, entre outras. Elas formam o elo entre estes e os Xirianá do Uraricapará. Apás com motivos pintados posteriormente, como os que os Taulipáng e Arekuná confeccionam vez ou outra,[72] provavelmente se originam dos vizinhos Karib; assim como cestinhos com tampa lindamente trançados, em parte quadrados, em parte cilíndricos (Pr. 24, 2 e 3), enquanto seus aturás trançados de finas faixas de taquara parecem ser próprios deles (Pr. 23, 4).

Para afiar as pontas de osso das flechas, os Xirianá de ambas as hordas utilizam um dente incisivo do *aguti* (*Dasyprocta*), que, para esse fim, amarram com fibras de bromélia empesgadas num cabo de madeira (Pr. 47, 9). Quando não estão usando esses raspadores, geralmente os homens os levam presos sob a braçadeira. Adquiri um utensílio igual, mas com cabo de osso, de um Arekuná que vivia com os Guinaú no Merevari (Pr. 17, 3). Não sei se as subdivisões dos Arekuná que vivem bem no interior ainda utilizam tais utensílios autóctones. Na América do Sul, esses raspadores são bastante difundidos. Sempre são encontrados em tribos de cultura primitiva, como Sirionó,[73] Guayakí[74] e outros restos da camada primitiva.

Que eu saiba, a pesca só é praticada com arco e flecha. Não vi em lugar algum nassas ou outros utensílios de pesca. Desconheço se empregam veneno para peixe.

Ambas as hordas Xirianá têm hoje longas igaras, cujas extremidades são elevadas e terminam em ponta. São trabalhadas de modo bastante desleixado e comportam doze ou mais pessoas. Os lados são um pouco arqueados para dentro, de modo que os barcos, em sua forma externa, se assemelham muito à forma exterior dos ubás dos Arekuná e Taulipáng (Pr. 42, 1).[75] É difícil dizer quem foram seus mestres na construção de barcos. Em todo caso, antigamente

72 Vide p.92, 96.

73 Vide Erland Nordenskiöld, *Indianer och Hvita*, p.193, ilustr. 119.

74 Vide Charles de la Hitte, *Notes ethnographiques sur les Indiens Guayaquis: Anales del Museo de la Plata*, Sección antropológica, II, La Platà, 1897, pr. III, fig. 4 e 6.

75 Segundo Rob. Schomburgk (op. cit., p.417), antigamente eles usavam pequenas canoas de casca de árvore; vide p.267.

nem eles nem seus bravos irmãos de tribo da serra Parima tinham barcos e somente com o sedentarismo junto a grandes rios, que também não podiam atravessar no vau na estiagem ou cruzar com pontes, foram obrigados a aprender a construir barcos com um de seus vizinhos culturalmente superiores.

Seus remos assemelham-se totalmente àqueles dos Arekuná e Taulipáng, mas não são trabalhados com o mesmo esmero. Num remo do Uraricapará, a pá era pintada com simples riscos paralelos negros (Pr. 46, 9).

Demais pertences: As redes de dormir são bem singulares e muito primitivas. Um feixe de faixas de líber[76] duras, amarelas e bastante largas é amarrado em ambas as extremidades e enfiado em quatro a cinco punhos de fios de algodão tingidos de vermelho em trançado de fio duplo (Pr. 46, 1). Assim eram as redes de dormir dos Xirianá do Uraricapará. Nas redes de dormir de Motomotó faltava até mesmo qualquer punho.[77]

Em Motomotó vi apenas panelas comuns e nem estou certo se foram mesmo fabricadas pelos Xirianá que, antigamente, sem dúvida não conheciam cerâmica e só assavam a caça no espeto ou sobre o moquém.

Não está de acordo com o baixo nível cultural dos Xirianá da serra Parima a seguinte informação dos Yekuaná e Guinaú do Merevari e Auari. Estes me contaram que trocavam com aqueles recipientes de cerâmica bem trabalhados. Além de louça de barro tosca, os Guinaú tinham, em exemplares isolados, taças redondas e rasas finamente trabalhadas de cerâmica negra com um pequeno bico na borda. Provinham, supostamente, das cabeceiras do Matacuni, um afluente esquerdo do Padamo, onde dizem haver um excelente barro para cerâmica, de modo que os índios vêm de longe para buscá-lo. Essas taças eram muito valorizadas pelos Yekuaná e Guinaú, e só com esforço consegui adquirir algumas delas, mas que mais tarde me foram novamente roubadas pelo velhaco cacique geral Antonio Yaracúne. Não ouso julgar se elas provinham dos Xirianá "mansos", que naquela época habitavam as cabeceiras do Matacuni.[78]

Além dos utensílios já mencionados, os Xirianá de ambas as hordas tinham pentes belamente trabalhados. Os dentes entalhados das nervuras da folha da *bacaba* são, em parte com amarração de bom gosto, apertados entre dois pauzinhos e inseridos num pedaço de taquara, no qual se cortou uma calha longitudinal (Pr. 48, 1 e 2).

---

76 Meus remadores chamavam a planta que fornecia essas faixas com uma palavra da *língua geral* (Tupi), *waimbé* ou *wambé*, em Taulipáng, *mu'nág*, e a descreviam para mim como uma trepadeira muito resistente. Segundo Martius (*Beiträge*, v.II, p.394), na Bahia e em Pernambuco, *guaimbé, guambé* designa uma espécie de *Philodendron*. Paul Ehrenreich ("Beiträge zur Völkerkunde Brasiliens", *Veröffentlichungen aus dem königlichen Museum für Völkerkunde*, Berlin, v.II, n.1/2, p.18, 1891) também entende *waimbé* por *Philodendron* sp.

77 Nas "redes de dormir extremamente primitivas, mas apropriadas, de que os Ipuriná (no *rio* Purus) se utilizam em caso de necessidade, em viagens, caçadas etc., quatro ou cinco faixas de líber (*embira*: *Malvaceae* sp.) de 2 m de comprimento e 3 a 4 cm de largura são soltas da árvore e amarradas nas extremidades, às vezes ligadas entre si por uma ou duas faixas transversais mais curtas" (Ehrenreich, op. cit., p.63).

78 Vide p.279-80.

De instrumentos musicais vi apenas uma flauta transversal de 62 cm de comprimento feita de taquara com um orifício de sopro e três orifícios de digitação (Pr. 66, 3) e uma espécie de apito de sinalização de um fruto de árvore escavado em forma de noz com um orifício de sopro e dois orifícios de digitação (Pr. 65, 3).

O conteúdo do cestinho estojiforme de um homem comprova quão poucos são os pertences dos Xirianá. Encontrei dentro dele: dois dentes de onça para adorno do lábio inferior, dois raspadores de dentes de *aguti*, um pequeno feixe de fibras de bromélia para envolver as flechas, um pequeno estojo de taquara com tinta vermelha e um pauzinho de pintar, penugem de mutum para todo tipo de adorno, um pedaço de tinta de *urucu* para pintar o rosto, dez pontas de flecha inacabadas de osso de macaco, osso de jabuti para apertar firmemente os fios de bromélia em torno das flechas, quatro penas de mutum para emplumação das flechas, duas pequenas cuias com motivos riscados para recolher o veneno para flecha (Pr. 46, 5 e 6).

Amizade e inimizade: já falamos diversas vezes sobre as relações de amizade e hostilidade entre os Xirianá e outras tribos.

Quando da minha viagem, os Xirianá do Uraricapará mantinham, através de seus amigos, os Auaké, relações comerciais com os do Kamarakotó na bacia do rio Caroni-Paragua, que lhes forneciam ferragens, contas de vidro e um pouco de chita europeia, além de alguns itens caseiros, como grandes cestos de vime para bolos de mandioca, cestas com tampa e outras coisas. O cacique dos Auaké viajava muito. Ele já mantinha relações com os Taulipáng do alto Majari e foi também até os Kunuaná no alto Orinoco. Além de seu idioma, ele falava Xirianá e Taulipáng com fluência, provavelmente também um pouco de Kunuaná. O jovem Kaliána também já tinha estado entre os Taulipáng no Majari. Pouco antes da minha viagem, os Xirianá do Uraricapará foram pela primeira vez para o extremo leste até a ilha de Maracá e lá estabeleceram relações comerciais com os Taulipáng, Makuxí e Wayumará. Por outro lado, alguns anos antes, dois Purukotó, irmãos, haviam visitado esses Xirianá e viajaram para oeste até os Máku no Auari e os Ihuruána no alto Ventuari.

Os Xirianá de Motomotó eram amigos havia muito tempo e mantinham relações comerciais com os Máku do Auari. Os Yekuaná também lhes fazem, ocasionalmente, visitas comerciais. Mas os Máku foram seus verdadeiros transmissores de cultura. Os Xirianá devem principalmente aos Máku o estilo de vida sedentário, a agricultura e alguns poucos bens culturais. Um machado, uma grosseira faca florestal venezuelana, alguns anzóis, segundo sua própria declaração, vieram dos Máku – que transportavam mercadorias europeias em viagens longas e perigosas a partir do baixo Uraricoera –, por intermédio das tribos locais, ou do alto Orinoco através dos Kunuaná. Eles também tinham dos Máku dois cachorrinhos de orelhas altas e pontudas, uma rede de algodão, uma tanga de miçangas e, finalmente, como vimos, as de algodão, faixas estreitas que alguns homens usavam em torno de seus braços e as mulheres usavam ao redor das pernas, acima dos tornozelos.

Os Xirianá de ambas as hordas possuem como bens comerciais, além dos seus arcos e flechas lindamente trabalhados, resina negra de árvore muito pura em rolos em forma de salsicha,[79] fibras de bromélias trançadas e novelos de fios de algodão enrolados em folhas, às vezes também em teias de lagartas (Pr. 48, 3).

No momento da minha viagem, prevalecia a inimizade mortal entre os Xirianá do Uraricapará e o que restou dos Marakaná. Os Xirianá que visitei na cachoeira de Urumamy tinham inúmeras cicatrizes de flechadas em seus corpos, talvez das batalhas com os Marakaná, cuja aniquilação por eles não deve ter acontecido há muito tempo. Os Waíka da serra Marutani e os Xirianá e Waíka da serra Parima estão desde tempos remotos em guerra com os Yekuaná, em cujas histórias sua incontrolável selvageria desempenha um grande papel. Em suas viagens comerciais, os Yekuaná passam o trecho do Uraricoera na região da serra Marutani só à meia-noite e com suaves golpes de remo.

A posição de destaque do cacique entre os Xirianá[80] e a maneira pela qual as tribos mais fracas se submetem a eles,[81] mostra o caráter guerreiro desse povo.

Pela crença popular, os Xirianá são "selvagens" e fazem pouca diferença entre o meu e o seu, mas, em relação a nós, eles se comportaram de modo inofensivo, afável, tímido, até apreensivo,[82] como quase todos os índios que entram em contato com brancos pela primeira vez e estes não dão motivo para que seja diferente.

Isso é o pouco que sei sobre os Xirianá e os Waíka. Eles estão, sem dúvida, entre os vestígios mais interessantes das populações indígenas, e eu gostaria de conhecê-los melhor. Infelizmente, a falta de confiabilidade de parte da minha equipe indígena e outras circunstâncias adversas me impediram de fazê-lo.

---

79 Dos Taulipáng adquiri um tubo de madeira de cecropiácea tingido com resina negra de árvore, que pode ter vindo dos Xirianá.

80 *Kuranaí* era um verdadeiro chefe de guerra que, aparentemente, organizou bem seu povo.

81 Por exemplo, os Auaké; vide v.I, p.177.

82 Vide v.I, p.176*ss*., 201*ss*.

III

Os Yekuaná e Guinaú

A tribo dos Yekuaná ou Maquiritares, como os venezuelanos os chamam, habita ainda hoje as regiões que ocupava no século XVIII, quando os europeus entraram em contato com ela pela primeira vez.

Já a Expedição de Divisas de Don José Solano (1756-1761) travou contato várias vezes com os Maquiritares do alto Orinoco. Os dois oficiais da expedição, Apolinar Diez de la Fuente (1760) e Francisco Fernandez de Bobadilla (1764), os visitaram em suas moradas principais no *rio* Padamo, que ainda hoje é considerado o centro da tribo.[1] P. Caulín (1759) cita, além dos Maquiritares, também os Uanungomos,[2] como se se tratasse de duas tribos diferentes, enquanto o mapa de Surville indica apenas a N(ación) Maquiritari no baixo curso do Padamo. No século XVIII e início do XIX, os Yekuaná estavam sob a influência da Missão da Observância. Na segunda metade do século XVIII, a fim de estabelecer uma ligação segura com as missões no Caura, dois oficiais espanhóis chegaram a construir, com auxílio dos Maquiritares, a partir da estação Esmeralda, uma linha de sentinelas para o norte, atravessando a região desses índios até o Erebato.[3] Ela se constituía de dezenove fortins[4] de dois andares guarnecidos de morteiros de pedra; os fortins, no entanto, foram destruídos numa noite, no ano de 1776, pelos índios exasperados com a opressão da parte dos soldados.[5] Robert Schomburgk (1838-1839) atravessou a região dos Maiongkong de leste a oeste, do Merevari até o alto Orinoco, e comprovou sua identidade com os Maquiritares.[6] Em sua viagem aventuresca (1885-1886), Chaffanjon encontrou os

1 Vide seus relatos em Angel de Altolaguirre y Duvale, *Relaciones geográficas...*, op. cit., p.306*ss.* e p.323*ss.*
2 Tavera-Acosta, op. cit., p.6-7.
3 Afluente esquerdo ou afluente ocidental do Caura.
4 Esse caminho com as casas fixas está indicado no mapa de Surville.
5 Humboldt, op. cit., v.IV, p.117-8.
6 Rob. Schomburgk, op. cit., p.422*ss.* e mapa grande, Leipzig, 1846.

Guagnungomos no alto Caura e, mais tarde, visitou os Maquiritares.[7] Um viajante mais recente, Eugène André, informa que esses índios no Caura se chamam Waiomgomos e indica sua povoação mais ao norte, mais ou menos a 7° n. Br., portanto um bom trecho abaixo da foz do Erebato, nas cachoeiras de Mura. Diz que somente os Waiomgomos sobraram de todas as tribos do Caura; que todas as outras desapareceram. Que contam apenas mais cinquenta ou sessenta almas; que dois terços delas são mulheres.[8]

Os Maquiritares-Yekuaná sempre mantiveram relações pacíficas com os venezuelanos. Eles compõem o principal contingente dos seringueiros no alto Orinoco e no alto Casiquiare.

Não posso determinar a origem do nome "Maquiritares", provavelmente não é da *língua geral* (Tupi), como quer Martius, que o traduz por "ladrões de rede de dormir",[9] mesmo que, segundo a minha experiência, a honestidade desses índios não esteja acima de qualquer suspeita.

Já no ano de 1768, numa carta do Frei José Antonio de Xerez de los Caballeros a Don José Solano, os Guinaú são contados como Guaynavis entre as tribos do alto Orinoco e estimados em seiscentas almas.[10] Também no relatório da Comissão de Divisas portuguesa do ano de 1787, são mencionados Quinhaus que, naquela época, viviam, supostamente em pequeno número, nas nascentes do riacho Cadacada[11] e mantinham relações comerciais com os espanhóis.[12] Martius registra os Quinhaos no Uraricoera.[13] Coudreau considera a tribo extinta.[14] A última Comissão de Divisas brasileira encontrou em 1882, na foz do Uraricoera, apenas alguns Quinaus em viagem e indica como sua pátria, com bastante acerto, o divisor de águas "perto da montanha Mashiati".[15] Provavelmente, os Guinaú são idênticos aos Guainares, citados nos mapas mais antigos, além do alto Caura, também nos afluentes esquerdos do alto Ventuari e no alto Padamo.[16] Humboldt transfere sua morada principal para as nascentes do Ocamo,[17] que hoje é a região indiscutível dos bravos Waíka.

Casa e aldeia: a região dos Yekuaná e Guinaú é pouquíssimo povoada. Em todo o Merevari, à época de minha viagem, havia somente cinco povoações, das quais a única no rio principal, Mawoínya, se constituía de dois barracões baixos, ao que parece provisórios. Além disso, havia

---

7 Chaffanjon, op. cit., p.100*ss.* e mapa à p.57; p.257*ss.* e mapa à p.201.

8 Eugène André, *A Naturalist...*, p.297. André, não Chaffanjon, como supus naquela época, provavelmente era o viajante de quem os Yekuaná me contaram em 1912, que perdeu um homem de seu pessoal devido à fome. Toda a expedição escapou por muito pouco de morrer de fome. Vide v.I desta obra, p.245-6.

9 Martius, op. cit., v.I, p.565.

10 Angel de Altolaguirre y Duvale, op. cit., p.339*ss.*

11 Pelo visto, o Cayacaya, um afluentezinho esquerdo do braço norte de Maracá.

12 Coudreau, *La France Équinoxiale*, v.II, p.393.

13 Martius, op. cit., p.567.

14 Coudreau, op. cit., p.393.

15 Grupe y Thode, op. cit., p.253.

16 Guainares talvez seja, originalmente, um erro ortográfico ou de impressão de Guainaves ou Guainavis.

17 Humboldt, op. cit., v.IV, p.109, 114.

a povoação visitada por Eugène André no próprio Caura, cujos habitantes mantinham relações muito frouxas com seus irmãos de tribo do alto Merevari. A povoação Mauarúnya no Yaniacá era habitada apenas temporariamente e estava em ruínas. Os moradores da única povoação da tribo na região do Amazonas, no alto Auari, começavam a emigrar para o Merevari. Conhecemos cinco povoações na bacia do Ventuari, das quais uma, Suhínya, foi abandonada e queimada naquela época e, em seu lugar, foi construída outra, Mauakúnya. Uma outra povoação, que não visitamos, ficava no alto Paru, uma outra, supostamente no alto Maruéto.[18] A região do alto Yatéte parecia mais povoada e a região entre este e o alto Cunucunuma e Padamo.

Os nomes das povoações terminam todos em *-nya*. A maioria é chamada pelos rios ou riachos ou cachoeiras às margens dos quais elas ficam, ou bem perto deles. Mawoínya fica em frente à desembocadura do riacho Mawó no Merevari, Auarínya no Auari, Suhínya na desembocadura do riacho Suhí no Fewéte, Tudukamánya às margens do riacho Tuducamá, Huhukúnya junto à cachoeira Huhúku do *rio* Hacha. Outras povoações se chamavam Motokurúnya, Mauarúnya, Mauakúnya, que também era designada pelo nome menos usual Fararakúnya, Uránya, Tyahokónya,[19] Anakadínya. Os Yekuaná chamavam a nova cabana do cacique geral Antonio Yaracúne, no Yatéte, de Antoniorínya. A propriedade do venezuelano coronel Emiliano Perez Franco, no alto Casiquiare, que entre os Yekuaná geralmente era conhecido pelo nome de *koronéru*, era chamada por eles de Koronerurínya. Eles chamavam até mesmo Ciudad Bolívar, a antiga Angostura, de Angosturánya.

Todas as povoações fixas dos Yekuaná consistem de uma casa que é sempre habitada por várias famílias. O número de moradores oscila entre vinte e setenta almas, no entanto, é difícil determinar quantos deles são moradores permanentes ou apenas hóspedes temporários.

Motokurúnya e Mawoínya, de certa maneira como localidades fronteiriças, tinham uma população mista de Yekuaná, Guinaú, Arekuná e Purukotó.

As casas comunitárias dos Yekuaná e Guinaú são genuínas cabanas de teto cônico. Assemelham-se, exteriormente, àquelas dos Makuxí e Taulipáng, mas, via de regra, são de construção melhor e mais esmerada. Sua divisão interna também é consideravelmente diferente. O chão sobre o qual elas se erguem é aplainado e, nas casas novas, é firmemente pisado e liso como numa eira. Três postes principais, dos quais o do meio e bem mais forte se estende muito acima da ponta do teto, e doze postes laterais menores, dispostos em círculo em torno deles, ligados entre si por meio de travessas, sustentam a estrutura do teto, composta de vários anéis e muitas varas longas como caibros (Pr. 49, 1 e 51, 1). A parte superior do teto sempre é coberta com as folhas claras e finas da palmeira *açaí* (*Euterpe oleracea* Mart.), que entre os Yekuaná se chama *uáhu*, a parte inferior é coberta com as folhas escuras e mais largas de uma outra palmeira, que eles chamam de *manása*. Por meio dessa coloração diferenciada do teto, a casa adquire uma aparência mais agradável (Pr. 50, 1). As ripas cruzadas da parede da casa, construída da

---

18 Afluentes esquerdos do baixo Ventuari.

19 Na pronúncia alemã, mais corretamente Tchahokónya, de *tx̯ahóko* = *Rhamphastus*.

mesma maneira que nas casas dos Makuxí e Taulipáng, é rebocada por fora e por dentro com barro molhado, amassado com grama seca cortada em pedaços curtos, para dar maior firmeza à parede. Muitas vezes, em uma construção nova, os homens jovens têm de trazer essa grama de bem longe em panacus, assim como as folhas da palmeira *açaí* para o teto, já que essa palmeira não ocorre em toda parte. O reboco é apertado em ambos os lados com a palma da mão e alisado, em especial do lado de fora, de modo que nem uma palhinha sobressaia. A parede externa é pintada de um tom esbranquiçado com uma espécie de tinta de argila e serve como exercício de uma arte muito simples, que se expressa em motivos trançados e outros motivos e figuras de pessoas e animais.

O teto não tem abertura. A fumaça se acumula na ponta do teto e sai vagarosamente da casa através da camada de folhas de palmeira. Somente em Motokurúnya havia, a meia altura do teto, uma portinhola coberta de folhas de palmeira que, de dentro, se podia abrir ou fechar. Sem dúvida, os índios tinham visto alguma vez uma instalação semelhante em uma casa de brancos, em alguma visita ocasional, e a imitaram aqui, pois chamavam a claraboia de *mentãna*, derivado do espanhol *ventana* = janela.

A casa tem quatro entradas, dispostas segundo os quatro pontos cardeais. O acesso principal, que dá para o leste, é a entrada dos homens e dos convidados masculinos; a abertura que fica do outro lado na parede da casa serve como entrada e saída das mulheres. A porta é uma prancha grossa e pesada, talhada de modo grosseiro com o machado num pedaço de madeira firme e resistente. Ela gira por meio de tarugos num buraco do forte umbral e de uma travessa superior semelhante. Na maioria das casas, cada um dos quatro acessos tem uma dessas portas. É provável que, originalmente, essas portas não sejam indígenas, mas se devam a antiga influência europeia (Pr. 49, 2). Produzi-las é um trabalho penoso. Por isso, as portas de uma casa abandonada, em geral, são retiradas e empregadas na nova construção.

Entre as quatro aberturas das portas, a determinados intervalos entre si e à meia altura da parede, ficam livres pequenas aberturas quadradas, tapadas com barro nos cantos, para entrar luz e ar, uma espécie de janela, uma para cada família. São fechadas com portadas, trabalhadas como as portas e que se movem igualmente por tarugos. Por essas aberturas é que a lenha para a noite é passada para dentro e, assim, chega pelo caminho mais curto e mais confortável até o fogo de cada família. Os cães utilizam esses acessos para entrar e sair da casa.

É singular a divisão interna da casa. Na parede, encontram-se os fogos e habitações das diferentes famílias que, em geral, não são separadas umas das outras, mas que são separadas do recinto central por meio de largas divisórias de casca de árvore, da altura de um homem e meio, dispostas umas bem junto das outras, formando, assim, uma contínua passagem circular, uma espécie de corredor. Raramente essas habitações familiares são separadas umas das outras por divisórias de casca de árvore. A entrada principal vai, pelo corredor, diretamente até o recinto central e tem, em ambos os lados, igualmente esse revestimento de casca de árvore, que aqui interrompe a passagem. Bem junto à entrada, ele é um pouco curvado, de modo que se pode entrar nos recintos das famílias pela esquerda e pela direita. Os outros acessos levam somente ao corredor, mas do outro lado, na parede de casca de árvore, foram deixadas estreitas aber-

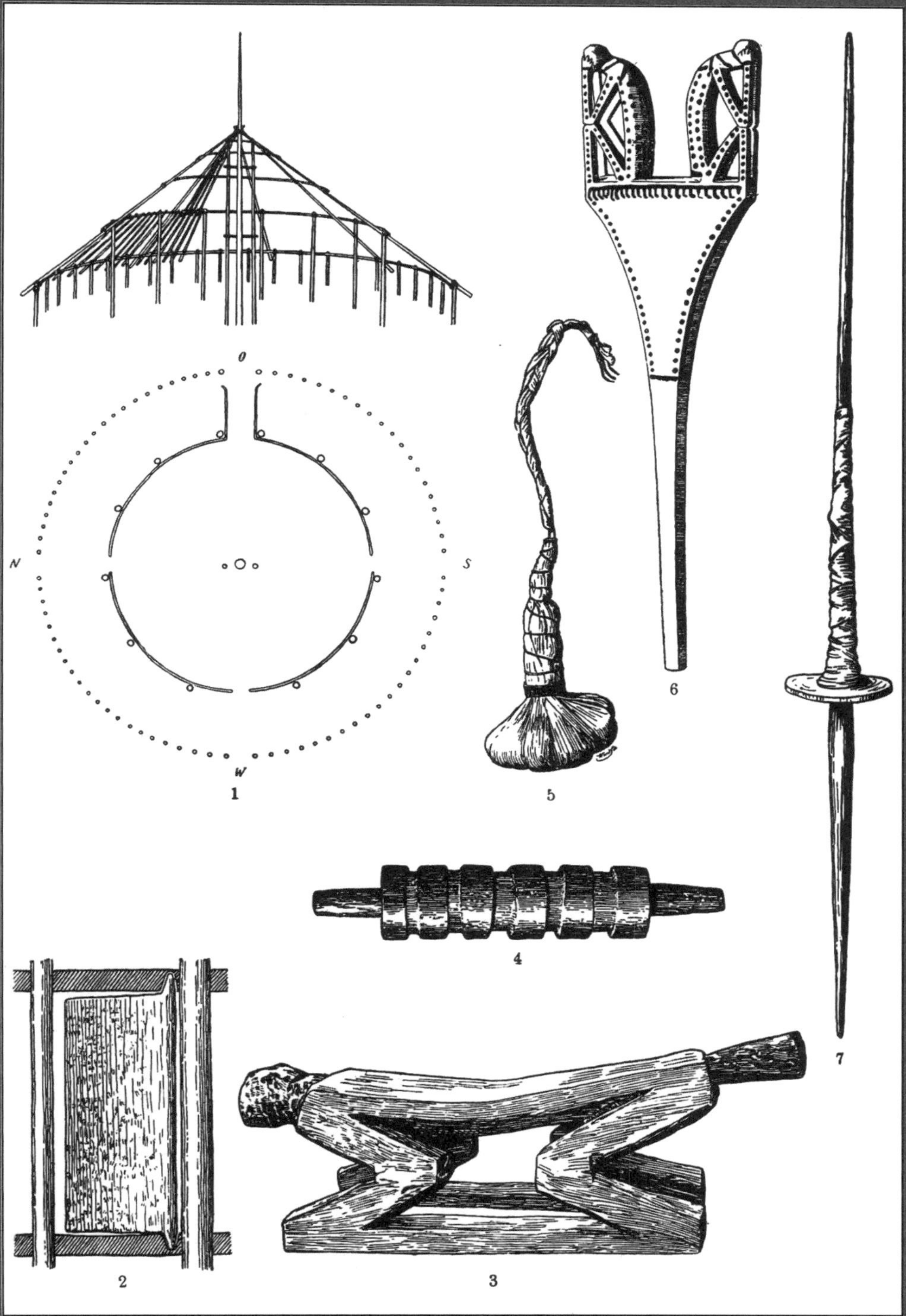

Prancha 49. 1. Planta baixa e esboço de uma cabana de teto cônico. 2. Porta de uma cabana de telhado cônico. 3. Banco do pajé em forma de onça. 4. Carimbos de rolo para pintura corporal. 5. Peteca feita com folhas de milho. 6. Alça de um chocalho mágico. 7. Fusos. Yekuaná e Guinaú.

1

2

Prancha 50. 1. Cabana de teto cônico dos Yekuaná-Ihuruána, *rio* Ventuari. 2. Cabana de teto cônico dos Makuxí, *rio* Surumu.

turas para se chegar ao recinto central. Em algumas casas, o revestimento de casca de árvore é pintado sem arte aqui e ali com riscos e ganchos vermelhos. Em Tyahokónya, uma pequena casa Yekuaná no alto Ventuari, a parede interna consistia, excepcionalmente, de ripas da palmeira *Iriartea exorrhiza*. O recinto central era totalmente escuro.

As habitações das famílias são, na maioria das vezes, muito apertadas e sujas. Andaimes baixos e largos na parede da casa, nos quais os numerosos cães, parte deles muito malvados, ocupam o maior espaço. Nos arredores da casa também reina, com frequência, uma sujeira terrível.

O grande e circular recinto central é o usual domicílio e quarto de dormir dos solteiros. Aqui ocorrem várias vezes ao dia, perto da entrada, as grandes refeições comuns, separadas por sexo, e também as bebedeiras e festas de dança. Aqui os homens ficam sentados juntos nas horas de ócio, conversando, discutindo sobre todos os negócios e empreendimentos possíveis, como caça, pesca, viagens, entre outros. É aqui que, ocasionalmente, as mulheres também trabalham; assam beijus no fogão comum, um grande torrador redondo pousado sobre algumas pedras, ou ralam mandioca. Mas, em geral, elas o fazem num barracão aberto de todos os lados, de planta quadrada ou redonda e com teto cônico, que fica junto à casa, ou, com tempo bom, diante da casa, ao ar livre.

Assim como entre os Taulipáng, também entre os Yekuaná o interior da casa é enfeitado com troféus de caça. Mas, enquanto lá, entre as galhadas de veados e crânios de animais, reina uma certa ordem conforme as regras da caça, aqui os ossos da presa de caça, em especial as forquilhas de aves maiores, como mutum, entre outras, são enfiados por dentro, acima das entradas da casa, no revestimento do teto.

No alto Ventuari observei a construção de uma casa (Mauakúnya) em todos os detalhes. Foi realizada por todos os homens da aldeia, aos quais se juntaram os jovens das povoações vizinhas, sob a direção de um homem mais velho e experiente. A casa nova deveria ser tão grande quanto a casa abandonada em Suhínya, distante de lá uma hora e meia. Por isso, o mestre de obras ia várias vezes até lá e tirava as medidas com um longo cipó ou com as pernas abertas e passos longos. Durante todo o tempo de construção, cerca de dois meses, o pessoal habitava miseráveis barracões abertos e cabanas baixas, que ofereciam proteção insuficiente contra as chuvas que caíam todos os dias. Em consequência disso, e devido à falta de asseio dos moradores, os arredores eram enlameados e cheios de fezes, trazendo como consequência febre e outras doenças.

O mestre de obras era um homem enérgico, de comando rigoroso. Dava bom exemplo aos jovens, mostrava-lhes como tinham de amarrar os caibros a intervalos iguais e os repreendia quando um caibro ficava muito à frente.[20]

O teto era coberto de dentro para fora. Para esse fim, na parte interna tinha sido construído, até a ponta, um andaime do tipo de uma escada, pelo qual os trabalhadores andavam (Pr. 52).

---

[20] Rich. Schomburgk (op. cit., v.II, p.203) conta de um cacique Arecuna-(Taulipáng) que era "um homem natural tomado de sanha de construção" e que possuía significativos conhecimentos arquitetônicos.

Terminado o trabalho, esse andaime é quebrado. Uma escada de troncos de árvores ia do chão até lá em cima. Sobre um andaime horizontal, pousado sobre a travessa principal da casa, ficavam as folhas de palmeira dobradas, prontas para o uso, que um homem jovem passava para cima uma por uma. Vinte a trinta homens trabalhavam constantemente. Um empurrava a folha de palmeira entre os caibros do teto e a punha para fora, horizontalmente, como telhas de madeira, sobre a folha anterior, já fixada (Pr. 51, 2). O próximo a amarrava com cipó em um caibro, o companheiro, no segundo caibro, e assim por diante. Outros puxavam o cipó com força. Na medida em que, assim, um ajudava ao outro, o trabalho avançava rápida e constantemente.

De vez em quando, o mestre de obras, que, como a maioria dos homens, tinha o corpo todo pintado de listas horizontais vermelhas, subia no andaime e inspecionava o trabalho, puxando um cipó aqui e, lá, cortando com a faca um caibro saliente.

Uma construção nova como essa é sempre um motivo bem-vindo para uma bebedeira copiosa, que dura o tempo todo, sem interrupção. Inúmeras vezes os enormes cochos para *caxiri* são esvaziados pelos homens resistentes ao álcool e sempre enchidos com bebida nova pelas mulheres trabalhadeiras. Ágeis como macacos, as mulheres e moças pintadas de vermelho sobem pelos andaimes e, em grandes cuias, servem aos homens a bebida pastosa e forte. Estes cospem grosseiramente lá para baixo a borra da bebida. Também quando querem satisfazer pequenas necessidades, o que é frequente quando se bebe tanto, eles não descem toda vez. Assim, aos poucos acumulam-se no chão grandes poças malcheirosas.

A conclusão da casa é festejada com lutas esportivas e uma festa de dança que dura vários dias. Nessa ocasião também ocorrem cerimônias especiais. Mais tarde voltarei a isso.

Às vezes, as casas dos Yekuaná são bem espaçosas. As maiores casas que vi eram Suhínya e Mauakúnya, construída com base naquela e de mesmo tamanho (Pr. 50, 1). Suhínya tinha uma altura de 8,10 m até a ponta interna do teto e um diâmetro de 15,5 m. A circunferência importava 47 m. O corredor tinha 2,70 m de largura, e a parede externa tinha 1,72 m de altura.

Motokurúnya, que era considerada povoação Guinaú, tinha 5,25 m de altura e uma circunferência de 39 m. O diâmetro do recinto central importava 6 m, a altura da parede externa era de 1,78 m, a altura da porta, 1,42 m, e a largura da porta, 0,65 m.

Em toda a estrutura da casa não foram utilizados nem pregos, nem ganchos, nem tarugos. As compridas e pesadas travessas e postes são mantidos juntos somente por meio de cipós. Toda a construção é uma obra de arte arquitetônica. Mas os inúmeros cães que deixam sua sujeira por toda parte, a escuridão, a fumaça, a poeira que imperam no interior da casa são os grandes inconvenientes dessas, para os padrões indígenas, belas moradias.

Em viagem, esses índios constroem em pouco tempo pequenas cabanas para dormir, *hũma*. São abrigos de uma só água, um pouco inclinados e cobertos com as largas folhas da chamada *banana brava*, uma planta ciliar, assentados sobre quatro ou cinco estacas e que se distinguem muito pouco dos abrigos dos Xirianá.

Constituição física: o tipo físico dos Yekuaná é bastante homogêneo. Nos homens, a altura varia entre 146,5 cm e 164,5 cm. Poucos são mais altos do que 1,55 m. Uma porcentagem nada

1

2

PRANCHA 51. CONSTRUÇÃO DE UMA CASA DE TETO CÔNICO DOS YEKUANÁ-IHURUÁNA, *RIO* VENTUARI: 1. AMARRANDO AS VIGAS COM TREPADEIRAS. 2. COBRINDO A CASA COM FOLHAS DE PALMEIRA.

1

2

Prancha 52. Construção de uma casa de telhado cônico dos Yekuaná-Ihuruána, *rio* Ventuari. Cobrindo o telhado de dentro para fora com folhas de palmeira. Os índios trabalham em uma escada que vai até o topo do telhado e é derrubada quando o trabalho é concluído.

desprezível nem atinge a altura de 1,50 m. As mulheres são só um pouco menores. O corpo é atarracado e musculoso, na maioria das vezes, bem formado. Pernas tortas são raras. A cabeça é redonda, o rosto, largo, a testa é baixa e afastada; os olhos são próximos; a abertura dos olhos, muitas vezes, é obliquamente puxada; o nariz é largo, a base do nariz, na maioria das vezes, é funda, a ponta é chata; a boca é grande e de lábios cheios. As grossas protuberâncias supraorbitárias, com frequência, conferem ao rosto uma expressão sombria. O cabelo muito cheio, em geral é liso, mas também ocorrem cabelos encaracolados. A cor do cabelo é negro-azulada, em alguns indivíduos jovens é acastanhado.

No Ventuari vi alguns Yekuaná cujos rostos diferiam muito do tipo comum. De um rosto alongado projetava-se um nariz estreito e fortemente curvo com a ponta inclinada.[21]

Para os nossos padrões, muitos Yekuaná são pessoas feias. Isso se evidenciava especialmente entre os habitantes do Auari, mas deve ser apenas semelhança familiar, já que essa gente toda provém de uma única povoação. Caso alguém encontre um representante mais bonito entre os Yekuaná, então se pode deduzir, com grande segurança, uma forte miscigenação com Guinaú, se bem que o fino tipo Aruak original dessa tribo já tenha sofrido bastante por meio dos constantes casamentos com os Yekuaná. O tipo grosseiro tem um efeito extraordinariamente repugnante nas mulheres. Não raro, elas têm seios enormes.

Surpreendente em muitos Yekuaná é a pele clara, quase branca, que com certeza não se pode atribuir à miscigenação com europeus, já que os indivíduos em questão, no mais, apresentam o puro tipo indígena. A cor da pele é semelhante à de um anêmico europeu do Sul. Uma criança que vi logo após o nascimento era totalmente branca e rosada. Ela tinha um pai muito claro. Pelo visto, é uma pobreza de pigmentação inata em indivíduos isolados e especialmente frequente nesta tribo.

Parece que também ocorre albinismo. Contaram-me que no Auari há dois Yekuaná totalmente brancos de cabelo branco e que não enxergam de dia.

Os Ihuruána tinham um hábito singular. Com uma tira de taquara, eles mediam o tamanho de nossas cabeças, a extensão de nosso peito, a grossura dos braços, da barriga, das panturrilhas, o comprimento das mãos, pés e dedos, e comparavam essas medidas com suas próprias medidas corporais.

Estado de saúde: a maioria dos Yekuaná vendia saúde. Quase todos tinham belos dentes saudáveis, que lhes eram muitíssimo úteis para morder os ossos da caça e chupar-lhes o tutano. Num garoto de cerca de cinco anos, de aparência fraca e doentia, a maioria dos dentes tinha sido destruída por cáries. O asseio do corpo, em geral, não deixava nada a desejar. Pelo menos duas vezes ao dia tomava-se banho. Somente os Yekuaná e Guinaú de Motokurúnya, no Canaracuni, cuja comunidade, aliás, mostrava forte decadência, tinham uma relação muito tensa com a limpeza.[22]

---

21 Um outro representante desse tipo era meu acompanhante, o Dekuana Alexandrino do *rio* Paru; vide v.I, p.351*ss*. O cacique geral Antonio Yaracúne também tinha um nariz aquilino.

22 Vide v.I, p.236.

A psoríase ocorria especialmente no Ventuari. Não a observei no Merevari. Alguns Ihuruána estavam totalmente cobertos de manchas negras, outros, de manchas brancas, e raspavam incessantemente as crostas pruriginosas.

Devido à falta de limpeza perto das moradias, era comum uma inflamação dos dedos dos pés, chamada de *frieiras* no Brasil. Ela é adquirida quando se pisa em fezes liquefeitas de pessoas e animais, em lama, em folhas apodrecidas e materiais semelhantes fermentando e se decompondo.

Devido aos muitos cães que povoam as casas indígenas e criam bichos-do-pé em suas patas, estes constituíam uma praga terrível em todas as povoações. Entre os Ihuruána, vi um garoto de cerca de seis anos de idade que tinha perdido parte dos dedos do pé com esses parasitas incômodos. Seus calcanhares e solas dos pés também estavam cheios deles. Ele parecia totalmente indiferente a eles. Seus pais tinham morrido, e ninguém se dava ao trabalho de lhe tirar os bichos-do-pé.

Vi cegueira total, sem que eu pudesse descobrir sua causa, em uma mulher Yekuaná casada com um Arekuná.[23]

Na vida nômade que, muitas vezes, esses índios levam, os acidentes não são raros. Em geral, ferimentos e ossos quebrados saram facilmente. Um velho Yekuaná tinha uma perna com o joelho quase formando um ângulo reto, mas pulava rapidamente com a perna sã, apoiado em sua espingarda.

Durante nossa presença em Motokurúnya, duas doenças infantis surgiram de forma epidêmica. Em uma delas, metade do rosto inchava muito, de modo semelhante à caxumba. A outra se manifestava em uma forte inflamação dos olhos, que ficavam injetados e secretavam uma matéria branco-esverdeada. Pouco a pouco, todas as crianças, mas também uma mulher mais velha, foram atingidas por essa doença que, ao que parece, era especialmente dolorida à luz do dia. Como remédio, os índios pingavam nos olhos doentes a seiva branco-leitosa do pecíolo de um arbusto que parecia causar grande dor passageira, mas depois trazia alívio.

Das doenças internas, é frequente sobretudo o catarro brônquico, contra o qual os índios, como em toda parte, são pouco resistentes. Ele aparece em especial na época das chuvas, quando fortes diferenças de temperatura favorecem a tendência a resfriados. Também surgem doenças gripais, que se espalham rapidamente devido ao constante cuspir nas moradias. Muitos moradores de Motokurúnya sofriam de forte catarro com tosse cava. Um homem jovem de lá tinha morrido de tísica pouco antes de nossa chegada, talvez de tuberculose. Em nossa viagem do Merevari até o Ventuari, na época das chuvas, um de nossos carregadores, um jovem Guinaú, ficou com infecção pulmonar e morreu em poucos dias. Na nova povoação Mauakúnya, a maioria dos moradores passou semanas com uma espécie de gripe, que se manifestava em tosse forte, expectoração e febre alta.

Doenças do fígado também parecem ocorrer entre esses índios. Em Motokurúnya, um Guinaú mais velho tinha emagrecido muito e estava com a barriga inchada. Provavelmente, sofria de hidropisia abdominal.

---

[23] Vide p.119.

Doenças causadas por vermes são frequentes em crianças e adultos.

Não notei em lugar algum sinais de sífilis ou de outras doenças sexuais ou vestígios de varíola.

Em janeiro e fevereiro de 1913, o sarampo grassava no alto Casiquiare. Muitos dos seringueiros índios, a maioria Kunuaná, sucumbiram à doença, pois tomavam banho em meio ao calor da febre.

Os índios também demonstram pouca resistência à *malária*. Muitos morrem disso. Enquanto no alto Uraricoera, até agora, a *malária* parece ser desconhecida, toda a região das cabeceiras do Merevari está infestada dela. Assim que chegamos ao vale do Merevari, fomos pegos por ela. Parece ter surgido por lá há relativamente pouco tempo e, por isso, causa tantas vítimas. Provavelmente foi trazida do Orinoco por índios que trabalharam temporariamente nos seringais de lá. Todos os índios que, durante nossa presença no Merevari e no Ventuari, vinham dos seringais, sofriam de febre alta. O surgimento em massa dos *mosquitos*, os quais faltam completamente no vizinho Uraricoera, contribui para a disseminação da *malária* no alto Merevari. Os índios não conhecem um remédio contra a *malária*. Em Motokurúnya, após o pôr do sol, eles acendiam grandes fogueiras em volta da casa para afugentar um pouco os *mosquitos* que, em todos os fins de tarde, atacavam a povoação em verdadeiras nuvens. Com tempo bom, os índios passavam as noites na mata próxima, onde, curiosamente, os *mosquitos* não ocorriam. O mesmo faziam os moradores de Motokurúnya.

Observei dois débeis mentais. O primeiro, um Guinaú mais velho de Motokurúnya, quando criança tinha perdido a fala devido a uma doença grave, talvez do cérebro, e só tartamudeava, mas era entendido pelos familiares. Era um trabalhador diligente e incansável, e os outros o usavam para todo tipo de trabalho. Geralmente era benévolo, mas se irritava facilmente, então se tornava perigoso. Algum tempo antes, num acesso de raiva, ele matou com o machado um companheiro de tribo que zombava dele, sem que fosse punido por isso, pois era considerado demente. O outro era o filho mais velho do cacique dos Ihuruána. Toda sua fisionomia já indicava debilidade mental de nascença. No mais, tinha desenvolvimento corpóreo normal, mas era atrasado em seu desenvolvimento mental. Sua fala também era imperfeita, mesmo que não tão incompreensível quanto o tartamudear do Guinaú. Combinava bondade com certa esperteza. Não era levado a sério por seus companheiros de tribo. Ambos eram solteiros.

Vestuário e adornos: a basta cabeleira é cortada do mesmo modo ao redor da cabeça em homens e mulheres.

Sobrancelhas, cílios, a escassa barba e os pelos das axilas são removidos cuidadosamente, ou depilados, ou raspados. A remoção dos pelos púbicos só é comum entre as mulheres, e mesmo entre elas não é geral. Parece ser coisa deixada inteiramente ao próprio gosto. Umas o fazem, outras não, independentemente de serem mulheres velhas ou jovens.

Nos lóbulos furados, os homens usam ou cavilhas bem curtas de taquara ou pedaços de taquara do tamanho de um dedo ao tamanho de uma mão, dos quais, às vezes, em curtos colares de miçangas, pendem as chapas de prata em forma de meia-lua dos Arekuná e Taulipáng. Em dias festivos, eles enfiam na extremidade da frente da taquara um pauzinho, no qual são amarradas peninhas de tucano negras, vermelhas e amarelas em camadas isoladas, de modo que o adorno da orelha, com frequência, sobressai ao rosto. Esse encantador adorno, quando não é usado, é guardado num recipiente de taquara. Às vezes, as mulheres têm como adorno da orelha uma chapa de prata triangular que pende de um pino fininho.[24]

Alguns homens usam no lábio inferior furado um pino curto ou uma pena pequena.

Como vestuário, os homens vestem a usual tanga de chita europeia e preferem, decididamente, o vermelho ao azul; em certas ocasiões, em especial quando voltam do serviço para os venezuelanos, eles vestem camisa e calça ou também somente um chapéu de palha ou de feltro.

O vestuário das mulheres consiste em uma tanga de miçangas relativamente grande e quadrada que, na maioria das vezes, tem apenas na borda superior ou inferior uma faixa de motivos em forma de triângulos ou de ganchos de meandros, mas que, no mais, é igual às tangas de miçangas das tribos orientais. Nos trabalhos em casa e na plantação, em geral as mulheres andam totalmente nuas.

Em torno dos pulsos, ambos os sexos enrolam longos cordões de pequenas miçangas brancas, uns bem junto dos outros, formando largas braçadeiras; na parte superior do braço, eles enrolam fitas estreitas, produzidas pelas mulheres sem qualquer recurso, somente com os dedos, de cordões de fibras de bromélias, em uma espécie de técnica de tecelagem. São apertadas com tanta força em torno dos braços, que os músculos sob elas saltam para fora, e surgem marcas profundas. Com frequência, essas fitas têm um motivo em ziguezague. Alguns índios também só enlaçam um único cordão de miçangas brancas várias vezes em torno da parte superior dos braços. Às vezes, veem-se nos homens jovens, na parte superior dos braços, adornos discoides de cerâmica colorida, como os conhecemos dos Taulipáng.[25]

Em alguns homens, as pernas acima dos tornozelos e abaixo dos joelhos são envolvidas, na largura de uma mão, por cordões de cabelos humanos, supostamente cabelos femininos.[26] Outros usam, em vez disso, abaixo das panturrilhas, largas faixas de miçangas brancas. Nas moças adolescentes, veem-se, com frequência, largas faixas de miçangas azul-escuras sob os joelhos e outras de miçangas brancas acima dos tornozelos, o que dá uma aparência de bom gosto.

Chama a atenção a preferência dos Yekuaná e Guinaú por miçangas,[27] a saber, vermelho-escuras, azul-escuras e negras. Esses índios também estão tão sujeitos à moda que rejeitam miçangas de outras cores, pois não são modernas.[28] Os jovens de ambos os sexos usam quilos de miçangas em volta do pescoço, e de um grosso feixe de cordões de miçangas azul-escuras pende a tanga de miçangas da mulher.

Botõezinhos de camisa brancos também são usados pelas mulheres em cordões em volta do pescoço, assim como moedas de prata. Os colares infantis compõem-se de dentes de animais, de sementes e de miçangas.

---

24 Vide Rob. Schomburgk, op. cit., p.425.

25 Vide p.48-9. Rob. Schomburgk (op. cit., p.430-1) já encontrou esse adorno entre os índios do alto Merevari.

26 Vide Rob. Schomburgk, op. cit., p.403, 425, 430.

27 Rob. Schomburgk, op. cit., p.430, já menciona isso.

28 À época de Rob. Schomburgk, os Maiongkong preferiam miçangas azul-claras; op. cit., p.425, 430.

Um magnífico adorno antigo, que, infelizmente, é visto raras vezes e que se encontra, do mesmo tipo, também entre os Taulipáng e seus vizinhos, são grandes colares de presas de porco--do-mato.

Os adornos plumários nem são dignos de menção. Na única festa de dança de que participei, somente um homem usava um aro trançado com peninhas de tucano, no qual, atrás, havia três penas da cauda da *arara* vermelha enfiadas verticalmente.

A pintura é igualmente sem arte. Ou eles se pintam inteiros com *urucu*, especialmente quando voltam para casa após uma ausência mais prolongada ou quando visitam uma povoação estranha, ou pintam o rosto e o corpo com riscos paralelos horizontais ou com simples motivos trançados. Para aplicar os motivos, às vezes são usados carimbos-rolo de uma madeira leve (Pr. 49, 4). Os usuais utensílios de pintura, estojinhos de taquara e riscador de pintura, assemelham-se totalmente àqueles dos Taulipáng e de outras tribos.

Tatuagens não ocorrem.

Alimentação e estimulantes: em sua região de mata, os Yekuaná e Guinaú estão numa situação econômica muito mais propícia do que os índios do cerrado. Não estão sujeitos a sérias preocupações com a alimentação. As estações do ano se sucedem com grande regularidade, e mesmo na estiagem há umidade suficiente para as plantas por meio do orvalho. O chão é muito fértil. Isso já se vê nas extensas e abundantes plantações, nas quais crescem mandiocas gigantescas e outros frutos. Nas matas serranas abundantes em água há muita caça, nos rios maiores, muitos peixes de diferentes espécies.

De maneira geral, o modo de vida é o mesmo que o dos Taulipáng e seus vizinhos. Em primeiro lugar, planta-se mandioca, em menor medida, milho também.

As ferramentas na lavoura são todas de origem europeia. Não vi em nenhum lugar lâminas de machados de pedra. Um afluente esquerdo do alto Ventuari, o *rio* Hacha ou *Wẹwẹkúdu*, como os Yekuaná o chamam, deve seu nome de "rio do machado" ao fato de que, antigamente, os índios buscavam lá o material para seus machados de pedra, que amolavam no próprio local, como comprovam as inúmeras estrias de afiar nas rochas das cachoeiras.

Conheci entre os Yekuaná e Guinaú somente uma espécie de *caxiri*, uma bebida pastosa, ácida, de gosto repugnante, muito inebriante e de cor cinzenta. Para seu preparo, põem-se compactamente, uns sobre os outros, montes de beijus bem assados, todos colocados sobre folhas de bananeira no chão da casa e bem cobertos também com folhas de bananeira. Ficam assim por vários dias, até fermentarem e formarem uma massa, que então é coada com água e, com isso, ela está pronta para o uso. Ao acrescentarem as folhas estreitas e em forma de lancetas de um arbusto que plantam perto das povoações e chamam de *monó-yẹ*, os índios deixam a bebida mais acre e mais inebriante.

Os cochos em que se prepara o *caxiri* e dos quais este é servido em cuias grandes, geralmente são chamados de *kanáua* pelos Yekuaná, mais raramente de *wa̱sā̱teku*. São feitos de madeira pesada e, com frequência, têm um tamanho considerável. O maior cocho para *caxiri* que já medi tinha 4,10 m de comprimento e 47 cm de altura. As extremidades dos cochos terminam em bicos, pelos quais eles podem ser carregados com mais comodidade de um lugar para o outro. As laterais, às vezes, são pintadas sem arte com motivos negros em ziguezague (Ilustr. 13).

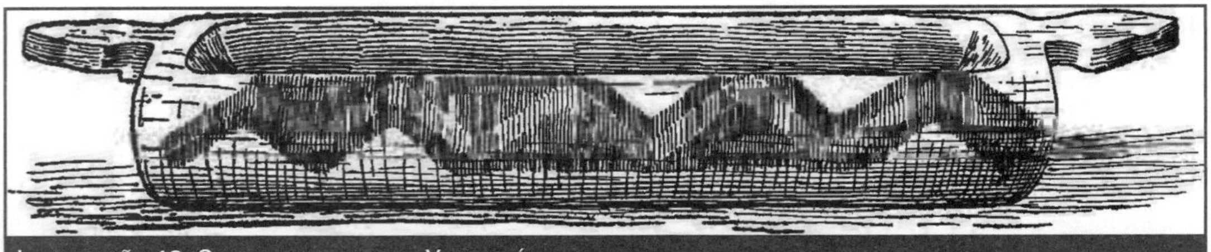

ILUSTRAÇÃO 13. COCHO PARA *CAXIRI*, YEKUANÁ.

Os grãos de milho são torrados no torrador, finamente triturados no almofariz e comidos em cuias como uma espécie de sêmola.

Além disso, plantam-se mandioca-doce, mamão, batata-doce, várias espécies de *Dioscorea*, várias espécies de bananas, dentre as quais a banana S. Tomé, vermelha, doce e de sabor aromático, abóboras amarelas e comestíveis, abacaxi e cana-de-açúcar.

A prensa de cana-de-açúcar é a mesma que entre os Taulipáng (Ilustr. 3).[29]

Dos frutos silvestres, os intumescidos caules em forma de pera do *acaju* (*Anacardium*) são petiscos muito apreciados. Suas altas árvores de galhos largos são frequentes no Merevari e dão fruto em março. Há duas espécies, uma de frutos vermelho-escuros e uma de frutos amarelos, mas que não são, nem de longe, tão suculentos e saborosos quanto aqueles. O sumo contém muito tanino e é, ao mesmo tempo, refrescante e saudável. O ácido adstringente tem efeito sobre a urina. Com frequência, os índios não se dão ao trabalho de subir nas árvores, e sim as derrubam. Eles alinham os frutos sobre cipós e os levam dessa maneira para casa.

Também as bagas azuis, semelhantes a cachos, de uma certa árvore ciliar chamada de *cucura* no Brasil, são coletadas diligentemente pelos índios devido ao seu suco doce, de sabor que lembra o mel, assim como as longas vagens dos ingazeiros (*Leguminosa*), cujas sementes estão imersas numa massa branca, esponjosa e açucarada.

Nas matas ralas das cumeadas entre o Merevari e o Ventuari há abacaxis selvagens de frutos pequenos, de gosto muito doce e aromático.

Dos frutos das palmeiras *bacaba* e *açaí* esses índios também preparam, do modo descrito anteriormente, bebidas refrescantes e nutritivas.[30]

O caldo de pimenta ou é cozido, como entre os Taulipáng, com suco de mandioca e, assim, se torna ácido e mais saboroso, ou os frutos frescos de *capsicum* são colocados por algum tempo no suco de mandioca, que, então, devido à fermentação, fica ácido e perde o veneno.

A pimenta torrada é triturada no almofariz com sal grosso vindo da Venezuela e empregada como tempero para beijus.

Carne de caça e peixes são preparados do modo costumeiro, ou assados e conservados pelos homens no espeto ou no moquém, ou cozidos em casa pelas mulheres. Nessa tarefa, a severa

[29] Vide p.65.

[30] Vide p.67.

divisão de trabalho por sexo chega a tal ponto que carne de caça assada é quase exclusivamente vendida apenas pelo homem, muito raramente pela mulher. Os peixes pequenos são cozidos sem serem limpos ou são envoltos em folhas de cheiro aromático e abafados na cinza quente. Do mesmo modo, ocasionalmente se abafa, em viagem, caça alada cortada em pedaços para esse fim.

Em Canaracuni, meu pessoal, usando veneno, pescou um grande número de pequenos peixes feios com pele escamosa parecendo armadura, que eles lavavam mal, destripavam e cozinhavam ou torravam entre folhas ou, simplesmente, jogavam no fogo, onde os peixes ficavam chamuscados e semicozidos. Então eles amontoavam os peixinhos sobre uma pedra chata, acrescentavam alguns pedaços de beiju, colocavam ao lado a panela com o caldo, que ficara esverdeado e amargo devido à bile, e nos convidavam para o almoço.

Peixes defumados no moquém até ficarem duros, às vezes, são triturados no almofariz até se transformarem em fina farinha, que é comida sobre os beijus.[31]

A carne de caça preferida é a do porco-do-mato, que ocorre abundantemente em duas espécies (*Dicotyles labiatus* e *Dicotyles torquatus*) nas matas serranas; mas os índios não comem as línguas nem os focinhos, "porque com eles os animais revolvem a terra". Também não comem o coração e preferem jogar todos esses petiscos aos cães. Além disso, desprezam os miolos, apesar de partirem cada osso com seus dentes magníficos e sugarem o tutano. Também não comem porquinhos novos, tampouco os animais jovens de qualquer outra caça de grande porte, cuja carne cedem aos cães.

Em contrapartida, tripas cozidas de anta e de porco-do-mato eram muito apreciadas. Mas, às vezes, tinham sido tão mal limpas que alguns pedaços de fezes nadavam na sopa gordurosa e lhe conferiam uma cor esverdeada.

Bem desagradável é o hábito desses índios de sempre jogar os ossos roídos de volta à panela com caldo de carne.

A carne do grande tatu da floresta, que é frequente no alto Merevari, é muito consumida pelos Yekuaná (Ihuruána), especialmente na época das chuvas, na falta de coisa melhor. A carne é branca, de fibras longas e tem um gosto insípido, semelhante ao de um bezerro abatido muito cedo. Se não for imediata e rapidamente conservada no moquém, estraga, torna-se desagradavelmente pastosa, adquirindo cheiro e gosto repugnantemente adocicado. Não raro, essa carne, também fresca, tem um cheiro levemente desagradável. A gordura branco-amarelada e untuosa, na maioria das vezes, não tem gosto desagradável e lembra um pouco gordura de ganso.

Também se come uma pequena espécie de jacaré, apesar de a carne, em certos pontos, ter um forte sabor de almíscar.

No início da época de chuvas, pegam-se nas lagoas rãs em profusão, que são cozidas com pele, deixando o caldo verde e desagradavelmente insosso.

---

31 A. v. Humboldt (op. cit. v.IV, p.101-2) já descreve essa farinha de peixe entre os índios do alto Orinoco.

Prancha 53. Processamento de raízes de mandioca, Yekuaná, *rio* Merewari: 1. Plantio. 2. Trazendo as raízes da mandioca. 3. Ralando as raízes da mandioca. 4. Espremendo a massa de mandioca usando o tubo de pressão. 5. Peneirando o amido. 6. Assando os beijus.

Uma curiosa paixão desses índios são vermes gordos e de um pé de comprimento, que eles revolvem na lama das margens com pedaços de pau pontudos.[32] Parecem minhocas. Na época das chuvas, quando falta carne de caça, as mulheres buscam esses vermes em pequenos aturás e os embrulham no próprio lugar, empilhados um junto do outro, entre folhas verdes, que elas então põem na cinza quente ou junto ao fogo, para abafar o conteúdo, ou jogam o verme por um instante em água quente, então o puxam entre dois dedos para limpá-lo de modo insuficiente, põem uma de suas extremidades na boca e o comem devagar com um pedaço de beiju, ou embrulham o verme fresco ou cozido num pedaço de beiju e o consomem assim com grande prazer. Se quiserem guardar os vermes por algum tempo, então os penduram sobre um pau acima do fogo, para defumá-los. Ficam muito duros e têm um forte sabor de óleo de fígado de bacalhau.[33]

Os Dekuána do *rio* Paru e de outros afluentes esquerdos do médio e baixo Ventuari supostamente não comem minhocas. Zombavam dessa paixão de seus vizinhos de mesma origem.

Gordas larvas de besouro amarelas, provavelmente do grande e bem desenhado escaravelho *Acrocinus longimanus*, são retiradas pelos índios, com pedaços de pau pontudos, dos troncos de palmeira apodrecidos e consumidas vivas.

Comem-se piolhos apaixonadamente, e a basta cabeleira oferece abundante oportunidade para isso.

Por tudo isso, vemos que os Yekuaná e Guinaú não dão especial valor a uma boa cozinha e comem de tudo. Em viagem, pegaram ovos chocos de um ninho de mutum e os comeram, aparentemente com grande prazer.

Um petisco dos habitantes do Merevari, que jovens e velhos comem em grande quantidade, em finas raspas, é uma gordurosa argila branca, provavelmente *caulim*, que os índios trazem da serra Sharisharináma quando vão buscar, da ilha de cerrado de lá, pedras para funcionar como dentes de seus raladores.

O tabaco dos Yekuaná é bem forte, especialmente uma certa qualidade preparada e fumada pelos pajés. Como folha exterior, serve uma faixa de líber vermelho da *Lecythis ollaria*, às vezes, também palha de milho.

Os Yekuaná são grandes fumantes. Quando um estrangeiro chega a uma de suas povoações, os homens se põem em ordem diante dele e lhe estendem um charuto, que acenderam antes, como sinal de boas-vindas e de paz.[34]

Não vi usarem o costumeiro pau ignígero de duas varetas que esses índios utilizam quando a necessidade os obriga.

Em um terrível dia de chuva, durante nossa viagem no alto Venturari, quando, molhados até a alma e tremendo de frio, procuramos abrigo sob um miserável teto de folhas, meus acompanhantes índios fizeram fogo da seguinte maneira original: toda madeira seca estava úmida até o

32 Vide também Rob. Schomburgk, op. cit., p.434.

33 Rob. Schomburgk (op. cit., p.444) viu os Maiongkong defumarem, num pequeno moquém, milhares de vermes. Chaffanjon (op. cit., p.270) viu os Kunuaná comerem um *ragout* de tais vermes.

34 Vide Rob. Schomburgk, op. cit., p.450. Os Wayumará tinham o mesmo costume; ibidem, p.413.

seu interior, e todos os cavaquinhos que raspávamos de pedaços maiores ficavam imediatamente cheios de umidade e não acendiam. Então um deles foi buscar um ninho redondo de cupins do alto de uma árvore, fez rapidamente com a faca um buraco em um ponto desse ninho e, com auxílio de nossos fósforos, acendeu no material inflamável de que são compostos esses ninhos um fogo que ardia em chama e queimava cada vez mais à sua volta, preenchendo, por fim, todo o interior do ninho com forte brasa. Pusemos nossa panela sobre a abertura do ninho e ficamos, então, com um forno que nos aqueceu e que cozinhou nossa comida.

Caça, armas: para esses habitantes de densas matas serranas, a caça desempenha um papel muito maior do que para as tribos do cerrado. São caçadores apaixonados que, frequentemente e com incansável persistência, passam dias a fio seguindo a caça e raras vezes voltam para casa sem presa.

Arcos e flechas são empregados quase somente para a pesca. Como armas de caça, foram suplantados também aqui pela espingarda de vareta inglesa, que os Yekuaná e Guinaú adquirem dos Arekuná ou pelo comércio intermediário, ou pelos longos e difíceis trajetos comerciais até a colônia britânica. Suas facas e machados são, quase todos, boas mercadorias inglesas, na maioria das vezes de Sheffield.[35]

O arco é o mesmo que nas tribos do leste.

Ataca-se porco-do-mato e anta também com lanças mais altas que um homem. A ponta larga e de dois gumes é confeccionada trabalhosamente de antigas lâminas de facões levadas à incandescência no fogo e, a seguir, moldadas na forma certa com um machado e um pedaço de madeira, sendo, por fim, afiadas sobre uma pedra.

A produção da zarabatana, como vimos, é um monopólio desses índios. Em suas serras no alto Merevari, Ventuari e Orinoco, o junco da zarabatana dá em grande quantidade. Dizem que ele é especialmente abundante e de boa qualidade na montanha Mashiádi, e os índios vêm de longe para buscá-lo em grossos feixes.[36]

O bocal feito da casca da *tucumá* é considerado valioso pelos Ihuruána do alto Ventuari, já que, supostamente, essa palmeira não ocorre lá, e as nozes têm de ser trazidas ou importadas de regiões distantes.

As setas entalhadas da nervura central da folha da palmeira *bacaba* têm um comprimento de cerca de 56 cm, portanto, pelo menos o dobro do comprimento das setas de zarabatana dos Taulipáng e de seus vizinhos (Pr. 54, 3).

O carcás, de cerca de 65 cm de comprimento, é impecavelmente dobrado de um pedaço da bainha da folha da palmeira *paxiúba* (*Iriartea*), costurado e amarrado várias vezes com um cordão de fibra. Nesse invólucro, é preso um pedaço de bambu grosso, nos quais as setas ficam

---

35 Já Rob. Schomburgk encontrou em 1839, entre os Maiongkong do alto Orinoco, facas de caçador inglesas (op. cit., p.450).

36 Vide Rob. Schomburgk, op. cit., p.432-3, 451. Viu nas cabanas indígenas caules de junco de comprimento superior a 5 m, bem retos e todos sem nós. Vide também Humboldt, op. cit., v.IV, p.100.

acondicionadas de maneira solta.[37] Por meio de um laço de cordão mais grosso, o carcás pende do ombro esquerdo do caçador ou, quando não é usado, das vigas da casa (Pr. 54, 2).

Para se fazer a incisão em espiral da ponta da seta envenenada numa extensão de cerca de 5 cm, incisão feita pouco antes de a seta ser atirada, também aqui serve a mandíbula, que pende do carcás, do peixe predador *Pygocentrus*.

Os Yekuaná e Guinaú não preparam, eles mesmos, o veneno das setas, que tem um preço alto, mas o compram em pequenas cuias redondas dos Piaroa no baixo Ventuari e no médio Orinoco. Por meio de um pauzinho achatado de lenho de palmeira, o veneno é passado sobre a ponta da seta (Pr. 54, 4).

A caça ao tatu da mata é inteiramente primitiva e não exige qualquer arma. De cima, cava-se um buraco na toca até se topar com a caldeira e se joga muita água lá dentro, a seguir, o animal tenta escapar através do túnel e é morto a pauladas.

Em cada povoação desses índios há inúmeros cães que, como açuladores, são adequados para impelir a caça para o caçador, apresentando bom resultado, em especial na caça às leitoas. A maioria deles é pequena e de aparência feia e desgrenhada, mas muito resistente. Muitos são maldosos e perigosos, e este talvez seja o motivo de outros animais serem raros nas moradias dos Yekuaná. Os índios nunca se fartam desses selvagens animais domésticos e, com frequência, fazem longas viagens comerciais para adquirir novos. Durante nossa presença em Motokurúnya, dois homens viajaram até o Auari para comprar cães dos Yekuaná de lá, apesar de já haver na casa mais cães do que moradores.[38]

Nem todos os cães são bons. Em Mauakúnya, quando os homens iam à caça, alguns cães sempre ficavam para trás e tinham de ser arrastados pelas mulheres atrás dos caçadores.

Os nomes dos cães, em parte, têm significado mágico, como os nomes de muitos de nossos cães de corrida; por exemplo, *ítx̯a* = rastro. Meu acompanhante, o Yekuaná *Mayulíhe*, que falava um pouco de português, chamava um de seus cães de caça de *porco*. Em parte, são apelidos, como *ž́ídyumę̥* = pai do bicho-do-pé. Um outro cachorro se chamava *intx̯ámũ* = velho; um outro, *tãgara*.

A clava de guerra, que Robert Schomburgk chama de “o constante acompanhante do Maiongkong”,[39] hoje quase desapareceu por completo dessa região. Encontrei apenas uma peça magnífica dessa espécie, cuja empunhadura, abaixo da pá, é envolta por faixas de taquara trançadas em motivos negros e amarelos (Pr. 54, 5). A curvatura da linha do centro e que chama a atenção certamente não é acidental no trabalho exato que distingue as armas indígenas, mas é intencional, para aumentar o ímpeto do golpe. Uma curvatura semelhante da linha do centro, mesmo que não tão pronunciada, é mostrada pela clava que adquiri dos Xirianá de Motomotó (Pr. 46, 7).

---

37 Os Huanyam, no Brasil central, têm carcases de zarabatana bem semelhantes, feitos de bainha dobrada da folha de palmeira com um recipiente de bambu, segundo um exemplar no Lindenmuseum, Stuttgart, coleção Erland Nordenskiöld.

38 Rich. Schomburgk (op. cit., v.II, p.82) escreve sobre um famoso criador de cães dos Makuxí, do qual os índios de toda parte compravam seus cães. “O número dos moradores (da povoação) montava a vinte, o de cães, pelo menos o dobro.”

39 Op. cit., p.450.

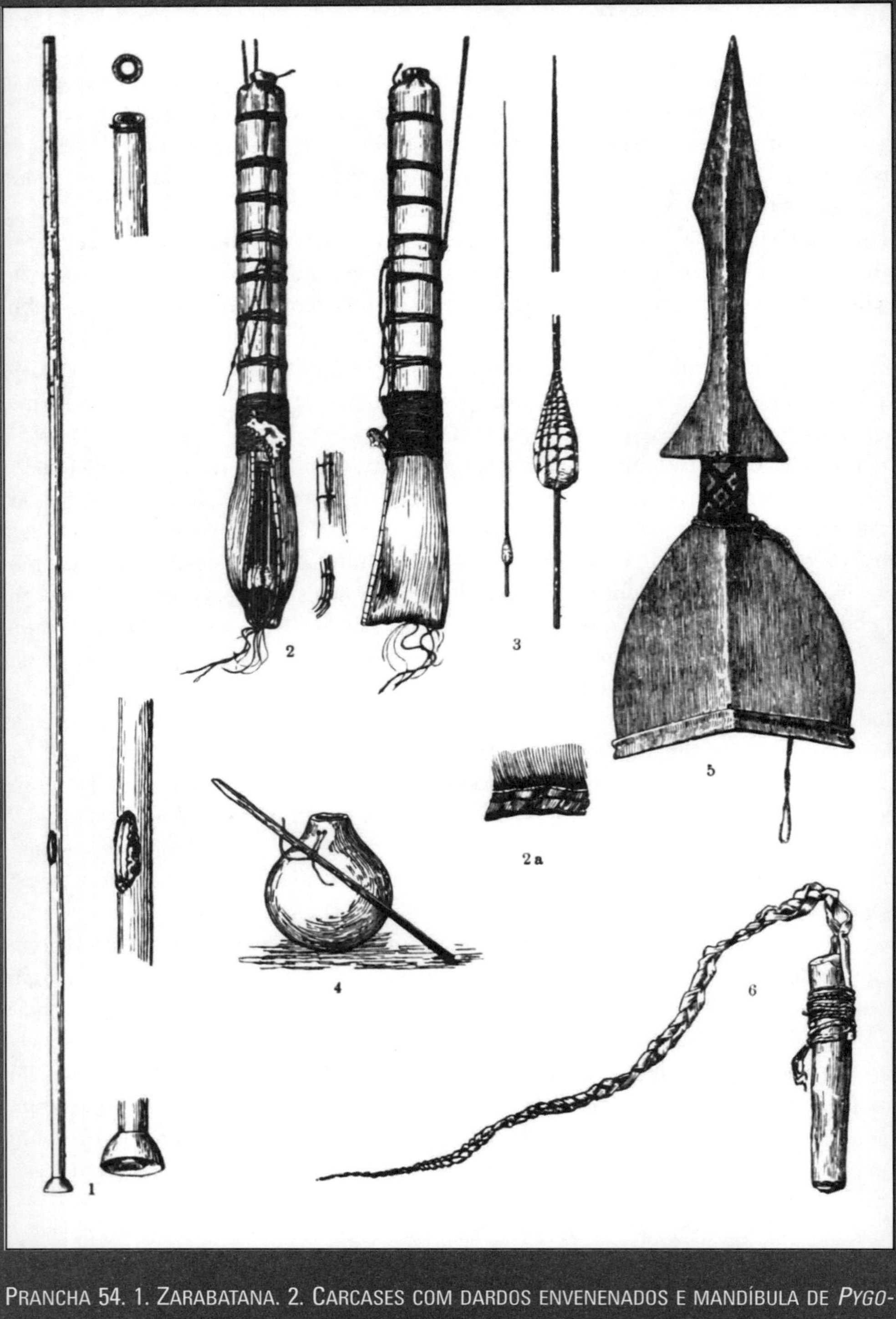

PRANCHA 54. 1. ZARABATANA. 2. CARCASES COM DARDOS ENVENENADOS E MANDÍBULA DE *PYGOCENTRUS*. 2A. SUTURA INFERIOR DO CARCÁS. 3. DARDOS ENVENENADOS. 4. CABAÇAS COM VENENO DE FLECHA E VARETAS PARA ESPALHAR O VENENO. 5. CLAVA DE GUERRA. 6. CHICOTE PARA AÇOITAR DURANTE AÇÕES MÁGICAS. 1, 2, 3, 5, 6, YEKUANÁ; 4, PIAROA.

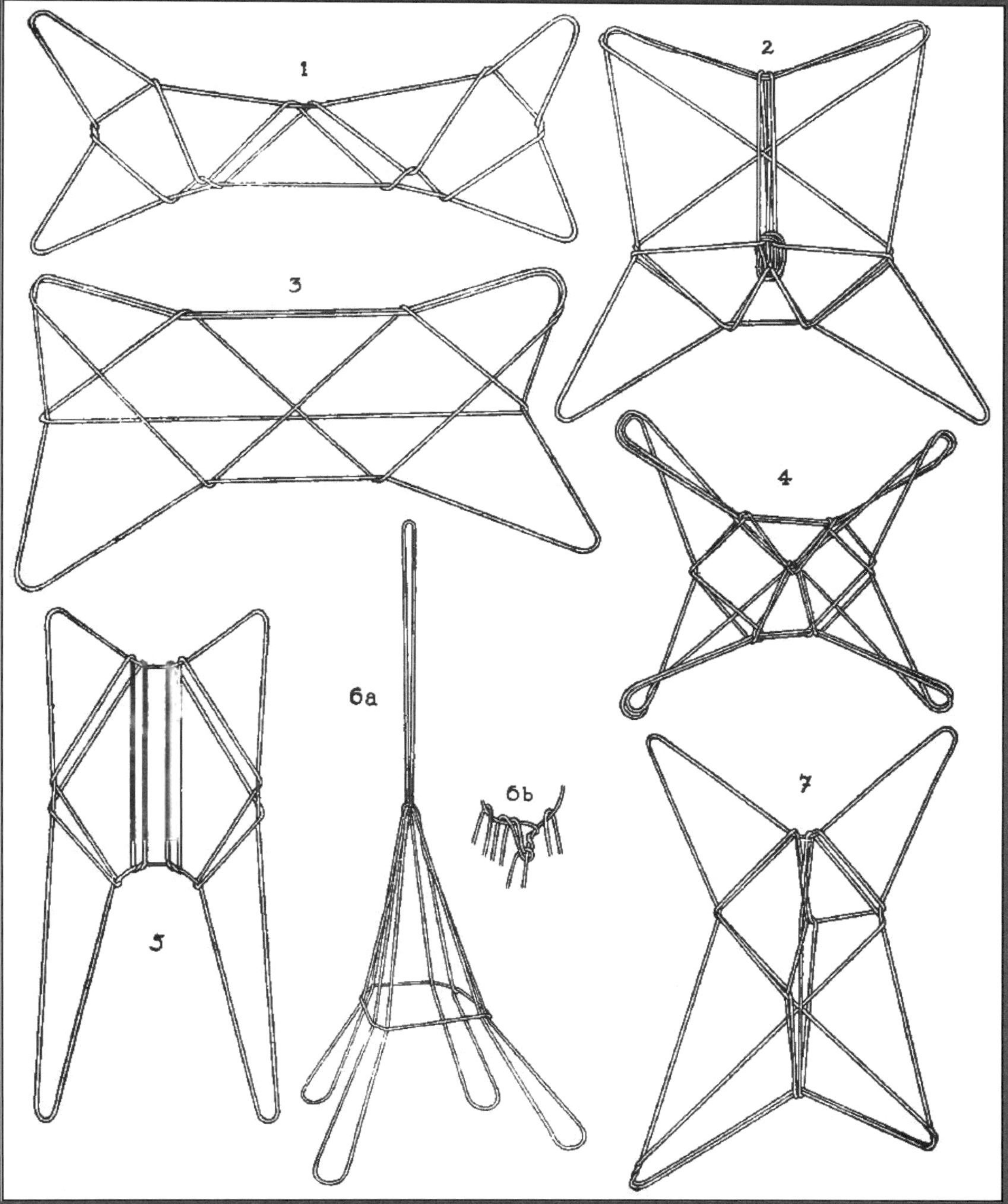

Prancha 55. Jogos de fios (cama de gato) dos Yekuaná. 1. "*Kauāra'tú menűdu*" – "pintura da (cobra) *kauaratú*". 2. "*Uasái*" – "palmeira inajá" (*Maximiliana regia*). 3. "*Dűf^{h}ẹ nẹhűtahédi*" – "árvore sobre o rio". 4. "*Máro–tá' he̱*" – "pegada de onça". 5 "*Uéna*" – "órgão sexual feminino", membros superiores esquerdo e direito, inferiores esquerdo e direito; cabeça no meio acima, genitais abaixo. 6a. "*A'té*" – "casa"(cabana de telhado cônico com um montante que se projeta longe). 6b. Entrelaçando o nó do meio de 6a. 7. "*Me̱mídi*" – "um cipó".

A clava Yekuaná é entalhada em pesada madeira marrom escura e polida. Em sua forma exterior, ela se assemelha ao segundo tipo descrito, na p.79-80, das clavas de guerra usadas pelos Taulipáng e Makuxí, mas tem uma pá bem mais larga. Um forte laço de algodão serve para pendurá-la.

Nas subdivisões da tribo que vivem às margens de rios maiores, Merevari, Ventuari, a pesca desempenha, naturalmente, um papel mais importante do que para os habitantes das serras, em cujos estreitos riachos formados pelas enxurradas ocorrem apenas peixes pequenos.

Peixes maiores geralmente são abatidos com arco e flecha ou pescados com anzóis europeus. Peixes pequenos são pegos com puçás, que são da mesma natureza que os dos Taulipáng e de seus vizinhos.

Não vi em lugar algum nassas e outros utensílios de pesca.

A pesca com veneno é muito popular. A planta venenosa mencionada anteriormente (p.84-5), usada para isso, é frequente nas matas de lá. No início da época das chuvas, quando os peixes sobem em massa os afluentes do Merevari para desovar, todos os homens de uma povoação organizam pescas comuns. Partem com arcos e flechas e grossos feixes de raízes venenosas; voltam para casa com uma presa imensa, pesadas cargas de *aimarás*, *pacus* e *curimatás*. Uma parte dos peixes e dos ovos é cozida e consumida imediatamente; o resto é colocado sobre o moquém.

Navegação: os Yekuaná e Guinaú possuem apenas igaras, que sabem confeccionar com esmero e em pouco tempo com machado e fogo. Como habitantes das proximidades de rios cheios de corredeiras e como incansáveis comerciantes viajantes, são excelentes pilotos de barco, nos quais se pode confiar sem hesitação.

Moradia, utensílios domésticos, animais domésticos: já ficamos conhecendo a singular disposição interior de suas casas (p.300, 303). Fumaça, poeira e sujeira distinguem os apertados recintos familiares, que são mais um abrigo para os inúmeros cães do que um domicílio para pessoas e não correspondem ao tamanho e à boa construção da casa.

Os utensílios domésticos são ainda mais simples do que os dos Taulipáng e dos Makuxí: algumas panelas e taças sem adornos, alguns belos trançados, pequenas redes de dormir tingidas de vermelho com *urucu*, cuias, raladores, armas; à primeira vista, esses são todos os haveres.

Entra luz em quantidade suficiente pelas pequenas aberturas das janelas construídas na parede externa. O recinto central da casa é quase escuro em dias comuns; somente em ocasiões festivas é que ele é iluminado com fachos de resina de cheiro agradável, *ayãua*, que, para esse fim, é envolvida em folhas verdes, que crepitam ao ser queimadas e têm um cheiro aromático, em forma de vara e amarrada com cipós.

Além dos cães, esses índios têm poucos animais domésticos. Em Mauakúnya havia alguns papagaios, um jacu (*Penelope*), que mais tarde foi mordido e morto por um cachorro, e dois jacamis (*Psophia crepitans*), um dos quais passava a noite numa árvore alta na orla da floresta, enquanto o outro, ao cair da noite, sempre voava até a ponta mais alta do teto. Durante o dia, essas aves engraçadas andam de modo afetado e solene pela praça da aldeia ou, com a cabeça

Prancha 56. Pescando com flecha, Yekuaná.

inclinada para a frente, correm para todos os lugares onde algo esteja acontecendo. Tornam-se extraordinariamente mansas, mandam com severidade em todos os outros animais domésticos, não têm medo nem do maior dos cães e acorrem imediatamente ao local em que dois animais estejam brigando, para promover a paz dando fortes golpes com o bico. Em compensação, são muito carinhosas com aves jovens, por exemplo, com galinhas europeias, não raro espantam a bicadas a galinha choca, atraem os pintinhos para si e os protegem sob suas asas. São aves sociáveis, que aparecem na mata fechada em bandos de bem mais de cem indivíduos. Dizem que não se reproduzem em cativeiro. São extremamente atentas e anunciam com zumbidos todo estranho que se aproxima, constituindo, assim, uma boa proteção para a aldeia. Também são loucas por cobras. Elas as farejam a uma certa distância, atacam-nas emitindo um "*hut-hut*" especial e as matam a golpes de seu bico forte. Não se atemorizam nem mesmo com cobras venenosas. Fazem as cobras jovens sair da cova e as engolem aos poucos; não admira que os jacamis sejam os preferidos dentre os animais dos índios.

Em nenhuma povoação encontrei galinhas europeias, que são bastante difundidas entre os índios sul-americanos. Somente em Huhukúnya, no *rio* Hacha, havia um galo doméstico velhíssimo sem companheira.

Trançados: os Yekuaná e Guinaú são cesteiros muito habilidosos. Seus trançados, que eles confeccionam em pouco tempo, são de uma perfeição e, em parte, de uma fineza artística que não seria de se esperar nesse ambiente bastante grosseiro. Pelo visto, essa arte é o resquício de uma cultura (Aruak) mais elevada, que, com o passar dos séculos, perdeu-se ou degenerou.

A mulher só trança o aturá grande, cilíndrico e arredondado embaixo, no qual ela vai buscar mandioca, produtos agrícolas e também lenha (Pr. 23, 3). Todos os outros trançados são feitos pelo homem.

Os aturás trançados, feitos para durar, de trepadeiras finas e descascadas, com certeza não são próprios dos Yekuaná, e sim adotados dos Guinaú. Em sua forma exterior, eles lembram os aturás femininos usados nas tribos Aruak e nas tribos sob influência Aruak do grupo Tukano do alto *rio* Negro.[40] Como estes, eles são carregados nas costas, presos com uma fita de líber marrom que passa pela testa (Pr. 53, 2).

Os panacus dos homens são dispostos como os panacus dos Taulipáng e de seus vizinhos, mas não são tão finamente trabalhados. Alguns têm um tamanho considerável, especialmente os panacus que servem para carregar a carne de caça, a bagagem e as mercadorias para troca.

Os tipitis para massa de mandioca assemelham-se àqueles dos Taulipáng, mas são muito maiores (Pr. 53, 4 e 57, 1).

Os costumeiros apás grandes são os mesmos em ambas as regiões.

Nos abanos alongados e de trançado simples de tiras de folha de palmeira dos Yekuaná e Guinaú, as extremidades das folhas são amarradas, formando um cabo longo, enquanto nos abanos mais curtos e largos, de trançado mais artístico, dos Wapixána, o punho é transversal (Pr. 24, 6 e 7).

---

40 Vide Koch-Grünberg, *Zwei Jahre...*, v.I, p.76-7, ilustr. 34 e 35.

Esses índios não sabem confeccionar cestos quadrados com tampa. Cestos desse tipo encontrados em suas casas provavelmente se originam dos Arekuná.

São de grande beleza os apás pequenos e redondos, trançados com motivos em amarelo e negro, nos quais os beijus são servidos. São verdadeiras obras de arte, que na fineza das tiras trançadas e em toda a sua execução ultrapassam em muito os produtos semelhantes dos vizinhos orientais e das tribos do alto *rio* Negro. Os motivos, meandros, ganchos em meandro e motivos de escada, geralmente se encontram dentro de um quadrado, orlado de negro, no centro da parte interna.

As tiras para trançado desses pequenos apás são extraídas de um bambu da espessura do polegar, que os Yekuaná chamam de *hẹduráua*. A película externa e verde é cuidadosamente raspada com a faca, a seguir, a cana lisa é seca por pouco tempo, então é lascada em tiras paralelas. Para esse fim, bate-se simplesmente a cana contra um poste da casa, o que a faz partir-se em tiras bastante iguais. Essas tiras, então, são partidas com a faca para ficarem mais estreitas e mais regulares e são finamente raspadas entre o polegar e o gume da faca, até ficarem bem lisas e da mesma largura. Tingem-se tiras isoladas de um negro brilhante ao se colocá-las por algum tempo no tanino extraído da casca de uma árvore, *amaínya*. Às vezes, tinge-se assim toda a cana de que se raspou a película externa, só então lascam-se as tiras.

Ao fazer o trançado, o homem se agacha no chão, ou fica sentado num banco baixo, ou num tronco de árvore e utiliza a parte de trás de um ralador, que fica entre suas pernas abertas, como apoio para seu trabalho. Um apá pronto lhe serve de modelo (Pr. 57, 3). Alguns pediam emprestado um apá de minha coleção. Às vezes, alguns amigos ficam sentados por perto e lhe dão bons conselhos. Ocorrem longas deliberações sobre detalhes. Com frequência, eles ficam em posições estranhas enquanto executam o trançado. Um homem jovem preferia ficar deitado transversalmente sobre a barriga, na rede de dormir amarrada a pouca altura, e, apesar disso, trabalhava com grande habilidade.

A qualidade desses pequenos apás é variada. Todo homem sabe fazer trançado, mas também aqui há talentos especiais. Infelizmente, essa habilidade própria de toda a tribo dos Yekuaná também vai desaparecer cada vez mais devido ao crescente contato com os brancos.

Fiar: o fuso e a fiação são essencialmente diferentes dos das tribos orientais. O castão do fuso, espessado abaixo do tortual e sem gancho, tem o extraordinário comprimento de 80 a 110 cm. O tortual grosseiro e discoide é entalhado em madeira dura e pesada sem decoração (Pr. 49, 7). Ao fiar, a mulher fica sentada com a parte inferior da coxa entortada, a perna esquerda esticada, sobre uma base baixa, e rola o fuso com a palma da mão direita sobre a parte superior da coxa direita, enquanto apoia no chão a extremidade inferior do castão. Provavelmente, nesse trabalho, ela leva a mão do joelho para cima. Infelizmente, não tenho anotações a respeito. O fio é tecido pela esquerda.[41] Durante o trabalho, a mulher segura o algodão sobre o punho esquerdo (Pr. 58, 2).

Os fusos são confeccionados apenas pelos homens, e essa divisão de trabalho é mantida tão rigorosamente, que uma viúva não queria me vender seu fuso porque não tinha um marido que lhe pudesse fazer um novo.

---

41 Vide Frödin-Nordenskiöld, *Über Zwirnen...*, p.57, 92-3.

1

2

3

Prancha 57. Trançados, Yekuaná: 1. Trançado de um tubo de prensa. 2. Trançado de uma cesta de mulher. 3. Trançado de um apá de vime estampado.

Também vi homens torcendo cordões de fibras com esse fuso grande, mas nunca os vi fiando fios de algodão. Em geral, eles torcem as fibras das plantas como os outros índios, com a mão direita sobre a parte superior da coxa.

Tecer: entre os Yekuaná e Guinaú, as redes de dormir de algodão são tecidas apenas pelos homens. O tear é tão simples como entre os Taulipáng e seus vizinhos, e o trabalho transcorre do mesmo modo. As redes de dormir dos Yekuaná são muito curtas e estreitas, e, com frequência, os índios dormem nelas nas posições mais inacreditáveis.

As tipoias tecidas e as tangas são tecidas com bastidores que se diferenciam pouco dos das tribos orientais (Pr. 26, 1 e 59, 1).

A *cerâmica* entre os Yekuaná e Guinaú, novamente, só é exercida pelos homens, segundo um processo muito difundido. Da argila amarela e resistente, que antes foi cuidadosamente amassada e limpa de todos os elementos rijos, primeiro o oleiro forma a base do recipiente, então enrola com a palma da mão sobre um apoio plano, em geral o lado do avesso de um ralador, longos chumaços o mais regulares possível, colocados uns sobre os outros em espiral, enquanto, com a mão esquerda, vai apertando levemente um no outro. Ele tapa as estrias com uma pazinha de madeira úmida e alisa ambos os lados com um caco de cuia. Enquanto está sendo formada, a panela fica em pé sobre um apá emborcado, onde se colocaram folhas de bananeira. A panela pronta é colocada por alguns dias para secar sobre um andaime perto do fogão. Ao ser queimada, ela é virada sobre um pequeno fogo, onde se jogaram folhas verdes, desprendendo-se uma fumaça espessa (Pr. 60, 2 a 5). Enquanto isso, de vez em quando o oleiro limpa a superfície da panela com folhas verdes. Então ele vira a panela, limpa cuidadosamente também o interior com folhas verdes, espalha resina sobre o fogo para vitrificar um pouco a superfície interna, coloca novamente folhas verdes no fogo e vira outra vez a panela sobre o fogo. Depois de algum tempo, ele a tira, limpa-a de novo por dentro e por fora, e a panela está pronta.[42]

Raladores: uma indústria especial dos Yekuaná e Guinaú é a produção de raladores. É um trabalho penoso e demorado, no qual homem e mulher se dividem. Por vários dias, toda a família vai para a mata, onde o homem corta as tábuas, de modo rudimentar, com o machado. Nas cabeceiras do Ventuari, ele pega cedro vermelho, *maruraínya*, fácil de trabalhar, no Merevari, uma madeira mais dura e amarelada. Em casa, ele desbasta finamente a tábua com o facão e uma enxada de ferro, chamada enxó, que, na maioria das vezes, é de origem inglesa (Pr. 61, 1). Então é tarefa da mulher terminar o utensílio. Com uma velha lâmina de faca e um seixo, ela corta ínfimas lascas de um pedaço de pedra firme (Pr. 61, 2a), então, com um prego, faz fileiras de furos pequenos na superfície um pouco convexa da tábua retangular e, com o seixo, enfia cuidadosamente nos furos as lascas de pedra – não raro ordenadas segundo motivos entrelaçados –, deixando as pontas sobressaírem só um pouquinho (Pr. 61, 2b). Nas estreitas laterais da tábua, fica livre uma faixa de dentinhos que tem mais ou menos a largura de uma mão. A mulher

---

42 Vide também Quandt, op. cit., p.233-5.

1

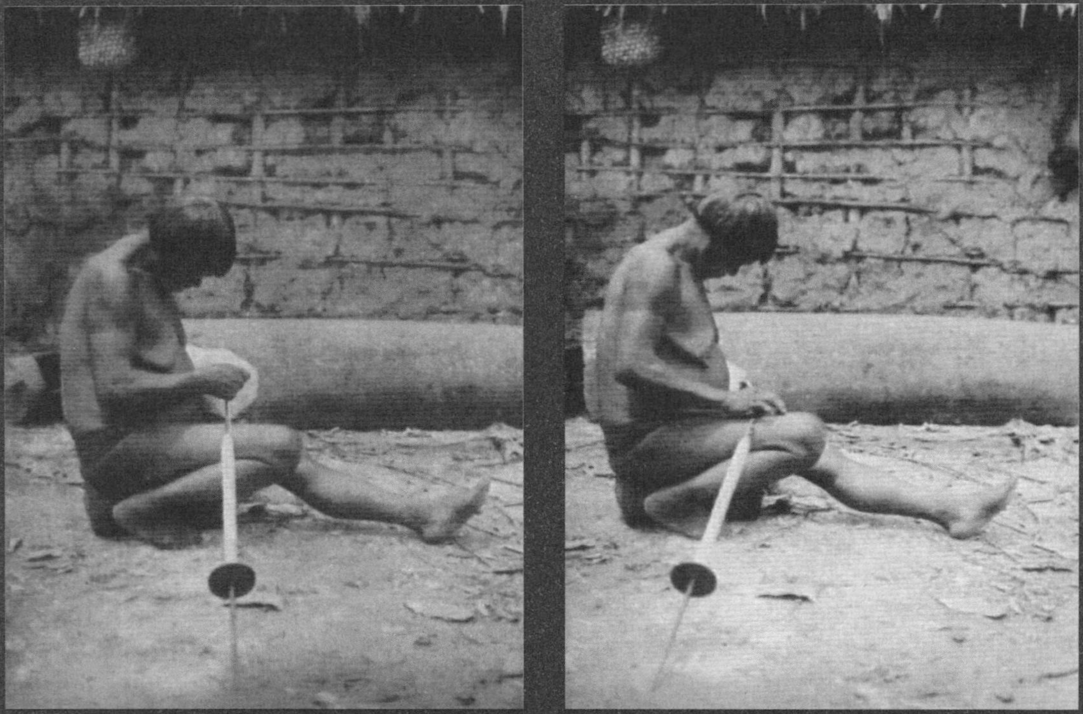

2

PRANCHA 58. FIANDO. 1. WAPIXÁNA. 2. YEKUANÁ.

1

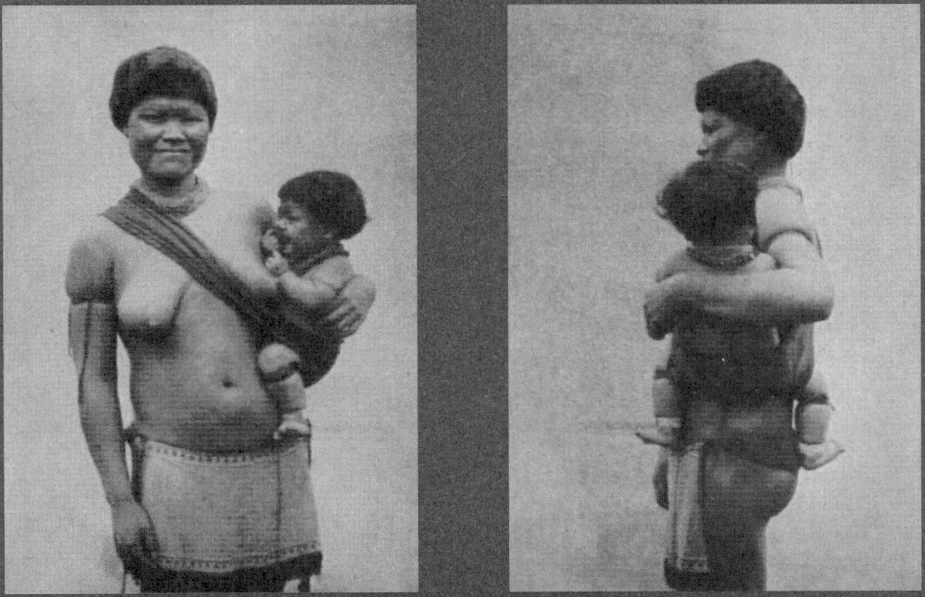

2

Prancha 59. 1. Tecendo uma tipoia. 2. O nenê na tipoia, Yekuaná.

Prancha 60. Cerâmica: 1. Meninas Makuxí e Wapixána fazendo pequenas panelas. 2-5. Homens Yekuaná fazendo panelas. 2. Fazendo o rolo de barro. 3. Os rolos de barro são colocados uns sobre os outros em espiral. 4. As estrias são tapadas. 5. A panela é queimada.

reveste a parte central com resina negra, para que as lascas de pedra fiuem presas com mais firmeza, passa vermelho *carajuru* sobre as extremidades superior e inferior livres da tábua e, sobre o vermelho, pinta belos motivos com fuligem (Pr. 61, 3). Então o ralador está pronto para o uso e para o comércio (Pr. 24, 15).

Só uma vez, talvez excepcionalmente, vi a pintura de um pequeno ralador para uma menina ser feita por um homem, o pai da criança. Numa pequena cuia contendo seiva de árvore branca e viscosa, a mãe raspava a fina fuligem de uma panela e preparava uma tinta negra. Com um pauzinho, o homem então pintava, em ambas as laterais livres da tábua, diferentes motivos bastante engenhosos, dos quais uma faixa de triângulos com um gancho na ponta é muito difundido no alto *rio* Negro (Pr 24, 15).[43] Um motivo de triângulos semelhante, mas sem o gancho, que um Yekuaná, numa festa de dança, usava como pintura em lugar das sobrancelhas, me foi designado explicitamente por ele como "pintura de ralador" (Pr. 9, 10).

A pedra para os dentinhos dos raladores é um quartzito amarelo-esverdeado, de lascas afiadas, que se encontra em nódulos isolados especialmente numa ilha de cerrado da serra Sharisharinama no Canaracuni. Os índios fazem excursões de vários dias até lá com a família toda, mulheres, filhos e cães, para buscar tais pedras. Os Máku do Auari também não receiam a longa viagem e vão buscar naquela serra o material para os dentinhos de seus raladores, cuja confecção eles devem ter aprendido somente com suas mulheres Yekuaná e Guinaú. Segundo outra informação, os Máku não fabricam, eles próprios, os raladores, mas compram-nos de seus vizinhos ao norte, para então comercializá-los. Em todo caso, a indústria de raladores é um monopólio de ambas as tribos aculturadas Yekuaná e Guinaú, quer seus representantes vivam no Merevari, ou no Ventuari, ou no alto Orinoco. Seus produtos encontram ampla difusão, para o oeste e o norte até o Orinoco, para o leste até a divisa com a Guiana Inglesa. Especialmente no Merevari, cada casa indígena é uma verdadeira fábrica de produção desse necessário utensílio doméstico. Montes de tábuas, amarradas com cordas e destinadas ao comércio, pendem das travessas do teto ou se encontram nos andaimes, prontas para a viagem ao estrangeiro. Esses morenos vendedores ambulantes, carregados com os grandes panacus cheios de raladores, seguem de aldeia em aldeia, de tribo em tribo,[44] vendem aqui novas mercadorias e cobram lá velhas dívidas, e raras vezes se vê um visitante estrangeiro sair de uma casa Yekuaná sem que esteja carregando nas costas dois ou mais desses raladores adquiridos depois de prolongado regateio.

O tamanho dos raladores é diferenciado. Em média, eles têm 65 cm de comprimento e 25 cm de largura, com uma espessura máxima de 1,5 cm. Os raladores das menininhas correspondem ao tamanho delas.

Enquanto se rala a mandioca, geralmente o ralador fica apoiado num pedaço de canoa velha, no qual a massa se acumula (Pr. 53, 3). No intervalo, não raro esse pedaço de canoa é utilizado pelos cães imundos como local de descanso.

---

43 Vide Koch-Grünberg, *Zwei Jahre...* v.II, p.233. O mesmo motivo também se encontra na cerâmica dos Chiriguanos; Felix F. Outes, "La cerámica Chiriguana", *Revista del Museo de La Plata*, Buenos Aires, v.XVI, 1909. pr. I, fig. 5; pr. II, fig. 5.

44 Dizem que, às vezes, eles chegam com panacus cheios de raladores até o baixo Surumu.

b 2 a

1

3

PRANCHA 61. CONFECCIONANDO UM RALADOR, YEKUANÁ: 1. A TÁBUA É APARADA COM A ENXÓ. 2A. AS PEDRAS SÃO LASCADAS. 2B. AS LASCAS DE PEDRA SÃO INSERIDAS NA TÁBUA. 3. A TÁBUA É PINTADA.

Ornamentação, desenhos: com exceção dos trançados artísticos, as expressões de arte dos Yekuaná são muito reduzidas. Somente poucos de seus utensílios possuem uma pintura grosseira. Os motivos e as figuras de pessoas e animais, que eles pintam em seus corpos ou na parede externa de suas casas e na parede de líber do recinto central, encontram-se, quase sem exceção, no nível artístico mais baixo; uma prova de que também os pequenos apás de finos motivos, as únicas obras de arte que seus trançados ainda produzem, não devem sua origem a uma sensibilidade artística consciente, e sim a uma mera habilidade que eles aprenderam de tribos superiores, talvez dos hoje degenerados Guinaú.

O cabo de um chocalho mágico que adquiri dos Ihuruána, os quais, de resto, são grosseiros (Pr. 49, 6), dá a impressão de ser um resquício de tempos antigos e melhores. Ambas as figurinhas representam "pessoas que vivem acima do nosso céu". Em sua austera estilização, na seriedade que se expressa nas linhas harmoniosas dos corpos agachados, esse entalhe pertence aos melhores produtos artísticos de um povo natural.

Não deparei com desenhos rupestres em toda essa região.

No alto Ventuari, encontrei uma figura humana entalhada na casca de uma árvore (Ilustr. 14).

Não consegui fazer os Yekuaná desenharem no meu caderno de rascunhos. Somente uma mulher Guinaú, a meu pedido, esboçou desenhos a lápis dos motivos que eles pintam nos raladores. Com os dedos esticados, ela segurava o lápis quase na horizontal, como estava acostumada a fazer em suas pinturas com o pauzinho de pintar envolto em algodão, e o apertava tanto que se podiam ver as marcas através de meia dúzia de folhas.

Ilustração 14. Figura humana cortada na casca de uma árvore, Yekuaná.

De um Yekuaná que me serviu de guia em sua terra, obtive dois desenhos de mapas dos cursos do alto Uraricoera e do Merevari com todos os seus afluentes, das principais cachoeiras, das serras e das povoações indígenas (Pr. 62). É verdade que esses esboços grosseiros não equivalem, nem de longe, aos desenhos do tipo croqui dos Taulipáng,[45] mas, no geral, reproduzem corretamente a situação. Isso não é de surpreender em pessoas que passam grande parte de sua vida em viagem e, por isso, têm de saber exatamente rodeios e atalhos, as distâncias de localidade a localidade, até mesmo locais propícios para acampar.

[45] Vide p.100 e Pr. 34 e 35.

Mapa do Rio Uraricoera.

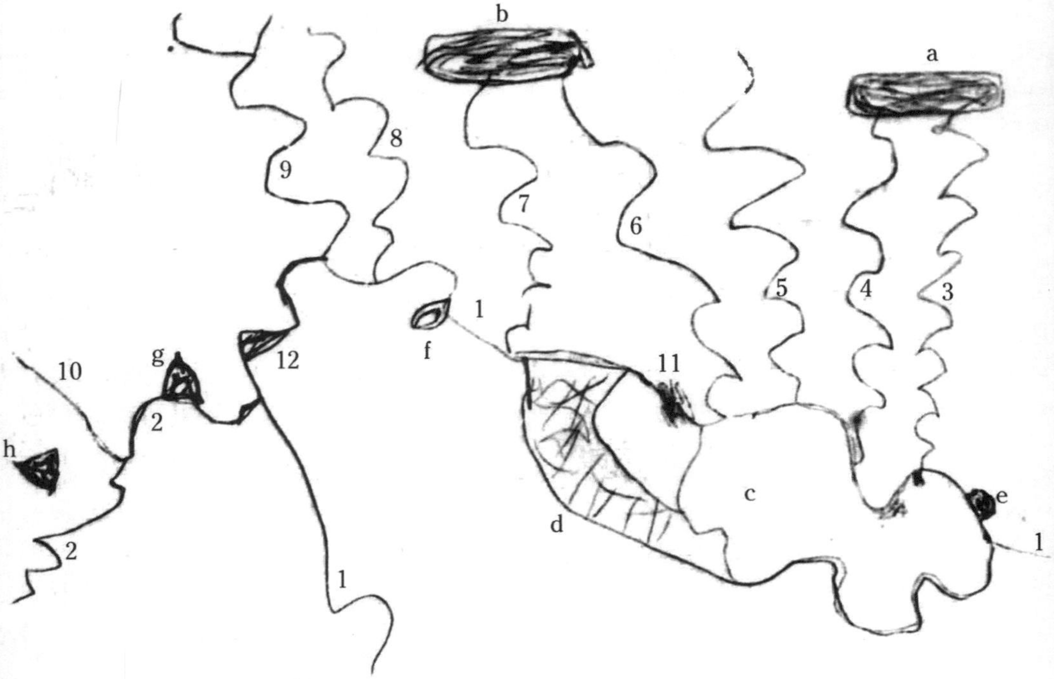

Mapa dos rios Merewari e Erebáto. (Desenhos a lápis de *Mayulíhe*, Yekuaná de 20 anos.)

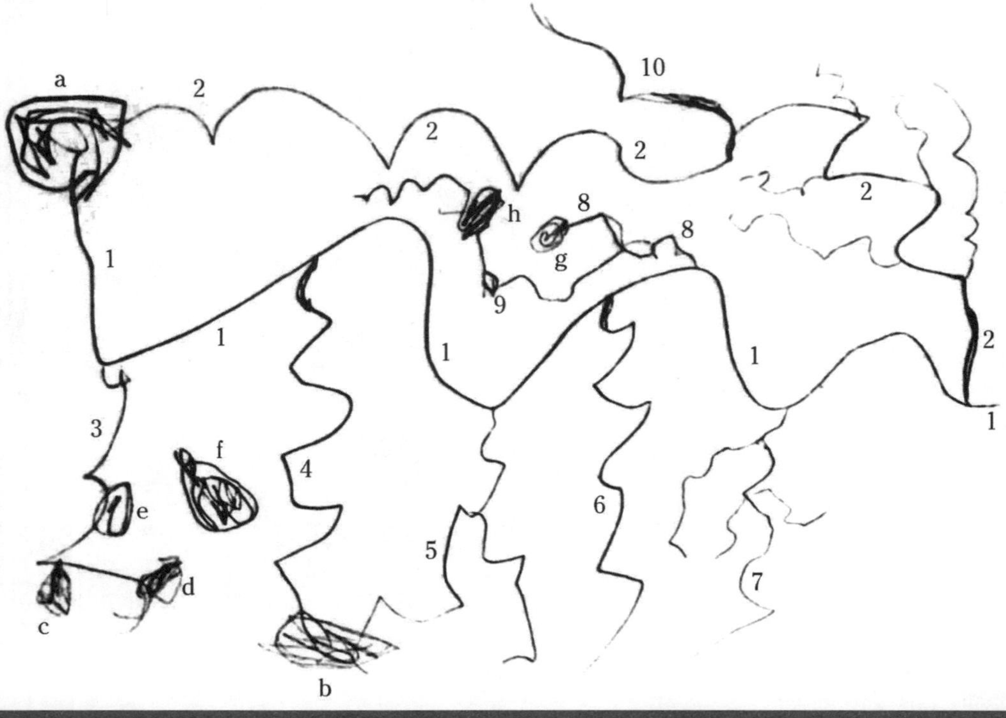

Prancha 62. Acima: Mapa do Rio Uraricoera.
(Desenho a lápis de *Mayulíhe*, Yekuaná de 20 anos.)

Montanhas:
a. Tepekíng. b. Marutani.

Ilhas:
c. Maracá. d. Emaranhado de ilhas no extremo oeste de Maracá.

Assentamentos indígenas:
e. Casa de família Wayumará. f. Motomotó, aldeia Xirianá. g. Casa dos parentes Máku.
h. Casa dos parentes Yekuaná.

Rios, córregos, cachoeiras:
1. *Rio* Uraricoera-Parima
2. Auarí
3. *Igarapé* de Tucumá
4. Paparú
5. Iueremé
6. Uraricapará
7. Wareró
8. Wainyamá
9. Aracasá
10. Kuraimalú
11. Cachoeira Purumamé (Urumamý)
12. Cachoeira Tukuiuesikémale, dois dias acima da foz do Aracasá

Abaixo: Mapa dos rios Merewarí e Erebáto.
(Desenho a lápis de *Mayulíhe*, Yekuaná de 20 anos.)

Montanhas:
a. Mesa Pauá. b. Montanha Mashiádi.

Assentamentos indígenas:
c, d, e, f. Casas de parentesco Yekuaná. g, h. Casas de parentesco Guinaú.

Rios e córregos:
1. Merevari
2. Erebáto
3. Emecuní
4. Kemacúni
5. Yaniacá
6. Aiakéni
7. Tyahúda (a partir dele um caminho leva ao Wainyamá, afluente esquerdo do Uraricoera)
8. Canaracúni
9. Tuducamá
10. Caracará

Divisão de trabalho por sexo

	homens	mulheres
Produção de armas	+	–
Produção de cestos trançados	+	+[46]
Produção de botes	+	–
Produção de recipientes de argila	+	–
Produção de puçás para peixes	+	–
Produção de raladores	+	+[47]
Produção de fusos	+	–
Produção de redes de dormir	+	–
Produção de tipoias tecidas	–	+
Produção de tangas de miçangas	–	+
Produção de adornos	+	+
Entalhes de madeira	+	–
Pintura	+	+
Fiação de algodão	–	+
Torcer cordas	+	–
Capinar	+	–
Plantar	+	–
Lavrar	–	+
Colher	–	+
Construção de casas	+	–
Pesca	+	+
Caça	+	–
Assar	+	–
Cozinhar	–	+
Preparo de bebidas alcoólicas	–	+
Carregar lenha	+	(+)[48]
Carregar água	–	+
Levar cargas em caminhadas	+	+

Tribo, família, cacique: sobre as diferentes hordas do povo Yekuaná, que significam igualmente muitos dialetos, já falamos no início deste livro. O caráter unitário da tribo não foi preju-

46 A mulher só trança o aturá no qual vai buscar produtos da roça. Todos os outros trançados são feitos pelo homem.

47 Homem e mulher se dividem na confecção dos raladores.

48 A lenha é trazida principalmente pelo homem.

dicado pela mistura com os Guinaú, que são em número muito menor. O sentimento de unidade é mais forte do que entre os Taulipáng e é favorecido pelo gosto desses índios por viagens, que sempre volta a unir os diferentes membros da tribo. No entanto, também aqui existem certos antagonismos entre as hordas. Os Yekuaná do Merevari e os Ihuruána do alto Ventuari se veem com desconfiança, e estes últimos são vistos por seus vizinhos, os Dekuána e Kunuaná, de certo modo como "provincianos", com um certo menosprezo.

O último verdadeiro cacique geral da tribo foi Aramáre, que, na década de 1880, tinha seu domicílio no Cunucunuma e, como descendente da antiga linhagem de caciques, era muito considerado por todo o povo dos Yekuaná.[49] Sua influência estendia-se para além do Casiquiare, até o alto *rio* Negro. Lá ainda se contam hoje suas visitas cerimoniais em San Carlos, o centro dos Baré. Ele viajava num barco de guerra muito comprido, com uma tripulação de trinta remadores bem-dispostos, e acompanhado por uma flotilha de pequenos botes. Dizem que era uma visão notável. Que se tocavam os tambores ininterruptamente por quatro dias e quatro noites.[50]

À época de nossa viagem, via-se a si mesmo como seu sucessor o Kunuaná Antonio Yaracúne, que tinha se casado com uma filha de Aramáre e fora nomeado pelo governo venezuelano "Cacique geral de todos os Maquiritáres". Ele também gozava de certo prestígio entre seu povo, baseado menos em sua patente oficial como cacique do que no fato de que, como genro do famoso Aramáre, fazia parte da família deste. Apesar de sua aparição solene, era um grande malandro. Vendia seus companheiros de tribo, por dinheiro e mercadorias, como trabalhadores para os seringueiros venezuelanos e me roubou da maneira mais vergonhosa.[51] Muitos de sua gente percebiam isso e o desprezavam, apesar de não deixarem que ele o notasse e o tratavam com o honroso nome de *kõ̂ko* ou *amõ̂ko* (avô).[52] Naquela época, surgiu no alto Orinoco um concorrente seu, igualmente um Kunuaná, que tinha o estranho nome de Waíka[53] e, justamente à época de nossa presença, por iniciativa de alguns seringueiros do alto Casiquiare, tinha sido nomeado cacique geral pelo governo venezuelano. De San Fernando de Atabapo levamos sua patente até ele.

Esses chamados "caciques gerais" desempenham, hoje, somente um papel especial nas relações com os venezuelanos, cujos desejos eles representam entre seus companheiros de tribo e os fazem prevalecer com maior ou menor êxito. A única organização fixa, também aqui, é a comunidade da aldeia, ou melhor, da casa, principalmente porque, via de regra, as povoações ficam muito distantes umas das outras e, com frequência, só se chega a elas por caminhos difíceis. Em cada povoação, um decano ocupa uma posição bastante respeitável. Pode-se chamá-lo de um pequeno cacique. Sua influência se afirma em todos os empreendimentos comuns, caçadas e pescarias, construção de uma casa comunitária, e coisas semelhantes, nas quais ele pode tomar decisões mais pontuais e indicar a cada um o seu lugar. Ele determina e supervisiona os traba-

---

49 Chaffanjon, op. cit., p.265*ss.* e ilustr. 262.

50 Hamilton Rice, op. cit., p.333.

51 Vide v.I, p.343*ss.*

52 A primeira expressão é empregada pelos Yekuaná do Merevari e pelos Ihuruána, a segunda, pelos Kunuaná.

53 Pelo visto, um apelido; vide o nome de tribo Waíka.

lhos, divide a presa, preside as refeições comunitárias e, também nas festas de dança, assume o primeiro lugar como primeiro cantor. No alto Ventuari, fomos testemunhas de como o velho cacique dos Ihuruána, que ao mesmo tempo era decano em sua maior povoação, Mauakúnya, aos poucos foi perdendo sua influência para seu irmão mais jovem, muito enérgico e inteligente. Por fim, este se apropriou abertamente da posição de cacique, até que o cacique geral Antonio chegou e recolocou o velho em seu posto; depois disso, o irmão daquele se mudou com todos os seus partidários para o Merevari.

Em tais pequenas comunidades, reina um certo comunismo. Cada presa de caça maior é propriedade comum de toda a povoação. A carne de caça grande, anta, porco-do-mato, veado, sempre é limpa e esquartejada fora da casa, sob a supervisão do decano ou de um de seus substitutos. Os porcos-do-mato limpos são escaldados em água fervente e raspados. Os pedaços mais macios da barriga e do pescoço, assim como as entranhas, estômago, intestinos, fígado, são cozidos e consumidos imediatamente. Pernil, lombo, cabeça e entrecosto são colocados sobre o moquém. O veado é esquartejado e cozido com a pele, da qual, então, se arranca a carne com os dentes. Geralmente há duas refeições principais por dia, de manhã, por volta das sete horas, e à noitinha, pouco antes das seis horas; às vezes, quando se dispõe de carne de caça suficiente, também ao meio-dia e até mesmo no meio da noite. Para todas essas refeições comuns, éramos convidados com um amigável "*entanetá!*", "Venha comer!". Da caça esquartejada, o velho destina uma determinada porção a cada família.[54] A dona de casa leva seus pedaços para sua habitação, cozinha-os e, ao chamado para comer, leva-os para o recinto central da casa. Lá, os homens estão agachados em círculo em torno de algumas folhas de bananeira esticadas sobre o chão. As mulheres empilham a carne cozida sobre elas. Cada uma coloca ao lado da carne uma tigela com caldo de carne e um apá com beijus. A seguir, o velho procede de novo à distribuição e serve a cada um sua parte da carne, primeiro aos homens sentados, depois às mulheres em pé atrás deles.[55] Ele parte a carne com as mãos. Se um pedaço lhe parecer grande demais, então ele morde um bocado dela.

Nessas distribuições, as pessoas se comportavam de maneira exemplar. Nunca notei que alguém estivesse insatisfeito com sua parte, ou mesmo que dois brigassem por um pedaço melhor. Eles não se punham à frente dos outros, não se empurravam para o lado. Cada qual esperava pacientemente até chegar a sua vez.

Após a refeição, as mulheres servem grandes cuias com caldo morno de amido, preparado com beijus frescos misturados com água. As cuias são servidas à roda. Nessa ocasião, sempre se observa uma determinada ordem. Nunca a mulher serve a bebida ao seu marido. Quem recebe primeiro a cuia, toma apenas um pequeno gole e só a esvazia quando ela volta para ele pelo caminho inverso.

Também nas demais ocasiões, o cerimonial é rigorosamente observado. No início de uma viagem mais longa, as pessoas se despedem, por ordem, de cada um que fica, proferindo um

---

54 O mesmo ocorria antigamente entre os Galibí; *Reise nach Guiana und Cayenne*, p.156.

55 Vide também Rob. Schomburgk, op. cit., p.425.

discurso monótono, quando o ouvinte entremeia inúmeros e educados "*ye̱dé? yē̱dá? yé̱'ma! yé̱he̱! e̥yḗ!*" etc., em parte perguntando, em parte asseverando.

Quando os Yekuaná visitam uma povoação amiga, frequentemente levam como presente carne de caça e peixes que abateram no caminho, assaram no moquém e amarraram entre folhas verdes, formando longos feixes. A cada refeição comunitária, alguém abre um feixe, desfaz todo o conteúdo seco em pequenos pedaços e dá a cada um dos presentes a sua parte.

Casamento: geralmente os Yekuaná se casam entre si, mas esse não é um costume rígido. Eles se misturam com os Guinaú já faz bastante tempo. Também ocorrem casamentos mistos com os Arekuná, alguns dos quais vivem com os Yekuaná; assim como com os Máku do Auari. Nessa pequena tribo de língua isolada, que habita uma única casa comunitária com talvez apenas cinquenta almas e já habitava à época de Schomburgk,[56] exogamia é coisa natural e sem dúvida contribuiu para a conservação da tribo. Não sei se ela é comum em toda aquela região. Em todo caso, nem entre os Máku, nem entre os Yekuaná reina direito matrilinear. A mulher segue o homem à casa dele e pertence ao clã dele, de modo que também os filhos dela fazem parte da tribo dele.

O casamento é realizado sem cerimônias especiais quando a moça se torna núbil. Muitas vezes vi vezes mulheres jovens com o cabelo cortado curto, como sinal da puberdade. Algumas mal haviam saído da infância e eram quase totalmente subdesenvolvidas. Tinham de 11 a, no máximo, 12 anos.

Em geral, o relacionamento entre homem e mulher é bom e de camaradagem. Em lugar nenhum vi maus-tratos em relação à mulher, e vi um caso de tocante amor do marido para com a mulher doente. Um outro Yekuaná, cuja mulher morreu no parto com a criança, andou por vários dias desesperado e sem rumo pela mata. É verdade que, para alguns homens, o casamento é apenas uma relação frouxa. Um Yekuaná mais velho que nos visitou em Motokurúnya era conhecido em sua tribo como Don Juan. Ele supostamente deixara mulheres com filhos em vários lugares e agora vivia com uma mulher bem jovem no Yatéte. Na maioria das vezes, a abandonada encontra logo um outro homem, que fica com ela, e depois talvez a abandone com mais algumas crianças.

A poligamia é muito difundida. Homens com quatro, até mesmo cinco mulheres, não são grande raridade entre os Yekuaná. Meu guia, após voltar para casa, imediatamente tomou mais uma mulher, que era quase uma criança, e, por isso, logo adoeceu. Um homem jovem tinha três mulheres, duas mais velhas e uma bem jovem. Homens velhos, como o idoso cacique dos Ihuruána, com frequência tomam mais uma mulher jovem além de sua companheira envelhecida. Desconfio que a fidelidade conjugal nem sempre se preserve em tais casos.

Homens solteiros são extremamente raros. Como vimos, são sempre defeitos mentais, provavelmente também físicos, que impedem um homem de se casar.[57]

---

56 Rob. Schomburgk, op. cit., p.436, 441.

57 Vide p.309.

Comércio: já falamos várias vezes do extenso comércio dos Yekuaná. Ele é beneficiado por inúmeras trilhas muito percorridas, que atravessam a mata a torto e a direito, por estreitos cais flutuantes, pelos quais se podem levar os leves botes de rio para rio e, por fim, pelos inúmeros cursos d'água. Todos esses caminhos são conhecidos dos índios desde tempos imemoriais e são utilizados por eles há muitas gerações.

As principais mercadorias dos Yekuaná são raladores, zarabatanas e junco para zarabatana, novelos embrulhados com bom gosto de finos fios de algodão, redes de dormir e cães de caça. O comércio, também aqui, se baseia em confiança mútua, mesmo quando ambas as partes nunca se viram antes. O pagamento em mercadorias, com frequência, é feito muito tempo mais tarde.[58]

Os índios do cerrado que me levaram até o alto Uraricoera aproveitaram a oportunidade para comprar raladores dos Yekuaná e Guinaú que estavam vindo ao nosso encontro e que estes tinham trazido sob encomenda. Ambas as partes ficaram uma diante da outra, não se olharam e pechincharam teimosamente por longo tempo, o comprador excitado, o outro, aparentando indiferença e tranquilidade, o dono, o mais esperto dos três, com um sorriso amável e cada uma das mãos apoiada em um ralador. Por fim, os novos raladores foram entregues por uma rede de dormir o par.

Os Kunuaná levam para seus parentes de tribo no alto Ventuari e Merevari mercadorias europeias que adquirem dos venezuelanos.

Os Yekuaná do alto Merevari visitam regularmente os Arekuná do Caroni, que têm relações com os venezuelanos e ingleses, para comprar mercadorias europeias deles. Vi um desses grupos de comércio voltando. Além de utensílios de ferro de diferentes tipos, eles traziam uma pequena mala de chapa de metal muito fina para a floresta tropical, que parecia tão nova como se tivesse acabado de sair da fábrica; além disso, chita, chapéus de palha e outras coisas. Os moradores de Motokurúnya, onde eles fizeram uma breve parada, imediatamente fizeram negócio com eles.

Os Arekuná também vão com frequência até o Merevari. Um velho Arekuná que me acompanhava comprou dos Yekuaná de lá uma espingarda inglesa em troca de pagamento posterior. Quando nos encontrávamos em Mauarúnya, aos pés da montanha Mashiádi, esperava-se justamente um grupo de comércio dos Arekuná do Caroni.

Os Yekuaná e Guinaú do Merevari negociam as mercadorias, que obtêm dos Arekuná, com os Ihuruána. Durante nossa presença entre estes, alguns deles voltaram do Merevari e trouxeram uma enxada e outros utensílios de ferro, assim como alguns panacus para mulheres.

Um de meus remadores no Ventuari, um Dekuána do *rio* Paru, já estivera com os Arekuná do Caroni para comprar uma espingarda inglesa e, por outro lado, conhecia de suas viagens comerciais os Piaroa do médio Orinoco.

Durante nossa breve visita entre os Yauarána, meus Dekuána fizeram pequenos negócios com eles, como sempre ocorre quando uma tribo visita a outra. Um trocou seu cesto com

---

58 Os Makuxí de Schomburgk compravam dos Guinaú do alto Orinoco raladores e novas redes de dormir. Apesar de nunca terem visto os Makuxí, "eles confiavam em sua palavra de que iriam lhes enviar o pagamento por meio de um dos índios que me acompanhavam até Pirara, onde eu esperava encontrar novamente mercadorias para troca"; Rob. Schomburgk, op. cit., p.453.

tampa, que tinha recebido dos Arekuná, por um cestinho com tampa de belo trançado, feito de folhas de palmeira, dos Piaroa. Grossos cordões de miçangas migraram de meus remadores para a mão do cacique Yauarána por algum pagamento anterior ou posterior.

Em geral, os conhecimentos geográficos dos Yekuaná estendiam-se, a oeste, até o Orinoco, ao sul, até o alto *rio* Negro. Muitos conheciam por experiência própria San Carlos e San Fernando de Atabapo, que eles designam com o antigo nome de *Marakóa*. Poucos tinham chegado, ao norte, até Ciudad Bolívar, a antiga Angostura, que, como mencionei, eles chamam de *Angosturánya*. Ao leste, eles chegam, em suas viagens comerciais, até o Essequibo e, às vezes, alcançam, rio abaixo, Georgetown, que conhecem pelo nome de *Demerára*.[59] Um velho Ihuruána me contou do *Kuyuíni, Kuyuwíni* (Cuyuni), onde os *Waídya* (Waíka, Akawaí, Akawoío) viviam.

Tradição: pelo que pude constatar, suas lembranças de fatos antigos não vão muito longe. Não sabem mais nada de *Samburukú* (Schomburgk), muito menos dos missionários sob cuja influência estiveram em fins do século XVIII e início do século XIX.[60] Um homem mais velho ainda se lembrava da viagem de Georg Hübner e de seu acompanhante, Pedro Level, até a serra Marauacá, onde coletaram plantas (orquídeas), mas disse que foi "há muito tempo", apesar de a viagem ter ocorrido em 1895.[61]

Inimizade: os Yekuaná perderam a inclinação belicosa que, indubitavelmente, seus antepassados possuíam. Ainda assim, fazem parte de suas longas e arriscadas viagens comerciais que, com frequência, atravessam região inimiga, não pouca coragem e autodomínio.

Seus inimigos hereditários, desde há muito tempo, são os Xirianá e Waíka da serra Marutani e da serra Parima. Eles têm enorme respeito por esses vizinhos bravos e parece que, em ocasionais embates com eles, quase sempre levam a pior.[62]

À época de nossa presença existia uma certa inimizade entre os Ihuruána e os Máku do Auari. "Os Máku não prestam", diziam aqueles; "eles nos mandam doenças e nos matam com veneno mágico." Os Ihuruána atribuíam aos Máku uma forte febre da qual, naquela época, muita gente sofria em Mauakúnya. Disseram que o motivo tinha sido um comércio no qual os Máku se consideraram prejudicados. Que, por isso, seu pajé trouxera a doença sobre a aldeia por meio de um abutre, para matar todos os Yekuaná.[63]

---

59 À época de Schomburgk e Appun, os Maiongkong do alto Orinoco viajavam pelo Casiquiare, *rio* Negro, *rio* Branco, Tacutu, Mahu, Rupununi e Essequibo até Georgetown, a fim de trocar algumas mercadorias europeias por seus produtos. Eles levavam, na viagem de ida e volta, em parte por água, em parte por terra, quase um ano inteiro; Rich. Schomburgk, op. cit., v.I, p.402-4; Appun, *Ausland*, 1869, p.522.

60 Vide p.297-8.

61 G. Hübner, "Nach dem Rio Branco. Reise in das Quellgebiet des Orinoco", *Deutsche Rundschau für Geographie und Statistik*, Wien, v.XX, p.14*ss.*, 55*ss.*, 1898.

62 Vide p.273, 279-80, 296.

63 À época de Rob. Schomburgk reinava conflito entre os Maiongkong do alto Orinoco e os Maiongkong e Guinaú do Merevari. Estes não queriam acompanhar o viajante até lá, pois temiam por suas vidas e achavam que, lá, certamente seriam envenenados; op. cit., p.425.

Sobre o temor de ataques inimigos repousa o costume de se dispararem tiros de espingarda quando eles se aproximam de uma povoação, os quais são respondidos da casa. Com isso, quer-se anunciar que amigos estão se aproximando. Pelo mesmo motivo é que, antes de se chegar a uma povoação estranha, sopra-se um instrumento sinalizador, um chifre de boi ou um grande caracol marinho. Quando se chega, em filha indiana, perto de uma casa, disparam-se tiros com a espingarda. Um inimigo iria se aproximar sorrateiramente.

Características morais: é verdade que os Yekuaná não fazem parte dos índios mais simpáticos que conheci, mas, além de muitas características ruins, eles também possuem algumas qualidades boas.

Como todos os índios, eles são hospitaleiros. Éramos amigavelmente convidados para cada refeição. Às vezes, no meio da noite, ressoava o chamado em voz alta para comer, e se eu não obedecesse imediatamente, vinha um dos homens, dava um puxão em minha rede de dormir e me convidava energicamente a acompanhá-lo, ou uma mulher aparecia com uma cuia grande cheia de *caxiri* e não se retirava enquanto eu não a esvaziasse.

Eles são, até um certo grau, bondosos. Em Motokurúnya, as mulheres davam de mamar, alternadamente, a uma criancinha cuja mãe morrera durante o parto. Quando eu tinha um ataque de febre, os índios se preocupavam comigo. Eles se agachavam junto a minha rede de dormir e se informavam compassivamente sobre o meu estado. Os homens me traziam carne de fácil digestão, as mulheres, caldo morno de amido.

Em geral, reina harmonia entre os moradores de uma casa. Nunca ouvi brigas em voz alta, a não ser quando estavam bêbados. O fogão comunitário, onde, às vezes, meia dúzia de esposas se reveza para assar beijus, também é uma boa prova de sua inclinação pacífica. Em silêncio, aqui também floresce a fofoca. Estão expostos a ela especialmente indivíduos de tribos estrangeiras que passam algum tempo numa povoação.

O gosto pela zombaria é grande e se dirige a tudo que lhes pareça estranho. Toda vez que, em caminhada, chegávamos a uma povoação, nossa viagem era comentada do começo ao fim em todos os pormenores. Nós dois europeus éramos muito censurados e nossos hábitos eram ridicularizados em meio a risadas. Nunca conheci uma tribo indígena na qual se risse tanto e de modo tão espontâneo como entre os Yekuaná. Eles riem de tudo, e como riem! Uivam, gritam rindo, choram de tanto rir, eles literalmente rolam no chão ao rir.[64] Existem os bufões da aldeia, na maioria das vezes uns indolentes que fazem de qualquer pessoa alvo de sua zombaria e divertem a comunidade toda com suas piadas maliciosas.

Eu me irritava frequentemente com sua falta de consideração. Não são as crianças pequenas que perturbam o repouso noturno nas casas grandes, e sim os adultos. De repente, dois homens começam a conversar em voz alta de um lado da casa para o outro, ou então um jovem se lem-

---

[64] "Eles falam muito depressa, e suas risadas são ainda mais rápidas e, geralmente, terminam aos gritos", diz Rob. Schomburgk (op. cit., p.425) dos Maiongkong e Guinaú.

bra de tocar flauta; um outro canta uma canção de dança. Ninguém se ofende com isso, pois todo mundo faria o mesmo se tivesse vontade.

Por outro lado, em certas situações e enquanto está sóbrio, o índio demonstra grande autocontrole. Em Motokurúnya, após uma pesca abundante, a maioria dos peixes que estava num moquém diante da casa estragou devido a uma súbita tempestade prolongada. Sem pestanejar, os índios aceitaram o inevitável com serenidade e não desataram a xingar e a maldizer, como teriam feito muitos europeus em semelhante situação.

Também a aparente indiferença entre parentes próximos ao se reverem após longa separação não deve ser atribuída à falta de sentimentos, e sim a uma vergonha natural de demonstrar esse sentimento diante dos outros.[65]

Os Yekuaná, assim como a maioria dos índios, têm pouca compaixão dos animais. Apesar de sua triste gritaria, um jovem macaquinho, cuja mãe acertaram, era arrastado para lá e para cá, preso a um cipó que tinham amarrado em seu pescoço. As crianças faziam cócegas com uma palhinha no nariz do pobre animal. Assim eles o torturaram até a morte.

Entre os Taulipáng e Makuxí nunca vi comportamento indecoroso da parte dos jovens. Entre os Ihuruána, os rapazes faziam movimentos obscenos com os dedos; eles nos incitavam, com gestos correspondentes, a seguir as mulheres até a plantação, e os meninos imitavam os mais velhos.

A curiosidade desses índios, na maioria das vezes, descamba para a impertinência. Em Motokurúnya, as mulheres, que, com raras exceções, nunca tinham visto brancos antes, desde o primeiro dia ficavam sentadas sem acanhamento em volta de nossas redes de dormir e queriam ver tudo, tocar em tudo, também em nossa pele branca em pontos cobertos pelas roupas; arrastavam-se até nós sob o mosquiteiro; comportavam-se como se já vivêssemos há anos em estreito relacionamento familiar.[66]

Os Yekuaná são extremamente vaidosos. Consideram-se um povo eleito e menosprezam, sem qualquer motivo, todas as outras tribos. Robert Schomburgk já fala deles: "São uma tribo orgulhosa e cheia de soberba. O Maiongkong sempre se pavoneia com a convicção de que o mundo todo lhe é submisso".[67]

Como toda gente vaidosa, eles se ofendem facilmente. Seu humor está muito sujeito a influências externas e internas e, de repente, pode mudar para o oposto sem que se suspeite do motivo. Fazem promessas que depois não cumprem, o que, para o viajante, é uma fonte de constante irritação e, com frequência, frustra seus planos.[68] Frequentemente, as mulheres desempenham aí um papel, e os homens se deixam influenciar facilmente por elas. Mais do que todos os índios que conheci, os Yekuaná são um povo inconstante. Seu humor muda de um dia para o outro. Hoje, eles nos bajulam com amabilidade; amanhã, ninguém nos dá atenção, e só deparamos com rostos carrancudos. Hoje nos trazem espontaneamente tudo que possuem, amanhã e nos dias seguintes mal conseguimos adquirir víveres em troca de nossas boas mercadorias.

---

65 Vide v.I, p.231-2.

66 Vide Chaffanjon (op. cit., p.267-8), com quem ocorreu coisa semelhante entre os Kunuaná.

67 Op. cit., p.450.

68 Rob. Schomburgk (op. cit., p.433, 438) também experimentou isso em seu prejuízo.

O que menos suportavam era amabilidade contínua. Tornavam-se grosseiramente íntimos e, por fim, desavergonhados.

Uma de suas piores características é a desonestidade. O Yekuaná é um comerciante nato e, por isso, não leva a honestidade muito a sério.[69] Especialmente o europeu ele tenta enganar o máximo que puder. É verdade que também é muito enganado pelo europeu quando, de modo espontâneo ou forçado, vai trabalhar para ele.

Nunca estávamos a salvo de suas roubalheiras. Em especial as mulheres roubavam toda vez que se lhes oferecia a oportunidade, também coisas que eram totalmente sem valor para elas, fotografias, uma garrafinha com tabletes de quinino, e coisas semelhantes. Surrupiavam até mesmo bananas e beijus que tinham nos vendido havia pouco. Aos poucos, os Ihuruána roubaram todos os pertences de meus dois rapazes de tribos estrangeiras, um Wapixána e um Makuxí, até mesmo a rede de dormir de um deles.

Em seus furtos, com frequência procediam de modo refinado. Durante a caminhada, um carregador tentou quebrar o fecho de uma bolsa. Os parentes do meu guia, com os quais me relacionei amigavelmente por quase um ano, roubaram-me inúmeros objetos de um saco de roupas, desmanchando a costura no fundo do saco e depois costurando-a de novo, e o cacique geral Antonio desparafusou as dobradiças de minhas malas, que eu lhe havia confiado, e roubou seu conteúdo.

Comportamento em relação a objetos europeus desconhecidos: assim como a maioria dos índios, os Yekuaná se interessam muito por ilustrações de todo tipo e demonstravam uma surpreendente compreensão delas. Até mesmo nos negativos eles reconheciam as pessoas de suas relações por certos detalhes. Não tinham temor da minha câmera fotográfica, que meu guia lhes explicou, e resistiam pacientemente ao ardor do sol até que uma leve nuvem me permitisse tirar a foto. Apesar de suas próprias expressões artísticas se encontrarem, quase todas, num patamar muito baixo, eles gostavam de ver quando eu fazia esboços de suas armas e utensílios. Frequentemente me traziam pequenos pedaços de papel que tínhamos jogado fora e pediam que eu desenhasse neles porco-do-mato, onças e outros animais.

Escrever era sempre algo novo e misterioso para os índios. Eles não conseguem explicar como alguém pode expressar seus pensamentos por sinais e transmiti-los a outrem. Admiravam-se toda vez que eu os enviava com um pedacinho de papel escrito para o meu acompanhante, que estava a certa distância de mim, e este, então, executava imediatamente meu pedido, que eu lhes havia comunicado antes.

Ao nomear as minhas coisas que lhes eram novas eles se viravam tão bem quanto os Taulipáng. Chamavam o lápis e a tinta de "*f^hahé̱ta-me̱nu-tóho*", "papel-pintar-instrumento", a bússola de "*túna-me̱na-tóho*", "rio-pintar-instrumento", a escova de dentes de "*yé̱de-koka-tóho*", "limpar-dente-instrumento", o papel impresso de "*mā́kina-menáte*", "máquina-pintura, máquina-

69 Appun (*Ausland*, 1871, p.426) chama o povo comerciante dos Akawoío de "arrogante, traiçoeiro, fraudulento e muito desconfiado".

-escrita", e uma ponta de ferro em meu canivete, com a qual eu tirava meus bichos-do-pé, "*žídye-ato-tóho*", bicho-do-pé-tirar-instrumento".

Gravidez e parto: durante a gravidez da mulher, o homem se abstém de comer certos tipos de carne de caça para não transmitir à criança características do animal em questão. Durante nossa viagem pelo Uraricoera, meu guia Yekuaná não comia anta assada, para que o filho que ele esperava "não ficasse desajeitado como a anta".

As mulheres executam suas tarefas na casa e na plantação até pouco antes do parto. Especialmente ralar mandioca, atividade que afeta o corpo todo, deve ser o melhor movimento para o parto vindouro.

Este ocorre simplesmente no recinto da família, não atrás de um tabique, como entre os Taulipáng e outras tribos. Num parto difícil a que assisti, uma velha ajudava a mulher, que se contorcia na rede de dormir devido às dores muito fortes, ao passar, de vez em quando, enquanto soprava, a palma da mão sobre sua barriga, de frente para trás. O pajé soprava fumaça de tabaco sobre a barriga e as costas. Ao parir, a mulher se ajoelhou diante da rede de dormir, os braços curvados para trás e envoltos nos cordões da rede, e deu à luz sem qualquer auxílio. Na mesma posição, ela esperou pela placenta e, nisso, de novo, a velha e o pajé a ajudaram do modo mencionado.

Poucos dias depois do parto, a parturiente toma banho na água frequentemente muito fria do riacho da serra. O recém-nascido também é banhado pela avó, com uma cuia grande, com a mesma água fria, à qual, quando a criança é doente e frágil, são acrescentadas folhas medicinais. Se a mãe também ficar adoentada após o parto, ela e a criança são pintadas, com pontos e listas, com a tinta vermelha curativa da *Bignonia chica*. Uma mãe que deu à luz uma criança morta, já no dia seguinte após o parto tomou banho no riacho, sentou-se junto ao fogo e ficou fiando.

Após um parto bem-sucedido, na manhã seguinte os pais recebem a visita dos parentes e amigos. Certa vez, estive presente a uma dessas cenas. O pai e a mãe, com expressão bastante indiferente, estavam sentados junto à criança deitada numa rede de dormir perto do chão e que recebia encontrões e sacudidelas dos cães imundos e, muitas vezes, sarnentos que se arrastavam para lá e para cá debaixo dela. Os visitantes estavam sentados e em pé ao redor deles, homens, mulheres e crianças. As mulheres tagarelavam alto e desencontradamente e se revezavam para soprar uma panela cheia de caldo quente de amido, que constituiria, durante a *couvade* ("sobreparto do homem"),[70] a única comida dos pais. Durante esse período, a mulher não pode realizar nenhuma tarefa; a avó ou outra parenta providencia a comida. O homem também não pode fazer nada nem pegar qualquer utensílio, especialmente as armas, nem machado, nem facas e coisas semelhantes que poderiam prejudicar o recém-nascido. Por isso, ele também não pegou pessoalmente seu pagamento, que consistia de utensílios de ferro e de outras mercadorias para troca e que mandei lhe entregar. Quando deixei o "quarto da parturiente", uma das mulheres murmurou algumas frases monótonas sobre o caldo de amido, provavelmente uma fórmula mágica, como as que conhecemos dos Taulipáng.

---

70 Vide p.137*ss*.

Também após o nascimento, ambos os pais são submetidos a rigorosas regras alimentares. Meu guia Yekuaná não comia *jacu* (*Penelope*) “porque prejudicaria o recém-nascido”. Toda manhã ele procurava por minhocas, que, além de beijus, bananas e caldo de amido, constituíam sua única alimentação durante o período de abstinência.

Não vi muletas entre esses índios. Com certeza, aqui são igualmente uma rara exceção, como entre os Taulipáng. Um menino de cerca de 2 anos era totalmente aleijado. Não podia ficar sentado, muito menos andar e, sem apoio, caía. Seu irmão, um pajé, disse que ele era filho de um mau espírito. Deixaram-no sucumbir aos poucos, e, quando finalmente morreu, seus familiares, até mesmo sua mãe, não demonstraram qualquer sinal de pesar.

Em geral, a fertilidade das mulheres é grande, mas é anulada pela mortalidade infantil, que é considerável nesse povo que gosta de viajar. São raras as famílias com mais de três filhos adultos.

Nomes: logo após o nascimento, a criança recebe um nome. Esse nome verdadeiro só é conhecido de poucos, talvez fique apenas no círculo íntimo da família. Entre os Yekuaná, ele também só é mencionado com grande resistência e nunca pela pessoa em questão. Quando eu perguntava a um outro pelo nome deste ou daquele, com frequência eu ouvia: “Não sei”, o que talvez correspondesse à verdade, talvez com base no receio de abandonar o nome e, com ele, a própria pessoa.

Além disso, cada qual tem um apelido ou hipocorístico, pelo qual se chamam também entre si. Quase sempre fica-se sabendo só este último.

Anotei vários nomes Yekuaná. No entanto, de muitos não sei dizer se são nomes verdadeiros ou apelidos. Só consegui descobrir o significado de poucos deles. Com frequência, o significado é desconhecido dos próprios índios, especialmente quando se trata de nomes antigos e tradicionais que, com o passar dos tempos, ficaram tão gastos e tão modificados que não se conhece nem reconhece mais sua composição.

Eis alguns dos nomes das pessoas que me foram declarados:

homens	mulheres
mayulíhe	*manwerú*
oadīmána	*kažuā́na*
marukáni	*oanā́ko*
yudé̱ke	*koaimé̱te*
maxkānádi	*oadīyánka*
f^{h}*ḗdi*	*yamaitx̯oa*
f^{h}*e̥dix̯aihe*	f^{h}*ḗdí*
mane̱úme̥	*tiatoyenéhede*
huíža	f^{h}*e̥hayéne*
araitx̯aúa tadaiume̥	

Os seguintes nomes de indivíduos de outras tribos que viviam entre os Yekuaná, pelo visto, pertencem todos à língua Yekuaná:

Guinaú

homens	mulheres
zadí	*marúka*
iuabáli	*koaimá*
homéyume (= pai da pimenta?)[71]	
maniyaúḙ (= homem da resina?)[72]	

Arekuná

homens

kurā́ka (= peixe)

panāyalídyu

tunāraráua[73]

sārṓro

Purukotó

homens	mulheres
wḙwḙhū́f^{h}e (= cabeça de machado)	*karāuažínya*
	žitekḙ

Como apelidos, foram-me ditos expressamente:

homens

yauedúhumḙ̃

kuyuníua

waiyéhúmḙ̃ e *mā́ge* (= mosquito), ambos designavam a mesma pessoa

iwḙ́de (= *Hydrochoerus capivara*)

arauatá-f^{h}anā́ri (= orelha de bugio); assim os Yekuaná chamavam um Arekuná que tinha fugido até eles

adaí, provavelmente um hipocorístico

71 *homí* = pimenta.

72 *maní* = resina.

73 Pelo visto, nesse nome está a palavra *tuná* = água.

Dois irmãos mais jovens do meu guia Yekuaná eram chamados na família pelos hipocorísticos *me̱'né̱* e *mãnai*. A irmãzinha se chamava *tuẽ̱nãde*. A mãe a chamava *tuenadé↗* ou, quando estava aborrecida com a filhinha, apenas *tuená*! Um menino se chamava *yahí* (= jacami), um outro, *malitá*. Um garoto Ihuruána, que tinha a pele surpreendentemente escura, geralmente era chamado, até mesmo por seu pai, de *mẽ̱koro* (= negro). Um Yekuaná tinha dois nomes verdadeiros, *menétẹ* e *merãkunãdi* e, além deles, o apelido *tamo'yá*. Um pai era chamado segundo seu filho, que se chamava *ekẹ́yu* (= cobra), geralmente de *ekẹ́yumẽ̱* (= pai da cobra). Seu verdadeiro nome era *gamõya*. Uma mulher se chamava, segundo sua filha, *fʰẹdiyéne* (= mãe de *Fʰẹdí*).

Alguns apelidos são onomatopaicos. O Guinaú débil mental, cujo verdadeiro nome era *oadũfʰe*, era chamado de *fʰúai*, *ãã* ou *wahõhoi*, devido aos balbucios que emitia, e *Fʰuyũdi*, o filho débil mental do cacique Ihuruána, era chamado de *hõhoi* por seu irmão mais novo e seus amigos devido ao seu linguajar imperfeito.[74]

Nomes e designações espanhóis e portugueses são indianizados com frequência, de modo que quase não se reconhece a forma original. Os Ihuruána chamavam meus acompanhantes índios, o Makuxí Mário e o Wapixána Romeu, de *mãdyu* e *koroméo*. Pelo visto, eles formavam este último nome segundo a palavra *koronẽru*, com a qual, como já mencionei, designavam o *coronel* Emiliano Perez Franco no alto Casiquiare.

Alguns Ihuruána me chamavam de *dútu* ou até mesmo *kútu*, segundo o nome de *dutũru* (*doutor*) que os índios do cerrado me atribuíram. Gente mais jovem também me chamava pela honrosa designação *kõko* ou *amokó*, empregadas para pessoas mais velhas e ilustres, como o cacique geral.[75]

Em família e entre amigos, usam-se, geralmente, as designações de parentesco: *fʰãha* = pai, papai; *mãma* = mãe, mamãe; *(i)né̱de, né̱de* = meu filho, que é como o pai chama seu filho ou um homem mais velho chama um mais novo; *gámeza* = meu filho, que é como a mãe chama seu filho; *hadẹ́'ke* = filha; *ulú'dye* = meu irmão (mais velho), que é como um homem chama um outro; *yayá'ke* = meu irmão, a mulher falando;[76] *yãya* = irmã; *yauó'ke* = tio; *uainyẹ́'ne* = tia; *yauó* = sobrinho ou sobrinha; *aítx̂a*= avó.

Juventude: as criancinhas gozam do tratamento mais carinhoso possível. Em geral, a mãe leva o nenê de colo junto para a plantação. Ou ele fica confortavelmente sentado na macia e maleável tipoia tecida de algodão (Pr. 59, 2), ou ela o deixa cavalgar em seu quadril, ou ela o acomoda no aturá. É uma visão encantadora quando a cabecinha redonda com seus grandes olhos espia acima da borda do cesto, e a mãe segura uma folha de bananeira sobre ela para protegê-la dos raios do sol e da chuva. Ao realizar as tarefas domésticas, a mãe deixa a criancinha aos cuidados da avó ou de uma filhinha mais velha. Somente numa família Guinaú em

---

74 Vide p.309.

75 Vide p.335.

76 Corresponde à palavra Makuxí *apí* e à palavra Taulipáng *pípi*.

Motokurúnya foi que vi uma cadeirinha pendente do mesmo formato como as do *rio* Negro,[77] na qual a mãe acomoda a criança quando quer ficar com as mãos livres. A criança pode ficar sentada nela sem cair, e quando se abaixa a cadeirinha a ponto de a criança poder colocar os pés no chão, ela pode tentar andar.

As crianças pequenas podem se permitir tudo. Às vezes elas são bem rebeldes. Depois que aprendem a andar, podem ser um verdadeiro tormento para a mãe trabalhadeira, pois querem estar em toda parte. Com frequência a mãe tem de sair às escondidas de casa quando vai de manhã para a plantação. Ela se põe rapidamente em fuga assim que se vê surpreendida. Mas a filhinha continua berrando por meia hora ou mais, pega um pedaço de pau e o joga, furiosamente, na direção em que a malvada "*mā́ma*" fugiu. Certa vez, quando meu acompanhante e eu tomávamos banho perto de Motokurúnya, ouvimos alguma coisa chapinhando na água riacho abaixo. Começamos a achar que fosse um animal de caça. Aí chegou um menino Guinaú de 2 a 3 anos, chorando, subindo o riacho a vau. Ele tinha corrido atrás de seu pai, que saíra navegando para pescar, e agora estava voltando para casa por esse caminho um pouco incômodo, mas seguro.

Raramente as crianças são tratadas de modo rude pelos pais, na verdade, nunca apanham. Somente uma vez vi uma mulher Guinaú bater em sua filhinha de 5 a 6 anos com um grosso pedaço de pau. O primogênito, um garoto robusto de 2 a 3 anos que ainda mamava no peito da mãe, era mimado, e a irmãzinha, uma criança boa e amável, é que apanhava. Foi o único caso de castigo corporal em crianças que observei em meu relacionamento de anos com os índios. Talvez esteja relacionado com a degeneração geral dessa tribo em extinção.

Também aqui a educação decorre de maneira lúdica. A menina, com seus utensílios proporcionalmente menores, ajuda a mãe no trabalho em casa e na plantação; o garoto, com suas armas pequenas, acompanha o pai na caça e na pesca. Com solene gravidade, a filhinha leva o aturá carregado atrás da mãe e depois rala diligentemente ao lado dela (Pr. 53, 2 e 3). Ela também tem seu pequeno tipiti, com o qual espreme sozinha a massa ralada. É um prazer assistir a esse zelo jovem.

Brincadeiras: as crianças Yekuaná também não têm bonecas.

Os meninos e rapazes brincam com as petecas de palha de milho semelhantes às dos Taulipáng. Mas as petecas são mais bem trabalhadas e possuem uma, às vezes, duas longas extremidades revestidas de líber (Pr. 49, 5).

A cama de gato é uma brincadeira popular e variada. Vi, entre outras, as seguintes: "palmeira *inajá̃*" (*Maximiliana regia*) = *uasái*, "um cipó" = *me̱mī́di*, "pegada de onça" = *mā́ro-tá'he̱*, "casa" = *a'té* (uma cama de gato muito bonita, que reproduz bem uma cabana de teto cônico com o poste central bem alto), "pintura da cobra *kauaratū́*" = *kauāra'tú menū́du*, "árvore sobre o rio" = *dū́f*^{h}*e̥ ne̥hū́tahédi*, "órgão sexual feminino" = *uḗna*. Esta última cama de gato, apesar do nome, mostra toda a figura feminina com "cabeça" (*hū́'f*^{h}*e*), "braços" (*yahḛ́de*) e "pernas" (*f*^{h}*ōréde*) (Pr. 55).

77 Vide Koch-Grünberg, *Zwei Jahre...*, v.II, p.148, ilustr. 87.

Em noites bonitas, os homens jovens lutam na praça da aldeia. Os garotos já se exercitam nesse esporte. As lutas ocorrem especialmente em festas de construção de uma casa, entre anfitriões e convidados, quando os jovens de outras povoações vêm ajudar os vizinhos. É um medir de forças e de agilidade amigável, um espetáculo magnífico com os belos corpos nus. Os lutadores entram aos pares, um depois do outro. Com o tronco inclinado para a frente, como galos de briga, eles se embatem e se agarram com o mesmo punho. Parece que rasteiras são permitidas. A verdadeira luta é rápida. Um já tem a supremacia. O adversário voa para o chão com estrondo, o vencedor voa sobre ele. Rindo, os dois se erguem de um salto. A luta não prejudica a amizade (Pr. 63).[78]

Em suas brincadeiras, às vezes as crianças imitam os adultos. Em Mauarúnya, onde havia exorcismos quase toda noite, as crianças brincavam de "pajé". Um garoto de 5 a 6 anos, o irmão mais novo do pajé, é quem fazia a coisa da melhor maneira. Ele imitava exatamente os movimentos do exorcista, especialmente o momento solene quando aquele ergue o chocalho e, ereto, permanece em pé, quieto. À noite, durante o exorcismo, ele repetia palavra por palavra do canto mágico, sem que lhe fizessem qualquer observação negativa.

Dança: registrei no fonógrafo diversos cantos de dança dos Yekuaná. Eles têm os seguintes nomes: 1. *uaix̭áma*; 2. *diuaí*; 3. *ke'déna* (canto das mulheres ao entregar a cuia com *caxiri*); 4. *kāšíahanu*; 5. *hedḗha*; 6. *kauāra(x)tú* (designa uma cobra colorida);[79] 7. *ažímane*; 8. *zamā́yẹ* (um canto de dança dos Kunuaná).

Durante minha estada de vários meses com os Yekuaná, vi apenas uma festa de dança, quando da inauguração da casa nova de Mauakúnya dos Ihuruána. Não foi um espetáculo magnífico e colorido como ocorre nas outras tribos. Trazia, antes, a marca da degeneração. Certamente os antepassados desses índios comemoravam suas festas de outra maneira.

Cheguei à festa quando já havia começado. Ela transcorreu da seguinte maneira: à direita da entrada da casa encontrava-se a habitação do velho cacique. Ele estava deitado em sua rede de dormir, fazia nós em um puçá e era o primeiro a entoar o texto, duas vezes cada estrofe. Então os dançarinos entravam, os quais, nesse meio-tempo, tinham andado silenciosamente em círculo no grande recinto central da casa. Repetiam duas vezes cada estrofe. Apesar da melodia simples, cantada com voz um pouco anasalada e vibrante, o canto tinha um efeito épico e solene, como uma antiga epopeia.[80] Não era uma dança verdadeira. Os homens andavam de cabeça baixa, sem sincronia, um atrás do outro. Alguns tinham os braços cruzados sobre o peito. A maioria

78 Appun descreve tais lutas dos Arekunas (Taulipáng) do Roraima; *Unter den Tropen*, v.II, p.278.

79 Segundo a crença dos Yekuaná, um ser sobrenatural tem o mesmo nome; vide mais adiante.

80 Infelizmente, nenhum índio foi capaz de ditar o longo texto, o que dirá traduzir. Talvez eles nem conhecessem mais o significado. Rich. Schomburgk, op. cit., v.I, p.207, diz dos cantos de dança dos Akawoío: "As palavras do canto são passadas de pai para filho, mas parece que a língua, com o passar do tempo, se modificou tanto, que a atualidade deve ter preservado a forma, a expressão dos pensamentos, as palavras, mas não a compreensão do sentido. O mestre de cerimônias cantava, toda vez, algumas palavras, que o coro, então, repetia, coisa que ocorria com uma tal precisão e exatidão, que se acreditava estar ouvindo uma única voz".

PRANCHA 63. LUTA, YEKUANÁ.

segurava na mão o longo charuto, envolto com líber vermelho, que fumavam de vez em quando. Alguns tinham a mão direita pousada sobre o ombro esquerdo do homem à frente. O primeiro dançarino trazia um bastão na mão direita, que em cima era envolto por chocalhos de cascas de frutos, e com o qual ele batia no chão o compasso do passo de dança. Toda vez que a roda chegava à entrada principal da casa, ao assento do cacique, o primeiro dançarino e, depois dele, todos os dançarinos davam um passo para trás, quando, então, o primeiro dançarino, toda vez, inclinava o tronco e batia com mais força o bastão de ritmo várias vezes. Quando o velho cacique se cansava, ele animava seu irmão mais jovem a continuar cantando, e este, mesmo quando dançava junto, era o primeiro dançarino. Às vezes, as mulheres participavam da dança. Elas andavam dentro do círculo à esquerda dos dançarinos, em cujo braço esquerdo enganchavam o braço. Às vezes, duas mulheres dançavam dessa maneira uma ao lado da outra, entre dois dançarinos, portanto sem qualquer regra.

Os adornos de dança eram lamentáveis: um aro trançado, no qual tinham sido presos cordões com peninhas de tucano e de outras aves, alguns belos brincos emplumados. Somente um garoto usava um magnífico colar de presas de porco-do-mato em volta do pescoço, uma relíquia de tempos melhores dos antepassados. A pintura dos dançarinos e dos convidados da festa era extremamente simples e sem arte.

O velho cacique estava dando a festa. Ele distribuía fumo aos convivas, puxando para cada um algumas folhas de um grosso feixe, atadas em forma de fuso. Perto de sua habitação havia um enorme "*kanâua*", um longo cocho de madeira cheio de *caxiri*, do qual sua mulher pintada de vermelho e outras mulheres tiravam grandes cuias para, então, servir a bebida em cuias menores aos dançarinos e espectadores (Ilustr. 13).

Em meio ao canto monótono, ressoaram, vindos da floresta, gritos de alegria, um tiro, latidos de cães. Todo mundo correu para fora para cumprimentar os caçadores que voltavam para casa com a presa. Então houve uma bela brincadeira. Os homens jovens apareceram, em plena corrida, rosto e corpo pintados com listas horizontais brancas, penugem branca de mutum nos lóbulos das orelhas furados. Na mão direita erguida, eles balançavam um pedaço de cipó, no qual, entre tufos de folhas, pendiam feixes de pequenos peixes. As mulheres jovens e as moças corriam atrás deles e tentavam lhes tirar a presa. E assim a perseguição infernal seguiu casa adentro e terminou com a vitória do sexo frágil. Satisfeitas, as mulheres se retiraram, cada qual para sua habitação para preparar os peixinhos para si e para as crianças. Então, sob grande alegria, os caçadores trouxeram em seus panacus lotados a presa grande, porco-do-mato, *paca*, *aguti*, mutum e outras carnes de caça. Uma parte dela foi imediatamente destinada, pelo irmão do cacique, às diferentes habitações e cozida pelas mulheres para a refeição comum. O resto foi colocado sobre o moquém.

À noite, os homens sopraram dois instrumentos de uivar, uma espécie de clarineta. São bambus bem grossos, de cerca de 1 m de comprimento, que provêm do Merevari. Em cima, há inserido um junco fino e verde com lingueta que se abre (Pr. 65, 2 e 2a). Quando se aperta o instrumento contra a boca e se sopra com força, surge um som sinistro que lembra o uivo de um animal selvagem. Pode-se variar um pouco o tom ao se soprar com mais ou menos força. Não é proibido às mulheres e às crianças ver esses instrumentos. Eles ficavam sobre um andaime sob um barracão e me foram cedidos sem hesitação em troca de um pequeno pagamento.

Com o passar das horas, a embriaguez geral foi se tornando cada vez maior. Aqui, dois brigavam, como se, no minuto seguinte, fossem agarrar o cabelo um do outro; lá, um cambaleava ora para este, ora para aquele, e proferia longos e gritados discursos. O canto dos dançarinos se transformou numa gritaria rouca. Na manhã seguinte, o quadro era excessivamente repugnante. Em alguns pontos, o chão da casa era um lodaçal. Homens e mulheres roncavam nas redes de dormir, os quais, em parte juntos, dormiam para passar o efeito do álcool. Alguns dançarinos ainda estavam de pé e andavam cambaleando em círculo. Só o velho cacique, quase o único sóbrio, estava deitado em sua pequena rede de dormir, como no dia anterior, e continuava cantando imperturbavelmente.

Dizem que os Kunuaná têm uma espécie de dança de máscaras, na qual, como as tribos orientais na *parixerá*, se cobrem de longas capas de folha de palmeira, com grande parte do rosto e do corpo escondida. Não sei se as demais hordas de Yekuaná também têm essa dança ou tinham antigamente. Talvez os Kunuaná a tenham adotado dos índios do cerrado, com quem, desde tempos imemoriais, mantêm relações de comércio no caminho Casiquiare-*rio* Negro-*rio* Branco e com os quais, em todo caso, mantêm relações muito mais intensas do que os Ihuruána.[81]

Doença, drogas e feitiço: certamente os Yekuaná têm muito mais drogas e feitiços do que posso indicar aqui.

Eles eliminam sarna ao esfregar o sumo da trepadeira *hayãdi*, com o qual envenenam os peixes.[82]

Os vomitivos são populares. Se os índios comeram muita carne pesada ou ficaram com indigestão por outro motivo, de manhã cedo tomam água até não aguentarem mais, então a vomitam junto com os restos da comida do dia anterior ao coçar a garganta com uma folha para provocar o vômito.[83] Os doentes também vomitam forçadamente ao beberem de manhã grande quantidade de água morna.

Num forte ataque de febre, o pajé deu ao doente caldo de uma raiz tuberosa que é cultivada nas plantações. O tubérculo, ralado fino e deixado na água por algum tempo, forneceu uma bebida branco-leitosa. Logo após bebê-la, o doente vomitou fortemente e expeliu bile e dois vermes compridos. Dizem que quando se bebe muito desse caldo, ele tem um efeito mortal.

Provavelmente essa planta venenosa é idêntica à planta *woí*, que desempenha um papel em muitos ritos mágicos. Ela também é cultivada nas plantações e parece ser uma espécie do gênero *Arum*. Suas folhas largas assemelham-se às do ruibarbo. Segundo a crença dos índios, com seu tubérculo se podem destruir todos os *kanaimé* (feiticeiros maus). Isso ocorre por meio de contrafeitiço a distância.

Mata-se do seguinte modo o feiticeiro mau que trouxe a doença sobre uma aldeia ao soprar, a distância, na direção dela ou por meio de outros ritos mágicos: parte-se o tubérculo *woí*, "no

81 Não vi nem ouvi nada das camisas de líber (*marima*) que Humboldt descreve dos índios do alto Orinoco (A. v. Humboldt, op. cit., v.IV, p.100-1).

82 Talvez seja o mesmo veneno que os Taulipáng e outras tribos da Guiana utilizam para pescar: *Lonchocarpus densiflorus* Benth.

83 Vide p.257-8.

qual está o feiticeiro mau", e se cozinham os pedaços por bastante tempo numa panela grande. A seguir, cava-se um buraco da profundidade de um homem, despeja-se lá dentro a água fervente com os pedaços do tubérculo e se amontoam sobre ele muitas pedras e, por fim, terra. Então o feiticeiro mau morre.

Também se pode destruí-lo de outra maneira. Quando várias pessoas em Mauakúnya ficaram com febre e catarro, provavelmente devido ao tempo frio e úmido e à nova moradia úmida, e os Ihuruána puseram a culpa em seus vizinhos, os Máku, houve vários ritos mágicos como defesa.

Dois homens jovens fizeram o feitiço para sua mãe gravemente doente. Eles partiram o tubérculo *woí* em água à qual se havia acrescentado sangue da doente, cozinharam por várias horas os pedaços numa panela grande sobre um enorme fogo e, por fim, emborcaram a panela, queimando, assim, os pedaços do tubérculo.

Um homem mais velho fez feitiço para a sogra doente. Ele despedaçou o tubérculo sob murmúrios de exorcismo, nos quais as palavras "*máku*" e "*auarínya*" ("os Máku do Auarí") às vezes se repetiam, cortou um pedaço de duas cabaças frescas (*Cuyete*) um pouco abaixo do caule, ocou os frutos e os encheu de pedaços do tubérculo. Então despejou nos frutos água que sua mulher lhe trouxe em uma tigela e que, de novo, continha sangue da parte inferior das coxas da doente, fechou as aberturas com as tampas naturais e colocou os frutos sobre o fogo. A seguir, fez uma grande fogueira sobre elas e alimentou o fogo por várias horas, até que tudo se queimou. Nesse rito mágico, as coisas ocorreram de modo bem alegre. Alguém tocou flauta, e ria-se e se faziam gracejos.

Um pajé tentou curar sua jovem mulher da seguinte maneira: atrás da casa, ele cavou dois buracos profundos, cerca de um metro de distância um do outro. Entre eles ardia uma fogueira grande, que liberou um forte calor. Aos gritos, o pajé partiu os tubérculos *woí* com um porrete. Não bateu diretamente neles, e sim os cobriu com folhas de bananeira, pelo visto, para que os pedaços não respingassem e se perdessem. Jogou os tubérculos partidos nos dois buracos e despejou sobre eles bastante água, que evaporou por causa do calor. A seguir, com uma cuia pequena, ele despejou um pouco de sangue, que tinha pego das partes inferiores das coxas arranhadas da doente, misturado com um pouco de água. Por fim, calçou os buracos com pedras, despejou água sobre eles e os pisoteou com força. Agora a pessoa má que causou a doença com seu feitiço morre.

Qualquer pessoa pode executar o feitiço *woí*, não apenas um pajé.[84]

---

84 O veneno *woí*, pelo visto, é idêntico ao veneno *wassy* ou *maschi* das tribos orientais, que, em seus efeitos, pertence aos venenos mais terríveis. Segundo Appun, ele é preparado do tubérculo *Arum venenatum* Woelfers, que é cortado em fatias finas, secado ao sol e, tomando-se as maiores precauções, triturado até se transformar num pó bem fino com aparência de arsênico. O *kanaimé*, o vingador de morte, o administra secretamente enquanto sua vítima dorme, ou de outra maneira; a seguir, o envenenado tem uma morte demorada e dolorosa. O veneno é produzido pelos Seregóng ou pelos Akawoío do alto Mazaruni, com os quais as outras tribos o permutam (Rich. Schomburgk, op. cit., v.I, p.323; Appun, *Ausland*, 1869, p.303; 1871, p.426, 548).

Não restam dúvidas de que os pajés conhecem muitos venenos, que também devem empregar ocasionalmente contra inimigos pessoais; por isso o medo dos índios de serem envenenados e as suas muitas histórias de envenenadores, especialmente de tribos estrangeiras. Com isso, não se quer dizer que se trate sempre de verdadeiros envenenamentos. Em geral, é o misterioso veneno mágico que pode ser administrado no inimigo também a grande distância, mas a crença em um veneno mágico certamente se originou do conhecimento de venenos verdadeiros.

Observei curas mágicas entre os Guinaú do Merevari. Os índios haviam matado uma grande cobra venenosa que tinha motivos de losango marrons no dorso e era chamada de *dā̂ẕa* pelos Guinaú e de *taradẹ́mẹ̄* pelos Yekuaná. Com um caco de vidro, a mulher de um Guinaú mais velho que, pelo visto, sofria de hidropisia abdominal e se queixava de dores em todos os membros e articulações, na coluna vertebral e na vértebra cervical, fez inúmeros arranhões profundos nas pernas, especialmente nos joelhos, nos braços e nos ombros dele, que sangraram bastante. Então ela cortou pedaços longitudinais da cobra, que iam da cabeça à cauda, e os esfregou nos arranhões, dos quais ela havia raspado antes o sangue com a folha de uma palmeira.

Não se comem animais doentes[85] para não se pegar a doença. Certo dia, bem junto à povoação Anakadínya, apareceu um robusto porco-do-mato. Pelo visto, estava fisicamente doente ou louco, pois não se mexia, apesar de termos nos aproximado bastante dele, e só aguçava, furioso, suas presas. Os índios o provocaram com paus, mas não o mataram e só riram zombeteiramente quando eu disse que íamos matá-lo à bala e colocá-lo no moquém.

Assim como os Taulipáng e os Makuxí,[86] os Yekuaná também consideram a carne de anta uma carne pesada, que pode deixar a pessoa doente e causar úlceras e que, por isso, sua influência prejudicial tem de ser neutralizada ao máximo por meio de ritos mágicos e de outras medidas preventivas.

Quando há vários doentes numa casa, a carne da anta só pode ser esfolada, cortada e cozida lá fora. Caso isso ocorresse dentro da casa, todos os doentes morreriam. O moquém para assar a carne da anta – somente com essa carne de caça é que se observam tais medidas preventivas – também é construído diante da casa.

Também aqui a flagelação serve de meio profilático. Antes de se comer carne de anta, todos os moradores mais jovens da casa, crianças, mulheres jovens e rapazes, são chicoteados pelo decano, "para que a carne não lhes traga nenhuma doença". Eles se colocam diante da cabeça da anta, posta no chão, e, com um chicote de folhas de bromélia desfiadas e entrançadas (Pr. 54, 6), recebem de três a quatro chibatadas nas pernas e nos quadris. Os doentes e seus parentes mais próximos não podem comer nada dessa carne de caça, e sim apenas de pequenos animais de caça, como *aguti* (*Dasyprocta*), *paca* (*Coelogenys*) e outras carnes leves. Também vi um homem, cuja mulher e filha estavam muito doentes, rejeitar em consideração a elas até mesmo a preferida carne de porco-do-mato e comer pequenos peixes com sua família, que, além de minhocas, são permitidas às crianças e doentes como comidas leves.

---

85 Ou seja, animais realmente doentes, não feridos por caçador.

86 Vide p.213-4, 220-1.

Antes de uma construção nova ser ocupada, todos os moradores, até a menor criancinha, são chicoteados diante da casa pelo decano ou por seu representante, para livrá-los de doenças. Eles se apresentam diante do velho, um depois do outro, eretos e de pernas fechadas, põem ambas as mãos sobre a cabeça e recebem três chicotadas, duas nas panturrilhas, uma nas costas e barriga (Pr. 64, 2). Na inauguração de Mauakúnya, essas chibatadas foram tão fortes nos homens jovens, que deixaram largas marcas sangrentas. O chicote era feito de folhas de bromélia, o cordão era feito de longas fibras trançadas, ao passo que a extremidade inferior das folhas tinha ficado intacta e, amarrada grosseiramente com outras fibras, servia como um punho curto. As chibatadas eram aplicadas por trás, mas, devido ao comprimento do cordão, abarcavam o corpo todo. Homens e mulheres não emitiam qualquer som de dor. As criancinhas, que tinham sido arrastadas pelas mães e recebiam leves chibatadas, resistiam e, em parte, gritavam lastimosamente.[87]

Morte e costumes fúnebres: não vi os costumes em caso de morte e de enterro.

O morto é enterrado em casa, no local onde ficava pendurada sua rede de dormir, e a casa continua sendo habitada. Mas, caso ocorram vários casos de morte seguidos um logo após o outro, então a casa é abandonada, queimada, e uma casa nova é construída num local mais afastado. Assim surgiu, durante nossa estada entre os Ihuruána, a povoação Mauakúnya, em substituição a Suhínya, que ficava distante uma hora e meia e que, devido a seguidos casos de morte, foi abandonada e, mais tarde, queimada. As plantações da casa abandonada continuam sendo exploradas enquanto forem produtivas. Quando, então, surgiu na casa nova uma epidemia de febre, as pessoas mais atingidas pela doença foram abrigadas em barracões fora da casa,

---

87 A flagelação como feitiço desempenha um grande papel nas tribos da Guiana: entre os Karib, antigamente, os candidatos a cacique eram chicoteados pelos chefes com "um chicote trançado das raízes da palmeira". Com ele, cada chefe dava no candidato três fortes chibatadas no peito, na barriga e nas coxas, e o candidato em questão tinha de "ficar em pé ereto e manter as mãos em cruz acima da cabeça"; vide *Reise nach Guiana und Cayenne*, p.151. À época dos principais trabalhos na plantação, os jovens eram chicoteados pelos velhos; ibidem, p.146. Entre os Manáo, no baixo *rio* Negro, após a colheita dos frutos, ocorriam festividades nas quais os participantes açoitavam uns aos outros com chicotes. "Os homens, ao receber as chibatadas de seu oposto, erguiam as mãos acima da cabeça e suportavam calmamente os golpes mais fortes. Depois deles, era a vez das mulheres. Durante a terrível operação, elas cruzavam os braços sobre o peito e competiam em firmeza com o sexo forte" (Martius, *Beiträge*, v.I, p.580). Festas pelo amadurecimento dos frutos, ligadas a chibatadas, ocorriam no alto Orinoco e ocorrem ainda hoje no alto *rio* Negro (A. v. Humboldt, op. cit. v.III, p.295, 323*ss.*; Koch-Grünberg, *Zwei Jahre...*, v.I, p.114, 186, 189; v.II, p.88). A fim de alcançar a vitória para os guerreiros que partiam para a guerra e, ao mesmo tempo, se certificar do desfecho da luta, os Karib chicoteavam dois garotos. Caso estes suportassem as chibatadas sem deixar rolar uma lágrima nem emitir um suspiro, então a vitória estava garantida (Rich. Schomburgk, op. cit., v.II, p.431). Na grande festa dos mortos, *Mariquarri*, dos Aruak, que ocorria vários meses ou um ano após cada óbito, todos os homens da aldeia, e também os hóspedes, chicoteavam-se mutuamente nas panturrilhas com látegos trançados de fibras de bromélias, até que farrapos pendessem deles (ibidem, v.II, p.458; Brett, *The Indian Tribes*, p.154*ss.*). Vide, além disso, p.112-3, 125-6, 132.

1

2

PRANCHA 64. 1. FEITIÇO PARA CAÇA; UM CORDÃO FEITO COM FIBRA DE PALMEIRA É PUXADO PELO NARIZ E PELA BOCA, TAULIPÁNG E VIZINHOS. (FOTO DO DR. THULIN.) 2. CHICOTEAMENTO COMO FEITIÇO CONTRA DOENÇA, YAKUANÁ.

pelo visto, por um motivo prático. Temia-se que fosse preciso abandonar também a casa nova se vários moradores morressem nela um logo após o outro.

Os parentes mais próximos de um morto são considerados impuros por algum tempo ou acometidos de feitiço de doença ou de morte. Em Motokurúnya, nas refeições comunitárias, o irmão de um morto recente sempre comia em separado dos outros e em utensílios especiais.

O lamento fúnebre é pouco melódico. As mulheres, que o executam na maioria das vezes sozinhas, agacham-se, apoiam o cotovelo direito no joelho esquerdo e mantêm a mão diante dos olhos. Não correm lágrimas quando não são os parentes mais próximos. O lamento é inteiramente formal e puramente cerimonial e silencia de repente; a seguir, as carpideiras conversam com sua voz de costume.

Caso duas mulheres se encontrem pela primeira vez após a morte de um parente, elas choram por ele, mesmo que a morte tenha ocorrido meses, até mesmo anos antes. Quando meu guia Yekuaná voltou para sua terra e teve o primeiro encontro com sua mãe, esta procedeu a um breve lamento fúnebre pelo pai morto vários anos antes.

CONCEPÇÕES RELIGIOSAS E MITOLÓGICAS

Minhas anotações sobre as concepções religiosas e afins dos Yekuaná são muito escassas. Uma investigação mais profunda em sua crença fracassou, em primeiro lugar, pela indolência desses índios, que falhavam a cada trabalho intelectual, até mesmo em simples registros linguísticos caso se propusessem a fazê-lo; em segundo lugar, pela dificuldade da língua. Devido à pronúncia incompreensível, com frequência diversa de indivíduo para indivíduo, o Yekuaná é muito difícil de se aprender. Eu também não tinha um intérprete que dominasse o espanhol tão bem como meu Taulipáng *Mayūluaípu* dominava o português e que, ao mesmo tempo, tivesse, em toda sua essência, permanecido um verdadeiro índio. De qualquer forma, consegui descobrir alguma coisa da crença desse povo com meu guia Yekuaná, um pajé, com auxílio do Makuxí, que ele dominava suficientemente devido ao seu casamento com uma mulher dessa tribo, e do português, que ele, pelo menos, arranhava. São concepções bastante confusas, nas quais se introduziram conceitos modernos, talvez também ideias cristãs da época das missões.

Assim como os Taulipáng, os Yekuaná também acreditam que o mundo consiste de diferentes divisões habitadas pelos seres mais estranhos. Eles me contaram: "Debaixo de nossa terra há três céus, um abaixo do outro. Debaixo do primeiro céu[88] vivem os *Koyof^{h}īnyángumū*. Eles andam sobre as mãos com as pernas para cima. Abaixo deles vivem os *Ke̥lā́yi*, que andam sobre mãos e pés, com a barriga e o rosto virados para cima. Bem embaixo vivem os *Te̥nukémpe̥nētomū*. Eles têm apenas um olho, que fica na nuca,[89] mas andam eretos como nós.

88 Ou seja, na primeira divisão abaixo de nossa Terra.

89 *te̥nukémhé̥ne̥* = cego.

Todos esses habitantes são 'gente' que vive lá como nós e também cultiva plantações". Acima do nosso céu também existe gente. Todos são pajés. Todas as estrelas são gente. Acima das estrelas vive *Karãkarâdi*, o urubu-rei. As pessoas sobre o nosso céu se chamam *F^hẹwaínyãmũ*.[90] Elas auxiliam os pajés (terrenos). Na terra desses pajés celestes nunca fica noite. – Acima desse céu há um outro céu. Lá vivem outras pessoas, os *Hadêhahẹdámu*. São anões de pele branca, mas com o nosso aspecto e gordos. Lá existe uma alta montanha, *Hadẹháhede*. Em torno dessa montanha existe uma grande plantação de mandioca. Quando as aves roubam os frutos dessa plantação e os engolem, então ocorre um terremoto. – Acima desse céu existe um outro céu. Esse lugar se chama *Kuruf^hínyali*. Lá é sempre totalmente escuro. Lá vive *Horó'sa*,[91] o senhor das trevas, que tem o aspecto de um homem. Acima desse lugar da escuridão existe uma cachoeira. É o "banco" das pessoas que vivem lá e se chamam *Kazuoráha*. Por isso, a cachoeira se chama *Kazuoráha átei*.[92] Essas pessoas também são pajés. Acima desse lugar existe um outro céu com pajés, *Kahuána*, e suas mulheres. Quando, no rito de cura, os pajés dos Yekuaná vão para o alto, até a cachoeira *Kazuoráha átei*, então eles ouvem os *Kahuána* cantando.[93] A morada dos *Kahuána* é a parte mais alta e menor do céu (do mundo) que forma uma esfera.

"Antes de se chegar a essa extremidade do mundo, chega-se ao grande lago *Arôni*. Quando uma alma do homem chega, os pajés *Kahuána* a jogam no lago. Então ela se torna um pajé e fica com eles. Após a morte, as almas de todos os Yekuaná vão para lá e se tornam pajés."

Os Yekuaná chamam a alma do homem, mesmo quando ela se separou definitivamente do corpo, de *dyẹ̄káto* ou *yẹ̄káto*, "sombra", o que corresponde ao *yẹkatón* dos Taulipáng. A experiência diária os ensina que essa parte não corpórea do seu Eu, invisível para as demais pessoas, em sonho tem vivências e realiza ações. Por isso, certa vez meu guia Yekuaná me disse que minha sombra também trabalha à noite, lê e escreve enquanto meu corpo descansa.

Muito confuso e impregnado de elementos modernos é o pouco que pude ficar sabendo de sua crença em deuses.

Uanãli é o pai ancestral desses índios, uma espécie de divindade que tem sua morada no leste. Ele também se encontra no cristal de montanha *uidíki*,[94] que os pajés empregam em suas curas. "*Uanãli* é o pai de todos os índios, também dos Makuxí, Taulipáng, Wapixána e de outras tribos. O pai dos brancos e dos negros, *yaiânaui araídye*, vive no oeste. No leste, para além do céu, vive um outro, o 'maior dos deuses', *Uanãli hohoínyẹ*[95] com sua mulher *F^hidīménẹ*. Junto dele há uma grande panela. Essa panela faz chumbo." Quando morre um homem que cometeu incesto com sua sobrinha ou sua irmã, "sua alma cai na panela e se torna

---

90 *f^hẹwaí* = pajé.

91 Ou *Hodó'sa*. O Yekuaná tem um som entre *d* e *r*; também se ouvem *Horó'dza* e *Oró'sa*. Essa figura demoníaca corresponde a *Oložán*, o demônio superior dos Taulipáng, que também parece ser um demônio das trevas, pois ele causa os eclipses; vide p.169-70.

92 "Banco (*átei*) dos *Kazuoráha*."

93 Esse canto é parte do canto mágico dos pajés Yekuaná no rito de cura.

94 Ou *uiríki*.

95 *ho'hoínye* = grande.

chumbo. O deus manda esse chumbo para os índios. O deus também faz facas, espingardas e todas as armas. Ele faz as facas sem cabo, as armas sem coronha. Mas aquém do céu existe o 'pai dos espanhóis', *Kahužóa*, um encarregado de seu deus, que faz os cabos delas".[96]

Além dessas figuras, existe ainda na mitologia dos Yekuaná um grande número de seres fantasmais e sobrenaturais de caráter malvado ou, raramente, solícito.

Os Yekuaná chamam de *Mā'dakẽnẹ* um temido espírito da floresta de orelhas muito longas.

Um lugar com banco de areia no alto Merevari, que tem o nome de *no'samo'haí*, é a morada de demônios femininos idosos.[97]

Diziam que em Suhínya, onde ocorreram vários óbitos, "vivia um mau espírito que matava as pessoas". Por isso, a casa foi abandonada.

Quando, em Mauakúnya, uma mulher morreu de repente com seu nenê de peito, seu marido perambulou transtornado dias a fio pela mata com a filhinha de 4 anos, para, como os índios disseram, "procurar o mau espírito que causou a morte".

Como em toda parte, as serras altas são consideradas morada de maus espíritos.

Na cordilheira Wainamá, ao norte do alto Uraricoera, vivem pajés maus. Suas armas ficam na terra. Com elas eles atiram nas pessoas que se detêm por mais tempo lá, deixando-as com febre.

Dizem que, no Pauá, um bloco de arenito de cerca de 1.500 m de altura, onde nasce o Merevari, há muito junco para zarabatana, mas, "quando as pessoas vão até lá para buscar junco e chegam perto, a região fica totalmente escura, e elas morrem".

O ribombar semelhante ao trovão que, às vezes, com tempo claro, se ouve vindo das altas montanhas, também é considerado por esses índios como voz de mau agouro dos espíritos.

Uma espécie de amigáveis demônios das montanhas mora no interior do monte Coatá, um cume de formato singular no sopé da serra Marutani. Dizem que eles têm grandes plantações de mandioca. Quando os Yekuaná querem obter rica produção de suas plantações, eles pedem a esses demônios. Eles têm cantos[98] que se relacionam com essa montanha.

Pajé: o pajé, *f^{h}ẹwaí*, desempenha o papel mais importante na tribo e em cada comunidade maior. Há muitos pajés entre os Yekuaná, pajés mulheres também. Alguns gozam de fama especial.

---

96 Traços modernos semelhantes encontram-se também na mitologia de outras tribos: *Aboré*, um herói cultural dos Warrau, foge pelo mar até a terra dos brancos e lhes ensina as artes de que agora têm tanto orgulho, especialmente trabalhar os metais. Ele vive lá ainda hoje como chefe de todos os comerciantes ricos e envia para seus companheiros de tribo, os Warrau, cargas de navios que sua terra não produz (Brett, *The Indian Tribes*, p.396-7). Segundo a lenda tribal dos Paressí, em Mato Grosso, a primeira mãe também dá à luz o ancestral dos portugueses, além disso, cavalos, gado, porcos, mercadorias de ferro e machado (K. v. d. Steinen, *Unter den Naturvölkern*, p.437-8). Os patagônios acreditam que não apenas seus ancestrais saíram com lanças, arcos e flechas, mas também os espanhóis com espingardas e espadas e gado das mesmas grandes cavernas onde foram criados pelos deuses (J. G. Muller, *Geschichte der amerikanischen Urreligionen*, Basel, 1867, p.266-7).

97 *no'sámu* = velha, anciã.

98 Talvez fórmulas mágicas.

O cargo passa de pai para filho ou para um parente próximo, que serve o pajé por vários anos como ajudante e é ensinado por ele em sua ciência. Essa preparação me foi descrita da seguinte maneira: "Entre os Yekuaná, alguém se torna pajé quando ainda é um garoto. Primeiro, ele bebe, misturada com água límpida, a casca da árvore *hakũdufʰa*, a seguir, a casca da trepadeira *kahĩ*, sem vomitar. Então ele torra *hakũdufʰa*, tritura-a até ela virar pó e a aspira.[99] Toda vez que toma uma droga, ele fuma um charuto. Ele prossegue com isso por vinte dias. Durante esse período ele não come nada. Então vêm duas cigarras do céu e entram em sua cabeça pelos ouvidos. Ficam em sua cabeça e cantam lá como o pajé canta no rito de cura. Então *Kauãrẹ(x)tu*, um garotinho, vem do alto e leva consigo a alma do (futuro) pajé, *erotadinyauána*, para cima. Lá ele canta como um pajé e ensina a ela como se tornar um pajé. Enquanto isso, vem de cima um outro espírito, que é chamado de *židauãna*, entra no corpo do (futuro) pajé e fica lá até que sua alma volte e ocupe novamente seu lugar. Então *židauãna* volta para o alto. *Kauãrẹ(x)tu* ficou lá".

O período de aprendizado e de preparação do pajé noviço não transcorre assim tão depressa quanto me foi declarado aqui, mas provavelmente se estende por anos.

Atribui-se aos pajés uma vida mais longa do que às pessoas comuns; também se diz que, graças a sua força sobrenatural, eles podem prolongar a vida de seus parentes. De um velho pajé dos Ihuruána, cujo irmão mais velho e mãe velhíssima ainda viviam, o meu guia Yekuaná, que também era um pajé, disse: "Eles não morrem porque ele é um pajé muito grande!".

Assim como nas outras tribos sul-americanas, também entre os Yekuaná reina a crença de que as almas dos pajés mortos se transferem para as onças ou se tornam onças que assistem aos pajés terrenos nos ritos de cura e exorcismos. Durante o grande rito de cura em Mauakúnya, os índios nos advertiram para não atravessarmos a mata para ir tomar banho, pois muitas onças, que tinham sido chamadas pelos exorcismos dos pajés, andavam por lá.

Por isso o banco onde o pajé fica sentado no exorcismo também é entalhado na forma de onça (Pr. 49, 3). O banco faz parte de seu equipamento, e o pajé não gosta de ficar sem ele. Certa noite em Suhínya, quando uma onça chegou até a porta da casa, meu guia disse: "Não era uma onça, era um pajé que veio buscar seu banco!". Na casa havia um banco desses pendurado. Mais tarde, eu o comprei do velho feiticeiro. No grande exorcismo que se realizou pouco depois, tive de emprestar o banco ao seu filho, "senão ele não poderia trabalhar", como disse.[100]

Mais importante ainda, e inseparável do pajé dos Yekuaná, é o chocalho, *maraká*. Nele está sua força.[101] Sem o chocalho ele não pode nada. Num cestinho com tampa, que também contém cristais da montanha e outros pequenos utensílios mágicos, ele leva o chocalho em todas as suas viagens, para tê-lo à mão a qualquer hora. Ele consiste de uma abóbora oca contendo pedrinhas para chocalhar. O punho é formado pela extremidade inferior do bastão de madeira leve enfiado através do chocalho de abóbora. Como já foi mencionado brevemente, ele traz,

---

99 Esse pó é aspirado pelo pajé nos ritos de cura.

100 Acerca dos bancos mágicos dos Aruak, vide Roth, op. cit., p.330 e pr. 5.

101 "Segundo um Kaliña, a força do chocalho-piai está nas sementes que se encontram dentro dele" (C. H. de Goeje, *Beiträge*, p.14). Vide também Roth, op. cit., p.333 e fig. 4.

entalhadas, duas figuras humanas agachadas com os joelhos erguidos, uma de costas para a outra, apoiando a cabeça nas mãos, enquanto os cotovelos descansam sobre os joelhos (Pr. 49, 6). Dizem que representam *F^he̥waínyãmũ*, "gente pajé que vive acima do nosso céu".[102]

O pajé tem de impor certas limitações a si mesmo e em seu modo de vida. O consumo da carne de determinados animais lhe é proibido; em viagem, ele também só pode comer carne de caça e peixes que existem em sua terra.[103]

Exorcismo e rito de cura: durante minha estada entre os Ihuruána, pude observar de perto inúmeros exorcismos do pajé, já que eles, mesmo que em sua maioria sejam à noite, ocorrem à luz do fogo e em público. Excetuando-se algumas variações, às quais me referirei mais tarde, os exorcismos comuns decorrem sempre da mesma maneira.

O feiticeiro fica sentado junto ao poste central da casa, com as costas voltadas para o fogo. Primeiro, sob constante chocalhar, ele canta, com voz anasalada e frequentes interrupções, o canto mágico que inicia todos esses exorcismos.

O canto se divide em estrofes isoladas ou trechos, interrompidos por pequenas pausas. O texto intraduzível da primeira parte, que é cantado de maneira solene, monótona e recitativa, tem o seguinte texto:

> "*(e)ramiū́a ue̥dinye(x)kā́ri ue̥dinye(x)kanyihṓhã*
> *tau̯anakunyauanánkaua f^he̥wanye̱dinye(x̯)káne̱*[104]
> *kahī́dāmántau̯e*[105] *uē̥dinye(x)kanye̱hṓhã*
> *kahī́dāmántau̯e*[106] *židauā́na*[107] *kahī́dā́mu*[108]
> *tauāna(x)kunyauā́na yedāmiū́e yemau̯eníyu*
> *yedāmu(x)káua yehē̱dauána henē̱nimā́di*
> *yahē̥dauā́na*[109] *imīniū́a žirimiū́a e̱māniū́a*
> *yedākai̯ū́a yahē̥dauā́na*[110] *yahe̱i̯kiuā́na*
> *karādauā́na kasóadáha*[111] *mone̱kahunyauā́na*
> *ua(x)kuke̥nā́di yahe̱dauā́na f^homežiuā́na*
> *zakiyadā́mu karakarákomu̱*[112] *žiritikumenā́di*

---

102 Vide p.356-7.

103 O mesmo ocorre entre os Aruak (Appun, *Ausland*, 1871, p.159).

104 Pelo visto, contém a palavra *f^he̥waí* = pajé.

105 Contém a palavra *kahí*, que designa uma planta venenosa empregada nas curas mágicas; vide mais adiante.

106 Idem.

107 Designa o espírito que entra no corpo do pajé; vide p.359.

108 Contém a palavra *kahí*, que designa uma planta venenosa empregada nas curas mágicas; vide mais adiante.

109 Talvez *yahižauā́na*, uma espécie de habitantes celestes, de pajés; vide p.356-7.

110 Idem.

111 Talvez *kazuoráha*, uma espécie de habitantes celestes; vide p.356-7.

112 "Povo do urubu-rei (*kārakarā́di*)."

kahūmenādi[113] *tauāna(x)kunyauāna*
yarahedinyauāna madetekunyauāna
ha(x)kūdofhadāmu[114] *hedēhadāmu zedāmu(x)káua*
tauāno(x)kunyauāna hadēmunādi
kawaidāmu[115] *kahōme(x)tai yedāmiūa*
yedākaiūa kauāra(x)tuniyāna[116]
madete(x)kunyauāna."

De repente, o canto é interrompido. O feiticeiro se levanta devagar, mantém o chocalho erguido e deixa o som dissipar-se baixinho. Como acompanhamento, ele assobia sons sedutores que ficam cada vez mais baixos e, aparentemente, se perdem a distância. Silêncio. A sombra do feiticeiro foi para o alto e chama um companheiro do mundo dos espíritos, que prossegue o exorcismo em seu lugar com maior poder. De repente, ouve-se de novo um assobio sedutor que, aparentemente, vem de longe e se aproxima cada vez mais. Ao mesmo tempo, ressoa um chocalhar baixinho, que fica cada vez mais forte. O espírito se aproxima. O feiticeiro se senta de novo em seu banco. Ele se tornou um outro. O espírito entrou nele e fala de dentro dele em alta voz de falsete, como as máscaras em nossos bailes de máscaras, ou com voz rouca. Os presentes lhe fazem todas as perguntas possíveis, que ele responde rápida e prontamente, com frequência de modo espirituoso, pois repetidas vezes ressoam altas risadas. O espírito inicia todas as frases com um prolongado "*ā— — —*" e as encerra com um abafado "*hm — —*". Seu charuto não se apaga. De vez em quando, o feiticeiro diz: "*ā— — — kawaídye nemáne!*", "Me dá um charuto!", então seu ajudante, um rapaz adolescente que, a serviço dele, se prepara para a futura e difícil profissão, lhe dá um charuto novo e grosso, que ele enrolou e acendeu.

No rito de cura em si que, em geral, ocorre entrementes, o doente fica agachado de costas diante do pajé. De vez em quando, o pajé sopra fumaça de tabaco nele, arrotando e cuspindo a seguir, como se algo lhe tivesse entrado na garganta. Então ele sopra fumaça de tabaco: "*ā— — gsch — — —! ā — — gsch — — —!*" ou "*ó — —sch — — —! ó — sch — — —!*" sobre o próprio corpo. Por fim, ele se ergue como anteriormente e faz o som do chocalho se dissipar. O espírito estranho deixou o corpo humano. Devagar, o feiticeiro se senta e, depois de pouco tempo, fala um pouco com sua voz comum. Sua sombra voltou. A cerimônia terminou.

Durante o exorcismo, vários espíritos podem aparecer um depois do outro. O feiticeiro se levanta e se senta várias vezes, como foi descrito anteriormente. Toda vez, ele fala com uma outra voz. Toda vez, um outro espírito entrou nele.

---

113 Talvez esteja relacionado com *kahúana*, o nome dos habitantes da parte mais alta da esfera terrestre, igualmente pajés; vide p.356-7.

114 *hakūduf^{h}a*, rapé do pajé, para ficar em êxtase.

115 *kawai* = tabaco.

116 *kauāre(x)tu*, figura mítica: desempenha um papel na iniciação dos pajés; vide *supra*.

O exorcismo é interrompido imediatamente se houver alguma perturbação; por exemplo, quando, ao imitar vozes estranhas, o feiticeiro tiver um ataque de tosse, como testemunhei certa vez em Suhínya.[117]

Os demais moradores da casa, fora os envolvidos mais próximos, interessam-se pouco pelo feitiço. Alguns se agacham ao redor de uma panela e comem, outros conversam e riem alto. Um homem jovem canta uma canção de dança, um outro toca flauta.

Os exorcismos, que geralmente precedem o verdadeiro rito de cura ou que também podem se realizar sem este, têm, primeiro, a finalidade de limpar a casa, na qual vários moradores ficaram doentes, de todo o mal e de afastar outras influências danosas; mas têm também outra finalidade. O pajé, ou melhor, o espírito estranho que tomou posse de seu corpo temporariamente, é considerado um oráculo que recebe perguntas dos presentes, a fim de saber coisas futuras, se se terá sorte na viagem que se está planejando, na caça que se realizará no dia seguinte. Esses exorcismos, que duram horas, também têm a finalidade mágica de influenciar os animais de caça para tornar a caça bem-sucedida, de certo modo, para atrair os animais de caça, de conduzi-los ao caçador. Por isso, o feiticeiro canta as estrofes isoladas de seu canto mágico com especial ênfase, rápido, de modo selvagem, jogando o tronco com força para a frente. Os jovens fazem perguntas ao oráculo. O espírito nomeia alguns animais de caça que eles poderão caçar no dia seguinte: "*orṓma*", a *paca*, "*akū́di*", o *aguti*, "*f^{h}a'kī́ya*", o *pecari*, e o preferido "*ūlukádi*", o grande porco-do-mato.[118]

Quando há doentes na casa, a presa de caça também é soprada pelo pajé com fumaça de tabaco. Além disso, ele pronuncia palavras de exorcismo, uma espécie de fórmula mágica, na qual a palavra "*aúižkia*", "bom", se repete frequentemente, a fim de que nada de prejudicial fique preso à comida.

Não há uma hora determinada para exorcismos e ritos de cura. Geralmente eles ocorrem logo após escurecer e duram de duas a quatro horas. Às vezes, só começam às onze horas ou à meia-noite. Um rito de cura chegou mesmo a começar às três horas da madrugada.

Nem sempre os exorcismos decorrem exatamente do mesmo modo. Às vezes, quando é inteligente, o feiticeiro acrescenta variações, mas deve ser apenas com a intenção de obter um efeito maior sobre seu público e, desse modo, fortalecer seu prestígio.

Certa vez, realizou-se uma cura noturna em dois doentes sentados um ao lado do outro diante do feiticeiro e com as costas voltadas para ele. A cada "*há —gsch —— —! há —gsch —— —!*", o pajé soprava fumo de tabaco, então formou com a mão direita um cilindro e assobiou monotonamente através dele. A seguir, segurou a mão com o punho cerrado diante da boca, soprou dentro dela sob os sons baixos e misteriosos de: "*há — á — a há — á — a á(u)b á(u)b*", por fim, abanou

117 Preuss conta de um exorcismo entre os Coreguaje no alto Caquetá, que foi interrompido abruptamente porque um cachorro entrou na cabana. No dia seguinte, o cão foi jogado no rio com as pernas amarradas (K. Th. Preuss, *Religion und Mythologie der Uitóto*, Göttingen, 1921, v.I, p.23).

118 Roth, op. cit., p.340: sentado em seu banco, o chocalho na mão, o pajé procura descobrir onde se encontrará caça no dia seguinte. Ele acende seu fogo, acende seu charuto e, com seu exorcismo, convida os espíritos da caça que ele deseja.

a substância da doença para o lado e soprou "*há —sch — — —!*" atrás dela. Repetiu isso várias vezes. Nesse meio-tempo, ele arrotou e gemeu terrivelmente, como se fosse vomitar. Ao fim do exorcismo, apareceu um espírito que pronunciava palavras desconexas em tons bem roucos, depois rosnou e resmungou como uma onça furiosa e, de repente, começou a dar pulos como louca, de modo que os garotos sentados ao redor do feiticeiro correram para todos os lados. Mas logo o feiticeiro sentou-se novamente; o espírito contou piadas, e todo mundo riu.

Num outro exorcismo, o feiticeiro que vivera por longo tempo entre os Makuxí e os Taulipáng quis mostrar o que ele tinha aprendido no estrangeiro. Ao final do exorcismo, que durou quatro horas inteiras, seu jovem ajudante espremeu folhas de tabaco com água numa cuia. Os fogos foram apagados, também o facho de resina cheirosa que queimava no chão ao lado do feiticeiro. Uma mulher despejou água no fogo sob o moquém. Reinou profunda escuridão. O feiticeiro se ergueu; o chocalho silenciou. Sob um assobio sedutor, que foi ficando cada vez mais baixo, o espírito, que até então tinha ocupado seu corpo, se despediu. Silêncio. — — De repente, ouviu-se novamente um leve assobio e chocalhar, cada vez mais próximos. Um novo espírito chegara, o espírito de um pajé dos Taulipáng ou dos Arekuná. De modo horripilante no escuro, numa imitação ilusória, ressoou o canto mágico rouco e gutural das tribos orientais, às vezes interrompido por gargarejos e arrotos. Ele bebeu caldo de tabaco. Esse representante de um mundo fantasmal estrangeiro também voltou, depois de algum tempo, para sua terra distante. Os fogos foram acesos novamente, e a cerimônia se encerrou como de costume.

São consideradas de poder mágico especial as curas em que o pajé aspira *hakũduf^{h}a*. É um rapé mágico utilizado apenas pelo pajé e feito somente da casca de uma certa árvore, que é triturada e cozida numa pequena tigela até a água toda evaporar e a borra sobrar no fundo da tigelinha. No exorcismo, o jovem ajudante torra essa borra na tigelinha sobre fogo brando, então o raspa com a faca até virar um pó bem fino. Primeiro, o feiticeiro sopra um pouco dele no ar através de um pedaço de cana *Arundinaria*, *kuratá*. Então ele aspira o pó, por meio da mesma cana, várias vezes em ambas as narinas. Pelo visto, o *hakũduf^{h}a* tem um forte efeito estimulante, pois, a seguir, o feiticeiro balbucia o canto de modo especialmente selvagem e estridente, ao jogar o tronco com força, alternadamente, para a frente e para trás.

O grande exorcismo em Mauakúnya, do qual já falei várias vezes, ocorreu de dia e em público e foi realizado por dois pajés. Quando a doença, que atacara vários, não cedia, apesar de todas as curas e contrafeitiços, os pajés decidiram empregar a última e mais forte droga, beber o veneno *kahí*, a fim de expulsar de uma vez a doença.

O exorcismo começou às dez horas da manhã. Os pajés tinham o corpo todo pintado, sem arte, com riscos e pontos vermelhos, ou simplesmente pintados de vermelho, assim como todos os doentes e seus parentes mais próximos. Ambos os feiticeiros estavam sentados em seus bancos, meio virados um para o outro, junto ao poste central da casa, a cabeça abaixada, o olhar sério. Tinham diante de si grandes cuias e peneiras cheias de fumo e folhas de líber, cuias grandes com a bebida mágica, de cor verde-amarronzada como estrume liquefeito. Outras cuias estavam cheias de pedaços da trepadeira de que essa bebida era feita. O ambiente era sério e solene. Os feiticeiros fumavam sem parar charutos grossos, quase do comprimento de um pé. Homens jovens e rapazes adolescentes, do mesmo modo inteiramente pintados de vermelho, estavam o tempo todo ocupados em enrolar charutos. Assim que os feiticeiros terminavam de fumar um charuto, eles recebiam um novo dos ajudantes sentados mais perto deles, e o charuto era aceso imediatamente.

Primeiro, o pajé mais velho pronunciou por longo tempo frases de exorcismo sobre as coisas à sua frente. A palavra "*tamẽdẹ̥* = todos, tudo" era sempre repetida. De vez em quando ele soprava devagar fumaça de tabaco sobre as coisas. Um dos decanos da povoação, sentado ao lado dele, repetia suas palavras, a seguir, o pajé mais novo. Então houve um longo e monótono diálogo entre o pajé mais velho e o homem velho, a seguir, este se retirou. Os feiticeiros, então, tiraram seus chocalhos dos cestinhos com tampa e os balançaram, ao compasso, sobre as coisas. Sopraram fumaça de tabaco sobre elas e sobre seus próprios corpos. Beberam da bebida mágica e sopravam sobre si mesmos como antes. Por meio de um funil de folhas, o pajé mais velho pingou, primeiro em si mesmo, depois em seu colega, um pouco do suco nos olhos, o que, pelo visto, foi bem dolorido, pois ambos fizeram caretas. Seguiu-se o canto mágico, sob constante chocalhar, como no rito de cura. Isso durou várias horas, ininterruptamente. O canto ressoava de modo cada vez mais selvagem. Entrementes, ouviu-se uma imitação de uivo da onça e um forte sopro "*há(u)f*^{h} — *há(u)f*^{h} — *há(u)f*^{h}" e um "*luf*^{h} — *luf*^{h} — *luf*^{h}". No fim da tarde, o exorcismo atingiu seu ponto máximo. Ambos os feiticeiros estavam sentados um diante do outro e cantavam, fumavam e chocalhavam sobre as coisas mágicas. Ambos suavam em bicas. Seu olhar se fixava no vazio. Balançavam-se com força para lá e para cá, como se estivessem embriagados. Era uma espécie de canto alternado em rápida sucessão. Com voz selvagem, o velho cantava primeiro as palavras; com voz selvagem, o mais jovem o repetia. Estrofes isoladas sempre se repetiam, assim: "*yetẫsẹ̥ sẹ̥̃ mā nữ*", então o refrão prolongado, como no rito de cura comum: "*ḗ-hē-ē-hē-ḗ-(i)-he*". Os demais moradores da casa não participavam mais do exorcismo. Ficavam deitados nas redes de dormir ou sentados aqui e acolá e se ocupavam de alguma coisa útil. Aqui, alguns homens torciam grossas cordas de fibras de bromélia; lá, algumas mulheres fiavam algodão ou martelavam minúsculas lascas de pedra para os raladores. Um garoto fazia nós em uma rede de dormir; alguns rapazes trançavam apás com motivos. A noite toda ressoou, sem pausa, o canto selvagem, em sequência cada vez mais rápida, às vezes interrompido por gritos, uivos e sopros ainda mais selvagens. O exorcismo se encerrou na manhã seguinte, pouco antes das oito horas. O feiticeiro mais jovem ainda estava sentado sozinho no meio da casa, cantava a meia voz e chocalhava sobre as coisas. O outro estava agachado à parte, junto a uma velha deitada na rede de dormir, e ouvia a história de sua doença. De repente, o feiticeiro mais jovem levantou-se com vagar, ergueu o chocalho e fez o som se dissipar. Solenemente, como começou, a cerimônia terminou. O exorcismo durou quase 22 horas; vinte horas inteiras durou o canto e o chocalhar selvagem. Uma realização e tanto! Na noite seguinte, houve um epílogo, que durou das sete horas da noite até pouco depois da meia-noite e mal se distinguiu do rito de cura comum. Primeiro, ouviu-se um diálogo entre os feiticeiros, então uma gritaria selvagem e um canto alternado como no dia anterior. Por fim, a coisa ficou engraçada. Enquanto o pajé mais jovem entoava um canto rítmico e monótono, o outro ora gritava de modo selvagem, ora ria roucamente "*ho-ho-ho*"; ora balbuciava frases curtas, das quais os ouvintes riam. Um espírito estranho havia entrado nele e dava respostas engraçadas às perguntas.

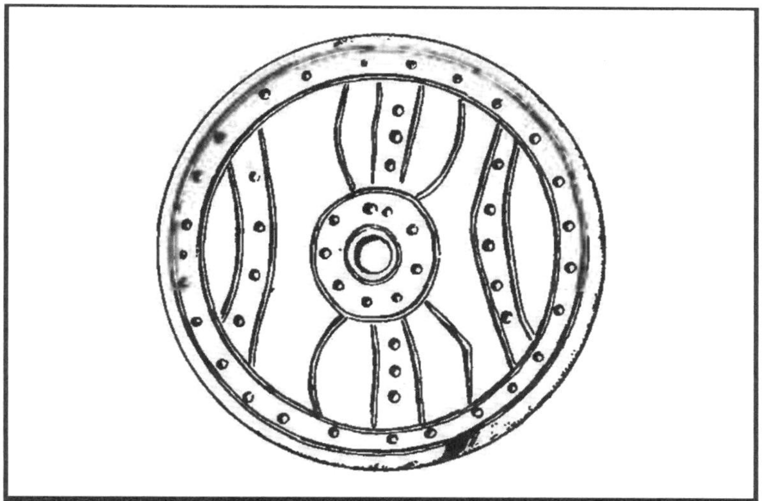

Ilustração 15. Tortual de osso com motivos riscados, Taulipáng

Os Yekuaná distinguem duas espécies de *kahí*, ambas trepadeiras. Uma nasce como planta silvestre na mata e, provavelmente, é idêntica à *caapi* (*Banisteria caapi Spruce*), que desempenha um papel tão grande nas festas dos índios do Uaupés;[119] a outra é cultivada pelos índios em suas plantações.[120] As mulheres Yekuaná, quando querem se tornar pajés, tomam uma bebida dessa última espécie, que é muito forte. "Nessa trepadeira", disse-me um pajé dos Yekuaná, "está o feiticeiro, a onça", portanto, o poder mágico que passa para a pessoa que bebe do caldo. Para o preparo da bebida mágica emprega-se somente a casca, que tem um gosto muito amargo. Ela não é cozida, e sim colocada em água fresca para macerar e é mexida várias vezes.[121]

Ao que tudo indica, nesses exorcismos os índios acreditam piamente no oráculo e não duvidam de que o espírito em questão lhes dá as respostas no lugar do pajé. É verdade que o corpo do pajé está sentado diante deles, como lhes prova sua vista, mas sua sombra, sua alma saiu, e um outro fala de dentro dele. Um espírito estranho, chamado pela sombra do pajé, de cujo invólucro terreno ele tomou posse temporariamente, surgiu em seu lugar, age por ele. Também me convenci, apoiado em inúmeras observações, de que de modo nenhum é tudo

119 Koch-Grünberg, *Zwei Jahre...*, v.I, p.290, 296*ss.*, 298, 299, 318, 344, 347, 352; v.II, p.272.

120 Segundo Reinburg (vide próxima nota de rodapé), provavelmente, é o cipó *Haemadictyon amazonicum* Benth.

121 O Dr. P. Reinburg traz no *Journal de la Société des Américanistes de Paris*, v.XIII, p.25*ss.*, 197*ss.*, Paris, 1921, segundo experiências próprias e consultando toda a literatura, um estudo crítico muito bom sobre as bebidas venenosas dos índios do noroeste da Amazônia, do Orinoco, passando pelo alto *rio* Negro, até as cordilheiras ("Contribution à l'étude des boissons toxiques des Indiens du Nord-Ouest de l'Amazone"). Vide também R. Karsten, *Beiträge zur Sittengeschichte der südamerikanischen Indianer.* v.2: Berauschende und narkotische Getränke, p.39*ss.* Recentemente, K. Th. Preuss (*Religion und Mythologie der Uitóto*, p.22-3) observou o uso da bebida venenosa *yahé* no rito de cura de um pajé dos Tama (grupo Tukáno) no alto Caquetá.

engodo consciente do pajé, mas que muita coisa também da parte dele ocorre de boa-fé. Durante a cerimônia, que dura horas, o pajé fica sentado lá de olhos fechados, a testa com rugas profundas. Também em sua aparência, ele se tornou um outro. Entre os Taulipáng, o fumo e a ingestão do caldo de tabaco, o canto rápido e alto e as regulares batidas com o mágico feixe de folhas, levam-no a um estado de torpor dos sentidos que o faz crer em alucinações;[122] entre os Yekuaná, isso resulta de ele fumar imoderadamente um tabaco especialmente forte, de aspirar um estimulante forte, de beber um veneno, de cantar e chocalhar por horas a fio. Somente os meios são um pouco diferentes; o efeito, em ambos os casos, é o mesmo.

Encerro minhas observações sobre a cultura material e espiritual das tribos indígenas por mim visitadas.

Quanto mais nos ocupamos da vida interior dos índios, mais claramente percebemos quão pouco sabemos a respeito dela. Talvez eu tenha conseguido um primeiro olhar na alma dessa gente.

---

[122] Vide p.193.

APÊNDICE
MÚSICA E INSTRUMENTOS MUSICAIS

A MÚSICA DOS MAKUXÍ, TAULIPÁNG E YEKUANÁ

Erich M. von Hornbostel
(Do arquivo de fonogramas do Instituto de Psicologia da Universidade de Berlim)

Dentre os instrumentos musicais[1] e fonogramas[2] que o Prof. Koch-Grünberg trouxe de sua viagem pelo Norte do Brasil e Sul da Venezuela, empreendida de 1911 a 1913, tratar-se-á aqui daqueles que provêm dos Makuxí e dos Taulipáng, ao norte do rio Uraricoera, e dos que são dos Yekuaná, das cabeceiras do rio Ventuari. Essas três tribos pertencem à família linguística Karib. Os Yekuaná distinguem-se somática e culturalmente[3] – musicalmente também, como se verá – das demais tribos. Não obstante, não me pareceu apropriado focalizá-los aqui separadamente. A origem dos instrumentos e cantos, porém, será indicada toda vez que isso for de alguma importância.[4] Alguns instrumentos pertencem aos Wapixána, da família linguística Aruak, que vivem em estreita comunidade cultural com os Makuxí e com os quais também cantaram alguns coros de dança; um instrumento pertence aos Yauaperý (Uamirí), da foz do rio de mesmo nome; dois são dos primitivos Xirianá, isolados linguisticamente, do curso superior do rio Uraricoera; uma variante de um canto dos Yekuaná é própria de uma outra tribo, de parentesco próximo, os Kunuaná (Kununyangumú) do rio Cunucunuma.

---

1 Agora no Museu Etnográfico de Berlim (Berliner Museum für Völkerkunde), a cuja direção agradeço por sua amabilidade, bem como ao professor Koch-Grünberg por ceder-me suas anotações e por seu constante auxílio.

2 Agora no Arquivo de Fonogramas de Berlim (Berliner Phonogramm-Archiv).

3 *Zeitschrift für Ethnologie* (*Z. f. E.*), v.45, p.448, 1913.

4 Abreviados para M(akuxí), T(aulipáng) e Y(ekuaná).

A. IDIÓFONOS

1. Os chocalhos em fieira, feitos de cascas de frutos enfiadas uma a uma e penduradas num cordão, uma bem junto da outra (T. *kewei*, Y. *wazáha*,[5] de cápsulas de sementes da *Thevetia nereifolia* Juss., Pr. 65, 4 e 4a), estão muito disseminados na América do Sul.[6] Cascos de animais são utilizados do mesmo modo, só que mais raramente: os Makuxí amarram seus chocalhos de cascos de veado (Pr. 65, 5, 5a e 5b) no meio de um bastão oco de ritmo usado na dança *murū'á*; as tribos do Chaco amarram-nos num bastão comprido, que também serve a uma determinada dança.[7]

2. Os chocalhos globulares (M. T. *maraká*, Y. *marā́ka*),[8] comuns aos índios em geral, consistem aqui de uma cabaça maior ou menor atravessada por um bastão adornado com penas em sua parte superior. Num pequeno exemplar dos Taulipáng há um orifício em forma de oito talhado na cabaça. Entre os Yekuaná, o chocalho globular é usado pelo pajé; entre as tribos orientais, na dança.

3. Koch-Grünberg adquiriu dos Yauaperý um chocalho tubular envolto por um trançado em preto e branco; talvez seja o primeiro exemplar na América do Sul desse tipo, em geral tão raro. Eu o conheço apenas como instrumento de culto[9] dos Huichol mexicanos e como brinquedo infantil[10] entre os Pangwe da África Ocidental, uma degeneração que indica muita antiguidade.

4. Os bastões ocos de ritmo (M. *walungá*,[11] Pr. 65, 5), usados também pelas tribos do rio Negro,[12] vieram, sem dúvida, do Sudeste Asiático para a América do Sul. Isso é resultado evidente de sua difusão (Málaca, Melanésia, Polinésia, África Oriental). O instrumento do primeiro dançarino Makuxí na *murū'á* (exemplo de música 16, 25) tem sua extremidade inferior coberta de pele, exatamente como o dos Wapare e Wakamba[13] da África Oriental.

---

5 A grande importância dos nomes para o estudo dos instrumentos, para a história da cultura e para a linguística exige que os nomes sejam indicados também aqui. Cabe a Curt Sachs o mérito de ter sido o primeiro a reconhecer seu valor e de tê-los aproveitado.

6 Erland Nordenskiöld. *Eine geographische und ethnographische Analyse der materiellen Kultur zweier Indianerstämme in El Gran Chaco*. Göteborg, 1918 (citado como N. I), p.181*ss*. Koch-Grünberg. *Zwei Jahre unter den Indianern*. v.I, p.295, ilustr. 173.

7 Erland Nordenskiöld, ibidem, p.181 e ilustr. 49.

8 *Canella maraká*, vide espanhol matraca.

9 Preuss, *Z. f. E.*, v.40, p.593*s*., 1908.

10 Tessmann, *Baesslar-Archiv*, v.II, p.265, 1912.

11 E. F. Im Thurn. *Among the Indians of Guiana*. London, 1883, p.309, 322, ilustr. 32.

12 E entre os Krixaná do rio Jauaperi (J. Barboza Rodrigues. *Pacificação dos Crichanás*. Rio de Janeiro, 1885, p.162).

13 Museu de Ciências Naturais de Viena, 58983/4; coleção Kolb-Säuberlich; 68013/5.

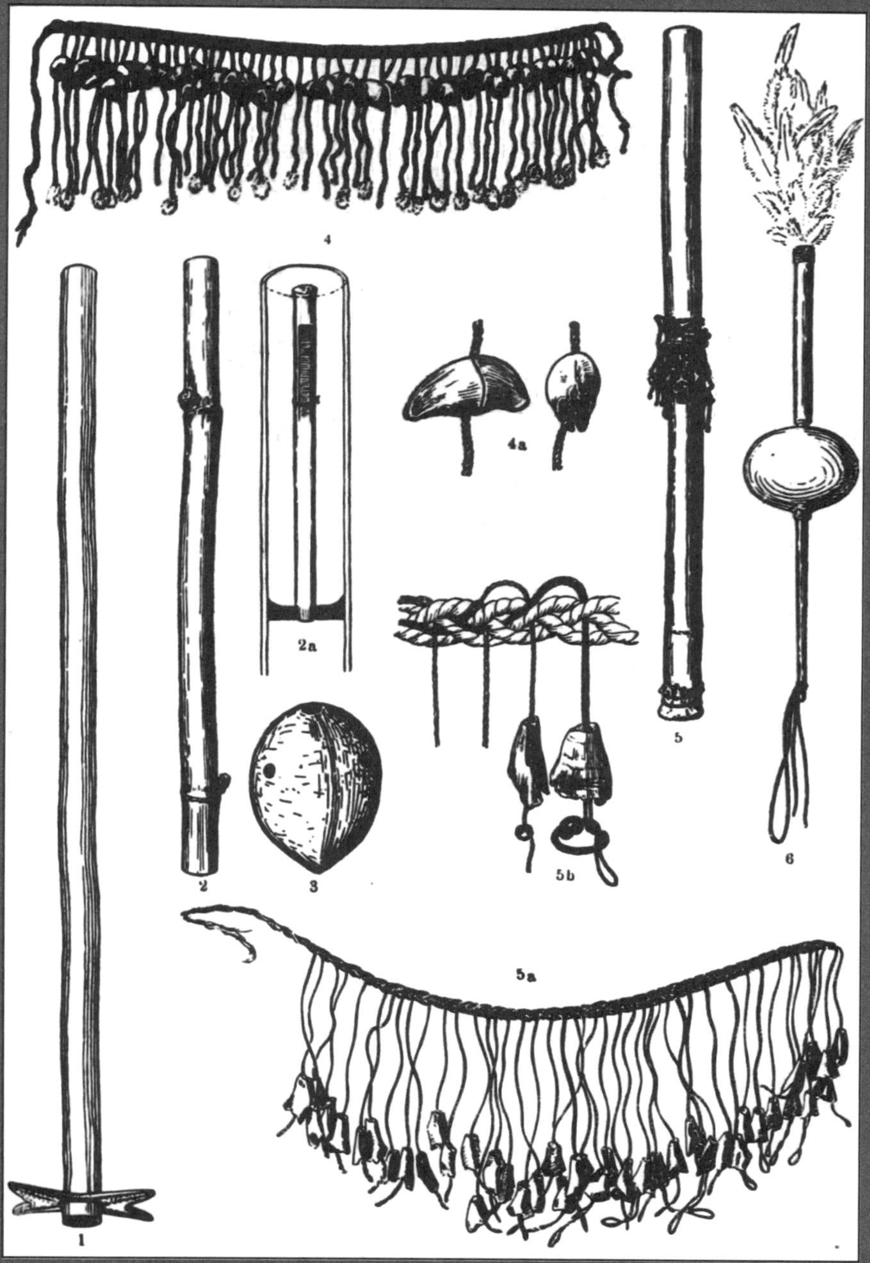

Prancha 65. 1. Trompete tubular com placa decorativa, tocada durante a dança *parixerá*, Taulipáng. 2. Clarinetes de bambu, Yekuaná-Ihuruána. 2a. Visão do interior desse clarinete com "bocal" e lingueta com argola de fio móvel. 3. Apito feito de castanha, Xirianá. 4 e 4a. Chocalho com cápsulas de sementes de *Thevetia nereifolia*, Taulipáng, Makuxí. 5. Bastão oco de bambu, enrolado com chocalho (cascos de veado) e coberto com couro cru na extremidade inferior, Makuxí. 5a. Chocalho de cascos de veado; 5b. Detalhe de 5a. 6. Chocalho de abóbora com decoração de penas, Taulipáng, Makuxí.

5. Todas as tribos dessa região conhecem apenas o tambor de pele dupla (Ilustr. 16), que lhes foi trazido da Europa talvez pelos conquistadores espanhóis, como os nomes já indicam (*zamburá* e semelhantes). O tambor dos Yekuaná é consideravelmente maior que o das tribos orientais. O tronco da *Mauritia flexuosa*, cujo cerne deixa-se apodrecer com água, é cavado e fechado nos dois lados com pele de veado, ou, mais raramente, com pele de macaco. O uso de apenas uma baqueta, se não for pré-colombiano, indicaria importação contemporânea à da clarineta.

ILUSTRAÇÃO 16. TAMBOR DE DANÇA COM BAQUETA, TAULIPÁNG.

C. AERÓFONOS[14]

6. Num ciclo de lendas dos Taulipáng muito semelhante ao dos Tupi-Guarani, mas também ao dos índios das Américas do Norte e Central[15] e que, por conseguinte, deve pertencer aos mais antigos do continente, *Piaȋ̯'mấ*, o "grande feiticeiro", representante das trevas, é morto com um trompete-caramujo (T. *uấyi-kulu*);[16] um triplo *tu-tú-tu* anuncia a vitória daquele que retorna,[17] ao passo que as vítimas do antropófago *Piai'má* eram outrora homenageadas pelo "pai do sapo" com o canto *tuḗd-tuḗd-tuḗd.*[18] O trompete-caramujo é, pois, aqui, como em todo lugar, um instrumento que afugenta desgraças, anunciando morte e vitória.[19] Koch-Grünberg viu um exemplar entre os Yekuaná (*f^h^anấkoa*),[20] que, assim como os civilizados do Orinoco, dos quais supostamente o adquiriram, utilizam-no em viagens de barco. Provavelmente é uma espécie de *strombus* que os peruanos pré-colombianos já sopravam,[21] mas com abertura de soprar lateral, ao passo que a América anterior às expedições de conquista só conhecia trompetes com aber-

---

14 Vale mencionar que não existe o arco de música em toda essa região, à qual ele poderia facilmente ter chegado vindo do Suriname. Por isso, não é provável que o arco riscado (!) do Sul (Chaco, Tehueltschen, Araucano) se origine do arco africano (sempre golpeado ou ponteado). N. I, p.176; R. Lehmann-Nitsche, *Anthropos*, v.3, p.916*ss*., 1908; H. Balfour. *The Natural History of the Musical Bow*. Oxford, 1899.

15 Nesta obra, v.II (citado como II), p.292.

16 *uấyi* = (cada) instrumento sinalizador; *kulúg* = grande caramujo marinho.

17 II, p.79.

18 II, p.224.

19 O trompete concha da saga indiana se chama *ananta vigaya*, imensa vitória.

20 I, p.305.

21 Ch. W. Mead. *Amer. Museum Journ.*, v.III, Supl., p.24*s*., 1908.

tura de soprar terminal.[22] A transformação resultou numa analogia com os chifres de boi (Y. *fʰāka-dedede*) com abertura de soprar lateral, cujo nome já trai sua origem estrangeira (esp. *vaca*, a segunda parte é meramente onomatopaica) e que, do mesmo modo, servem apenas como sinalizadores.

7. Em sua principal dança, a *parixerá*, os Makuxí, Wapixána e Taulipáng sopram trompetes tubulares de 93 cm a 108 cm feitos de madeira *Cecropia* (M. *kamādinyé*, T. *kamāyen*, W. *tũle*), em cuja extremidade inferior colocam uma placa de enfeite. Essas placas pintadas, feitas de tabuinhas finas, representam a meia-lua (W.), o quarto crescente ou minguante (T.) ou animais aquáticos, como peixes (M., W.) ou tartarugas (W.), que apresentam, em parte, traços humanos (W.) (Pr. 37, 2); há um exemplar de trompete que, em lugar da placa, traz uma base redonda com figura humana em relevo (T.). Tal desenvolvimento em instrumento mitológico de dança, coisa tão frequente em outros instrumentos – pense-se, por exemplo, nos chocalhos dos índios do Noroeste americano ou nos apitos de barro dos centro-americanos –, até agora, que eu saiba, era desconhecido em trompetes tubulares. Mais notável ainda é a analogia com um trompete tubular, o qual é disfarçado de peixe (!) por meio de um esqueleto de varinhas arqueadas em que foram coladas penas brancas e de cuja garganta sai o misterioso som; o Dr. Thurnwald encontrou-o em Kumbragumba, no Sepik inferior (Nova Guiné).[23] Não nos equivocaremos ao atribuir os trompetes *parixerá* à área cultural da qual as danças com máscaras e a mitologia da Lua também são características, ou seja, à matriarcal "cultura de duas classes"[24] que penetrou na América do Sul vinda da Oceania.[25]

8. Na dança do beija-flor, a *tukúi*, sempre ligada à *parixerá*, às vezes os homens extraem sons estridentes de um apito tapado em cima, feito de um pequeno pedaço de taquara. Somente esse rudimento da flauta de pã existe por aqui, ela própria não.[26]

9. O uso de um crânio de veado como apito de cabaça, adotado pelos Taulipáng (*koãnĩ*), bem como pelas tribos do rio Negro,[27] Japurá, Içá e no Gran Chaco,[28] provém da alta cultura andina.[29]

---

22 E. Nordenskiöld. *The Changes in the Material Culture of Two Indian Tribes under the Influence of New Surroundings* (citado como N. II). Göteborg, 1920.

23 Segundo uma fotografia ainda não publicada.

24 P. Wilh. Schmidt, *Z. f. E.*, v.45, p.1014*ss.*, 1913.

25 Comparem-se também as tábuas de dança em forma de Lua dos autóctones das Ilhas Salomão em R. Thurnwald, *Forschungen auf den Salomo-Inseln und dem Bismarck-Archipel*, v.I., pr. XII, pr. III, p.94 (sapo, animal da Lua e símbolo da morte), as "figuras de dança" dos brasileiros do noroeste (Koch-Grünberg, *Zwei Jahre unter den Indianern*, v.II, p.163*ss.*), as figuras de peixes feitas de casca de árvore dos Ipuriná (Ehrenreich, *Beiträge zur Völkerkunde Brasiliens*, Berlin, 1891).

26 J. Chaffanjon, *L'Orenoque et le Caura*, Paris, 1889, p.268; menciona flautas de pã entre os "Makiritáre" (Kunuaná).

27 Koch-Grünberg, op. cit., v.I, p.302*ss.*

28 N. I, p.187.

29 Mead, op. cit., v.III, p.6 (cópia de argila).

Entre os Xirianá do alto Uraricoera conservou-se um protótipo do apito de cabaça como instrumento sinalizador: a casca em forma de noz de um fruto com dois orifícios de digitação perfurados à mesma altura. Esse exemplar, raro na América do Sul,[30] de uma forma tão conhecida na Melanésia e na África,[31] possui, do ponto de vista histórico-evolutivo, um significado maior, já que deve ter sido completamente substituído pelas tardias reproduções em argila, não só na Ásia Central e Oriental[32] – berço de todo o gênero – como também no Império Inca.[33] Daí concluirmos o quanto temos de antedatar as relações transpacíficas entre o Velho e o Novo Mundo.

10. Antigo bem cultural americano são as flautas retas de osso, essas aqui, em sua maioria, de osso de veado (M. *uatotó*, W. *uaítoto*, T. *wotóyẹ̱pẹ̥*, Y. *kaṷā́ri-yḗ'he* = veado-osso) e, mais raramente, de onça (M. *žī́nalẹ̥*), que apresentam, sem exceção, um pequeno talho no orifício de soprar e três orifícios de digitação. A extremidade inferior geralmente tem três lóbulos; num dos exemplares (T. onça) ela está cortada retangularmente; devido ao seu orifício de soprar quase totalmente tapado com cera, restando apenas um pequeno furo, esse exemplar representa uma transição para o grupo seguinte. (Um outro exemplar [T. veado] vem pendurado no adorno do chocalho de cascas de frutos, mencionado anteriormente.)

11. Se o primeiro sopro é aliviado por um canal que dirige a corrente de ar contra um gume, nasce a flauta de fenda. O princípio é pré-colombiano, como já o comprovam os achados de argila da América Central. Também deve ter sido aplicado bem cedo às flautas de osso, desde a Califórnia até o Gran Chaco, muitas vezes num formato que indica o modelo indonésio. Em contrapartida, nas flautas de fenda de osso das tribos da Guiana, a bolinha embutida de resina, a fenda desta, próxima à extremidade superior, e especialmente a reduzida extremidade superior, cortada diagonalmente (M., passarão-osso) até o eixo ou, então, até um bico, perdendo, nesse caso, sua forma, lembram a flauta Plock ou a de bico europeia. A extremidade inferior, porém, conservou as fendas características. O número de orifícios de digitação aumentou para cinco ou seis, como ocorre com a flauta de fenda (Pr. 66, 4).

12. A flauta de fenda tapada dos Yekuaná (Y. *f^{h}ī́dyu*, Dekuána *hī́tu*) é mais primitiva, na medida em que o princípio da bolinha de resina passou da taquara para o osso; ela é feita da cana lisa e sem nós daquela *Arundinaria* que, como tubo interno das zarabatanas (*kuráta*, assim também é chamada a flauta), constitui uma preciosa mercadoria de troca dos Yekuaná. Possui em comum com a flauta de fenda de osso a bolinha de resina embutida, o corte triangular na extremidade superior e os cinco orifícios de digitação na frente. Mas ao orifício de digitação mais alto associa-se, no mesmo plano, um orifício no lado posterior, o qual é obstruído pelo polegar da mão direita, enquanto o indicador e o dedo médio manejam os orifícios da frente. O último orifício na parte de baixo permanece aberto; caso contrário, o tom abaixaria, de repente, quase

---

30 Von den Steinen encontrou um apito igual (coquinho, dois orifícios de digitação) no Xingu.

31 B. Struck, *Koloniale Rundschau 1922*, p.56*ss.*, 190*ss.*

32 R. Karutz. *Unter Kirgisen und Turkmenen.* Leipzig, 1911, p.207*ss.*

33 Ch. W. Mead, op. cit., v.III, p.4. Uma variação tardia também é o apito de cabaça chato e redondo feito de madeira, que, limitado ao Gran Chaco e ao Mato Grosso, segundo Nordenskiöld (N. I, p.188) é originário das culturas andinas.

uma oitava, pois a cana é fechada embaixo (por um nó) e tem, ainda, uma plaquinha unida por entalhe, característica que distingue este tipo de todos os seus similares. Frequentemente, um fio atado ao corte do apêndice une, formando um par, um exemplar mais delgado a outro mais espesso, ou, também, uma flauta de fenda de cana a uma flauta (sem fenda) de osso. Tal junção, assim como aves, sapos e quadrúpedes (macacos? Pr. 66, 7, 8, 9) pirogravados indicam um significado mais profundo desses instrumentos.

13. Todas as tribos possuem uma flauta transversa tapada (M. *ka̯ikalá*, T. *ka̯ikelá̃*, W. *ka̯ikiála*; Y. *žu(u)ó* ou *žu'ó* da taquara *hedūdáua*) com três orifícios de digitação. Se a oclusão da extremidade inferior (que falta em apenas um exemplar dos Yekuaná) já é bastante notável, a disposição dos orifícios é ainda mais singular: só dois deles estão junto à extremidade inferior, o terceiro está acima do orifício de soprar – reconhecível pelo tamanho – (Pr. 66, 1 e 2).[34] Mas o único paralelo conhecido dessa flauta transversa fechada em ambos os lados, com disposição bilateral dos orifícios, é a *ch'ih* dos chineses que, remontando a priscas eras, foi vista pela última vez numa loja de antiguidades pelo erudito príncipe Tsai Yü na segunda metade do século XVI, num exemplar em bronze originário, talvez, da era Chung.[35]

14. Na aldeia Ihuruána[36] Mauakúnya, durante uma festa noturna de dança para consagrar uma casa nova,[37] foi tocado um par de clarinetas de bambu (Y. *tẹke'yá̃*) numa cabana vizinha à casa da festa. Os tubos (*wána*),[38] medindo 119 cm e 117 cm de comprimento, são divididos, a 28 cm de uma das extremidades, por uma superfície de resina, em cujo centro perfurado o "bocal" (*suruídye*) é inserido sem deixar vãos – no ponto em que houver necessidade, o bocal é envolvido por um fio de algodão: esse bocal é uma taquara verde, obstruída em cima pelo nó natural e levemente aguçada embaixo, em cuja superfície é talhada a lingueta ligeiramente adelgaçada, que vibra. Um laço de fio atua como a "muleta de voz" do registro de palheta de nossos órgãos. Com sua posição, modifica-se o lado da lingueta, que vibra livremente e, com ela, a altura do som.

Os Mura, remanescentes de uma primitiva população de baixo nível cultural do curso inferior do Madeira e do Purus,[39] utilizam exatamente o mesmo instrumento (*turé*) em festas e para anunciar a aproximação de inimigos; também é utilizado em pacíficas diversões noturnas pelos jovens dos Warraú, uma tribo do delta do rio Orinoco[40] isolada também linguisticamen-

---

34 Uma flauta transversa tapada dos Xirianá, que esses silvícolas primitivos provavelmente não fabricaram, mas devem tê-la recebido dos Yekuaná ou dos Máku do Auari, que assimilaram da cultura Yekuaná, em contrapartida tem três orifícios próximos da extremidade inferior (Pr. 66, 3).

35 A. C. Moule. *Journ. R. Soc., North China Branch*, v.39, p.76, 1908.

36 Subtribo Yekuaná, diferencia-se um pouco desta somente pelo dialeto.

37 I, p.285*ss.*; III, p.303*ss.*, 348*ss.*

38 = cana, taquara, palavra estrangeira Aruak; compare os bastões de ritmo das tribos Aruak e das que assimilaram a cultura Aruak do alto *rio* Negro, *rio* Uaupés e *rio* Içana (Koch-Grünberg, *Zwei Jahre unter den Indianern*, v.I, p.79; *Mitt. Antrhop. Ges. Wien*, v.41, p.80, 1911).

39 C. Fr. Ph. Von Martius. *Reise in Brasilien*. München, 1831, v.III, p.1073.

40 R. Schomburgk. *Reisen in Britisch-Guiana*. Leipzig, 1847-1848, v.I, p.152.

te; e, por fim, pelos Atorái (W. `tah-rah` = *Ibis oxycercus*) e Wapixána entre o *rio* Branco e o Corentyn.[41]

O tamanho dessas charamelas, seu emparelhamento e o soprar às escondidas fora da casa em que se realiza a festa, entre os Ihuruána, para cujas mulheres hoje em dia certamente já não são mais tabu, fazem-nos supor terem elas substituído os instrumentos jurupari, aqueles demoníacos pares de flautas de fenda e de trompetes do noroeste do Brasil,[42] cuja visão leva as mulheres à morte. A elas correspondem entre os Ipuriná Aruak do *rio* Purus os trompetes *kamutší* de espirais de casca de árvore e "flautas de taboca (*koitší*) com uma ponta inserida, que serve de lingueta de apito".[43]

Entre outras tribos, como os Bororo (*poarí*),[44] os Moxo[45] e os Mbayá,[46] o bocal da clarineta é colocado em cabaças ou, como entre os Mbayá e os Chorôti, Ashuslay e Chané[47] do Gran Chaco, em chifres de vaca.

A difusão da clarineta na América do Sul e sua rara frequência revelam ter ela vindo do nordeste e se deslocado para o sul na era pós-colombiana. As formas sul-americanas quase não deixam dúvidas quanto a sua origem. Além disso, ela é totalmente desconhecida dos negros africanos.

A lingueta simples de golpe é mais antiga que a de contragolpe; no Egito, as clarinetas surgem já no Antigo Império (quarta dinastia, antes de 3.000 a.C.) e os oboés surgem somente no Novo Império (após 1500);[48] desde o início, ambos os tipos de charamela são duplos. A clarineta primitiva, com folha cortada da própria cana, manteve-se até hoje em toda a esfera de influência da Ásia Ocidental: nos países mediterrâneos, na Europa oriental, Industão, em Bornéu;[49] na Indochina há poucos exemplares importados,[50] assim como na Oceania. Como prova infalível da origem comum de todo o gênero, também se encontra, na maioria das vezes, um laço de fio sobre a lingueta. Conhecemos a câmara de ar, que no tipo dos Ihuruána é formada pela parte superior do tubo, na clarineta dupla sul-eslava como caneca de madeira assentada, no *alboqea* basco e no *pib-corn* galês de chifre, bem como nas formas indianas e nas do arquipélago grego, feitas de cabaça. Esses tipos nada mais são que formas paralelas da gaita de foles, cujo nome

---

41 K. F. Appun, *Ausland*, 1871, p.523. Sua descrição concorda, em grande parte, ao pé da letra com a de Schomburgk.

42 Koch-Grünberg, *Zwei Jahre unter den Indianern*, em muitos trechos.

43 P. Ehrenreich. *Beiträge zur Völkerkunde Brasiliens*. Berlin, 1891, p.70.

44 K. von den Steinen. *Unter den Naturvölkern Zentralbrasiliens*. Berlin, 1897, p.383*ss*. "Foi muito difícil obter os *poaris* dos Bororo, pois pendiam deles pequenas mechas de cabelo dos mortos".

45 P. Fr. X. Eder (1791): "cucurbitas rotundas inserta fistula inflant". Citado segundo N. II, p.129.

46 Sánchez Labrador (1770): "bocina, que un cuerno de vaca, ó un calabazo largo, agujereado, y por boquilla un cañuto de caña con su lengueta, al modo de las trompetillas que hacen los muchachos". Citado segundo N. I, p.183.

47 N. I, p.183.

48 C. Sachs. *Die Musikinstrumente des alten Ägyptens*. Berlin, 1921.

49 R. Shelford, *Journ. R. As. Soc.*, Straits Branch, p.35*s*., jun. 1904.

50 C. Sachs. *Die Musikinstrumente Birmas und Assams: Sitzungsbericht Akad.* München, 1917, p.38.

também costumam levar (*al boq, duda*). Assim, também no espanhol antigo, *cornamuda* designa uma corneta recurva, uma charamela em forma de gancho com câmara de ar cuja dupla folha de cana poderia ter sido precedida por uma lingueta de clarineta, sobretudo porque a perfuração cilíndrica também distancia a corneta recurva da classe dos oboés. Como ocorre com todas as gaitas de foles, pode-se supor o mesmo da gaita de foles francesa, a *cornemuse*, que, na Idade Média, junto com o *tabour*, o pequeno tambor, também era utilizada para fins militares, assim como, em 1449, era tocada com tímbales ante a infantaria de Nuremberg,[51] ao passo que na Inglaterra, no início do século XVII, o *horn-pipe* (= *pibcorn*) e o "*timburine*" (= *tabor*) pertenciam ao mesmo grupo.[52] Assim, somos levados à conclusão de que a clarineta, juntamente com o pequeno tambor, acompanhou a entrada dos conquistadores espanhóis na América do Sul.[53] Ainda há muito de obscuro quanto aos primórdios de sua história na Europa: desconhecem-se formas sem orifícios de digitação; somente a corneta dos vigilantes noturnos e seu último descendente, a buzina de automóvel, ainda atestam que a lingueta dominou, outrora, um vasto círculo de formas. Desse modo, os remanescentes do Novo Mundo ainda podem lançar um pouco de luz sobre a cultura de nossos próprios antepassados.

II. ANÁLISE DOS CANTOS[54]

A. ENTONAÇÃO

Em toda parte, mesmo entre os europeus, a entonação do canto sem acompanhamento vacila muito. Isso não se deve apenas ao aprendizado falho do cantor. A pura melodia de uma voz não depende dos intervalos determinados com exatidão; estes podem variar dentro de limites bem amplos sem que a essência da melodia, sua forma, se modifique na consciência do cantor e na do ouvinte. Isso acontece até mesmo onde se usam instrumentos afinados com exatidão e, com eles, um determinado sistema tonal. Mais ainda quando estão em segundo plano ou faltam completamente. Mas, assim que outras pessoas começam a cantar junto, a entonação também

---

51 C. Sachs. *Handbuch der Musikinstrumentenkunde.* Leipzig, 1920, p.347.

52 Ben Jonson, "Sad Shepherd", citado segundo H. Balfour, *Journ. Anthropol. Inst.*, v.20, p.143, 1890.

53 Caso os nomes indígenas das clarinetas demonstrem ser palavras estrangeiras, deve-se, então, esperar maiores esclarecimentos delas. Na condição de não linguista, quero assinalar, com toda a reserva, alguns paralelos que chamaram minha atenção: Y. *tẹkẹ'yá* – árabe *zûggara* (gaita de foles); Y. *suruídye* – eslavo *svirjel* (charamela ou flauta de fenda, alemão *schwegel*); *murá turé* por certo é meramente onomatopaico e se encontra universalmente para diferentes instrumentos de sopro, vide W. *tűle* (tuba), Parentítín *toré* (ocarina), hindi *tourri* (gaita de foles), skr. *tûrî* (trompete), neumeckl. *turu* (corneta de caracol) etc. Em contrapartida: Karajá *a(n)djuloná* (qualquer instrumento de sopro) – árabe *al-zurnâ* (charamela). Ipuriná *koitší* certamente tem parentesco com o Aruak *kőai̯, kűe* (demônio).

54 Este capítulo oferece, do modo mais resumido possível, os resultados imediatos do estudo dos fonogramas, ou seja, a base das características seguintes. Quem não tiver tanto interesse na ciência da música, encontrará o que procura somente lá.

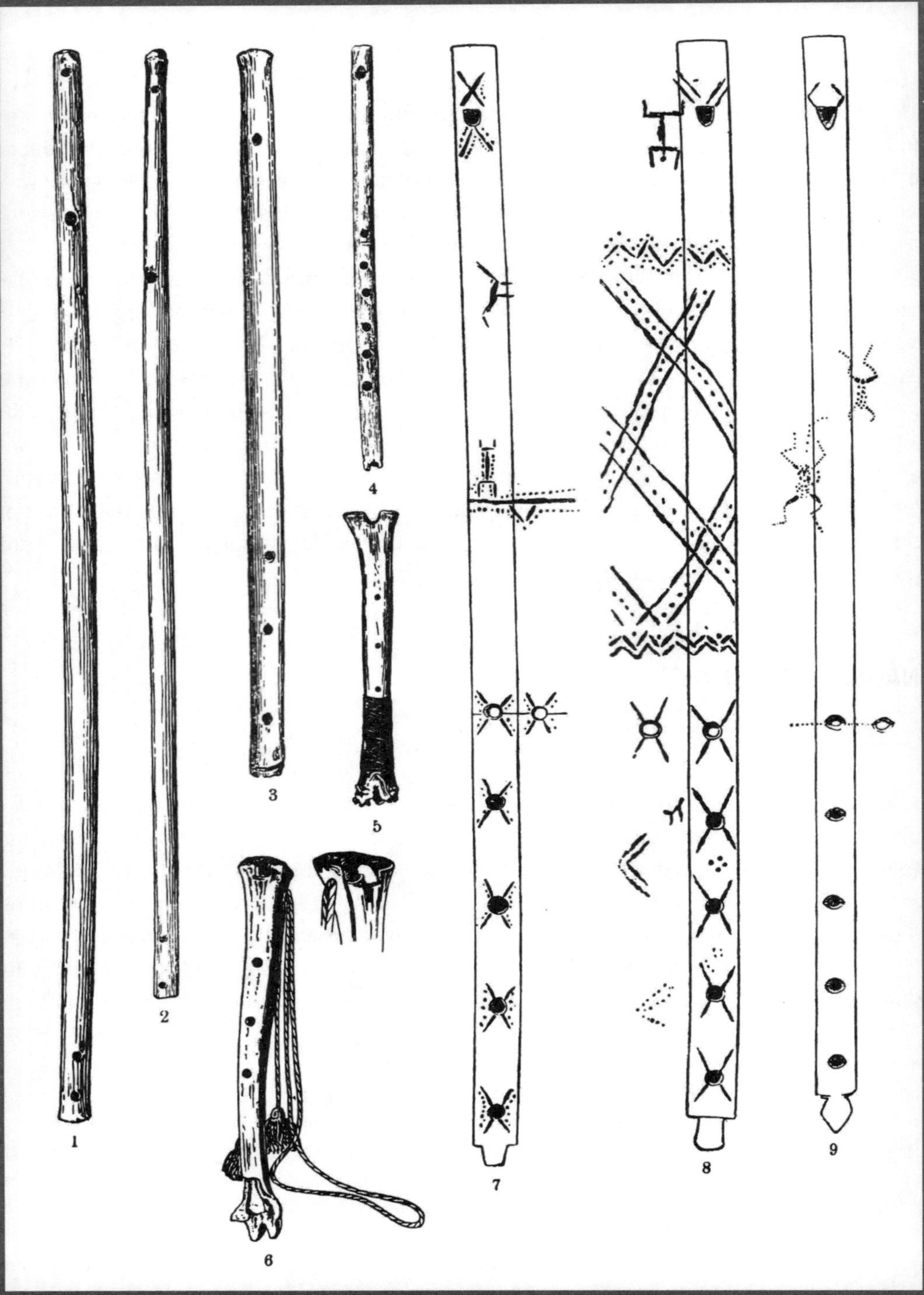

Prancha 66. 1-3. Flautas transversas tapadas. 1. Makuxí, Wapixána. 2. Yekuaná. 3. Xirianá. 4. Flauta de fenda feita de ossos de passarão, Makuxí. 5. Clarineta feita de osso de veado, Yekuaná. 6. Flauta de osso de onça com borlas e cordão de algodão, Taulipáng. 7-9. Flautas de cana com desenhos pirografados, Yekuaná.

se firma: mesmo entre os cantores naturais, o uníssono raramente é dissonante, no máximo no início de um canto, antes de cada participante ter-se ajustado ao outro. Do mesmo modo, também nos coros mistos dos Makuxí, as oitavas entre as vozes masculinas e femininas são surpreendentemente puras (6). É verdade que a limitação fisiológica se manifesta nos limites da extensão da voz: o tom mais alto realmente sai “baixo demais” (2; 25). Frequentemente, porém, a altura, bem como a potência, tem apenas a função de acentuação, o que explica as oscilações do tom motívico mais alto – e, ao mesmo tempo, inicial na melodia descendente – que podem até chegar a um semitom (1). O movimento que desce tonal e dinamicamente é a causa natural de o último tom motívico mais baixo, mais fraco e musicalmente insignificante e, por isso, geralmente quase só falado – enfim, sob todos os aspectos “não acentuado” – baixar ligeiramente (1; 9; 22). Se ele é, ao mesmo tempo, o tom principal, então percebe-se que o alvo foi ultrapassado; uma correção posterior leva a formações que, convergindo, se aproximam do nosso andamento tonal condutor (22). Quão viva é a consciência da relação entre as quartas revela-se num caso (35) em que os tons inicial e final do motivo estão sujeitos às oscilações paralelas da entonação. A diminuição gradativa da altura do tom ocorre, mesmo que raramente (36; 28 I); nunca observei aqui a elevação no decorrer de um canto, muito difundida entre os norte-americanos.

Mudanças significativas para a estrutura da melodia revelam-se pela entonação clara. Delas fazem parte os distanciamentos do tipo trinado tenso de um tom principal para a terça menor diminuída (13; 17) ou para a quarta, distanciamento no qual, ao descer, o intervalo ainda é vencido por um tom intermediário de altura pouco definida (16; 28 III). Além disso, o frequentíssimo e muito característico resvalar da tônica para a segunda menor (9; 13; 14; 15), para a quarta menor (12; 24; 9?) ou para a quinta menor (11).

B. ESTRUTURA TONAL (“ESCALAS”)

As considerações acerca dos fatores que determinam a entonação foram decisivas para a representação gráfica das melodias: oscilações insignificantes para a estrutura da melodia não foram indicadas, a fim de não complicar o quadro das notas musicais. Somente elevações e descidas mais significativas foram indicadas por meio dos sinais + e – postos acima do sistema. Mas na transcrição original e completa dos fonogramas, dos quais damos aqui apenas alguns trechos característicos, todas as oscilações de entonação foram cuidadosamente apontadas, já que frequentemente oferecem indicações importantes para o julgamento da estrutura tonal. Esta repousa, por um lado, sobre a relação das quartas e quintas e, por outro, sobre a mudança de um intervalo para o intervalo vizinho, tonalmente oposto, podendo-se, pois, denominá-lo, em sentido amplo, de “passo da segunda”. Em geral, existe a tendência de se dar esse passo muito grande, como uma “segunda excessiva”. (Como tal, devem-se compreender aparentemente todos os intervalos que, a nossos ouvidos, educados à europeia, assemelham-se a terças menores.[55]) A justaposi-

---

55 Vide também o canto Makuxí baseado essencialmente nos motivos  em R. Schomburgk, *Journ. Ethnol. Soc.*, London, v.I, p.272, 1848. (Copiado em C. Engel, *An Introduction to the Study of National Music*, London, 1866, p.121.)

ção de duas segundas excessivas resulta, porém, numa quarta (ou quinta) excessiva, ao passo que a estrutura da melodia exige, na maioria das vezes, uma quarta, no mínimo, quase pura. Entretanto, tal necessidade não parece imprescindível ao índio. Desse modo, a sequência *si bemol-sol-mi-ré bemol* domina toda a segunda parte - formalmente mais livre - do canto de cura dos Yekuaná (37); somente na terceira parte - formalmente mais fechada - o *mi* passa a *fá*; mas também aqui o *fá* é frequentemente abaixado, e o trítono *sol-ré bemol* se mantém. Em Y.29 *mi-ré-si* alterna regularmente com *mi-(ré)-dó sustenido*: o aumento e rediminuição do motivo da quarta aqui não é, pois, secundário, mas tem a função de tensão-relaxamento. O impulso inicial estende o motivo *sol-mi-ré* a *sol sustenido-fá-ré* em T.23, mas somente em sua primeira aparição. Se a quarta é estendida para um trítono por um som acessório mais alto e contíguo ao som inicial (M.19), então é possível criar uma compensação mediante a elevação do tom motívico mais grave. Uma tal formação de compromisso é patente em Y.31. O intervalo *fá-mi* manifestou-se aqui tonometricamente muito estreito (53 até 80 Cents);[56] as quartas *fá-dó* e *mi-si* são muito grandes (534 e 524C.), mas são separadas apenas no início: a altura do tom básico *dó-si* firma-se imediatamente; a quarta *mi-si* estreita-se cada vez mais (493, 469C.; a mais pura seria 498C.) e, já que *fá* está unido a *mi*, o trítono *fá-si* (604C.) inicial transforma-se numa quarta grande demais (546, 541C.). Nos casos em que o motivo atinge a quinta inferior do som inicial (M.7; 10; 20), esta satisfaz a necessidade de parentesco dos sons marginais, e o trítono permanece igual.

O tamanho de cada um dos passos justapostos e, com ele, o preenchimento dos limites da quinta ou da quarta parece ser de pouca importância: ele muda não só de melodia para melodia, mas às vezes também na mesma canção. Assim, a sequência *dó-si-lá-fá* (20), numa gravação posterior da mesma canção (20 bis), transforma-se em *dó-mi bemol-fá*; e nos trechos finais dos dois cantos de cura dos Taulipáng, que, pelo visto, são variantes da mesma melodia, um dos pajés canta *lá bemol-sol-fá*, o outro canta *lá-sol-fá*, então *sol bemol-fá* (27 III; 28 III). Mas, em geral, os passos têm a tendência de aumentar, tornando-se mais graves. Com isso, seguem a lei natural de que extensão e diluição vão na mesma direção de obscurecimento e enfraquecimento, ou seja, decadência em geral. Ao baixar, o tom inteiro segue o semitom. (paradigma: 𝔉-𝔈-𝔇; exemplos: 4; 6; 7), ou a terça menor (paradigma: 𝔉-𝔈-ℭ𝔦𝔰; exemplo 29), ou a terça maior (𝔉-𝔈-ℭ; 8; 9 etc.). O tom inteiro junto com a terça menor seguinte proporcionam o tetracórdio típico 𝔊-𝔉-𝔇, que não falta em quase nenhum dos cantos.[57] O último passo mais grave pode ser uma quarta (1; 12; 24; 25), ou mesmo uma quinta (11; 27 III). Essa lei, na qual vim a reparar pela primeira vez aqui, domina não apenas em cantos indígenas, já que é expressão de uma atitude natural: ela determina cada formação descendente de motivos entre os Vedá, Kubu e australianos, bem como entre os melanésios[58] e os negros Bantu e, mesmo que muitas vezes

---

[56] 100 Cents = nosso semitom temperado. Compare-se A. J. Ellis, *Sammelbände f. vergl. Musikw*, v.I, 1922; *Z. f. Physik*, v.VI, p.29, 1921.

[57] O tamanho dos passos é variável. Em 31, a quarta está dividida aproximadamente segundo 8: 7: 6, em 28 I entre *lá* e *fá* há um *sol* elevado etc.

[58] Compare-se, por exemplo, o canto Yekuaná 29/30 com canções de Koromida (Bougainville, I. Salomão) [Thurnwald, *Forschungen auf den Salomo-Inseln*, v.I. 1912, Apêndice n.14, 37].

complicada e obscurecida por outros fatores, entre chineses e europeus. Ela conduz aos já mencionados tetracórdios "elípticos" e, através destes, às "escalas de cinco graus", que resultam da união de dois desses tetracórdios ("transposição") (17: *ré-do-lá* + *sol-lá-mi*). Remontam à mesma causa os "trítonos decompostos" e os "acordes da sétima" (5C), como os que ocorrem muito frequentemente em canções indígenas, mas também em música propositalmente não harmônica.[59]

Pouco se pode fazer aqui com o conceito de "escala", fato que, em geral, ocorre com a música puramente vocal. A voz não ascende por um andaime firmemente construído; por natureza ou tradição, ela própria é que forma os degraus, na medida em que se move livremente. Ainda assim, podem-se derivar fórmulas estruturais da melodia, mais ou menos como o esquema de uma dança através de pegadas na areia. Só não se pode esquecer jamais que, nelas, o essencial muitas vezes é diluído, e o acessório, ao contrário, é marcado de maneira acentuada demais. (Vide "Fórmulas de estrutura" no fim dos anexos sobre música.) As fórmulas – nas quais a importância dos degraus é representada pelos valores de tempo e a estrutura do motivo, mediante parênteses – dividem-se em três grupos: no I destacam-se as terças menores e o trítono, em II e III as "de cinco degraus" são predominantes, II com e III sem semitons. A posição do tom principal também muda mesmo com a sequência igual de intervalos. Resultam assim – indicados por a e b – subdivisões que em IIa podem ser diferenciadas como autênticas e plagais. Chama a atenção o fato de os cantos dos Taulipáng serem, quase sem exceção, do tipo II, do qual Ic e III também estão bem próximos. Em compensação, somente um único canto Yekuaná (33) pertence a esse grupo (34 é europeu [ver p.386]). As melodias dos Yekuaná são caracteristicamente plagais: ou o ponto principal está acima (29-32), ou elas se estendem consideravelmente muito abaixo do tom principal. Em compensação, quase a metade de todas as melodias permanece acima do tom principal e em apenas um terço das restantes a amplitude abaixo da tônica é maior que acima. Assim, nas melodias que alcançam a amplitude da oitava (9; 16; 23; 25; 35), o pentacórdio mais estruturado se encontra em cima, e o tetracórdio, embaixo; apenas em duas melodias (1; 11) ocorre o contrário. É típica da melodia descendente e não harmônica a completa falta do semitom abaixo da tônica.

C. RITMO, TEMPO, ESTRUTURA

Assim como a melodia não está presa a escalas, tampouco o ritmo indígena em geral se prende a um rígido esquema de compasso. É evidente a preferência por grupos de três partes, que também se expressa pelo abundante emprego de tresquiálteras em compassos de números pares (2). Não obstante, apenas uma única melodia (18) se move num rígido compasso de 3/2, e justamente esta é suspeita de ser de origem estrangeira (p.387). No mais, prefere-se aumentar os 3/4 para 4/4 (30; 31; 32; 33 no começo) ou abreviá-los para 2/4 (29, regularmente nos mes-

59 Vide, por exemplo, os cantos Wanyamwezi n. 4 e 9; *Anthropos*, v.IV, 1909.

mos lugares). Em geral, é frequente a troca regular e variada dos tempos. Num caso surgem até grupos de 9/4 divididos em 3 + 2 + 4 (6). Cerca de dois terços de todos os cantos dos Makuxí possuem compassos de números pares; entre os Taulipáng encontram-se tais compassos exclusivamente num canto de finais femininos completamente estranhos aos índios (22) e num canto introduzido pelos europeus (26); entre os Yekuaná, encontram-se no *hedḛha* (35), ritmicamente muitíssimo complicado.

Apesar de toda a liberdade de compasso, os cantos são rigidamente rítmicos. Disso cuida a constância do tempo, que é mantido de modo extraordinariamente rígido não apenas num canto (com exceção da primeira parte das curas), mas também permanece exatamente igual de uma vez a outra (20; 20 bis). Isso é tão característico dos cantos de dança, que constitui sua principal, senão única, característica formal.[60] O informante de Koch-Grünberg chamava a *mãuari* de lenta, *a murũ'á* e a *parixerá* de rápidas e a *tukúi* de a mais rápida.[61] Em geral, os fonogramas confirmam tal informação: apesar de o tempo básico geralmente não variar de modo muito acentuado, encontram-se, porém, extremos na mãuari (ou *oarḛbã*)[62] por um lado (M.M.40)[63] e, por outro, na *tukúi* (6. M.M.57). Em média também resulta um tempo mais lento para a *oarḛbã* e a *mãuari* (M.M.44), para a *murũ'á*, *parixerá* e *tukúi* um mais rápido, mas o mesmo para essas três (M.M.50). O tempo também deve ser um pouco influenciado pela característica fisiológica das tribos: entre os Yekuaná, que são mais animados, ele é, em média, mais ligeiro (M.M.57) do que entre os Taulipáng (M.M.47) e Makuxí (M.M.49). Esse "tempo racial" parece fornecer, em vista disso, uma característica antropológica até agora não aproveitada.

A estrutura motívica, em geral, é muito simples e oferece pouco interesse, de modo que é suficiente remeter ao quadro das notas musicais, no qual os motivos estão marcados por letras indicativas. Descobrir-se-á que os motivos têm, com frequência, parentesco também entre si. Para dar um exemplo: a estrofe da *oarḛbã* dos Taulipáng (24) divide-se em duas metades de três motivos abd/efc; os grupos de 4/2 da primeira parte são abreviados, na segunda, para compassos de 3/2, e o compasso final, mediante a supressão da pausa, até 5/4. O motivo *sol-fá sustenido-mi* é estendido cadenciadamente em a para 4/2 e repetido em b para 2/2 e em d para 1/4. (Tais reduções progressivas são uma característica geral da forma das melodias indígenas). e é uma variante de a, f transpõe *si bemol-ré* para a quinta inferior (em que *dó* cresce para *dó sustenido* por meio da acentuação); c é a cadência sobre a tônica e, com isso, a maior restrição do tema.

Assim como nos tipos de compasso, também na estrutura das estrofes os Makuxí preferem formas de duas partes, e os Yekuaná, as de três. A estrutura é mais simples entre os Yekuaná e proporcionalmente mais rica entre os Makuxí.

---

60 Além do tempo em sentido mais estrito, na verdade outros momentos – rítmicos e técnicos de recitação – também determinam o grau de mobilidade.

61 II, p.113.

62 O mesmo texto da *oarḛbã* pertence à *mãuari*.

63 A fim de poder comparar as cifras do metrônomo, foi preciso mudar o cálculo levando-se em consideração o tipo de compasso. Aqui nos baseamos somente nos cantos dos Makuxí.

A *tukúi* dos Taulipáng (23) permite uma compreensão notável da relação entre texto e melodia. Os motivos a, b e c têm a mesma linha de texto α, e o motivo de refrão r, a linha de texto ρ (o fonograma permite ouvi-lo claramente, ainda que o texto não possa ser identificado). O motivo d, abreviado em um quarto e que se insere entre c e r, tem a linha ρ como texto e corresponde, ritmicamente também, aos motivos normais com a supressão do último som. Melodicamente, porém, ele é igual a a caso se lhe tire uma colcheia no início ou no fim. Somente desse modo a forma tonal do motivo pôde permanecer, na medida em que ela admite modificação rítmica de uma colcheia. Vê-se que o metro musical é determinado pelo texto, o ritmo e a melodia, porém, que, de outro modo, se condicionam reciprocamente ou formam, na verdade, uma unidade inseparável, aqui são, em alto grau, independentes um do outro.

Em duas canções de trabalho das mulheres Makuxí (19; 21) foi possível determinar exatamente o texto. Ritmo e metro concordam em sua forma mais bela, como se pode depreender das notas musicais. Em 19, a construção da estrofe melódica e textual segue o mesmo esquema: ddabac: $\gamma\gamma\alpha\beta\beta\alpha$.[64] (Na primeira linha falta dd, na segunda o c é repetido; então prossegue na forma normal.) A estrofe melódica de 21 é ainda mais simples: a b^1 b^2 c. As estrofes do texto, ao contrário, geralmente têm 6– (= 2 × 3–). O fonograma possui nove estrofes:

1.	α	β	γ	δ	–	–	α = *miā́le̱lé̱*,[65] para lá
2.	α	β	γ	ε^1	ε^2	γ	β = *ayé̱púlū-yá*, eu me encontro com você
3.	α	β	γ	ε^3	ε^4	γ	γ = *pipī́ mélikẹ̥́*, irmão pequeno
4.	–	–	–	ε^1	ε^2	γ	δ = *kanáua-lite-pó*, na parte da frente do barco
5.	α	β	γ	ε^2	ε^3	γ	ε^1 = *akū́li pu̱kanḗ*, caçar cutia
6.	–	ε^4	γ	ε^2	ε^1	γ	ε^2 = *u(a)lā́la pu̱kanḗ*, caçar tartaruga
7.	α	β	[γ	δ]	β	γ[66]	ε^3 = *pu̱kanḗ pu̱kanḗ*, caçar, caçar
8.	ε^2	ε^1	ε^5	γ	ε^4	γ	ε^4 = *wai̯kín pu̱kanḗ*, caçar o veado-galheiro
9.	α	β	γ	ε^2	ε^5	ε^4	ε^5 = *kuzā́li pu̱kanḗ*, caçar o veado-capoeira

Segundo esse esquema, a disposição dos versos com certeza não é casual – só os diferentes ε mudam, evidentemente, de modo arbitrário. Originalmente a construção do poema deve ter sido ainda mais rigidamente regular e deve, também, ter determinado a disposição das estrofes. Não admira que a forma do poema se tenha afrouxado devido à união com a estrofe melódica de quatro partes, que lhe é inadequada; antes, apesar da modificação constante de uma em relação à outra, a cantora só fica insegura a partir da estrofe 7, depois de ter cometido um lapso. Dessa forma, demonstra-se uma considerável superioridade do texto em relação à melodia, tan-

64 α = *u(a)lā́la pu̱katā́*, tartaruga caçar vai;
β = *apī́ melikẹ̥́*, irmão pequeno;
γ = *a'yutón kétanē*, faço beiju pra você, mandioca ralando.

65 Os acentos seguem o metro, o que nem sempre concorda com a acentuação normal da prosa.

66 Aqui a cantora se enganou: em vez de γ ela cantou δ, e em vez de δ ela começou com γ, mas então se corrigiu, do que resultou a mescla linguística *pipī́ melite-po*.

to do ponto de vista cultural quanto psicológico: uma nova e eventualmente estranha melodia, ou criada, talvez, de modo estranho, é adaptada ao texto tradicional, e não o contrário[67] (p.387).

III. Característica

A. CARÁTER GERAL DOS CANTOS INDÍGENAS

O resultado mais importante para o qual os fonogramas de Koch-Grünberg contribuíram é que o canto de todos os povos indígenas, dos esquimós aos fueguinos, tem um caráter comum que o distingue claramente do modo de cantar de todos os outros povos.[68]

O que é, pois, esse elemento indígena geral? É fácil de ouvir, mesmo para os inexperientes, mas, como todas as particularidades de estilo, muito difícil de precisar segundo suas características. Justamente a característica mais essencial, o timbre da voz e o modo de cantar, não se pode descrever com exatidão. Também é difícil para o homem branco conseguir imitá-la, e ele nunca o faz de modo perfeito. Os sinais a indicar podem, de qualquer modo, transmitir uma concepção mais correta da notação musical, mas não podem substituir a audição do original.

O canto indígena nos dá a impressão do enfático. Primeiro, devido à forte acentuação das entradas. O início da frase é acentuado pelo expirar audível, um som duro aspirado. No primeiro tom de cada motivo, nas danças muitas vezes em cada semínima (M.5; 7; 11; 12; 17; especialmente em T.24), há acentos dinâmicos; com isso, os cantos de dança adquirem algo de marcha solene. Devem-se conceber as "appoggiaturas" como acento rítmico, que, além disso, muitas vezes são acentuadas dinamicamente, sincopando a nota principal: 𝅘𝅥𝅯𝅘𝅥𝅮 ou 𝅘𝅥𝅮𝅘𝅥 (M. 3; 5; 9; 12; 15; 16; 17). A expressão "appoggiatura", na verdade, não é apropriada aqui: também onde escrevemos 𝅘𝅥𝅮𝅘𝅥 e sentimos a nota breve como prelúdio, é evidente que não é assim de modo intencional; ela vem com o golpe, a longa, com o contragolpe. Poder-se-ia pensar que essa figura rítmica provém do uso dos chocalhos globulares, difundidos por toda a América, que são golpeados para baixo com um movimento curto do antebraço, ressoando por mais tempo ao voltar à posição inicial. A isso, porém, contradiz a presença da figura rítmica também entre tribos que não possuem chocalhos, como os esquimós e os povos da Terra do Fogo. Antes deve-se supor que a batida rítmica com o chocalho, que não é necessária, sendo, de fato, uma particularidade dos índios, origina-se da mesma fonte que os acentos rítmicos no canto. Uma reflexão correspondente nos impedirá de derivar dos passos da dança os acentos dinâmicos sobre cada semínima, mais ou menos junto com o portamento igualmente típico dos índios ao arrastar um tom até o próximo (T.24), que, como na América do Norte, consiste, frequentemen-

---

67 Sobre um fenômeno análogo nos cantos cúlticos dos Cora mexicanos vide Preuss, *Die Nayarít-Expedition*, v.I, Apêndice.

68 Desde que fiz essa afirmação pela primeira vez (16. XI. 1912, vide *Z. f. E.*, v.44, p.831, 1912), ela veio se confirmar a cada novo material, de modo interessante também para o nordeste da Ásia – Orotschen na foz do Amur –, onde devemos procurar o lugar de origem dos índios.

te, em dar um passo com um pé e arrastar o outro. Por fim, deve-se notar que os índios, muito ao contrário dos africanos ou dos malaios, por exemplo, nunca executam no tambor motivos rítmicos mais complicados ou mesmo apenas caracterizados mais acentuadamente, mas somente séries monótonas, na maioria das vezes com batidas de mesma duração, quando muito de acentuação regular devido a intensificações ou "appoggiaturas". Se o tempo do tambor está de acordo com o do canto – o que, estranhamente, de modo nenhum constitui a regra –, então as batidas simplesmente coincidem com os valores de tempo da melodia (M.20). A mesma direção é indicada pelas pulsações, já muitas vezes notadas como caracteristicamente indígenas, que reduzem quase todo tom sustenido por mais tempo a uma sucessão de golpes igualmente breves, unidos pelo portamento (M.2; 4; 8; 10. T.25. Y.32); mas esse alinhar de valores curtos de tempo também ocorre sem portamento quando a altura do tom permanece igual (M.17; Y.36). O portamento se apresenta ritmicamente regularizado na figura estereotípica ♫ ♫ ♩ (M.1; 6; 10; 11; 14; T.22), que forma um festão da linha descendente. Por último, vem o alinhamento de pequenos intervalos descendentes, mais ou menos do tamanho de uma terça menor (p.380).

Todas as características citadas deixam entrever um traço essencial comum: pequenas unidades iguais são alinhadas aditivamente, como pérolas num cordão. O curso dos movimentos não desliza nem flui, não pula nem saltita, mas é sério, lento e caminha enfaticamente. Não se deve pensar que a justaposição de pequenos elementos seja puramente "primitiva". Realmente primitivas seriam as estreitas dimensões do todo, devido à limitação da consciência: um motivo breve forma toda a melodia, e sua repetição contínua, o canto. Isso é assim também entre as tribos indígenas primitivas, como os Yagan da Terra do Fogo. Mas, em geral, os cantos indígenas não são, de modo algum, monótonos e limitados; pelo contrário, sua melodia é extraordinariamente ampla e, também para nós, impressionante, com grande amplitude de tom e considerável extensão de estrofe. E justamente a sustentação de uma igual medida fundamental sobre todas as liberdades das isoladas formas rítmicas e melódicas confere aos cantos indígenas, mesmo aos profanos e alegres, algo sério e não mundano. O que nos pareceu essencial na música dos índios foi que o alinhamento de elementos iguais também se observa em sua ornamentação, tanto nas culturas mais adiantadas quanto nas tribos primitivas.[69] Esse estilo não é próprio nem do grau de desenvolvimento, nem da cultura, mas da raça. Ele é tão excessivamente característico por ser apenas expressão daquilo que – quase não observado pelos antropólogos! (com exceção de Boas) – caracteriza a raça mais acentuadamente: a maneira de se movimentar. Esta é fisiologicamente tão arraigada que sobrevive há milênios, resistindo às influências do ambiente cultural e natural e mesmo à mistura com sangue estrangeiro. Do mesmo modo, determina o movimento do corpo dos dançarinos, o movimento dos braços de quem toca tambor e de quem toca chocalho, o movimento da boca do cantor e do narrador. Assim, a característica comum

---

69 Compare-se, por exemplo, um tecido pintado (!) de Pachacamac (Max Schmidt, *Bässler-Archiv I*, pr. I.) e motivos dos Bakairí e Auetö (K. v. d. Steinen, *Unter den Naturvölkern Zentral-Brasiliens*, pr. VII-IX) com motivos melanésios (E. Stephan, *Südseekunst*, pr. XII, 1a, b): lá, figuras em série, aqui uma superfície subdividida. Em ambos os casos, os motivos são objetos naturais geometrizados e independentes da técnica.

das línguas indígenas também coincide exatamente com a da música indígena, pela incorporação e polissíntese.

B. CARÁTER ESPECIAL

a) *Influência europeia*

A peculiaridade dos cantos indígenas permite que se reconheça com relativa facilidade a influência estrangeira, especialmente a europeia. Nas tribos aqui focalizadas, essa influência pode proceder de três fontes: das expedições de conquista, das missões e, em época mais recente, do tráfego comercial. "Da época das missões" origina-se todo um gênero de cantos de dança dos Taulipáng, que eles próprios denominam de *arẹ̄rúya* (= aleluia). O texto, porém, não utiliza a exclamação de júbilo dos cristãos.[70] As melodias (fonogr. N. 41-43) são canções populares inglesas (escocesas ou irlandesas?) simplesmente adotadas e, pelo visto, mantidas intactas. A adequação ao uso indígena limita-se, no exemplar oferecido (T.26), provavelmente ao acentuado retardamento do tempo, à diminuição da força até o pianíssimo e à dissolução do tom mais baixo (*lá*) em breves valores de tempo. Uma transformação muito mais forte ocorreu num canto de dança dos Yekuaná (*kauāra(x)tú*, Y.34), o que nos leva a deduzir que o adquiriram numa época bem anterior. Somente ao fazer a última revisão da representação gráfica foi que reconheci, de maneira especialmente clara numa mudança da quarta linha da melodia (do segundo compasso 5/4), a melodia de "Wilhelmus von Nassauen". A cadência da quarta ascendente na verdade também ocorre em outros cantos dos Yekuaná (Y.29; 30; 31; 32), mas o salto para a tônica no início e sobre o prelúdio pareceu suspeito. O texto da canção "Wilhelmus" provavelmente surgiu em 1569; a primeira impressão (1588) indica uma canção francesa de caça[71] como de melodia correspondente; portanto, a melodia deve ter sido popular já naquela época e bem que poderia, já na primeira metade do século XVI, com as relações outrora tão vivas entre a Espanha e os Países Baixos, ter sido absorvida por mercenários espanhóis e trazida para a América. Os índios só conservaram a primeira parte da melodia antiga, que, com sua troca de 2/2 e 3/2, deve ter-lhes agradado de maneira especial. É repetida continuamente, talvez com abreviações ou amplificações condicionadas pelo texto ou pela dança. É possível que um dos cantos de trabalho das mulheres Makuxí (M.18) não seja autóctone; ele tem uma certa semelhança melódica com um canto feminino que o Prof. Kraemer gravou em Ambon,[72] um depósito indonésio de carvão, no qual há pouca coisa de primitivo. Não creio, porém, que todos os cantos de ralar mandioca (M.18-21) sejam bens adquiridos (p.387*s.*).

---

70 Isso acontece, por exemplo, com os Pawnee norte-americanos ("*hénenúya*"), Bellakula ("*jau-eli-eli-aja*"), entre outros. Vide Stumpf, *Sammelb. F. vergl. Musikwiss*, v.I, 1922, p.93, 96.

71 "Na de wijse van Chartres". Erk-Boehme, *Deutscher Liederhort*, II.107, onde se encontra mais literatura; Emil Bohn, *Die Nationalhymnen der europäischen Völker*, Breslau, 1908, p.16*ss*.

72 *Forschungsreise S. M. S. "Planet" 1906-1907*, V Apêndice, n.22.

Felizmente, o contato com os brancos quase não influiu nas melodias próprias dos índios. Talvez se deva a ele o tom condutor *mi* em T.22; contudo, também pode se tratar aqui da queda do tom principal. O estreitamento do tom completo *ré-dó* por meio de subida da nota de troca (*dó*) em um canto de dança Makuxí (M.16) também quase não teria maior importância se toda a melodia não lembrasse extraordinariamente a melódica africana; seu parentesco com uma canção coral dos Bahutu,[73] gravada pelo Dr. Czekanowski, permite pensar aqui em influência negra.

b) *Característica segundo as tribos*

Apesar de se reconhecer com facilidade e segurança o caráter geral dos cantos indígenas, é difícil encontrar diferenças de estilo musical em cada tribo. Isso não se deve apenas a um conhecimento falho, pois em outros casos em que o material disponível não é, de maneira alguma, mais abundante nem estudado mais pormenorizadamente, consegue-se, sem dificuldades, diferenciar até mesmo matizes dialetais mais sutis. Não tem importância o fato de todas as tribos aqui tratadas pertencerem à família linguística Karib ou terem, culturalmente, muito em comum. Duvido que hoje em dia, ao ouvir um canto indígena, alguém possa distinguir, mesmo que com certa segurança, de que parte do continente ele provém. Os Wapixána também participaram de alguns coros dançados dos Makuxí (M.1; 2; 6; 11). Os cantos dessas duas tribos poderiam, assim, ter estreito parentesco.[74] Tampouco se podem dividir as subtribos dos Yekuaná: o canto de dança zamā́ye̱, dos Kunuaná (29), é idêntico ao uaix̱áma dos próprios Yekuaná (30). Todos os cantos de dança dos Yekuaná (com exceção do europeu 34) distinguem-se daqueles dos Makuxí e Taulipáng devido à pequena extensão – quarta ou trítono – de construção motívica mais simples, "liberdade" de ritmo para com o tempo rigidamente mantido (e um pouco mais acelerado!), parecendo, com isso, mais primitivos. Só aqui se encontra, no fim, um glissando descendente que permite aos sons intermediários adiantarem-se ainda nitidamente (29; 30; 31); só aqui é que alguns sons são anasalados pelo fechamento da boca (29; 30; 31; 33; assinalado por m. nas notas). Essa nasalização soa especialmente peculiar quando ocorre no som final, prolongadamente sustentado (33).[75] Por enquanto deve-se deixar de lado a questão se essas poucas singularidades são, ou não, próprias dos Yekuaná. De qualquer modo, elas são bastante compensadas por concordâncias significativas, como as dos cantos de cura dos Yekuaná e dos Taulipáng.

c) *Característica segundo os gêneros*

Os cantos das mulheres Makuxí e Wapixána (18-21) ao ralar mandioca assemelham-se às nossas canções infantis. Nada têm do timbre e interpretação indígena característicos e quase nada da melódica americana. Não são mencionados pelos viajantes anteriores e as tribos mais

---

73 *Deutsche Zentral-Afrika-Expedition 1907-1908*, v.VI, p.1., exemplo da nota 1.

74 Não aparecem cantos próprios dos Wapixána nesta coleção.

75 Por isso, também não pode ser comparada com o "hm, hm" brincalhão que aparece em algumas de nossas canções populares, por exemplo "Ich ging einmal spazieren" (Erk-Boehme, op. cit., II. n.533).

bem resguardadas do contato com europeus e com descendentes de escravos negros fugidos* (Taulipáng, Arekuná etc.) não os conhecem; os cantos de trabalho em geral parecem faltar completamente aos índios. Entre os negros fugidos, ao contrário, sua existência é comprovada.[76] Num dos cantos de trabalho das mulheres Makuxí (18) pudemos até mesmo apontar um determinado exemplo africano. Os textos, talvez de feitiçaria venatória, originalmente nada têm a ver, quanto ao conteúdo, com o preparo da mandioca, e sua forma não corresponde, necessariamente, à construção da melodia (vide p.382*s.*). Provavelmente só eles são propriedade dos índios, mas o costume de cantar durante o trabalho e a essência musical são empréstimos africanos.

Nas curas, descritas pormenorizadamente por Koch-Grünberg,[77] o canto é a mais importante e, muitas vezes, a única atividade do pajé. Os Yekuaná acompanham o exorcismo com o chocalho, e os Taulipáng, embora também possuam chocalhos, acompanham-no com um feixe de folhas, com o qual batem no chão, estalando, ou varrem para lá e para cá, ciciando. O ritmo monótono e, justamente por isso, muito sugestivo, atua de modo hipnótico sobre o próprio pajé, sobre o doente e, às vezes, sobre os ouvintes que não participam do exorcismo.[78] Esse ritmo, porém, não é, de modo algum, regular, pelo menos não no início do canto. Os Taulipáng iniciam-no com um motivo breve, repetido várias vezes com aceleração de tempo. Também na parte principal seguinte inicialmente o tempo permanece bem livre e só aos poucos se firma, tanto que é possível determiná-lo metronomicamente (27 I). Mas os motivos ainda resistem a uma entrada forçada nos compassos (27 I; 28 I II). O canto, porém, divide-se em estrofes cujo fim acentua uma longa fermata. Somente uma segunda parte (27 II) traz um compasso regular de três tempos. No canto dos Yekuaná, desde o início, o ritmo é mais rígido (37 I) e, em geral, tem preferência por tipos de compassos de números pares (4/4, 6/4), entre os quais inserem-se alguns ímpares (5/4, 7/4) (37 I II). Ele também revela uma disposição em estrofes (37 II) por meio de cadências em refrão. A terceira parte (III) dos cantos de cura de ambas as tribos tem a forma fechada das canções de dança. Ela deve fazer parte do último episódio da ação mágica, na qual a alma do médico volta ao corpo que havia abandonado, terminando, então, o serviço de modo mais terreno ou alegrando-se de seu êxito com sons mais humanos. Enquanto o demônio chamado para auxiliar na cura assume seu lugar e fala pela boca do pajé, a voz deste é disfarçada por todos os meios que ele adquiriu em muitos anos de aprendizado: uma capacidade pulmonar sobre-humana manifestada no *fortissimo* retumbante e nas fermatas sustentadas sem a menor diminuição da potência sonora – num caso medi 18 segundos no cronômetro (28 I)! –; um glissando uivando inquietantemente (28 I II) e uma cromática antes nunca vista entre os

---

* *Buschneger* no original. O autor refere-se aqui a descendentes de escravos negros fugidos que se refugiaram na região de mata para fugir à escravidão e à perseguição de seus antigos senhores. Não confundir com *Buschmänner*, bosquímanos, povo nômade que habita o deserto de Kalahari (África meridional). (N. T.)

76 Joest, *Intern. Archiv f. Ethnogr.*, v.V., supl., p.60; III, p.161*ss.*

77 I, p.68, 71*ss.*, 162*ss.*, 242*ss.*, 305*ss.*, 319*ss.*; III, p.360*ss.*

78 "Até eu fico aflito com a primeira parte, o recitativo falado com voz rápida e monótona me deixa banhado em suor" (I, p.73).

povos naturais (27 I C; 37 I); variação do timbre da voz à maneira de ventríloquo, com a boca fechada (28 II), imitação fiel de vozes de animais, particularmente da onça, por sua natureza semelhante à dos pajés;[79] e, não por último, o gemido e queixume do possesso, o soprar bufante de fumaça de tabaco e o gargarejo com o entorpecente caldo de tabaco.

Os cantos de outros tratamentos mágicos, por exemplo o feitiço de caça,[80] provavelmente são parecidos com o das curas no que concerne ao estilo. Com certeza, todos esses cantos são muito antigos e completamente autóctones. Mas não se pode considerar sua particularidade como característica de um modo de cantar "primitivo": dizem que faltam pajés a algumas tribos que se encontram precisamente num grau cultural inferior (Guató, Guayakí, Botokudo e Purí)[81] e, com eles, sua arte musical e suas habilidades acústicas.

Os cantos de dança compõem a classe mais numerosa, como ocorre com todos os índios. Os movimentos de dança são comuns a todos os índios: um caminhar lento dobrando os joelhos, ligeira inclinação do tronco para a frente e uma batida com o pé direito a cada dois passos;[82] também é comum a todos os índios a forma de movimento do melos (vide p.384*ss.*), que corresponde totalmente a essa característica. Por isso, é quase impossível distinguir musicalmente os tipos de dança uns dos outros. Em todo caso, a *oarẹbã́* (M.11-15; T.24) distingue-se pela sempre presente queda do tom principal para a segunda, quarta ou quinta inferiores, para a troca de compassos de 2/2 e 3/2 e para uma construção motívica mais rica; embora essas características também ocorram isoladamente em outros tipos de dança, sua reunião talvez seja própria da *oarẹbã́*. Mas a real diferença entre as danças, mesmo para os próprios índios, poderia não ser formal, e sim encontrar-se em seu significado.[83] É verdade que os nomes e a linguagem arcaica dos textos, em parte, já não são mais compreendidos hoje.[84] Mas o sentido das danças em geral e dos tipos particulares ainda resulta claramente dos mitos transmitidos. Os cantos de dança compõem uma parte, ou mesmo a essência, da narrativa. Diz-se expressamente que as danças e cantos hoje descendem das danças e cantos míticos: estes são os antepassados daqueles, assim como as personagens míticas – animais, heróis, demônios, homens – que eles dançam e cantam são antepassados dos índios de agora (os índios norte-americanos atribuem seus cantos aos animais totêmicos, que, do mesmo modo, surgem cantando nas narrativas). Numa lenda dos Taulipáng,[85] o grito da criança se transforma no do pequeno açor *kukúi*; o choro da mãe, no chamado do açor *enakín*, só então os homens se transformam em figuras de pássaros. A criança-açor canta, então, o *kukṹykog*, que relata a metamorfose e compõe hoje uma parte da dança *mãuari*. Tais mitos são muito mais que "explicações": eles não são inventados para

79 Na maioria das língua Betóya, o pajé se chama simplesmente "onça" (Koch-Grünberg, *Zwei Jahre unter den Indianern*, v.II, p.155.)

80 I, p.323.

81 Lublinski, *Z. f. E.*, v.52, p.236, 1920.

82 I, p.77*ss.*; Ehrenreich, op. cit., p.70.

83 II, p.106 nota 292, p.116 nota 333.

84 O informante de Koch-Grünberg, *Akúli*, um Arekuná, também fazia diferenças segundo o tempo (II, p.111).

85 II, p.113*ss.*

explicar instituições hoje existentes, cujo sentido já não se compreende mais, mas dizem em voz alta que a dança (atual) é o acontecimento mítico, que o dançarino é a personalidade mítica, uma repetição viva e não uma mera encenação. Esse fato, cujo descobrimento e elucidação devem-se a K. Th. Preuss,[86] fornece a chave para a compreensão da essência não só das danças e dos cantos dançados, das cerimônias e dos instrumentos cerimoniais, em especial também das máscaras, mas também – dir-se-ia retrospectivamente – é, ao mesmo tempo, a própria essência dos mitos. Pois se a cerimônia nada mais é que o "redespertar" (Preuss) do fenômeno mítico inicial, este foi apenas o primeiro caso em que a essência real dos "antigos", dos "pais", se manifestou em seu agir e em seu efeito, que traz a felicidade ou impede a ruína. Somente a narrativa é a história da criação; o mito, porém, é a "palavra" viva,[87] a própria criação – e, ao mesmo tempo, a instituição das novas criações, das cerimônias. Por isso, o canto é transmitido mais fielmente em sua linguagem antiga, de maneira mais fiel que a narrativa mais recente, que agora é realmente explicativa (para o mito) e cujo teor deve-se modificar, pois não é essencial nem eficaz. O mito primitivo, porém, não é prosa narrativa: ele é cantado e dançado.

O tatu agitou o chocalho e cantou: "Eu toco o chocalho dos animais de caça!". Então vêm os animais de caça. *E̱tetó*, a cabeça direita do urubu-rei de duas cabeças – o pajé *We̥wé̥* numa outra lenda – toma o chocalho do tatu, usando-o ele mesmo para caçar. Mais tarde, é perdido para os porcos-do-mato. *We̥wé̥* recebe-o de novo dos porcos-do-mato, mas tem de dançar todos os dias como primeiro dançarino e, como eles, tornar-se *Z̯au̯e̥lez̯ā́li*, "pai do porco-do-mato", o que ele é "até hoje".[88] Assim se originou a principal dança dos Makuxí e dos Taulipáng, a *parixerá*, cujo primeiro dançarino leva o longo bastão com o cordão-chocalho de casca de *Thevetia* e cujos participantes levam os grunhidores trompetes tubulares com placas zoomorfas como adorno (p.373, 7); estão mascarados com folhas de palmeira[89] e a representação dessa dança traz abundante presa quadrúpede, assim como a dança do beija-flor, a *tukúi*, acompanhada de estridentes apitos (p.373, 8), proporciona pássaros e peixes, pois o primeiro dançarino é o "pai dos peixes", o passarinho *Sē̱kéi*, o pajé *Waz̯amaímẽ̥*.[90]

Agora também se compreende a forma musical dos cantos de cura e seu parentesco com os cantos de dança: sua origem, como a de todas as fórmulas,[91] ações e poções mágicas, também é mítica: *Piai̯'mã́*, o "grande feiticeiro" deu-as aos homens para que estes "possam cantar bem, dizer sempre a verdade e reconhecer o que é certo no mundo".[92]

---

86 *Die Nayarit-Expedition*, v.I, p.XCV (Teubner, 1912).

87 Preuss, ibidem, p.XCII, XCVI; além disso: *Religion und Mythologie der Uitóto*, 1921, p.26: o criador do mundo se chama *Rafuema* = "aquele que é a narrativa".

88 II, p.91*ss.*, 97*ss.*

89 I, p.77*ss.*

90 II, p.104*ss.*

91 II, p.19*ss.*; III, p.209*ss.*

92 II, p.30, 66*ss.*

1. Tanzgesang *parišerá.* **Chor. (I. 26.) (M.M. ♩ = 144**

2. *parišerá.* **Chor. (I. 28.) M.M. ♩ = 96**

3. *parišerá.* **Männer. (I. 11.) M.M. ♩ = 92**

4. *parišerá* **Frau. (I. 7.) M.M. ♩ = 78**

5. *parišerá.* **Frau. (I. 3.) M.M. ♩ = 112**

6. **Tanzgesang** *tukúi.* **Chor. (I. 24.) M.M. ♩ = 172**

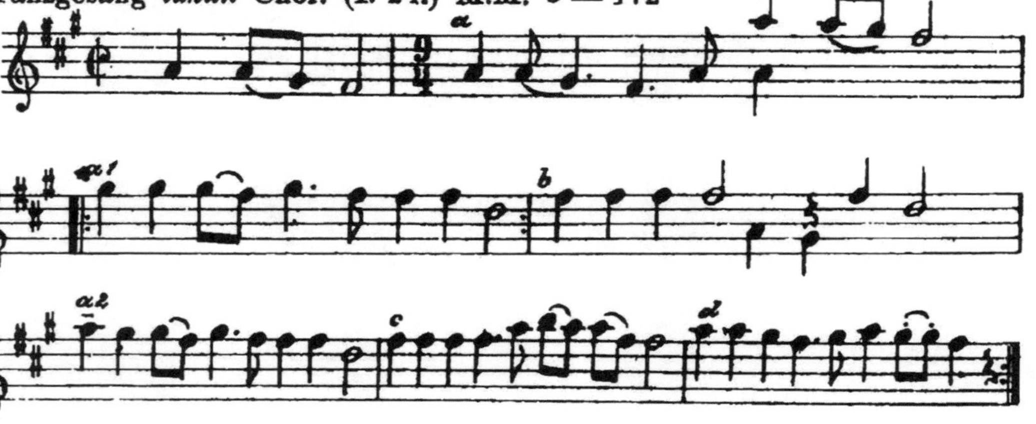

7. *tukúi.* Männer. (I. 15.) M.M. ♩ = 100

8. *tukúi.* Frauen. (I. 9.) M.M. ♪ = 136

9. *tukúi.* Frau. (I. 8.) M.M. ♪ = 160

10. *tukúi.* Frau. (I. 4.) M.M. ♩ = 86

11. Tanzgesang *oarẹbá*. **Chor. (I. 23.) M.M. ♩ = 100**

12. *oarẹbá*. **Männer. (I. 13.) M.M. ♩ = 90**

13. *oarẹbá*. **Männer. (I. 14.) M.M. ♩ = 90**

14. *oare̱bá*. Frau. (I. 6.) M.M. ♩ = 80

15. *oare̱bá*. Frau. (I. 5.) M.M. ♩ = 80

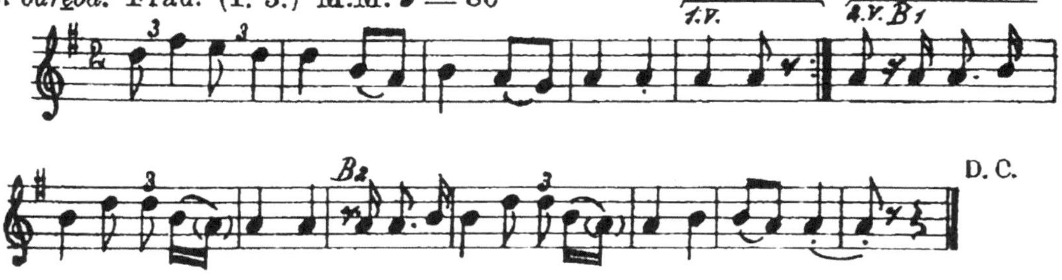

16. **Tanzgesang** *murūā*. **Männer. (I. 12.) M.M. ♩ = 100**

17. **Tanzgesang** *mā̆uari*. **Männer. (I. 16.) M.M. 𝅗𝅥 = 88**

18. **Gesang beim Maniokareiben.** *Kęsėkęyelęmū*. **Frauen. (I. 10.) M.M. ♩ = 104**

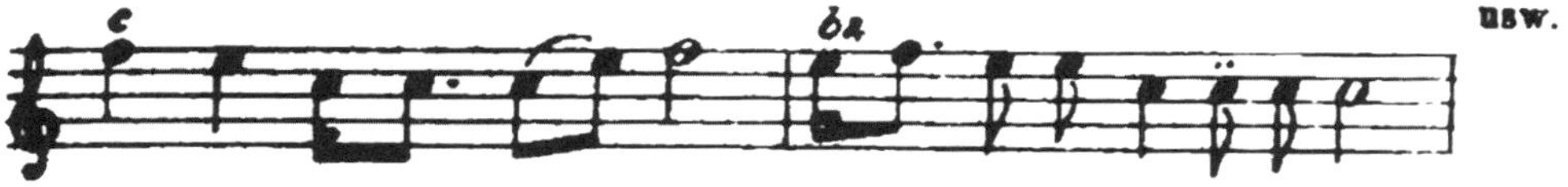

19. do. (I. 1.) M.M. ♩ = 96

20. do. (I. 2.) M.M. ♩ = 108

20. bis do. (I. 46.) M.M. ♩ = 108

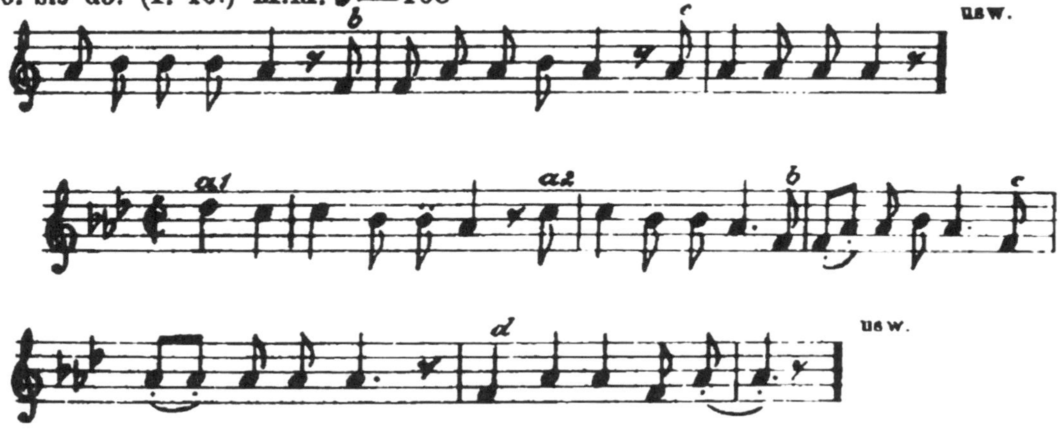

21. do. (I. 45.) M.M. ♩ = 116

22. Tanzgesang *parišerá*. **Männer. (I. 37.) M.M. 𝅗𝅥 = 92**

23. Tanzgesang *tukúi*. **Mann. (I. 39.) M.M. 𝅗𝅥 = 82**

24. Tanzgesang *oarebá*. **Mann. (I. 40.) M.M. 𝅗𝅥 = 86**

25. Tanzgesang *murúá*. **Männer. (I. 38.) cf. 13 M.M. ♩= 96**

26. Tanzgesang *arḗrúya*. **Mann. (I. 41.) M.M. ♩= 94**

27. Krankenkurgesang. Zauberarzt. I. (I. 17.)

II. (I. 18.) M.M. 𝅗𝅥 = 80

III. (I. 19.) M.M. ♩ = 102

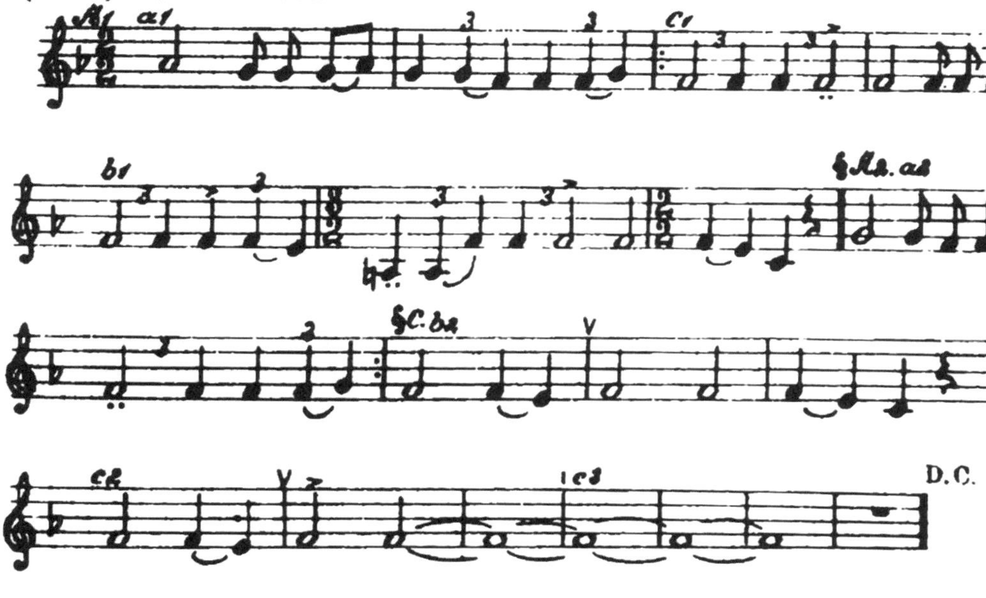

28. Krankenkurgesang. Zauberarzt. I. (I. 25.)

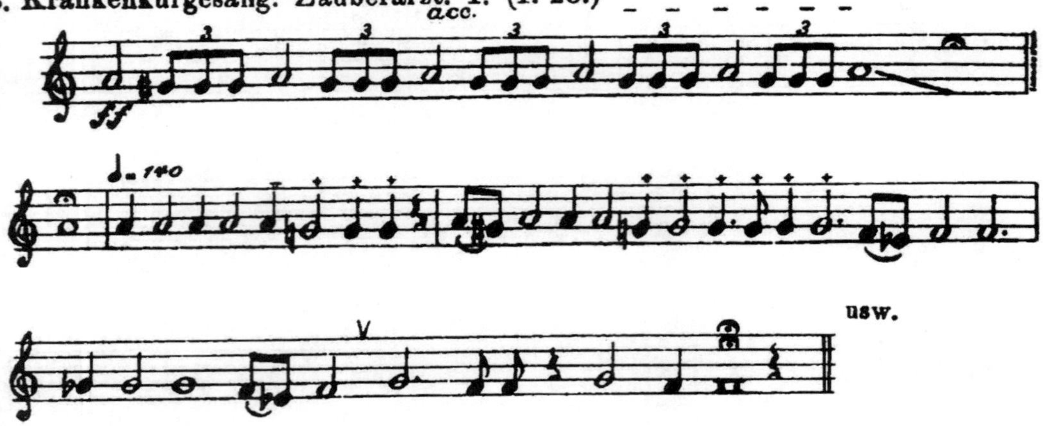

II. (I. 27, 30.)

III. (I. 29.) M.M. ♩ = 96

29. Tanzgesang *zamáye*. **Mann. (I. 49.) M.M. ♩ = 116**

2. YEKUANÁ

30. **Tanzgesang** *uaixáma*. **Mann. (I. 31.) M.M. ♩ = 144**

31. **Tanzgesang** *kãštuhumu*. **Mann. (I. 34.) M.M. ♩ = 100**

32. **Tanzgesang** *ãžímanę*. **Mann. (I. 48.) M.M. ♩. = 104**

33. **Tanzgesang** *divaí*. **Mann. (I. 32.) M.M. ♩ = 180**

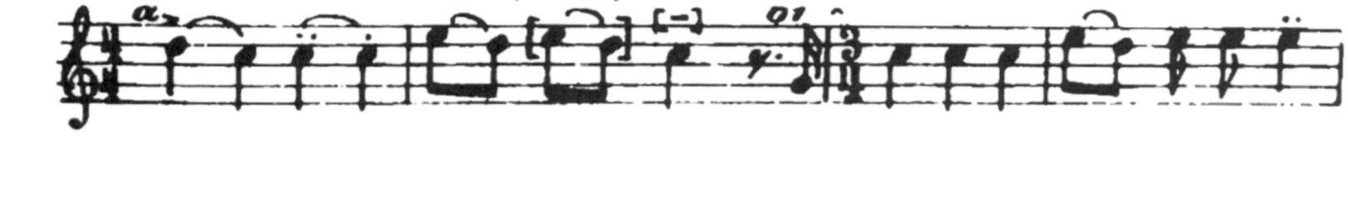

34. Tanzgesang *kauăraxtú*. Mann. (I. 47.) M.M. ♩= 92

35. Tanzgesang *hędęha*. Mann. (1. 35.) M.M. ♩= 100

36. Tanzgesang *Kę(e)dĕna* (bei Überreichen des Kaširi). (I. 33.) M.M. ♩= 94

37. **Krankenkurgesang. Zauberarzt. I. (I. 20.) M.M. ♩= 128**

II. (I. 21.) M.M. ♩= 100

III. (I. 22.) M.M. ♩= 156

Iα

α: M. 4. 19. T. 28 II. Y. 31. 36
β: M. 6. 12. T. — Y. 37 I. 37 II.

Ib

α: M. 7. 10. T. — Y. 37 III.
β: M. 20. T. — Y. 35

Ic

T. 28 III.

IIα

α: M. 5. 8. 18. T. 23. Y. —
β: M. — T. 22. 25. 27 I. 27 II. 27 III. 28 I. Y. (34).

IIb

M. 9.

IIIα

α: M. 11. 13. 14. 15. 16. 17. T. — Y. —
β: M. — T. 20 bis 21. (26.) Y. 33.

IIIb

M. 1. 2. 3. T. — Y. 29. 30. 32.

IIIc

T. 24.

REFERÊNCIAS BIBLIOGRÁFICAS

ABREU, João Capistrano de. *rã-txa hu-ni-ku-i*: a língua dos Caxinauás. Rio de Janeiro, 1914.

ADAM, Lucien. Matériaux pour servir à l'établissement d'une grammaire comparée des dialectes de la famille Caribe. *Bibliothèque Linguistique Américaine*, Paris, v.XVII, 1893.

ALTOLAGUIRRE Y DUVALE, Angel de. *Relaciones geográficas de la Gobernación de Venezuela (1767-1768)*. Madrid, 1909.

ANDRÉ, Eugéne. *A Naturalist in the Guianas*. London, 1904.

APPUN, C. F. *Ausland*. 1869, 1871, 1872.

______. Die Indianer in Brittisch Guyana. In: *Ausland*. 1871

______. *Unter den Tropen*. v.II. Jena, 1871.

ARVELO, Martin Matos. *Algo sobre etnografía del Territorio Amazonas de Venezuela*. Ciudad Bolívar, 1903.

BALFOUR, H. *The Natural History of the Musical Bow*. Oxford, 1899.

RODRIGUES, João Barboza. *Pacificação dos Crichanás*. Rio de Janeiro, 1885. (Para Koch-Grünberg.)

______. *Rio Jauapery*: pacificação dos Crichanás. Rio de Janeiro, 1885.

BARRERE, P. *Nouvelle relation de la France équinoxiale*. Paris, 1743.

BOHN, E. *Die Nationalhymnen europäischer Völker*. Breslau, 1908.

BRETT, W. H. *Legends and Myths of the Aboriginal Indians of British Guiana*. 2.ed. London, [s.d.].

BRETT, W. H. *The Indian Tribes of Guiana*. London, 1868.

BROWN, Ch. B. *Canoe and Camp Life in British Guiana*. 2.ed. London, 1877.

CHAFFANJON, J. *L'Orénoque et le Caura*. Paris, 1889.

______. *L'Orénoque et le Caura*. Paris, 1898.

COUDREAU, Henri A. *La France équinoxiale*: voyage à travers les Guayanes et l'Amazonie. v.II. Paris, 1887.

______. Vocabulaires méthodiques des langues Ouayana, Aparaï, Oyampi, Emerillon. *Bibliothèque Linguistique Américaine*, Paris, v.XV, 1892.

______. *Chez nos Indiens*. Paris, 1893.

COUDREAU, O. *Voyage au Cuminá*. Paris, 1901.

______. *Voyage à la Mapuerá*. Paris, 1903.

CREVAUX, J. Vocabulaire Français-Roucouyenne. *Bibliothèque Linguistique Américaine*, Paris, v.VIII, 1882.

______. *Voyages dans l'Amérique du Sud*. Paris, 1883.

DE GOEJE, C. H. *Bijdrage tot de Ethnographie der Surinaamsche Indianen*. Leiden, 1906.

______. *Beiträge zur Völkerkunde von Surinam*. Leiden, 1908.

______. *Études linguistiques caraïbes*. Amsterdam, 1909.

DE LA HITTE, Ch. Notes ethnographiques sur les Indiens Guayaquis. *Anales del Museo de La Plata*. Sección antropológica, v.II. La Plata, 1897.

DE ROCHEFORT. *Historische Beschreibung der Antillen-Inseln usw*. Deutsche Ausgabe. Frankfurt, 1668.

DENSMORE, Frances. Teton-Sioux music. *Smithsonian Institution*, Washington, boletim 61, 1918.

DOBRIZHOFFER, Martin. *Geschichte der Abiponer, einer berittenen und kriegerischen Nation in Paraguay*: aus dem Lateinischen übersetzt von A. Kreil. Wien, 1783.

DORSEY, J. O. Osage Traditions. *Annual Report of the Bureau of Ethnology*, Washington, v.6, p.378*ss*., 1888.

EDER, P. Fr. X. *Descriptio provinciae Moxitarum in regno Peruano*. Budapest, 1791. (Para Nordenskiöld.)

EHRENREICH, P. *Beiträge zur Völkerkunde Brasiliens*. Berlin, 1891.

______. Beiträge zur Völkerkunde Brasiliens. *Veröffentlichungen aus dem Königlichen Museum für Völkerkunde*. 2v. cad.1-2. Berlin, 1891.

ENGEL, C. *An Introduction to the Study of National Music*. London, 1866.

ERK, L.; BÖHME, P. M. *Deutscher Liederhort*. 3v. Leipzig, 1893.

FARABEE, W. C. The Amazon Expedition. *The Museum Journal*, Philadelphia: University of Pennsylvania, v.VI, n.1, 1915.

______. The Arawaks of Northern Brazil and Southern British Guiana. *American Journal of Physical Anthropology*, v.I, 1918.

______. *The Central Arawaks*. Philadelphia, 1918.

FRÖDIN, Otto; NORDENSKIÖLD, Erland. *Über Zwirnen und Spinnen bei den Indianern Südamerikas*. Göteborg, 1918.

GILIJ, F. S. *Saggio di storia americana*. Roma, 1782.

GODDARD, Pliny Earle. Life and Culture of the Hupa. *American Archaeology and Ethnology*, Berkeley: University of California Publications, 1903.

______. Hupa Texts. *American Archaeology and Ethnology*, Berkeley: University of California Publications, v.I, p.275*ss*., 1904.

GRUPE Y THODE, G. Über den Rio Blanco und die anwohnenden Indianer. *Globus*, Braunschweig, v.57, p.251*ss*., 1890.

HÜBNER, G. Nach dem Rio Branco. Reise in das Quellgebiet de Orinoco. *Deutsche Rundschau für Geographie und Statistik*, v.XX, p.14*ss*., 55*ss*. Wien, 1898.

IM THURN, Everard F. *Among the Indians of Guiana*. London, 1883.

______. Primitive Games. Timehri. *Journal of the Royal Agricultural and Commercial Society of British Guiana*, Georgetown, [s.d.].

JAHN, A. Beiträge zur Hydrographie des Orinoco und Rio Negro. *Zeitschrift der Gesellschaft für Erdkunde zu Berlin*, 1909.

______. *Contribuciones a la Hidrografía del Orinoco y Rio Negro*. Caracas, 1909.

JOEST, W. Ethnographisches und Verwandtes aus Guayana. *Internationales Archiv für Ethnographie*, Leiden, v.5, supl., 1893.

KARSTEN, Rafael. *Beiträge zur Sittengeschichte der südamerikanischen Indianer*. Helsingfors, 1920.

KELLER-LEUZINGER, Franz. *Vom Amazonas und Madeira*. Stuttgart, 1874.

KNORTZ, Karl. Aus dem Wigwam. *Uralte und neue Märchen und Sagen der nordamerikanischen Indianer*. Leipzig, 1880.

KOCH-GRÜNBERG, Th. *Anfänge der Kunst im Urwald*. Berlin, 1905.

______. *Südamerikanische Felszeichnungen*. Berlin, 1907.

______. *Zwei Jahre unter den Indianern*. 2v. Berlin, 1909-1910.

______. Aruaksprachen. Mitteilungen der Anthropologischen Gesellschaft Wien, v.41, 1911.

______. Zaubersprüche der Taulipáng-Indianer. *Archiv für Anthropologie*, Neue Folge, Braunschweig, v.XIII, p.371*ss*., 1915.

______. Abschluß meiner Reise durch Nordbrasilien zum Orinoco. *Zeitschrift für Ethnologie*, v.45, 1913.

______. Vom Roroíma zum Orinoco. v.1/2. Berlin, 1916-1917.

______. *Indianermärchen aus Südamerika*. Jena, 1920.

______. *Die Völkergruppierung zwischen Rio Branco, Orinoco, Rio Negro und Yapurá*. Festschrift für Eduard Seler. p.205-6 und Sprachenkarte. Stuttgart, 1922.

______. Betóya-Sprachen Nordwestbrasiliens und der angrenzenden Gebiete. *Anthropos*, v.VIII, IX, X-XI.

______. Vom Roroíma zum Orinoco. Reise in Nordbrasilien und Venezuela in den Jahren 1911 bis 1913. *Mitteilungen der Geographischen Gesellschaft in München*, v.XII, p.1*ss*.

KRAUSE, Fritz. *In den Wildnissen Brasiliens*. Leipzig, 1911.

KROEBER, Alfred L. The Arapaho. *Bulletin of the American Museum of Natural History*, New York, v.18, parte I, 1902.

KUNIKE, Hugo. Das sogenannte "Männerkindbett". Zeitschrift für Ethnologie, Berlin, ano 43, p.550*ss*., 1911.

LABRADOR, J. Sanchez (1770). *El Paraguay católico*. Buenos Ayres, 1910. (Para Nordenskiöld.)

LEHMANN, Walter. *Vokabular der Rama-Sprache*: Abhandlungen der Kgl. Philosophisch-philologische und historische Klasse. tomo XXVIII, v.2: Abhandlung. München: Bayerischen Akademie der Wissenschaften, 1914.

LEHMANN-NITSEHE, R. Patagonische Gesänge und Musikbogen. *Anthropos*, v.3, 1908.

LIGNITZ, Hans. Die künstlichen Zahnverstümmelungen in Afrika im Lichte der Kulturkreisforschung. *Anthropos*, v.XIV-XV, p.891*ss*.; v.XVI-XVII, p.866*ss*.

LUBLINSKI, I. Der Medizinmann bei den Naturvölkern Südamerikas. *Zeitschrift für Ethnologie*, v.52, 1920.

MARTIUS, C. Fr. Ph. von. *Reise in Brasilien*. München, 1831.

______. *Beiträge zur Ethnographie und Sprachenkunde Amerika's zumal Brasiliens*. 2v. Leipzig, 1867.

______. *Beiträge zur Ethnographie Amerika's zumal Brasiliens*. Leipzig, 1867.

MEAD, Ch. W. The Musical Instruments of the Incas. *Amer. Museum Journal*, New York, v.3, supl., 1903.

MICHELENA Y RÓJAS, F. *Exploración oficial*. Bruselas, 1867.

MOONEY, James. The Sacred Formulas of the Cherokees. *Annual Report of the Bureau of Ethnology*, Washington, v.7, p.301*ss*., 1891.

MORICE, Fr. A. G. The Great Déné Race. *Anthropos*, v.V, 1910.

MOULE, A. C. Chinese Musical Instruments. *Journ. R. Asiatic Society*, North China Branch, v.89, 1908.

MÜLLER, J. G. *Geschichte der amerikanischen Urreligionen*. Basel, 1867.

MUSTERS, G. Ch. *Unter den Patagoniern*: Aus dem Englischen. 2.ed. Jena, 1877.

NIMUENDAJÚ (Unkel), Curt. Bruchstücke aus Religion und Überlieferung der Šipáia-Indianer. *Anthropos*, v.XIV-XV, p.1002*ss*.

NORDENSKIÖLD, Erland. *Indianer och Hvita*. Stockholm, 1911.

______. *Indianerleben*. Leipzig, 1912.

______. *Palisades and "Noxious Gases" among the South American Indians*. Ymer, 1918.

______. *Eine geographische und ethnographische Analyse der materiellen Kultur zweier Indianerstämme in El Gran Chaco (Südamerika)*. Göteborg, 1918.

______. *The Changes in the Material Culture of Two Tribes under the Influence of New Surroundings*. Göteborg, 1920.

OURIQUE, Jacques. *O valle do Rio Branco*. Manaos, 1906.

OUTES, Felix F. La cerámica Chiriguana. *Revista del Museo de La Plata*, Buenos Aires, v.XVI, 1909.

PAYER, Richard. *Reisen im Yauapery-Gebiete*: Petermanns Mitteilungen. 52v. Gotha, 1906.

PENARD, F. P.; PENARD, A. P. *De Menschetende Aanbidders der Zonneslang*. Paramaribo, 1907.

PREUß, K. Th. Ethnographische Ergebnisse einer Reise in der mexikanischen Sierra Madre. *Zeitschrift für Ethnologie*, v.40, 1908.

______. *Die Nayarit-Expedition.* v.1. Leipzig, 1912.

______. *Religion und Mythologie der Uitóto.* Göttingen, 1921.

QUANDT, C. *Nachricht von Suriname und seinen Einwohnern usw.* Görlitz, 1807.

REINBURG, P. Contribution à l'étude des boissons toxiques des Indiens du Nord-Ouest de l'Amazone. *Journal de la Société des Américanistes de Paris*, v.XIII, p.25*ss*., 197*ss*., 1921.

Reise nach Guiana und Cayenne nebst einer Übersicht der älteren dahin gemachten Reisen und neuen Nachrichten von disem Lande, dessen Bewohnern und den dortigen europäischen Kolonien, besonders des französischen. Mit einer Karte und einem Kupfer. Aus dem Französischen. Hamburg, 1799.

Relatorio da Repartição dos Negócios Estrangeiros. Rio de Janeiro, 1884.

RICE, Alexander Hamilton. The Rio Negro, the Casiquiare Canal, and the Upper Orinoco, September 1919-April 1920. *The Geographical Journal*, London, v.LVIII, n.5, p.321-44, 1921.

RIVET, P. Les Indiens Jibaros. *L'Anthropologie*, Paris, v.XVIII e v.XIX, 1908.

ROTH, Walter E. "Cratch-Cradle" in British Guiana. *Revue des Études Ethnographiques et Sociologiques*, Paris, abr.-maio 1908.

______. Some Technological Notes from the Pomeroon District, British Guiana. *The Journal of the Royal Anthropological Institute of Great Britain and Ireland*, London, 1910.

______. An Inquiry into the Animism and Folk-lore of the Guiana Indians. *Annual Report of the Bureau of American Ethnology*, Washington, v.30, 1915.

SACHS, C. Die Musikinstrumente Birmas und Assams. *Sitz.-Ber. Akad. München*, v.38, 1917.

______. *Handbuch der Musikinstrumentenkunde.* Leipzig, 1920.

______. *Die Musikinstrumente des alten Ägyptens, Mitt. a. d. ägypt. Slg.* Berlin, 1921.

SAPPER, Karl. *Mittelamerikanische Reisen und Studien aus den Jahren 1888-1900.* Braunschweig, 1902.

SCHMIDT, Max. Ableitung südamerikanischer Geflechtsmuster aus der Technik des Flechtens. *Zeitschrift für Ethnologie*, Berlin, ano 36, 1904.

______. *Indianerstudien in Zentral-Brasilien.* Berlin, 1905.

______. Über altperuanische Gewebe mit szenenhaften Darstellungen. *Baeßler-Archiv*, v.1/1, 1910.

______. Die Paressi-Kabiši. *Baeßler-Archiv*, v.4, n.4-5, 1914.

SCHMIDT, P. W. Kulturkreise und Kulturschichten in Südamerika. *Zeitschrift für Ethnologie*, v.45, 1913.

SCHOMBURGK, Rob. Herm. *Geographisch-statistische Beschreibung von Britisch-Guiana.* Aus dem Englischen von O. A. Schomburgk. Magdeburg, 1841.

______. *Reisen in Guiana und am Orinoko während der Jahre 1835 bis 1839.* Nach seinen Berichten und Mittheilungen an die Geographische Gesellschaft in London herausgegeben von O. A. Schomburgk. Leipzig, 1841.

______. *Reisen in Britisch Guiana.* Leipzig, 1847-1848.

SCHOMBURGK, Richard. *Reisen in Britisch-Guiana in den Jahren 1840-1844.* 3v. Leipzig, 1848.

SHELFORD, R. An Illustrated Catalogue of the Ethnographical Collection of the Sarawak Museum, Part I Musical Instruments. *Journ. R. Asiat. Soc. Straits Branch*, jun. 1904.

SIEVERS, Wilhelm. Bemerkungen zur Karte der Venezolanisch-Brasilianischen Grenze. *Zeitschrift der Gesellschaft für Erdkunde zu Berlin*, 1887.

SPRUCE, Richard. *Notes of a Botanist on the Amazon on Andes 1849-1854.* Ed. Alfred Russell Wallace. 2v. London, 1908.

STEPHAN, E. *Südseekunst.* Berlin, 1907.

STRUCK, B. *Afrikanische Kugelflöten.* Koloniale Rundschau, 1922.

SURVILLE, Luis de. *Mapa coro-gráfico de la Nueva Andalucía provincias de Cumaná, y Guayana, vertientes del Orinoco etc. 1778.*

CAULÍN, P. Antonio. *Historia de la Nueva Andalucía*. Madrid, 1779.

TANNER, J. *Des Keutuckier's John Tanner Denkwürdigkeiten über seinen dreißigjährigen Aufenthalt unter den Indianern Nord-Amerika's*. Trad. inglês por Dr. Karl Andree. Leipzig, 1840.

TAVERA-ACOSTA, B. *En el Sur*: Dialectos indígenas de Venezuela. Ciudad Bolívar, 1907.

______. *Anales de Guayana*. v.I. Ciudad Bolívar, 1913.

TEßMANN, G. Die Kinderspiele der Pangwe. *Baeßler-Archiv*, v.2, n.5-6, 1912.

THURNWALD, R. *Forschungen auf den Salomo-Inseln und im Bismarck-Archipel*. v.1. Berlin, 1912.

Vocabulaire Français-Roucouyenne. *Bibliothèque Linguistique Américaine*, Paris, tomo VIII, p.13-4, 1882.

VON DEN STEINEN, Karl. *Durch Central-Brasilien*. Leipzig, 1886.

______. *Unter den Naturvölkern Zentral-Brasiliens*. Berlin, 1894.

______. *Unter den Naturvölkern Zentral-Brasiliens*. Berlin, 1897.

VON HORNBOSTEL, E. M. Phonographierte Melodien aus Madagaskar und Indonesien. *Forschungsreise S. M. S. Planet 1906-1907*, v.5, 1909.

______. Wanyamwezi-Gesänge. *Anthropos*, v.4, 1909.

______. Die Musik auf den nordwestlichen Salomo-Inseln. In: THURNWALD, R. *Forschungen auf den Salomo-Inseln und im Bismarck--Archipel*. Berlin, 1911.

______. Notizen über kirgisische Musikinstrumente und Melodien. In: KARUTZ, R. *Unter Kirgisen und Turkmenen*. Leipzig, 1911.

______. Zwei Gesänge der Cora-Indianer. In: PREUß, K. Th. *Die Nayarit-Expedition*. v.1. Leipzig, 1912.

______. Ruanda-Gesänge. In: CZEKANOWSKI, J. *Wissenschaftliche Ergebnisse der Deutschen Zentral-Afrika-Expedition 1907-1908*. v.6/1. Leipzig, 1917.

VON HUMBOLDT'S, Alexander. *Reise in die Äquinoetialgegenden des neuen Continents*. In deutscher Bearbeitung von Hermann Hauff. 4v. Stuttgart, 1860.

WIED, Maximilian Prinz zu. *Reise in das innere Nordamerika 1832-1834*. Coblenz, 1839-1841.

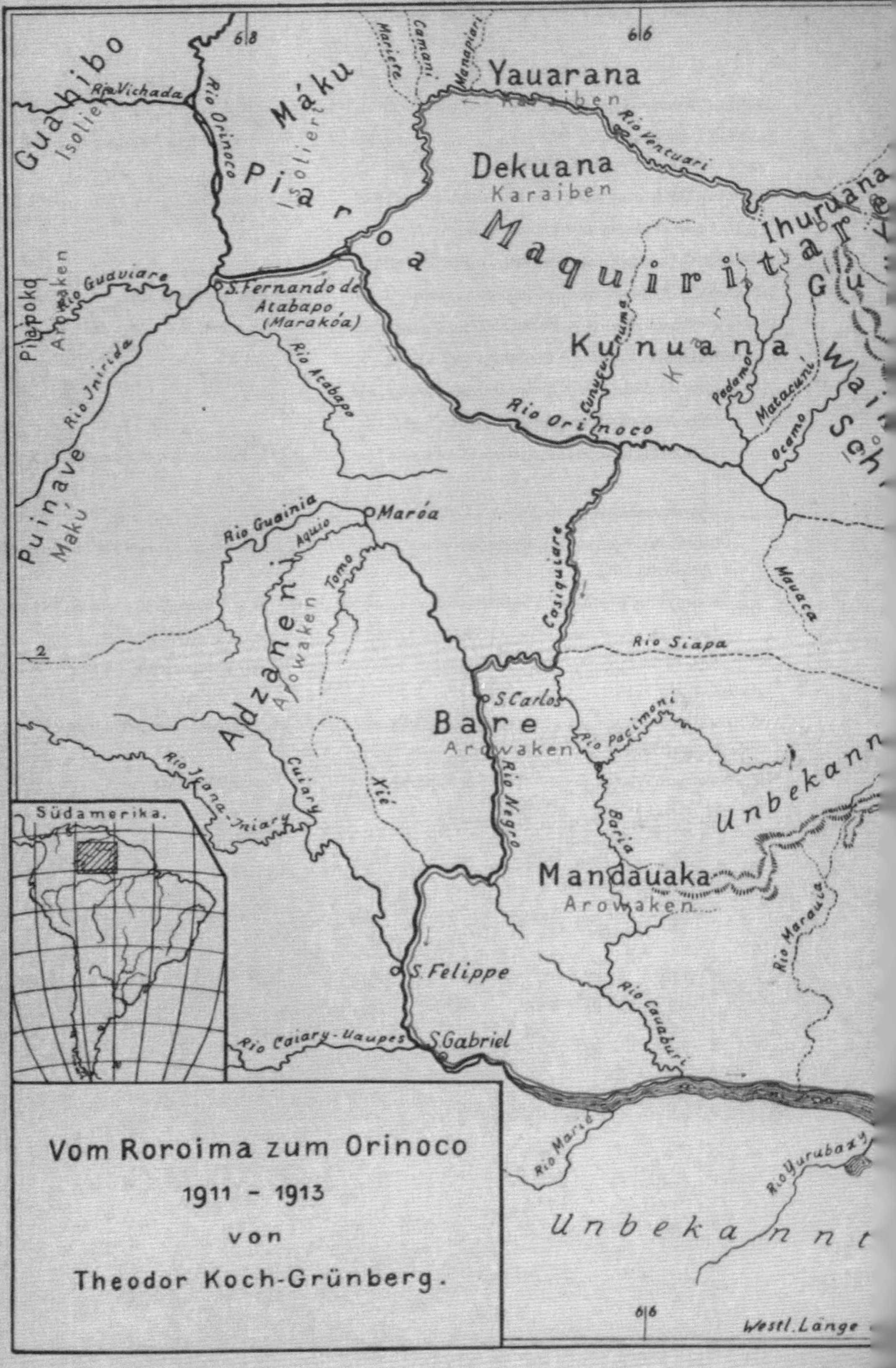
Vom Roroima zum Orinoco
1911 - 1913
von
Theodor Koch-Grünberg.
Guahibo
Isoliert
Rio Vichada
Rio Orinoco
Máku
Isoliert
Piaroa
Yauarana
Karaiben
Rio Ventuari
Dekuana
Karaiben
Maquiritare
Ihuruana
Piapoko
Arowaken
Rio Guaviare
S. Fernando de Atabapo (Marakóa)
Rio Atabapo
Rio Inirida
Kunuana
Cunucunuma
Padamo
Matacuni
Ocamo
Rio Orinoco
Puinave
Makú
Rio Guainia
Maróa
Aquio
Tomo
Adzaneni
Arowaken
Cosiquiare
Mauaca
Rio Siapa
S. Carlos
Bare
Arowaken
Rio Pacimoni
Rio Içana-Iniary
Cuiary
Xié
Rio Negro
Baria
Unbekannt
Mandauaka
Arowaken
Rio Marauia
Südamerika.
S. Felippe
Rio Cauaburi
Rio Caiary-Uaupes
S. Gabriel
Rio Marié
Rio Yurubaxy
Unbekannt
Westl. Länge

Maß

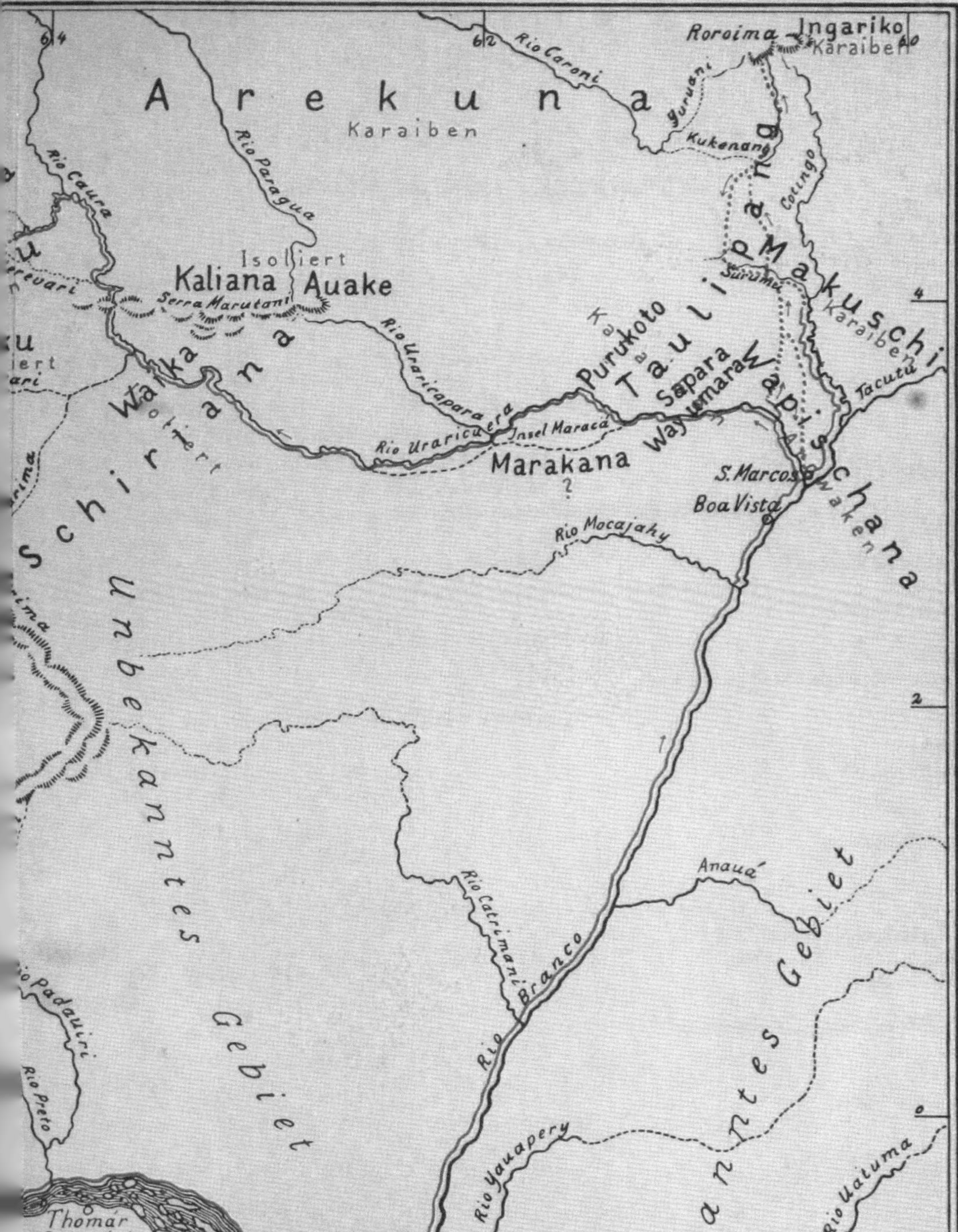

Arekuna
Karaiben
Roroima
Ingariko
Karaiben
Rio Caroni
Rio Paragua
Rio Caura
Yuruani
Kukenang
Cotingo
Isoliert
Kaliana
Auake
Serra Marutani
Surumu
Makuschi
Karaiben
Taulipang
Purukoto
Karaiben
Sapara
Wayumara
Wapischana
Aruaken
Tacutu
Rio Uraricapara
Rio Uraricuera
Insel Maracá
Marakana
?
Waika
Schiriana
isoliert
S. Marcos
Boa Vista
Rio Mocajahy
Unbekanntes Gebiet
Anauá
Rio Catrimani
Rio Branco
Rio Padauiri
Rio Preto
Rio Yauapery
Rio Uatuma
Thomár
(Bararóa)
Barcellos
(Mariuá)
64
62
60
4
2
0
gezeichnet: H. Dengler.

000

SOBRE O LIVRO

Formato: 20 x 25 cm
Mancha: 33 x 47 paicas
Tipologia: Cheltenham 10/14
Papel: Offset 90 g/m² (miolo)
Capa: dura revestida com papel Couché fosco 115 g/m²
1ª edição Editora Unesp: 2022

EQUIPE DE REALIZAÇÃO

Edição de texto
Tulio Kawata (Preparação de Original)
Rita Ferreira (Revisão)

Revisões técnicas
Nádia Farage, Paulo Santilli (Etnologia)
Carlos Alberts (Zoologia)
Geraldo A. D. C. Franco (Botânica)

Consultoria técnica geral
Jeiviane Justiniano – Universidade do Estado do Amazonas

Projeto visual
G&C Produções Gráficas
Isabel Carballo e Elbert Stein

Capa
Marcos Keith Takahashi (Quadratim)

Imagem de capa
Jaider Esbell
Transformação/Ressurgência de Makunaimî, 2018
(série *Transmakunaimî: o buraco é mais embaixo*)
Acrílica sobre tela, 89 x 90 cm.
Foto: Filipe Berndt

Editoracão eletrônica
Eduardo Seiji Seki (Diagramação)

Assistência editorial
Alberto Bononi
Gabriel Joppert